Pour une Poétique
de la négritude

MICHEL HAUSSER

Pour une Poétique de la négritude

TOME II

NOUVELLES DU SUD

TROISIÈME PARTIE

JEU DANS LE LANGAGE

CHAPITRE 1

PREFERENCES LITTERAIRES

L'habitude est prise de faire coïncider les débuts de la littérature noire (dans le domaine français) avec la négritude. Cette littérature serait née, entre les deux guerres, avec des œuvres antillaises, comme *Batouala*, et africaines, comme *Le Réprouvé* de Massylla Diop ou *L'Esclave* de Couchoro, puis, grâce aux relais de la *Revue du monde noir* et de *Légitime Défense,* aurait pris conscience d'elle-même, à la veille du second conflit mondial, sous les auspices de la négritude. S'il s'agit, précisément, de la négritude, cette démarche paraît pertinente. Elle a été suivie dans les deux premiers chapitres de cet essai. Elle implique que la négritude trouve ses racines dans la situation du monde occidental, des Etats-Unis à l'Europe, à partir du début de notre siècle. Il n'en faut pas moins reconnaître que, pour pertinente qu'elle soit du point de vue historique, à ne prendre en considération que les conditions dans lesquelles un phénomène se produit, cette vue suppose un regard occidental. Dans une perspective française, tout se passe comme si l'Afrique, silencieuse pendant des siècles, commençait à se faire entendre vers 1920. On se doit de rappeler, principalement au début de ce chapitre, que le discours qui est ici tenu, est idéologiquement marqué, ne serait-ce que parce qu'il émane d'une source occidentale et française. Il ne peut en être autrement.

Admettons qu'une telle conception soit objectivement défendable au sein d'une idéologie française. Elle l'est moins sans doute dès qu'on passe de la négritude à l'ensemble de la littérature noire. On ne s'étonnera pas, toutefois, de la trouver chez des auteurs français (au sens large) (1). On s'étonnera davantage d'y voir sacrifier Jahn (2), dont la thèse postule la permanence des caractères « agisymbiens » dans toutes les manifestations artistiques des noirs, des origines à nos jours. La surprise est plus grande encore que les Africains adoptent le même processus d'exposition. Tel est le cas de Iyay Kimoni dans un livre intitulé *Destin de la littérature négro-africaine* (3). Avec le recul dont il dispose, l'auteur juge, sans esprit polémique mais fermement, les formes françaises de la littérature noire, leur intérêt, leurs limites, leurs dangers. On s'attend, en conséquence, que cette problématique culturelle soit posée en fonction des formes traditionnelles. On s'y attend d'autant plus que Kimoni, universitaire zaïrois, se montre soucieux d'authenticité. Or, son chapitre inaugural, « Les Origines », s'ouvre, comme chez les chercheurs français, sur le mouvement « New Negro ». Cette démarche est conforme au processus de découverte des noirs américains et antillais (et, répétons-le, des Européens) mais non des Africains. S'il s'agit du *destin* de la, ou plutôt des littératures négro-africaines, son origine sourd de la nuit des siècles et non, en 1925, de la plume d'Alain Le Roy Locke (4). Un manuel d'histoire littéraire africain à l'usage de l'Afrique peut difficilement commencer autrement que par une étude des littératures orales. L'entrée en scène de la négritude n'est envisageable que beaucoup plus tard, et comme une

(1) Ainsi L. KESTELOOT, *Les Ecrivains noirs de langue française* (1963), dont le sous-titre est révélateur : « *Naissance* d'une littérature », R. PAGEARD, *Littérature négro-africaine* (1966), J. NANTET, *Panorama de la littérature noire d'expression française* (1972), J. CHEVRIER, *Littérature nègre* (1974, 1984), dont le premier chapitre reprend le sous-titre de Kesteloot, etc.

(2) J. JAHN, *Manuel de littérature néo-africaine du XVIe siècle à nos jours, de l'Afrique à l'Amérique* (1965). La littérature orale n'est abordée qu'au chapitre 5. Il est juste, cependant, de rappeler que son objet porte sur ce qu'il appelle la littérature *néo*-africaine, c'est-à-dire la littérature écrite moderne. A. NORDMANN-SEILER, avec sa *Littérature néo-africaine* (1976), s'inscrit dans la même perspective que Jahn, à ceci près que la tradition orale est totalement négligée.

(3) (1975). Il porte en sous-titre : « ou problématique d'une culture », ce qui montre clairement le désir de dépasser le clivage linguistique. La (?) culture africaine n'a pas besoin, pour exister, d'une langue européenne. On trouvera le même écho chez Mustapha BAL, « L'Homme noir dans la poésie » (1962), 26 : « Qu'on le veuille ou non, [...] la négritude avec toutes ses insuffisances a été l'enfance de la poésie noire ». C'est un fait que l'on ne doit pas ignorer et dont il faudra tenir compte », etc. Il faut évidemment « tenir compte » de la date relativement ancienne de ces lignes.

(4) Editeur de *The New Negro. An Interpretation*, New York, A. et C. Boni. V. J. JAHN, *Manuel...*, 177 s.

rupture, ce qu'elle est en effet, par laquelle se manifeste l'intrusion de formes élaborées, dans le monde occidental, par des membres de la « diaspora » noire. Ainsi se trouverait posé, par l'orientation même de la recherche, le problème des sources *littéraires* de la négritude (et, au-delà, de toute la littérature noire écrite).

Or, de manière assez contradictoire, un vaste courant de la critique universitaire africaine, au moins jusqu'à ces dernières années, admet, d'une part, le point de vue génétique européen, c'est-à-dire une *naissance* extérieure à l'Afrique (d'où, chez certains, une méfiance de principe), mais, d'autre part, postule (en fait à la suite de Jahn) une source thématique et stylistique africaine. L'hiatus historique est comblé par une continuité culturelle. Rares sont ceux qui posent clairement la dualité culturelle de nos auteurs. Ce gommage du lieu culturel d'écriture n'est guère admissible pour peu qu'on veuille examiner avec un minimum d'objectivité les conditions de production et de signification des œuvres littéraires. C'est de ce point de vue que nous entendons nous placer ici. Ce qui ne signifie pas qu'il soit exclusif et nie, entre autres, toute influence des cultures africaines sur la négritude. La question sera évoquée plus loin (5).

La négritude théorique, entendons principalement Senghor, nourrit l'ambiguïté dont il vient d'être question. Senghor reconnaît une dualité d'influences, mais privilégie l'influence africaine. Il écrit dans un texte connu, qu'il est donc licite d'abréger :

> Pourquoi le nierai-je ? Les poètes de l'*Anthologie* ont subi des influences, beaucoup d'influences : ils s'en font gloire. Je confesserai même [...] que j'ai beaucoup lu, des troubadours à Paul Claudel. Et beaucoup imité. [...] Je confesserai aussi qu'à la découverte de Saint-John Perse, après la Libération, je fus ébloui comme Paul sur le chemin de Damas. [...] La *vérité* est que j'ai surtout lu, plus exactement écouté, transcrit et commenté des poèmes négro-africains. [...] Si l'on veut nous trouver des maîtres, il serait plus sage de les chercher du côté de l'Afrique (6).

(5) Très succinctement, car je ne suis aucunement qualifié pour le faire. C'est un travail qui relève de la seule compétence des Africains mais qui, à mes yeux, devrait être abordé et traité autrement qu'il ne l'a été jusqu'ici, c'est-à-dire, pour le moins, sans postuler au départ de toute création une nécessaire et indéfectible fidélité aux traditions africaines.

(6) SEN., « Comme les Lamantins... » (*P.* 157-158 ou *L. 1,* 219-220). Il évoque, à la fin de ce texte, les leçons qu'il a tirées de l'enseignement de Marône, la poétesse de son village.

On souligne le mot *vérité* qui oppose un fonds authentique à des procédés appris. La culture française n'a qu'un rôle médiateur, l'objet, c'est, comme on a dit, « la défense et illustration de la civilisation noire » (7). Telle n'est pas exactement la position de Senghor (et, généralisons, de la négritude), cause de conflit avec les générations actuelles : l'ambition des poètes de la négritude est « d'ouvrir la voie à une authentique poésie nègre, *qui ne renonce pas, pour autant, à être française* » (8). C'est reconnaître que la culture, théoriquement médiatisante, demeure le lieu dans lequel, aussi, s'écrit cette poésie. En fait, Senghor ne lève pas l'ambiguïté. Un autre exemple le confirme : reçu à la Sorbonne en 1961, il déclare à ses « vieux maîtres » :

> La grande leçon que vous m'avez donnée n'est-elle pas que la *culture* [...] commence à l'oubli des leçons du Maître ? Voilà, ajoutiez-vous, qui fait la grandeur de Rome en face d'Athènes, la grandeur de Paris en face de Rome. Cette leçon, croyez-le bien, je l'ai méditée des années durant, repassant et repensant mes cours en tournant les pages d'une main nocturne (9).

La citation non déguisée qui termine ce passage renvoie une fois de plus à du Bellay. L'auteur veut donner à entendre qu'il agit, dans son domaine, comme du Bellay dans le sien. Mais l'expression contredit le contenu. On ne remplace pas impunément *langue* par *civilisation,* comme l'a fait Mezu, au gré sans doute de Senghor. Le danger est plus menaçant encore lorsqu'on se refuse à faire le départ, dans le lieu-source (ici la France), entre langue et civilisation. C'est ce que nous verrons plus loin.

Senghor lui-même parle d'influence. C'est une notion délicate à manier. Telle « influence » évidente aux yeux du lecteur peut n'être, de l'aveu de l'auteur, qu'une simple rencontre excluant toute filiation. Ainsi Senghor a-t-il toujours nié que Perse fût une source de son style et de sa vision poétiques (10).

(7) On reconnaît le titre de la thèse de S.O. Mezu.
(8) SEN., *ibid., P.* 165 (*L. 1,* 224). Souligné par moi.
(9) ID., *L. 1,* 316.
(10) Dans le passage des « Lamantins » cité page précédente, Senghor dit n'avoir découvert Perse qu'après la Libération. Cela ne correspond pas à une précision ultérieure selon laquelle « l'Evénement » aurait eu lieu sous l'Occupation, en 1942, lorsque le numéro des *Cahiers du Sud* contenant *Exil* tomba entre ses mains (*L. 1* (1962), 334). L'auteur déclare : « Je connaissais le nom du Poète, mais je ne l'avais pas encore lu, alors que j'avais, dans mes tiroirs, la matière de deux recueils » (*ibid.*). Cf. *ibid.,* 218 : « Tel me reproche d'imiter Saint-John Perse, et je ne l'avais pas lu avant d'avoir écrit *Chants d'ombre* et *Hosties noires.* » Il veut donc assurer

(*Suite p. 11*)

Nulle raison de mettre en doute sa parole (d'autant plus que la ressemblance entre ces deux auteurs est moins certaine qu'il n'y paraît). Il est de fait qu'on ne peut conclure d'une ressemblance ou d'une analogie à une nécessaire imitation, voire seulement à une connaissance de l'auteur prétendument imité (11). Inversement, une « influence » avouée peut se réduire à une sensibilité à telle œuvre, telle personnalité et, par là-même, être assez vague dans l'esprit du lecteur. Senghor note à l'intention d'un de ses biographes :

> Je vous ai indiqué les influences que j'ai subies. En fait, en réfléchissant à la question, je m'aperçois que j'ai quelque peu exagéré ces influences, en particulier celles de Barrès, de Price-Mars, de Bergson, de Saint-Simon (12).

Si l'intéressé ne peut garantir une influence, l'enquêteur doit redoubler de prudence. Et que de manières d'être influencé ! Une influence profonde mais diffuse n'entraînera pas obligatoirement une dépendance textuelle, ni même philosophique ou idéologique. Le même Senghor a consacré à Gœthe un article éloquent dans lequel il énumère tout ce que lui doivent les « nègres nouveaux ». Ceux-ci, Senghor le premier, se considèrent comme les destinataires du message multiforme de Goethe. La négritude a-t-elle, pour autant, subi son influence ? Il semble que Gœthe, et d'autres, lui aient surtout servi de garants :

> Dans cette aventureuse quête du Graal-Négritude, nous nous faisions des *alliés* de tous ceux en qui nous découvrions quelque *affinité*. Et pourquoi pas des Allemands, malgré Hitler (13) ?

que ses deux premiers recueils ne doivent rien à Perse. Si la « découverte » se fait en 1942 et non en 1944-1945, *C. et H.* ont été achevés dans la connaissance de Perse. Mais peu importe. Perse n'infléchit en rien le style de Senghor (qui doit davantage à Claudel) mais garantit sans doute, à ses yeux, la validité de son écriture.

(11) Ionesco s'amuse de telles suppositions : « On m'avait dit que j'étais influencé par Strindberg. Alors j'ai lu le théâtre de Strindberg et j'ai dit : « en effet, je suis influencé par Strindberg. » On m'avait dit que j'étais influencé par Vitrac. Alors j'ai lu Vitrac et j'ai dit : « en effet, je suis influencé par Vitrac », etc. (C. BONNEFOY, *Entretiens avec Eugène Ionesco*, 57).

(12) In J.-L. HYMANS, *An Intellectual Biography : L.S. Senghor*, 267. Senghor réfute dans la même lettre des influences dont Hymans fait état : Etienne Léro, Alioune Diop et Abdoulaye Ly, « pour ne pas parler, ajoute-t-il, du M.R.P. et du groupe socialiste ». Il proclame au contraire celle d'Emmanuel Mounier.

(13) SEN., « Le Message de Goethe aux Nègres-nouveaux », *L. 1* (1949), 83 (souligné par moi).

On oublie volontiers qu'une influence peut être entièrement négative. Ce n'est pas toujours la moins forte. Mais, à défaut de déclarations explicites du sujet, elle risque d'être isolée par intuition plus que par démonstration. C'est ainsi qu'il est tentant de voir en Césaire, dans une certaine mesure, un anti-Perse (v. plus loin). Au demeurant, ce qu'il est convenu de nommer influence n'est parfois que l'expression extrinsèque d'une tendance propre à l'individu. Citons à nouveau Senghor, plus explicite, ici encore, que tout autre :

> J'ai toujours assimilé ce qui me ressemblait et rejeté ce qui était contraire à ma nature. [...] Bref, toutes les influences que j'ai acceptées par la suite [c'est-à-dire depuis sa sortie du collège Libermann] furent celles qui tendaient à me confirmer dans ma conviction, et j'ai toujours rejeté celles qui m'étaient contraires (14).

Sans doute Senghor simplifie-t-il le problème. Il faudrait distinguer entre lectures précoces, donc formatrices, et lectures tardives où l'auteur peut reconnaître comme un reflet de ce qu'il est devenu, comme une image de ce qu'il désire, plus ou moins confusément, écrire (15), distinguer également entre l'effet produit sur l'homme et sur l'écrivain (16). Toutefois, même si elle n'est pas généralisable, cette dimension doit être prise en compte. Elle montre que le terme d' « influence » couvre des réalités bien différentes.

Ordinairement, l'influence est donnée comme source de l'œuvre ou du texte. Cette perspective génétique, répétons-le, ne paraît pas prégnante ici, où l'on cherche davantage à saisir un fonctionnement qu'une gestation. Notion incertaine, notion peu pertinente, on est prêt à l'écarter. Néanmoins, étant donnée la « significativité » de l'auteur, qu'on a essayé d'établir précédemment (1, 3), il ne paraît pas inintéressant de décrire à grands traits les composantes culturelles et littéraires qui informent le lieu complexe d'où s'exprime la négritude. Le but n'est donc pas de sérier les « influences » subies par chacun de nos auteurs (on les trouvera dans les monographies qui leur sont consacrées, quand elles existent), mais de supputer la conscience culturelle

---

(14) In HYMANS, *op. cit.*, 269 (retraduit de la version anglaise de cette lettre). Senghor dit de même ailleurs (à propos de Claudel) : « L'on n'imite que celui à qui l'on ressemble » (SEN., *La Parole chez Paul Claudel et chez les négro-africains*, 7 (*L. 3*, 348).

(15) « La première fois que je lus les poèmes de Péguy, plus tard de Saint-John Perse, mais d'abord de Claudel, ils me firent l'effet de poèmes idéaux auxquels j'avais rêvé » (ID., *ibid.*, 8).

(16) Pour ne prendre qu'un exemple : Gobineau a certainement marqué la pensée de Senghor, mais nullement son écriture.

d'une négritude quelque peu anonyme et les domaines littéraires dans lesquels elle s'enracine. Les renseignements dont on dispose ont des origines diverses : les auteurs eux-mêmes ou leurs exégètes ; ils offrent également des applications variées, qu'ils soulignent une influence patente, ou une imprégnation, ou de simples lectures dont on ignore quel profit l'intéressé a tiré.

Le domaine ainsi couvert est analysable historiquement et géographiquement : d'une part les littératures antiques, classiques, modernes, d'autre part l'Afrique, les Antilles et les Amériques, enfin l'Occident, singulièrement la littérature française, en négligeant quelques rares espaces excentriques, l'Inde par exemple. Un rapide recensement montre que, pour les neuf dixièmes, les références sont françaises. Cela ne surprendra personne.

Il faut y voir une conséquence nécessaire du système scolaire. Tous les poètes de la négritude ont été, dans leur adolescence, et, pour certains (les Antillais, David Diop), dès l'enfance, façonnés intellectuellement à la lecture scolaire de nos classiques. Leur bagage ne diffère pas, qualitativement ni quantitativement, de celui des jeunes Français de l'époque. A vrai dire, l'expérience est autre. Il faudrait prendre en charge leur enfance familiale, mais la pratique est sensiblement identique. Ceux de nos poètes pour lesquels les influences sont si diffuses qu'elles défient toute détermination et qui, donc, d'un point de vue occidental, peut-être erroné, apparaissent comme les moins « liseurs » (Sissoko, Socé, Keita, Dadié), sauf à considérer, pour d'autres (Roumain, D. Diop ; c'est peut-être aussi le cas de Dadié), que leur «engagement » plus total leur fait négliger des modèles littéraires précis, aucun de ceux-là, néanmoins, n'a échappé aux « humanités » françaises. Sissoko, par exemple, évoque volontiers les lectures de sa jeunesse. Il se souvient d'avoir aimé Fénelon, évidemment pour le *Télémaque* (17), il évoque Homère, Pascal, Shakespeare, La Fontaine, Vauvenargues, Plotin et Epictète (18). Il lira plus tard *La Cité antique* (« une révélation ») et, comme ses condisciples de William Ponty, « réserve[ra] sa faveur » à la *Chanson de Roland*, à Rabelais, Pascal et La Fontaine encore, à Rousseau, Renan,

---

(17) SIS., *La Savane rouge*, 22. Il rapporte que son professeur avait écrit sur une de ses copies : « N'essayez pas d'imiter Virgile ou Fénelon. / Ecrivez en prose simple et claire. » Il semble avoir suivi scrupuleusement ce conseil. On a eu l'occasion de noter plus haut (t. 1, 56), le rôle de *Télémaque* sur la prise de conscience politique de Sissoko.
(18) ID., *ibid.*, 44-45.

Hugo et Dumas père (« ce dernier étant des nôtres ») (19). Voilà un assez bon échantillonnage des lectures pratiquées par les apprentis instituteurs, qui trouveront des livres analogues dans les bibliothèques des postes où les amèneront les hasards de leurs affectations (20).

Seuls ceux qui dépassent le niveau primaire, ou secondaire, ou primaire supérieur, échapperont à l'emprise de ces lectures scolaires et découvriront, au-delà des programmes, mais aussi grâce à eux, une culture plus large et plus actuelle, mais à peu près semblable à celle des universitaires français ou de ce qu'on peut appeler l'élite cultivée. Parmi les classiques français une place particulière doit être accordée à Corneille, qui semble, plus que Racine, avoir marqué les écoliers d'Afrique. Senghor le dit sans ambages :

> Je voudrais évoquer, ici, ma jeunesse lycéenne à Dakar. Nous dissertions alors sur Racine, mais seul Corneille nous passionnait, faisait « courir notre corps », comme on dit là-bas. Corneille ! C'est l'aboutissement d'un idéal qui s'élaborait, quelques siècles auparavant, en pays d'Oc, sous le ciel lumineux de l'Esprit. Mais celui-ci ne faisait-il pas s'éclairer une richesse, une générosité intérieure (21) ?

Senghor écrit « nous ». Ce n'est pas une clause de style. Nous reviendrons, à titre d'exemple, sur le privilège dont jouit (ou jouissait) Corneille en Afrique.

Il est vraisemblable, comme on l'a dit, que l'éveil poétique de nombre de nos auteurs date de leurs années de lycée. A ce

---

(19) ID., *Les Noirs et la culture*, 46. La caractérisation de Dumas est vraisemblablement une vue rétrospective due à la négritude « impérialiste ». Il est douteux que Dumas ait été lu, *alors*, comme quarteron.

(20) V., dans *La Savane rouge* (58-59), les lectures de Sissoko à la bibliothèque de Dori : Tacite, P. Louys, France, Farrère, Vigny, Reboux et Muller, Gyp, Courteline, Th. Ribot, Rimbaud, Verlaine, Hugo, plus quelques revues (Birago Diop le montre, en 1935, discutant « de Balzac, des Frères Karamazov et d'Anatole France », *La Plume raboutée*, 102). On les comparera à celles d'un personnage donné comme réel (né vers 1880) qui, passé par l'Ecole des otages de Kayes, a appris le français « à force de lire Dumas, Lamartine, Victor Hugo, Leconte de Lisle, Voltaire, La Fontaine, Alfred de Musset et Boileau » (A. H. BA, *L'Etrange Destin de Wangrin*, 261). Parmi les nombreuses lectures du jeune Birago Diop, outre La Fontaine, Musset et Rabelais : Villon, Charles d'Orléans, Christine de Pise [sic] et Molinet, mais aussi Zola, Zevaco et Zamacois (BDP, *ibid.*, 48-49).

(21) SEN., *L. 1* (1947), 78. Corneille, à côté de Racine il est vrai (*Bérénice*), est également cité à propos de Rabemananjara ; v. RAKOTO et LORIN, « J. Rabemananjara et le thème de la vie », 37, E. BOUCQUEY de SCHUTTER, *J. Rabemananjara*, 33, A. HILDEBRAND, « Poesia africana [...] : der Madegasse J. Rabemananjara », 295-296 (qui paraît citer Rakoto et Lorin), etc.

stade, la fréquentation des romantiques français (Lamartine, Hugo et Nerval) a peut-être été déterminante (22). Faut-il insister sur ce phénomène qui paraîtra sans doute banal ? On est tenté de n'y voir qu'un intérêt juvénile, une imprégnation culturelle diffuse, à la rigueur une stimulation à écrire, expériences communes à bien des lycéens qui, après quelques essais patauds dans le style classique, romantique, symboliste, ou bien renoncent à écrire, ou bien demandent aux maîtres de l'heure des leçons d'écriture plus personnelles. Apparemment ce schéma convient ici. On en verra, ci-dessous, des preuves. Il faut pourtant signaler un caractère particulier à la génération de la négritude. L'écolier africain est d'un coup confronté à une langue, puis à une littérature dont il ignore tout. On insiste volontiers sur le choc psychologique causé par l'acculturation en langue étrangère et sur les inhibitions et les névroses qui peuvent en découler. Mais les faits montrent que cette réaction n'est pas inéluctable ni même si fréquente qu'on le dit. Toutes sortes de réponses sont possibles, du refus inconscient (d'où des troubles graves) à l'acceptation émerveillée, en passant par le refus volontaire des rebelles et l'acceptation résignée ou intéressée des pragmatistes. David Diop serait de ces derniers. Mais tous les autres membres de la négritude africaine et malgache se situent entre l'acceptation sereine et l'émerveillement. Parmi les émerveillés, Senghor, évidemment. Il rappelle qu'il reçut vers sept ans ses premières leçons de français :

> Je commençai naturellement à apprendre des mots comme « chocolat » et « confiture ». Mais déjà, pour moi, ajoute-t-il, la langue française était délicieuse comme une confiture (23).

Délicieuse également, plus tard, la découverte de la littérature française. Une telle fascination est assez caractéristique de cette négritude (et lui sera reprochée comme une trahison). Elle paraît plus exceptionnelle et moins intense, en règle générale, dans les lycées de France. D'où une marque « classique » plus profonde, assez indélébile chez nos poètes. Ajoutons que ceux d'entre eux qui deviendront instituteurs ou professeurs auront l'occasion de réactualiser leurs humanités. C'est vrai des anciens de William Ponty. C'est vrai tout particulièrement de Senghor, qui restera toute sa vie et, peut-on dire, en premier lieu, un

---

(22) L. KESTELOOT, op. cit., 285. L'auteur se fonde sur une enquête personnelle.
(23) Propos tenus lors de l'émission télévisée En direct avec Senghor (19 décembre 1966).

universitaire, un universitaire qui, au contraire de Césaire, ne se rebellera jamais contre ses maîtres, un sorbonnard, diraient ses détracteurs. On justifiera de la sorte, en partie, son intérêt pour la poésie des troubadours et celle de la Renaissance, dont il n'a, du reste, jamais fait mystère (24).

Sur ce fonds, qu'on dira primaire (en jouant sur le mot), et dont il importe de ne pas minimiser l'importance, s'implantent ultérieurement des lectures plus directement fécondes, qui laisseront des traces perceptibles ou évidentes. Rappelons, pour mémoire, les romantiques. On connaît l'hommage de Senghor à Hugo (25). Le même Hugo, mais celui des *Misérables*, est sans doute l'une des rares sources occidentales de Dadié et l'on a vu que le rôle dévolu par la négritude au poète n'est pas sans rappeler la conception hugolienne du *vates*. Les romantiques ont singulièrement intéressé les Malgaches (26) et Musset est signalé pour Birago Diop (27). Avec Baudelaire, tout comme dans la tradition universitaire française contemporaine, on trouve un maître assez généralement évoqué (28), à un moindre titre les parnassiens (29) et Verlaine (30). Mais, de cette époque, la référence la plus marquante et la plus riche de conséquences revient incontestablement à Rimbaud, au moins pour trois de nos poètes et parmi les plus grands. Senghor connaît évidemment Rimbaud (31), mais celui-ci semble faire partie de sa culture passive. Présence active, au contraire, dans le cœur de

(24) Pour les troubadours, v. L. KESTELOOT, *op. cit.*, 175. On sait que Senghor écrivit la préface d'une *Anthologie des poètes du XVIe siècle* (reprise in *L. 1*, 185-196).

(25) SEN., « Jeunesse de Victor Hugo », *ibid.* (1952), 126-129.

(26) Dans ses *Calepins bleus*, Rabearivelo évoque Balzac, Gautier, Hugo, le « cher affreux Vigny », etc. (cité par R. BOUDRY dans « La Mort tragique d'un poète »). O. MANNONI, dans sa préface à *O* (7), précise que Ranaivo imitait, dans ses premiers vers, les romantiques français, auxquels il convient d'ajouter les « poètes des isles ». Vigny et Hugo sont mentionnés pour Rabemananjara (A. HILDEBRAND, *loc. cit.*) ainsi que les romantiques allemands comme Kleist. Il semble partager avec Ranaivo son goût pour Hölderlin, Novalis et Rilke (L. KESTELOOT, *op. cit.*, 285).

(27) M. KANE, *Birago Diop*, 80, BDP., *La Plume raboutée*, 47-49.

(28) KESTELOOT, *loc. cit.* On le cite pour Césaire (E. YOYO, *Saint-John Perse ou le conteur*, 76), Senghor (HYMANS, 16), Rabearivelo (BOUDRY, *op. cit.*, 535), Rabemananjara (HILDEBRAND), B. Diop (MERCIER et BATTESTINI). Damas reconnaît pour sa part : « Il est certain que, si j'ai été très influencé par Mallarmé, je l'ai été plus encore par Baudelaire », mais il ajoute cette précision intéressante : « surtout par ses traductions d'Edgar Poe » (« La Négritude en question », 61).

(29) A propos de Rabemananjara (RAKOTO et LORIN) et de Césaire (*Aimé Césaire*, éd. Nathan, 13).

(30) Pour Rabearivelo (J.-L. JOUBERT, « Sur quelques Poèmes de Rabearivelo », 77), Damas (O. BHELY-QUENUM, « *Névralgies* de L.-G. Damas », 49).

(31) HYMANS l'évoque assez longuement sans que Senghor rectifie (*op. cit.*, 32-33). V. « Lettre à trois poètes de l'hexagone », 346.

Rabearivelo, qui s'adresse à lui au moment de mourir. Il écrit dans son dernier poème ces vers souvent cités :

A l'âge de Guérin, à l'âge de Deubel,
un peu plus vieux que toi, Rimbaud anté-néant (32).

Peut-être est-il plus sensible à son destin qu'à ses écrits, mais peu importe. En revanche, la présence de Rimbaud, l'homme et le poète, est déterminante sur Césaire. Dès 1942, celui-ci est présenté comme son héritier (33). L'a-t-il découvert, comme le prétend Leiris, dès son enfance (34) ?, ce n'est pas certain, mais il est de fait que Césaire a vécu, vit avec Rimbaud. On a noté la haine qu'il voue à l'Europe et aux assis, l'appel qu'il entend de l'Afrique, où il vécut, dont il mourut. Et n'a-t-il pas dit qu'il était un nègre, qu'il entrait « au vrai royaume des enfants de Cham » (35) ? Ce que Rimbaud est par choix de révolté, Césaire l'est, en quelque sorte, de race. Même les non-révolutionnaires se reconnaissent dans cette élection du nègre, représentant de la vraie vie. Mais, ne l'oublions pas, l'adhésion totale à Rimbaud passe également par le surréalisme. On se rappelle Breton : « A travers les rues de Nantes [1916], Rimbaud me possède entièrement » (36). Fascination de nègre, ou de nègre surréaliste, ou, simplement, de surréaliste ? Le rimbaldisme, moins évident, de Damas (37) a peut-être une origine plus uniment surréaliste.

On admettra sans peine que, au moins pour Césaire, il faille adjoindre à Rimbaud Lautréamont, auquel s'ouvrent les pages de *Tropiques*. Césaire, qui, là encore, fait acte de surréaliste, trouve, en effet, sa poésie « belle comme un décret d'expropriation », il le nomme « prince sévère des contorsions », il considère qu'il « assura la poésie dans sa dignité magico-pulsionnelle », qu'il est « l'inventeur de la mythologie moderne » (38). Bref, ce n'est pas sans raison que l'on a pu reprocher à Césaire essentiellement trois modèles, tous trois occidentaux : Lautréamont, Rimbaud et Baudelaire (39). Lautréamont demeure l'apa-

---

(32) R. BOUDRY, *J.-J. Ravearivelo et la mort*, 10 (on sait que Léon Deubel se suicida, en se jetant dans la Marne, à 34 ans). Rappelons qu'au moment d'avaler le cyanure, le poète note : « J'embrasse l'album familial. J'envoie un baiser aux livres de Baudelaire que j'ai dans l'autre chambre » (*ibid.*).
(33) A. MAUGEE, « Aimé Césaire poète », 13. Damas (*loc. cit.*) va plus loin : « Césaire, c'est la résurrection vivante [!] de Rimbaud ! »
(34) M. LEIRIS, « Qui est Aimé Césaire ? », 8.
(35) RIMBAUD, *Une Saison en enfer*, « Mauvais Sang ».
(36) A. BRETON, *Entretiens*, 36.
(37) Signalé par J. CORZANI, *La Littérature des Antilles-Guyane...*, t. 3, 260 et t. 4, 318.
(38) J.-L. BEDOUIN, *Vingt Ans de surréalisme*, 36-37.
(39) E. YOYO, *loc. cit.*

nage du seul Césaire, peut-être aussi de certains de ses disciples : David Diop et Tirolien, ainsi que, si l'étiquette est admissible, Roumain. De la génération symboliste, citons d'abord Mallarmé qui est nommé trois fois dans l'enquête de Kesteloot (40) et, outre Verlaine, Laforgue, bien connu de Rabearivelo, que pratiquent Damas et Birago Diop (41), et Verhaeren que Césaire apprécie (42). On peut surtout affirmer que la poésie symboliste a joué un rôle fondamental dans la formation morale et poétique de Rabearivelo, plus superficiel dans celle de B. Diop. Tirolien, lui aussi, semble l'avoir beaucoup lue.

C'est vraisemblablement la pratique assidue et diversifiée de cette poésie française de la fin du XIXᵉ siècle, d'abord scolaire puis plus personnelle, qui transforme en vocation le désir d'écrire de ceux qui deviendront les poètes de la négritude. On a pu dire justement :

> Comme Rabearivelo, Léopold Senghor et Aimé Césaire avaient commencé par écrire de médiocres poèmes d'inspiration parnassienne ou symboliste imitant un art mort depuis un demi siècle. C'est que le jeune poète de l'entre deux guerres qui se choisissait poète ne pouvait que suivre des modèles académiques (43).

Senghor reconnaît volontiers que, jusqu'à la fin de ses études supérieures, il n'a guère fait qu'imiter les poètes français (44), comme il est naturel. Césaire et Senghor détruisent ces exercices de jeunesse ou, du moins, ne les publient pas, mais Rabearivelo fait éditer les siens. Rabemananjara n'agira pas autrement, de même, ultérieurement, Birago Diop. Le cas le plus surprenant est celui de ce dernier qui attend quarante ans pour publier les productions de sa jeunesse. Nous y reviendrons à la fin du chapitre suivant. Les premières publications de Rabearivelo et de Rabemananjara sont à peu près contemporaines de la composition et témoignent clairement de leur accord avec le monde culturel qu'ils ont choisi ou qui s'est imposé à eux. L'imprégnation romantico-symboliste est évidente en Rabemananjara. Rabearivelo, lui, se montre un lecteur attentif de ceux qu'on a appelés les Fantaisistes, ordinairement ignorés aujourd'hui, à l'exception de Toulet, et dont on a parlé précédemment, en

---

(40) L. KESTELOOT, *op. cit.*, 285. Parmi ses amateurs, nécessairement, Césaire (*ibid.*, 148), mais aussi Damas qui le « lut beaucoup dans les années 1920-1930 » (*ibid.*, 139).

(41) Concernant Damas, v. N.R. SHAPIRO, « Negro Poets of the French Caribbean... », 220, et B. Diop, MERCIER et BATTESTINI, *loc. cit.*

(42) *A. Césaire* (Nathan), *loc. cit.*

(43) J.-L. JOUBERT, *loc. cit.*

(44) J. WOLF, « Dialogue avec le poète-président L.S. Senghor » (1972), 20.

particulier comme dédicataires-destinataires. Les *Calepins bleus* mentionnent Fagus, Ormoy et Toulet (« ce n'est pas drôle de mourir ») (45). On ne peut nier que Rabearivelo a appris son métier de poète dans l'étude attentive des épigones du symbolisme, dont Deubel cité plus haut, et des Fantaisistes, ses contemporains, qui paraissaient, à ses yeux lointains de solitaire, *actuels*. Il écrivait, en 1931, dans la revue *Capricorne* :

> De l'école romane [...] est issue l'école fantaisiste qui n'est rien autre chose maintenant que l'école française tout court. [...] Nul mieux que nous n'aime et ne les met à leur vraie place un Derème, un Vérane, un Ormoy, un Chabaneix et un Allard — pour ne citer que ceux qui ont les premiers contribué à fondre la succession de Moréas à celle de Toulet. Ce sont bien les poètes les plus délicieux et les plus parfaits de leur génération (46).

On mesurera tout le fossé qui sépare Rabearivelo, dont les goûts sont d'un attardé, au sens que l'histoire littéraire traditionnelle donne à ce mot (comment le lui reprocher ?), de ses jeunes émules qui le placeront à leur côté au sein de la négritude : Senghor et Césaire. Eux ne lisent pas des *minores* fêtés par un public féru de délicatesse surannée, mais ceux dont l'œuvre est alors en plein essor, dont la pensée agit sur l'opinion et qui auront sur leur formation une influence décisive. Deux noms doivent être cités avant tous les autres étant donné le rôle qu'ils ont joué dans la propédeutique de la négritude : Péguy et Claudel. Sans doute est-on enclin à valoriser l'influence de Claudel. Il ne faut pas, néanmoins, négliger celle de Péguy, que Césaire lit intensément, selon Damas, au moment où il écrit le premier *Cahier* (47). Césaire lui consacre un peu plus tard, à l'époque des *Armes miraculeuses,* un article enthousiaste. Grandeur de Péguy, écrit-il,

> grand pour avoir aimé et compris son pays plus qu'aucun. [...] Il fut celui qui ne désespéra pas de l'homme. [...] Il ne douta pas de l'homme. Ni pessimiste. Ni sceptique. Mais il lui assigna la totale charge de grandeur : toute la vérité à oser, toute la justice à promouvoir, tout l'amour à tenter, tout le destin à supporter (48).

On aura remarqué que, dans cet éloge, l'auteur adopte le style même de Péguy. Si l'influence de Péguy est moins forte sur

---

(45) R. BOUDRY, « La Mort tragique d'un poète », *loc. cit.*
(46) Cité in J.-L. JOUBERT, *Loc. cit.*
(47) DAM., *loc. cit.*, qui ajoute l'influence d'Alain.
(48) CES., in *Tropiques*, 1 (1941), 39-40.

Senghor, celui-ci, pourtant, l'apprécie hautement (49), mais c'est à Claudel que s'attache sa « dilection ». Tous les commentateurs l'avaient noté avant que Senghor n'apporte son témoignage :

> Si j'ai beaucoup lu par profession et, maintenant, par plaisir, il reste que, parmi les Français, c'est le poète Paul Claudel qui m'a le plus *charmé*, partant, *influencé*. Ne serait-ce que sous la forme du *verset*, que j'ai fini par adopter (50).

Indubitablement Claudel est, pour Senghor, un « phare », moins sans doute pour Césaire, encore qu'on signale valablement l'estime dans laquelle il tenait certaines pièces de son théâtre (51).

A ces noms qui paraissent majeurs dans la formation de quelques têtes de la négritude, il faudrait en ajouter bien d'autres : Gide, Dostoïevsky, par exemple. On insisterait, à propos de Senghor, sur Proust (52), Perse et Teilhard de Chardin, concernant Césaire, sur les grands dramaturges grecs, Shakespeare, Nietzsche (53), l'expressionnisme allemand, Brecht (54), etc. On mentionnera surtout, pour y revenir ultérieurement, le surréalisme. On sait qu'il a fasciné Césaire, intéressé Senghor, que Damas s'est lié avec Desnos et Aragon, Césaire avec Breton. Le « tombeau » qu'il écrivit à la mort d'Eluard prouve l'estime dans laquelle il tenait le poète... et son indifférence aux querelles surréalistes. Mais la majeure partie de la négri-

---

(49) A. GUIBERT, en qui l'on peut voir un porte-parole complaisant du poète, nomme Péguy aux côtés de Proust, de Supervielle et de Claudel (*L.S. Senghor* (P.A.), 19). Cf. KESTELOOT, *op. cit.*, 175, G. KONRAD, « Ueber L.S. Senghor », 301.

(50) SEN., *La Parole chez P. Claudel...*, 7 (ou L. 3, 348). L'ouvrage éclaire moins les conceptions de Claudel que celles de Senghor lui-même.

(51) KESTELOOT, *op. cit.*, 148 (v., ci-dessous, appel de note 57). Selon LEIRIS (*loc. cit.*), Claudel aurait plu à Césaire, malgré son catholicisme, pour son « langage neuf » et son côté « rustique ».

(52) Senghor reconnaît lui-même que, « dans les années 1930 », il « avai[t] fait d'*A la recherche du temps perdu* [s]on œuvre de prédilection, à côté de celles de Rimbaud et de Bergson » (L. 3, 261).

(53) Je suis personnellement tenté d'accorder à Nietzsche une part plus importante que celle qui lui est ordinairement concédée dans l'organisation de la négritude (v. note suivante).

(54) V. R.E. HARRIS, *L'Humanisme dans le théâtre d'Aimé Césaire*, 28 : « Rapportons le témoignage de l'auteur qui parle avec passion de la forte influence qu'ont exercée sur lui la Grèce et l'étude de Nietzsche sur la naissance de la tragédie. » V. aussi *A. Césaire* (Nathan), 14. Dans l'interview accordée au *Nouvel Observateur* (16-22 mars 1966, 30), Césaire déclarait, à propos d'*Une Saison au Congo* : « J'ai été très influencé par les Grecs, Shakespeare et Brecht. »

tude échappe totalement à l'emprise de ce mouvement (55).
Si le surréalisme entraîne l'adhésion enthousiaste, et aveugle,
de l'équipe de *Légitime Défense,* il ne joue qu'un rôle secondaire dans la *formation* de la négritude. Damas est certainement tenté par le style, sinon l'écriture, surréaliste (56), mais
tenté seulement ; quant à Césaire, au début de sa carrière
poétique, c'est-à-dire à l'époque du *Cahier,* s'il a lu et aimé
les surréalistes, dans le fait, « il préfère Mallarmé, Péguy, le
Claudel de *Tête d'or* et surtout Rimbaud » (57). C'est à un
autre niveau qu'intervient le surréalisme dans l'histoire de la
négritude (v. 3, 4). Outre ces lectures littéraires, on pratique
historiens, philosophes, essayistes, etc. On s'initie, plus ou
moins tôt, à Marx, à Freud (58), à Bergson, à Spengler, à Maritain (59), etc.

Bref, il ressort de ce rapide panorama, qui ne prétend,
bien évidemment, à nulle exhaustivité, qu'une partie de la
négritude, une partie seulement, a une culture analogue, pour
ne pas dire conforme, à celle des intellectuels français des
années 1920-1940, qu'ils soient ou non passés par les chicanes
de l'enseignement supérieur. Quoi de plus banal, en 1920, pour
un esprit conservateur, que d'être imprégné de symbolisme et
de trouver un charme « impair » à Toulet et à ses « délicieux »
émules, quoi de plus commun, quinze ans plus tard, après la
lame de fond surréaliste, que d'exalter Rimbaud et Lautré-
mont, quoi de plus normal, à cette époque et plus tard, que
de se prendre à Claudel et à Perse, quoi de plus ordinaire
que de compter avec Marx et Freud, etc. ? A cette catégorie,
dont il ne faut pas se cacher la disparate, appartiennent les
« têtes » de la négritude et ceux qui marchent sur leurs pas
(Rabearivelo, Senghor, Césaire, Damas, Niger et Tirolien). On
isolera un autre groupe, moins éclectique, plus « classique »,
marqué par sa formation primaire ou secondaire (Sissoko,
Socé, Birago Diop, Brierre, Dadié, Keita) (60). Un troisième

(55) Des 17 écrivains interrogés par KESTELOOT (*ibid.,* 285), 3 seulement se réfèrent au surréalisme : Césaire, Damas et Sainville.

(56) Ayant insisté sur l'influence de Baudelaire et de Mallarmé, DAMAS
(*loc. cit.*) conclut : « Nous avons tous commencé par être hermétiques, à
l'exception de Senghor. » On peut se demander si le surréalisme n'offrait
pas à Damas un hermétisme séduisant plus qu'une méthode d'investiga-
tion. Il reste que l'inclination vers un tel hermétisme implique à la fois
littérature et individualisme. Nous sommes loin du message « ouvert »
préconisé par la théorie.

(57) L. KESTELOOT, *ibid.,* 148.

(58) Signalé, pour Césaire, par LEIRIS (*loc. cit.*).

(59) Signalé, pour Senghor, par HYMANS (*loc. cit.*).

(60) On a vu dans un chapitre antérieur (t. 1, 88, n. 71) les lectures

(Suite p. 22)

groupe, intermédiaire, serait constitué par des esprits qui, pour des raisons littéraires (Rabemananjara et Ranaivo) ou politiques (Roumain, David Diop), ont partiellement refusé l'éclectisme et le modernisme. Du point de vue de sa formation occidentale, la négritude apparaît donc, une fois de plus, très hétérogène.

Mais la formation occidentale, telle qu'elle vient d'être très sommairement décrite, serait incomplète si l'on ne tenait pas compte d'un phénomène spécifique, reconnu par ailleurs. Les intellectuels de la négritude ne peuvent être confondus avec leurs « confrères » français dans la mesure où ils s'intéressent de très près à l'image de l'Afrique que l'Europe est en train d'élaborer. Sont-ils nombreux, les intellectuels français, à lire Frobenius, Delafosse, Delavignette, Georges Hardy, Griaule, Westermann, le Haïtien Price-Mars, etc. (61) ? Senghor (et, grâce à lui, Césaire) lisait « tous les ouvrages consacrés à l'Afrique, à commencer par le grand livre de Frobenius, et les œuvres des poètes négro-américains. Linguistique, histoire, ethnographie, poésie, il ramenait tout à son continent ». Il va de soi que ces lectures passionnent les Africains et les Antillais qui se sont, pour un temps, fixés en France, et qu'ils y adhèrent, affectivement et sentimentalement, puis intellectuellement, beaucoup plus qu'aux ouvrages, littéraires ou philosophiques, plus uniment français. Ne revenons pas sur le fait que cette vision de l'Afrique est une vision européenne (on sait, au reste, qu'il ne pouvait pas, alors, en être autrement). Notons que ce choix et cette attitude distinguent assez nettement les futurs poètes de la négritude des intellectuels français, dans l'ensemble, néanmoins, des intellectuels français, et insistons sur deux points : la lecture des poètes noirs américains et la référence constante à l'Afrique.

d'un jeune intellectuel noir des années 1935. Voici la bibliothèque d'un lycéen congolais de 17 ans vers 1948 : « Quelle harmonie et quel choix audacieux ! Des Aristote, des Aristophane, St Thomas d'Aquin, Auguste Comte, Condillac, Diderot, Littré, Voltaire, J.-J. Rousseau, Kant, Dickens, Karl Marx, Leibniz, Hegel, Lénine, fraternisaient sans chercher à s'entredéchirer avec des Barrès, des Baudelaire, Beaumarchais, Chateaubriand, Bossuet, Fénelon, Boileau, Guy de Maupassant, Mérimée, Loti, M. Proust, Alfred de Vigny, Victor Hugo, A. Dumas, Th. Gauthier [sic], E. Zola, F. Mauriac, A. Gide, Jean-Paul Sartre, A. Malraux, J. Romains, jusqu'à Richard Wrigth [sic] » (J. MALONGA, « Cœur d'aryenne », 245). Je reproduis cette liste démentielle, qui n'est pas sans rappeler la librairie de Saint-Victor et le programme de Pantagruel, parce que Malonga est un instituteur de la génération de Senghor.

(61) Liste de HYMANS (op. cit., 60-70), qui ajoute Herskovits, découvert plus tard. La citation suivante est empruntée à GUIBERT, L. S. Senghor (Seghers), 23.

Nous avons vu, dès le début de cette étude, que la négritude est issue, indépendamment d'autres sources plus ou moins lointaines, de la Négro-Renaissance de Harlem. Senghor le reconnut très rapidement :

> Claude Mackay peut être considéré, à bon droit, comme le véritable inventeur de la *Négritude*. Je ne parle pas du mot, je parle des valeurs de la Négritude (62).

Cela implique une lecture fervente des œuvres du mouvement New Negro. Senghor le précisera en se penchant, quarante ans plus tard, sur ses années d'apprentissage :

> Au Quartier Latin, dans les années 30, nous étions sensibles par dessus tout, aux idées et à l'action de la *Négro-Renaissance*, dont nous rencontrions, à Paris, quelques-uns des représentants les plus dynamiques (63).

Il faut souligner *sensibles* et *par dessus tout*. On comprend sans peine, en effet, combien la lecture de Hughes, de MacKay, de Toomer, etc. pouvait contribuer à formuler et à résoudre le malaise des jeunes intellectuels noirs de Paris, en ouvrant devant eux de larges perspectives d'expression et de libération (libération culturelle, non politique). En ce sens, l'influence de MacKay est complémentaire de celle de Frobenius. Tous deux paraissent jouer un rôle fondamental dans la formation de l'affectivité de la négritude, en tout cas de Senghor, et cristalliser ses désirs :

> Les savants, les artistes et les écrivains européens nous ont donc appris à mieux connaître, non pas la vie africaine dans sa saveur vivante, mais dans ses valeurs irremplaçables de civilisation. Le rôle des Négro-Américains a été autre. Ils nous ont appris, pas exactement à nous révolter moralement, plutôt à nous organiser socialement sinon politiquement, par dessus tout, à *créer* (64).

Double influence décisive, mais qui ne va pas sans risque. De même qu'on a reproché à Senghor de voir le nègre avec les yeux des africanistes européens (65), de même on l'accuse

(62) SEN., *L. 1* (1950), 116.
(63) ID., *L. 3* (1971), 276. Il renvoie, pour confirmation, à l'interview de Damas (*Jeune Afrique* du 16 mars 1971) déjà plusieurs fois mentionnée.
(64) ID., *ibid.*, 277-278. Le New Negro est certainement l'une des sources du désir d'écrire et d'écrire certaines choses, mais, comme on va le voir, son effet ne peut être généralisé.
(65) La démythification de Frobenius à laquelle s'emploie Ouologuem dans *Le Devoir de violence* vise à coup sûr, entre autres, la négritude senghorienne.

de percevoir le noir africain à travers l'image des noirs américains (66) (ou de certains d'entre eux). Peut-être, cependant, est-il excessif de parler d'influence du New Negro, malgré les dires de Senghor. Influence sur Damas, sans doute, comme on le verra plus loin, accessoirement sur Tirolien, incitation plutôt sur Senghor, B. Diop et Socé. Mais sur les autres poètes de cette génération ? Les Malgaches en particulier ? Césaire connaît, par Senghor et Edward Jones, les poètes de la Renaissance de Harlem. Voici ce qu'il en dit :

> Je ne pratique pas suffisamment l'anglais pour qu'ils aient eu une influence déterminante mais au niveau des thèmes ils ont eu une influence incontestable (67).

Distinction importante et lourde de conséquences.

Car, dans ce double domaine, celui des africanistes et celui de l'école de Harlem, l'élément moteur consiste essentiellement en une thématique et une attitude : en tout, voir le nègre et valoriser le nègre. Tout, dès lors, devient, si l'on peut dire, africanisable. De cette façon peuvent se justifier, c'est-à-dire, formellement, se nier (en fait, avec une dangereuse ambiguïté) d'évidentes influences occidentales. Nous touchons ici un phénomène qui permet, aux yeux d'une grande partie de la négritude, de reconsidérer tout ce qui vient d'être avancé sur la culture occidentale et française de nos poètes. Ce phénomène, nous l'appellerons *interférence*.

Un bon exemple d'interférence culturelle est fourni, très tôt, par Price-Mars. Celui-ci s'interroge sur l'origine des contes, nombreux et vivants à Haïti (comme dans le reste des Antilles), et conclut que leur source est indécidable :

> Il est possible de découvrir dans les éléments constitutifs de nos contes des survivances lointaines de la terre d'Afrique autant que des créations spontanées et d'adaptations de légendes gasconnes, celtiques ou autres.

Il note que les contes ne sont récités que la nuit. « D'où nous vient ce tabou ?, demande-t-il. Est-ce d'Afrique, est-ce d'Europe ? » Car on trouve cet interdit chez les Bassouto et en Irlande. De même l'habitude de commencer les contes par un « cric » que l'auditoire renvoie en disant « crac », vient, paraît-il, de Bretagne, mais cela peut être la traduction française d'une pratique en usage sur la côte des Esclaves (68).

---

(66) Rapporté d'Abdoulay Ly par HYMANS, *op. cit.*, 55.
(67) Propos de Césaire (mai 1972) rapporté par M. FABRE, « Autour de Maran », 169.
(68) J. PRICE-MARS, *Ainsi parla l'oncle*, 54-55.

A proprement parler, il s'agit là plutôt de contamination que d'interférence et le phénomène paraîtra spécifiquement antillais étant donné le brassage propre à la Caraïbe. Contamination, parce que la question est posée par rapport aux sources. Mais, dans la pratique, elle ne se distingue guère de l'interférence, c'est-à-dire de la simple rencontre ou de ce qu'on nomme « convergence » (69). Grâce à l'interférence, le lecteur africain reçoit un texte français comme un image de l'Afrique.

Nous avons vu la faveur dont jouit, semble-t-il, Corneille en Afrique. Voici la justification qu'en donne un romancier :

> Kocoumbo avait un penchant pour Corneille. Dès que les alexandrins se déroulaient sous ses yeux, il se sentait retrempé dans l'atmosphère sociale de chez lui : les héros cornéliens incarnaient, ni plus ni moins, le type de l'honnête homme africain. Il en oubliait souvent la nationalité de Corneille. Quelle difficulté de se convaincre qu'il n'avait jamais mis les pieds sur la terre d'Afrique ! Son langage était africain aussi bien que ses héros. [...] Quoi de plus banal qu'un jeune Noir qui défend l'honneur de sa famille ? La coutume d'Afrique commande à ses fils de ne rien ménager lorsqu'il s'agit de venger la réputation d'un ancêtre ou d'un proche. [...] Si une injure peut déchaîner la barbarie de l'Africain, c'est bien celle dirigée contre ses parents (70).

C'est strictement de la même façon que Senghor explique son enthousiasme pour tels écrivains français. Rappelant qu'il a beaucoup lu « Claudel et Péguy pendant [s]es années de khâgne et de Sorbonne et Saint-John Perse après la Libération », il ajoute : « Si je les ai aimés, c'est qu'ils ressemblaient aux Africains » (71). En effet, il cite à la même page une remarque de Guéhenno qui compare les poèmes de Claudel et de Perse aux cosmogonies dogon. Il dit ailleurs .

> La vérité est que j'ai subi, en même temps, les influences complémentaires, mais d'abord et profondément convergentes, de la poésie négro-africaine et d'une certaine poésie française, issue de la *Révolution de 1888* — celle de Bergson —, dont Claudel était, au temps que j'étais *khâgneux*, la voix la plus puissante — j'allais dire la plus « nègre » (72).

(69) A. propos de Claudel et de Saint-John Perse, in GUIBERT, *L.S. Senghor* (P.A.), 151.

(70) A. LOBA, *Kocoumbo, l'étudiant noir*, 133-134.

(71) SEN., in GUIBERT, *loc. cit.*

(72) ID., *La Parole chez P. Claudel...*, 7 (*L. 3*, 348).

L'interférence se situe ici dans la vision du monde impliquée par le discours du poète français. Elle peut, dans ce domaine, atteindre un degré tel que l'imaginaire du poète (qui n'est, par définition, que véridique) se réalise concrètement (autrement dit devienne vrai) dans le monde africain. Les fastes d'un Orient mythique, qui se déploient dans des textes comme *Anabase* ou *La Gloire des rois*, et dont nous avons l'impression qu'ils relèvent à la fois d'un syncrétisme et d'un imaginaire culturels, l'enfant Senghor les a vus se dérouler sous ses yeux :

> J'avais eu la chance, dans mon enfance, d'entendre, de vivre cette poésie-là, quand le dernier Roi du Sine, Komba Ndofène Diouf, venait rendre visite à mon père. Il arrivait en magnifique arroi, sous son manteau de pourpre, sur son cheval-du-fleuve. Et quatre troubadours, quatre *griots* l'escortaient parmi d'autres, comme les quatre portes de la Ville et les quatre provinces du Royaume », etc. (73).

En conséquence, imiter Perse ou, du moins, subir ultérieurement son influence, ce ne serait pas s'intégrer à une littérature étrangère, mais dégager d'un univers poétique, imaginaire aux yeux de son auteur, ce qui s'y trouve, à son insu, d'africain. « Ce fut donc une révélation », peut dire Senghor,

> la révélation de ce que je rêvais d'écrire pour traduire, en français et dans notre *situation* le ton des poèmes du *Royaume d'Enfance...* Le ton des grandes poésies antiques : celles de l'Egypte, de l'Inde, d'Israël, de la Grèce. Et, d'abord, de l'ancien *Royaume du Sine* (74).

Dans l'esprit du poète, l'acceptation d'un modèle apparemment français n'est pas un indice d'aliénation, mais un moyen efficace d'exprimer, dans la langue imposée par l'Histoire, à la fois la spécificité d'une civilisation et sa solidarité avec les autres cultures. Le poète dit ainsi, simultanément, l'Afrique (en fait le Sénégal) et l'humanisme africain. Il est important, on le sait, de rompre l'isolement de l'Afrique et de montrer

---

(73) ID., « Saint-John Perse ou poésie du royaume d'enfance », *L. 1* (1962), 334. Il évoquera plus tard, à nouveau, « la visite du roi Koumba Ndofène Diouf à [sic] son père, où tout sentiment était noble, toute manière polie et toute parole belle » (*L. 3* (1971), 277). Cette appréciation rappelle certains vers d'*Eloges* : « Je parle d'une haute condition, alors, entre les robes, au règne de tournantes clartés », « j'ai vu marcher des Princes et leurs gendres, des hommes d'un haut rang, tous bien vêtus et se taisant »... (ST.-J. PERSE, « Pour saluer une Enfance », 1 et 6).

(74) ID., *L. 1*, même page.

qu'elle participe de longue date à la « civilisation de l'universel ». Il est donc possible que l'interférence soit moins une simple « convergence » que la garantie d'une parenté. Pour Guibert, par exemple (on l'a déjà lu), rien d'étonnant que l'on retrouve dans les « Chants pour signare » ou les « Epîtres à la princesse » « le ton épuré des cours d'amour » puisque la lyrique des troubadours et celle des Sérères ont la même origine : « la lyrique arabo-berbère » (75), ce qui reste à démontrer. Mais, serait-elle prouvée, une telle filiation cesserait d'être significative, ou, du moins, perdrait en signification. Car c'est de parenté humaniste beaucoup plus qu'historique que Senghor et, sans doute, la négritude ont besoin. Senghor, visitant une exposition d'art gaulois, se dit frappé « des affinités de cet art et de l'*Art nègre* ».

> Comment expliquer cette ressemblance, demande-t-il, si ce n'est par le substrat passionnel de la raison intuitive ? J'ai fait ce jour-là deux découvertes. La première est que, si les Gaulois ne sont pas nos « ancêtres », à nous les Nègres, ils sont nos cousins (76).

En tout état de cause, en l'absence d'une ressemblance historique ou essentielle justifiable, une homologie de situation fait perdre au modèle son statut de modèle et assure l' « authenticité humaniste ». Si Senghor s'intéresse à Ronsard et à du Bellay, ce n'est pas, selon lui, inféodation, c'est qu'ils se trouvent dans la même situation que lui : « Ils défendaient leurs droits d'élaborer pour la poésie une nouvelle langue ». Dès lors, « pourquoi ne pas considérer la négritude comme une Renaissance *sui generis* ? »(77).

Le choix du modèle français ne tient pas seulement au thème ou au contenu, mais aussi, comme il vient d'être dit, au *ton* :

> Tout ce qui caractérise la langue de Claudel — emploi étymologique des mots, raccourcis et, d'une façon générale, économie des moyens, répétitions et ruptures — se trouve chez les Négro-Africains, que leurs poèmes soient oraux ou écrits.

(75) A. GUIBERT, « Les Poètes de la négritude... », 221-222. V. t. 1, 270, n. 59.

(76) SEN., « Eloge de la francophonie » (1969), 23. La francophonie est un moyen de « rendre, au génie méditerranéen, une partie au moins de ce qu'il [...] a donné » à l'Afrique noire : c'est la seconde découverte annoncée. Elle est en retrait sur la précédente puisqu'elle semble impliquer un contact de civilisation et dément donc l'essence humaniste.

(77) F. BONDY, « Négritude et métissage », 70.

Il faut savoir « que l'Afrique noire [a] elle aussi sa *poétique* avec ses « figures » et « tropes » (78). De la même manière, pourquoi lire et respecter Hugo ? parce qu'il est « *le maître du tam-tam* », parce qu'il est comparable aux griots, aux poètes inspirés que sont les dyâlis.

Quoi de plus semblable à un poème de ce Hugo, ajoute Senghor, que ces vers d'un « sorcier » africain, d'un diseur-des-choses-très-cachées :

Feu des sorciers, ton père est où ?

Ta mère est où ?

Qui t'a nourri ?

Tu es ton père, tu es ta mère, tu passes sans traces (79) ?

Ainsi donc la rhétorique senghorienne, la préciosité senghorienne seraient dues non à l'imitation contestable de certains modèles français, classiques ou contemporains, mais à la transposition en français de modèles traditionnels africains. Ressemblance non pas fortuite, bien sûr, puisque Senghor a pratiqué tous ces textes français, mais rendue nécessaire par la situation historique de l'Afrique et qui, loin de témoigner d'une aliénation, garantit l'authenticité du message (l'authenticité impliquant pour Senghor, comme on sait, métissage).

La théorie de l'interférence porte évidemment la marque de Senghor. Cependant, elle ne lui appartient pas en propre. Ranaivo, par exemple, ratifie l'appréciation portée sur lui par Senghor : oui, il a subi l'influence des symbolistes, mais toutes les figures qu'il emploie : antithèses, parallélismes, dissymétries, inversions, ellipses, syllepses, etc., quoi qu'elles aient de symboliste pour un lecteur français (ou de « renaissant » selon Senghor), sont, en fait, puisées dans la tradition poétique malgache. Il se trouve, ici encore, que la sensibilité madécasse est voisine de la sensibilité des symbolistes et des renaissants (80). Parler de « sensibilités voisines » reste cependant assez discutable. C'est, pour le moins, inviter à confondre une apparence, peut-être illusoire, avec un principe. La théorie

(78) SEN., *La Parole chez P. Claudel...*, 41 (L. 3, 375).

(79) ID., « Jeunesse de Victor Hugo », *L. 1* (1952), 127. L'aspect hugolien de ces vers n'est pas évident.

(80) ID., « Fll avien Ranaivo poète malgache », 334. Dans sa préface à *C* (reprise dans *L. 1* (1955), 183-184), Senghor passera complètement sous silence les possibles sources françaises pour ne parler que de l'enracinement dans la tradition malgache. Ainsi s'exprime l'idéologie de la négritude. Une idéologie française, au contraire, sera portée à valoriser le mode occidental : v. O. MANNONI, préf. à RAN. O. 8-9.

de Senghor ne peut masquer son caractère foncièrement idéologique.

L'interférence est également assumée par Rabearivelo dont les poèmes de *Presque-Songes*, écrits directement en français (81), ne se distinguent guère, de style et d'inspiration, de ceux qui semblent traduits du malgache (82). Plus précisément, à propos des trois derniers vers de *T.* 3 91 18-21 :

> Et ses incantations deviendront rêves
> Jusqu'au moment où la vache noire ressuscitera,
> Blanche et rose,
> Devant un fleuve de lumière,

des exégètes, dont l'un est malgache, hésitent à se prononcer sur leur origine. Ils peuvent provenir aussi bien de la mystique hindoue que de Leconte de Lisle (83). Rabemananjara n'échapperait pas à cette règle, que ce soit sous l'influence de Rabearivelo ou sous celle de Senghor. Mais il faut se montrer, à son endroit, beaucoup plus prudent (84).

Césaire enfin donne, lui aussi, des gages à cette théorie. Il dit avoir été fasciné, à l'époque des *Chiens*, par « la Grèce primitive, barbare et rude, pas la Grèce alexandrine [celle, sans doute, que préfère Senghor]. La tragédie était « un art complet, total pour les Grecs ». Il a donc essayé de retrouver cette forme d'art qui lui semble « *très près de l'Afrique* » (85).

(81) Bien que Rabearivelo donne ces textes comme des « poèmes hova, traduits par l'auteur », pour se faire pardonner, selon BOUDRY, de renoncer à la métrique traditionnelle, l'ouvrage « a été directement écrit en français » (*J.J. Rabearivelo et la mort*, 43). Rabearivelo le reconnaît dans une lettre à Camille de Rauville (25 avril 1935) : « *Presque-Songes* a été et reste un original. Je l'écrivis directement en français, puis, pour dérouter les gens et pour que ceux-ci les prissent vraiment pour de la traduction, je me mis à déplacer des mots et à changer des tournures. C'est seulement après que *j'ai traduit en hova* » (C. de RAUVILLE, « Jean-Joseph Rabearivelo... », 167). L'hypothèse de Boudry n'est pas confirmée, mais l'important est que Rabearivelo garantisse le caractère original de la version française.

(82) A la critique malgache de nous dire si la version hova de *T* précède ou suit la version française.

(83) RAKOTO et LORIN, *op. cit.*, 29.

(84) Un exégète africain d'*Antsa* est, à vrai dire, bien embarrassé pour prouver le caractère malgache de l'emploi de « thyrse » dans *A.* 15 65 : « C'est à la manière des anciens que le poète libre au cœur du sol natal célébrera l'avènement de la liberté » (M. KADIMA-NZUJI, « Une Proposition poétique : « Antsa » de Jacques Rabemananjara », 26). Le contexte exclut de comprendre : « à la manière des anciens *Malgaches* ». Dès lors, il ne s'agit plus que d'une métaphore culturelle. La passion des Malgaches pour la liberté est aussi puissante que celle des anciens Grecs. Il ne s'agit nullement, dans ce cas, d'interférence. Cependant, des v. comme *A.* 37 326-332 qui rappellent l'animisme unitaire de « la Bouche d'ombre », représentent, selon Rabemananjara, des croyances propres à l'ethnie sakalave (RBM., *Nationalisme et problèmes malgaches*, 206).

(85) R.E. HARRIS, *loc. cit.* (souligné par moi). L'auteur se fonde sur un entretien qu'il eut avec Césaire en janvier 1969.

La position qu'il adopte à cet égard ne manque pas d'intérêt, car elle contribue à jeter la suspicion sur les fondements et la validité de l'interférence culturelle. Beaucoup plus franchement que Senghor, Césaire reconnaît son appartenance à la culture française : « Il m'est impossible, déclare-t-il, de me départir de ma culture française » (86).

> Mais, dit-il ailleurs, je crois que ce n'est pas ça qui est important.

> Ce qui est important ce n'est pas ce dont on s'est nourri, c'est de savoir ce qu'on en a fait, et au service de quoi on a mis la culture qu'on a reçue.

Et, citant le mot connu de Senghor : « l'important ce n'est pas d'être assimilé, c'est d'assimiler », il ajoute :

> Eh bien lorsque je lis un auteur grec, lorsque je lis un auteur latin ou un auteur français, le fait est que je n'oublie jamais que je suis un Nègre. Et je dois dire que lorsque je lis un auteur grec, par exemple, ma négritude est toujours en éveil, et c'est souvent ma connaissance relative de l'Afrique qui me permet de comprendre de manière vivante tel texte ancien que je lis.

> Lorsque je lis un poème d'Homère, ça me rappelle l'épopée de Da Monzon (87).

Cette attitude est clairement avouée comme volontariste. Reconnaissant que, dans le monde moderne, « partout où il y a eu repliement de soi-même, il y a eu dépérissement, il y a eu mort, il y a eu dessèchement » (88), Césaire en tire logiquement la conséquence « que c'est une très bonne chose que de nourrir sa culture particulière des autres cultures ». Non pas métissage, mais ouverture au monde par l'intégration et l'assimilation d'autres cultures aptes à satisfaire les besoins, ici ontologiques, de l'individu. Mais, ce faisant, Césaire montre que l'interférence n'a pas, pour lui, d'existence objective. Elle se situe dans le seul sujet. En fin de compte, il dit pratiquer devant tout texte une lecture nègre. Pratique, certes, spécifique et originale, mais qui ne se distingue pas, dans son principe, d'autres types de lecture : génétique, psychanalytique, politique, etc. Peut-être pourrait-on objecter à Césaire qu'il s'illusionne en isolant en lui une pure « négritude » libérée de ses composantes occidentales et qui serait seule active dans

---

(86) J. SIEGER, « Entretien avec Aimé Césaire », 65.

(87) Entretien avec L. Kesteloot, in KESTELOOT et KOTCHY, *Aimé Césaire, l'homme et l'œuvre*, 240.

(88) ID., *ibid.*, 239.

sa pratique textuelle (on retrouve encore et toujours la généralisation synecdochique). Mais le point de vue objectif n'a pas tellement de pertinence ici. C'est la démarche du poète qui importe et la conscience qu'il en a. Or Césaire se dit, se veut, se croit, et donc est, à ses yeux, poète nègre. Voici l'une de ses argumentations : il se réjouit que les Africains battent ses vers sur le tam-tam. Son interlocutrice remarque alors que le phénomène fait de lui un poète africain, bien qu'il soit antillais, et Césaire de s'écrier : « Mais je suis un poète africain ! Le déracinement de mon peuple, je le ressens profondément » (89). Nègre de race, français de culture, africain de cœur, tel se présente Césaire. Mais suffit-il que des vers puissent être battus au tam-tam pour garantir une quelconque « africanité » de source ? Hugo était présenté comme « maître du tam-tam » et rien n'empêche, si l'on suit Senghor, de rythmer au tam-tam les vers de Claudel.

La position de Césaire paraît plus efficace idéologiquement et plus saine intellectuellement que celle de Senghor. Il est de fait que des convergences ou, plus simplement, des ressemblances existent entre cultures, qu'elles soient la conséquence d'influences lointaines et plus ou moins obscures ou qu'elles témoignent un certain humanisme. Mais telle qu'elle est présentée par Senghor, la théorie de l'interférence peut passer aussi pour un maquillage. Négligeant le fait qu'il est contraint d'écrire dans une langue d'emprunt imposée par la colonisation, qu'il s'adresse nécessairement à un public français et qu'il *choisit* d'écrire pour la partie la plus cultivée de ce public, il prétend donner une image authentique de l'Afrique non plus seulement à ses lecteurs « naturels » mais également aux Africains eux-mêmes, authenticité de matière mais aussi de manière. En admettant qu'il existe une sorte d'intersection entre les deux cultures en présence, suffit-il de privilégier cette intersection pour porter témoignage de la culture qu'on entend « illustrer » ? Visant le spécifique et l'universel, ne risque-t-on pas de valoriser le second au détriment du premier, et, par là-même, de rejoindre purement et simplement la tradition humaniste française ?

Certes, Senghor peut neutraliser la culture source et considérer que Corneille, Hugo, Claudel... échappent au domaine français pour devenir le bien de l'humanité entière, tout comme Homère, Shakespeare, Dostoïevsky appartiennent moins à leur littérature d'origine qu'à la littérature internationale. Nous

(89) J. SIEGER, *loc. cit.*

31

avons vu le même argument avancé à propos de la langue : le français nous appartient autant qu'à vous. De telles affirmations sont assez gratuites. Dire que Dostoïevsky participe de la littérature internationale (notion des plus incertaines), c'est constater simplement que les conditions historiques ont fait (font) qu'il est lu à présent dans un grand nombre de langues. Cela signifie qu'une partie importante du globe se trouve dans une situation telle qu'elle se sent concernée par ce qu'écrivait pour ses compatriotes un Russe de la deuxième moitié du XIXᵉ siècle.

En fait, la neutralisation est possible ; on l'a vu précédemment et on le reverra. La théorie de l'interférence, telle qu'elle est appliquée par Senghor, ne semble pas l'autoriser. Plus affective que raisonnée, présupposant une idéologie du métissage, accordant la primauté au culturel voire à l'atemporel, elle ne peut apparaître à ceux qui contestent la négritude senghorienne que comme un moyen équivoque de ménager, pour parler familièrement, la chèvre et le chou, c'est-à-dire de satisfaire à la fois l'Europe et l'Afrique, européen pour l'Européen, africain pour l'Africain : « je suis oiseau : voyez mes ailes »... Pratiquement, l'usage de l'interférence est laissé, une fois de plus, à la bonne volonté des lecteurs, ce qui donne raison à Césaire : elle est une projection du sujet, du sujet écrivant ou du sujet lisant. Les lecteurs seront, selon l'idéologie qui les informe, enclins à percevoir l' « africanité » de la négritude ou à la refuser au profit d'une « orthodoxie » européenne à peine déguisée.

On trouve dans ces deux « camps » aussi bien des noirs que des blancs. Dans le premier, le Camerounais Melone pose qu'il faut une connaissance de la réalité sénégalaise pour apprécier à sa valeur la poésie de Senghor :

> Des eaux du Sine et du Saloum jusqu'au visage diamantin de Koumba Tam, c'est toute la flore, toute la faune, toute la cosmogonie du pays qui revit dans ces vers. [...] Le barde de son verbe magique par la simple évocation des signes du ciel, fait surgir des ténèbres de la nuit montante tous les personnages, tous les héros qui illustrèrent la geste du pays. [...] C'est que Sédar Senghor est très près de la poésie populaire sénégalaise (90).

Lyriques, emphatiques, généralisantes, ces lignes sont révélatrices du désir de lire un autre texte que celui qui est proposé

(90) T. MELONE, « Le Thème de la négritude et ses problèmes littéraires », 140.

et de gauchir le procès de communication. Mais seule compte ici la conviction de l'auteur : l'art de Senghor tire sa source de la poésie populaire du Sénégal. Le Français Luc Decaunes partage cette façon de voir, sans se limiter cependant, à cette focalisation discutable, en tout cas peu convaincante, sur le contenu : il cherche à démarquer Senghor de Claudel à qui le lecteur occidental est tenté de le rattacher :

> La poésie de Senghor n'a rien à voir, en vérité, avec la rhétorique d'un Claudel chez qui le plagiat, voire le pillage systématique des deux Testaments tient souvent lieu de lyrisme. Le style de Claudel est celui d'un voleur. Le style de Senghor a la vivacité, l'ondoiement, la santé d'une conscience natale. Et l'on sent que chacun de ses poèmes pourrait être dit ou chanté sur le rythme des tam-tams, au cœur des lourdes forêts africaines (91).

Plus nuancée que les précédentes, mais aussi gratuite, cette appréciation d'un autre lecteur français, déjà cité par ailleurs. Il ne voit dans les trois premiers grands recueils de Senghor, plutôt qu'une « poésie nègre », « une poésie française, où les réminiscences africaines [peuvent] paraître relever plus d'une séduisante recherche d'exotisme que d'un authentique et irrésistible jaillissement ». C'est une opinion qui relève du « deuxième camp ». Mais, « cette fois, ajoute-t-il, les « Nocturnes » nous arrivent chargés d'une houle profonde qui tente de soumettre la langue et commence à forger l'instrument d'une toute nouvelle initiation » (92). Le renouveau de Senghor, c'est-à-dire son africanisation, ne date pas de *Nocturnes*, il remonte, au gré d'un professeur anglais, au « troisième volume » (en fait quatrième) : *Ethiopiques*. La raison ? : « Le thème et l'inspiration sont moins personnels, le style plus rhétorique et plus profondément imprégné des couleurs, des images, des rythmes, de l'éloquence de l'Afrique. » Le poète, singulièrement dans « Congo » (E. 2 101-103), déploie

> un attachement passionné, viscéral aux fleuves [de l'Afrique], à ses forêts, ses plaines, sa flore et sa faune.

(91) L. DECAUNES, « *Hosties noires*, par L.S. Senghor » (1948), 553. Critique impressionniste faite « à chaud » et qui n'a d'intérêt que documentaire. L'exécution sommaire de Claudel ne peut cacher son caractère strictement tactique. Quant aux « lourdes forêts africaines », elles ont de quoi surprendre lorsqu'on songe au Sénégal. Le ton est aussi hyperbolique que celui de Melone.

(92) G. BEGUE, « *Nocturnes*, par L.S. Senghor », 107. L'auteur laisse entendre qu'on assiste à une évolution : au premier Senghor, jusqu'à *Ethiopiques*, poète français, succéderait, avec *Nocturnes*, un second Senghor, poète africain. Est-il besoin de rappeler que les trois quarts de *N* sont antérieurs à *E* ? Il ne s'agit là que d'une simple pétition de principe.

Grâce au battement de tam-tam du vers, il exprime des sentiments simultanément telluriques, sensuels, érotiques et religieux (93).

La thématique est, ici encore, beaucoup plus déterminante que le style, perçu globalement de manière impressionniste : néanmoins, le RE (« attachement passionné, viscéral ») l'emporte sur le RO. On n'aurait pas de peine à montrer que tous les caractères énumérés par l'auteur figurent déjà dans *Chants d'ombre.* Beaucoup plus précis, et plus motivé dans la nuance, P.-H. Simon, rendant compte de la première édition des *Poèmes,* souligne ce que Senghor doit à « l'humanisme occidental », tout en admettant, sous les termes d' « analogie » et d' « harmonie préétablie », la théorie de l'interférence. Cependant, conclut-il,

> la difficulté de l'exécution vient de ce que Senghor a choisi pour exprimer le génie de la négritude la langue française dont il admire la souplesse, la diversité, l'efficacité ; mais dans ses rythmes, dans sa syntaxe et dans son vocabulaire même, cette langue correspond-elle toujours aux exigences de ce génie ? [...] On n'est pas toujours sensible au caractère particulier du rythme et de l'image nègres : *peut-être a-t-il trop lu les poètes français, trop vécu à Paris* (94).

La marque française de la poésie de la négritude est également sentie par nombre d'Africains. Outre la réflexion d'A. Samb rapportée au chapitre précédent (t. 1, 402, n. 124) et qui ne doit pas être prise à la légère, ne citons qu'une autre opinion de cet ordre :

> Parce qu'elle respecte la distinction des genres, la littérature négro-africaine est conservatrice et occidentale. Elle n'apporte dans le domaine de l'écriture littéraire aucune innovation proprement révolutionnaire, ni genre nouveau ni technique nouvelle et, si Senghor écrit ses poèmes en vers libres, c'est parce que le vers libre a conquis le droit de cité dans la poétique moderne.

Une telle interprétation mérite d'autant plus d'être mentionnée qu'elle émane de la même plume qui vantait plus haut le caractère populaire et sénégalais du *contenu* de la poésie de Sen-

---

(93) D.S. BLAIR, *African Literature in French,* 154.
(94) P. H. SIMON, « *Poèmes* de Senghor » (souligné par moi). J'anticipe sur les chapitres 3, 3 et 4 tant sont intriqués les aspects culturel et linguistique.

ghor (95). Réaction d'humeur, dira-t-on, et toute imprégnée d'idéologie, donc naturellement variable. Sans doute, mais il importe de noter que la position et l'œuvre de Senghor, l'une et l'autre ambiguës, invitent à de semblables lectures. Senghor s'exprime d'un double lieu, Césaire d'un seul, si complexe soit-il. Césaire autorise, bien évidemment, des interprétations divergentes (non, pour autant, contradictoires) selon les lieux de lecture (africain et français, par exemple), mais exclut toute contamination. Il parle comme un nègre de culture strictement française qui cherche à comprendre l'Africain et surtout à se comprendre comme nègre avec les armes dont il dispose, et qui ne sont pas si miraculeuses qu'il le voudrait. Assez curieusement, Breton est plus près de Senghor que de Césaire lorsqu'il dit, à propos d'un poète haïtien : « superbe dédain du poète, au berceau de qui la fée caraïbe a rencontré la " fée africaine " surprise par Rimbaud »... (96) On est ici, qu'on excuse l'expression, en pleine salade culturelle. C'est une confusion de cet ordre que Senghor entretient, peut-être à son corps défendant.

Cette conclusion est cependant prématurée, car il faut, au préalable, envisager le « modèle africain » et, plus encore, la réalisation textuelle de ces divers modèles, qui fera l'objet du chapitre suivant.

***

Il est évident que l'établissement d'un modèle littéraire africain est assez embarrassant pour un Occidental. Mais cela ne l'est guère moins pour un Africain, à condition de ne pas se contenter d'affirmations générales et plus impressionnistes que sévèrement motivées comme celles que nous avons rencontrées précédemment. La critique demeure portée à reconduire la méthode et les spéculations de Jahn. Celui-ci, on le sait, tire ordinairement son modèle des textes qu'il est censé éclairer. S'il est à présent possible, essentiellement pour un chercheur africain, de réfléchir sur un, ou plutôt des

(95) T. MELONE, *De la Négritude* (1962), 35. Même en considérant qu'il n'y a pas contradiction si, dans la citation de la p. 32 (postérieure d'un an), Melone n'a en vue que le *contenu* de la poésie senghorienne on conviendra qu'une poésie dont l'expression est calquée sur des normes françaises, et celles, précisément, de l' « élite cultivée », peut difficilement passer, quel qu'en soit le contenu, pour une poésie « populaire ». On se souvient, de reste, que, pour Senghor, la nature africaine de la négritude réside moins dans le fond que dans la forme : affirmation d'importance que le présent essai met en question.

(96) A. BRETON, *La Clé des champs*, 131.

modèles culturels spécifiques, vu le grand nombre de textes consultables, textes modernes ou transcrits de la tradition orale, vu surtout le fait que ces textes participent depuis quelques années à la formation des enfants et des adolescents, c'est-à-dire font l'objet d'une pratique, il est difficile de déterminer quelle connaissance et quelle pratique de la littérature africaine avaient, au moment de leurs études, les futurs poètes de la négritude. Certes, il existait toujours de vivantes manifestations culturelles : danses, chants, peintures, statuaire, etc., et toute une tradition littéraire orale, mais on ne peut extrapoler sans prudence d'un genre artistique à un autre, d'un mode à un autre, ce que font, avec beaucoup d'aveuglement, les théoriciens de la négritude. Parler, comme on le fait volontiers à la suite de Sartre, d'une « poésie de tam-tam » risque de témoigner simplement d'un désir du cœur et de l'esprit. Et rappelons que la négritude n'a qu'occasionnellement repris les genres traditionnels qui, seuls, permettraient au spécialiste une comparaison fructueuse.

Si l'on se souvient que les poètes de la négritude furent en bon nombre arrachés, plus ou moins tôt, à leur famille et à leur terroir, on en déduira que leur pratique de la littérature traditionnelle se fait surtout, mais non uniquement, *a posteriori*, c'est-à-dire par un retour aux sources qui succède à la formation strictement française. Le cas de Senghor paraît, dans ce domaine, assez exemplaire. Reconnaissant, ce que nous savons déjà, qu'il a beaucoup lu les poètes français et négro-américains, il ajoute ces lignes qui nous permettent de préciser des données évoquées précédemment :

> Mais en réalité, je pense que ce n'est pas tellement ce qui m'a influencé. Je me suis senti moi-même et j'ai commencé à garder des poèmes quand j'ai eu l'impression d'écrire des poèmes négro-africains.
>
> Et peut-être ce qui m'a révélé à moi-même, c'est la traduction de poèmes négro-africains d'une langue indigène à une autre langue. C'est ce que j'ai fait quand je suis allé au Sénégal en 1932. [...] Je me suis aperçu en traduisant en français que je dépassais le vers de douze pieds et c'est pourquoi je l'ai abandonné (97).

Senghor reconnaît donc que sa pratique attentive de la poésie traditionnelle est postérieure à ses humanités françaises. Il n'abandonne l'alexandrin qu'après l'avoir, semble-t-il, beaucoup

---

(97) SEN., « La Littérature d'expression française d'outre-mer », discussion (1971), 34. Cf., ci-dessus, 9 et 18, appels de n. 6 et 44.

utilisé. C'est un esprit profondément marqué par les techniques d'expression occidentales qui se met à l'écoute des poétesses de son village. Et s'il renonce à l'alexandrin *parce qu'*il est trop bref pour transcrire les vers sérères, il n'en reste pas moins que ce choix peut paraître suspect, comme le notait Melone, puisque le vers libre et le « verset » claudélien ont depuis longtemps droit de cité en France. Du reste, Senghor n'a-t-il pas laissé entendre lui-même (98) que Claudel n'est pas étranger à sa décision de s'en tenir au verset ? Quelles que soient les intentions de Senghor, la négritude, telle qu'il la définit et telle, comme nous le verrons, qu'il la pratique en général, ne peut masquer sa collusion fondamentale avec la culture française.

Peut-être objectera-t-on que celle-ci n'est pas totalement informante. Il est, en effet, une période, vécue par tous les poètes africains de la négritude, qui les met à l'abri de la contagion culturelle : leur enfance. Senghor, on l'a vu, en parle beaucoup, la prend comme thème central de sa poétique. Tous les autres sont discrets ou muets sur elle. L'enfance est alors la seule période, plus ou moins durable, de symbiose avec le milieu naturel, dans la mesure où elle échappe à l'emprise du colonisateur : l'univers de *L'Enfant noir*. D'où une conviction d'authenticité dès que l'appréhension du modèle passe par des souvenirs et des impressions d'enfance (toujours plus ou moins reconstruits par l'adulte). Essayant de retrouver l'ingénuité de l'enfance, d'où tout ce qui pouvait gêner le contact direct avec l'Afrique-mère est inconsciemment (?) expulsé, un Senghor espère stériliser, par les vertus de la poésie, les apports occidentaux, sinon même les faire contribuer, par un choix judicieux, à l'expression du modèle africain. On n'a pas à suspecter sa bonne foi, tant qu'on n'est pas porté à la polémique, mais on est autorisé à montrer quelque scepticisme sur la validité du résultat.

Il ressort de ces considérations que le « modèle africain » et, de même, le « modèle antillais » sont à chercher d'abord dans la conscience du sujet. On prend acte de ses déclarations (Césaire disant : je suis un poète africain !) ou on le crédite, à la source, de l'*âme* dont il est possible, dans les textes, de déceler les fibres raciales et culturelles. On a déjà perçu ce postulat de lecture dans quelques-unes des citations données plus haut. Ajoutons cette remarque sur l'inspiration de Senghor :

---

(98) V., ci-dessus, 20, appel de n. 50.

> Si chez quelques noirs, ceux arrachés par l'esclavage
> à la terre première, on note une recherche crispée de
> l'*âme folklorique africaine,* chez Senghor, Sénégalais,
> *le temps des anciens s'installe en lui.* — *La poésie rede-*
> *vient magie.* « Tam-tam voilé », douceur de la nuit, des
> choses premières, *rythmes naturels.* Senghor est un
> paysan. Il en a la patience, la même croyance en la vie,
> âme végétale, à la même résistance que la nature (99).

Ces lignes témoignent exemplairement du mode de lecture que
la négritude a très fréquemment suscité en son temps : préférence accordée au contenu sur l'expression (qui n'est mentionnée que par le rythme, posé sans référence ni justification
comme « naturel »), glissement immédiat vers le sujet : Senghor est un paysan, et raisonnement, implicite, circulaire à
la manière de Jahn.

On reconnaîtra la même démarche, à propos de Césaire,
dans un article qui vise à définir une esthétique littéraire
caraïbe. L'auteur postule d'abord l'originalité de Césaire dans
le domaine francophone et il en déduit un modèle antillais.
En quoi consiste-t-il ? en l'expression d'un tourment personnel dans l'usage surréaliste des associations de mots ; en une
agressivité destructrice, image de son aliénation et de sa dépossession ; en l'utilisation d'un vocabulaire symbolique (dont la
signification est empruntée à L. Kesteloot) ; en une inversion
de la traditionnelle hiérarchie des valeurs occidentales (100).
Le « modèle caraïbe » est simplement déduit d'une présentation simplifiée (pour ne pas dire caricaturale) de l'esthétique
césairienne ou, mieux, de l'être césairien. Ce point de vue n'est
pas isolé. On lit chez un autre critique :

> L'emprise culturelle du Français sur la littérature
> martiniquaise est absente de l'œuvre de Césaire. Il
> affirme ce qui est authentiquement nègre et martini-
> quais sans se laisser dominer par ses tuteurs litté-
> raires (101).

On apprend, en conclusion, que Césaire a « créé un style authentiquement nègre tout en se servant du langage missionnaire
de sa négation [?] ». L'auteur s'en remet, comme si souvent,
au style métaphorique :

---

(99) J.J. MORVAN, « L.S. Senghor », 52 (souligné par moi). La première
phrase semble un emprunt non avoué à Sartre (v. plus bas). On retrouve,
sous une autre formulation, la « conscience natale » de L. Decaunes (33).
(100) M. DASH, « Towards a West Indian Literary Aesthetic », 24-25.
(101) F.I. CASE, « Aimé Césaire et l'Occident chrétien », 247.

> Il a façonné la langue française à l'enclume du forge-
> ron-prêtre, du forgeron-sorcier, du forgeron-griot de
> l'Afrique (102).

Evidente critique du désir : Césaire ne peut être grand poète
que s'il a rompu avec la culture oppressive du colonisateur :
elle est ici allègrement néantisée mais sans preuve, que s'il
est authentiquement martiniquais, c'est-à-dire authentiquement
nègre, c'est-à-dire authentiquement africain. Le texte postule
l'existence d'un modèle nègre, mais quel est-il ? N'existe-t-il
pas surtout, lui aussi, dans le désir du commentateur ? Comme
de telles démarches sont, répétons-le, habituelles, il est assez
délicat de se faire une idée de ce ou ces modèles problématiques. On verra plus loin (3, 3) ce qui a pu être dit d'une
« rhétorique africaine ».

Quelques mots sur le « modèle antillais ». Autant dire qu'il
n'existe pas et que l'une des fonctions de la négritude est
d'en promouvoir un. Certes, les Antilles ont, en trois siècles,
produit une littérature, créole d'abord, puis mulâtre et noire.
Mais la littérature des « Grands blancs », comme la nomme
J. Corzani, est une « littérature fossile » qui se contente d'appliquer de vieilles recettes élaborées dans la métropole et la « littérature des gens de couleur libres » (« l'actuelle petite bour-
geoisie affligée de son traditionnel bovarysme ») reste profondément aliénée (103). Aussi bien ces deux modèles sont-ils
répudiés par *Légitime Défense* et *Tropiques* qui entendent fonder une littérature originale, la future « littérature des Nègres », comme dit le même auteur (104). Sans doute n'est-il pas
certain que la pratique coïncide avec les déclarations de principe. Nous avons constaté, dans un chapitre antérieur, que
Césaire n'exclut pas tout recours à la « littérature doudou »
dénoncée par sa femme, et que ce recours n'est pas, apparemment, ironique. Une enqête précise devrait montrer si l'évidente « préciocité » de Césaire, de Brierre, de Niger, de Tirolien
et, après eux, de Glissant, ne relève pas d'une spécificité antillaise, indépendante du cloisonnement d'origine sociale et raciale
qui vient d'être rappelé, et due, en grande partie, au statut
singulier du français face au créole. Dans ses intentions d'écriture, la négritude antillaise paraît plus ignorer les deux premières littératures qu'en prendre le contre-pied. Au reste, elles

---

(102) ID., *ibid.*, 256.
(103) J. CORZANI, *La Littérature des Antilles-Guyane françaises*, t. 6, 277.
(104) « Entendons par là des intellectuels noirs ou métis porte-parole,
ou du moins se voulant tels, du prolétariat, des travailleurs agricoles, des
serviteurs, des chômeurs, bref des anciens esclaves » (ID., *ibid.*).

ne sont guère connues que des Antillais. Le seul qui force l'espace caraïbe est évidemment Maran, que tous les intellectuels noirs ont lu mais qui n'est pas utilisé comme référence. Malgré certaines tentatives d'annexion (105), nous ne pouvons accepter de tenir Perse (malgré sa préciosité, dont l'origine est autre, semble-t-il) pour un représentant authentique de la littérature antillaise. On est donc tenté de substituer à cet hypothétique modèle le modèle voisin de la Negro Renaissance qui réalise textuellement des aspirations proches de celles des Antillais. S'il n'existait, sur un autre plan, une réalité culturelle vivace, la chose serait possible.

Jetant les bases d'un nouveau et « véritable » modèle antillais, G. Desportes, entre autres sources, *dont beaucoup sont empruntées à une certaine modernité française* (Mallarmé, Apollinaire, surréalisme), accorde un grand prix aux traditions antillaises, dont la plus importante est la tradition rythmique (danses caraïbes, sud-américaines, jazz, etc.) réalisée en partie par les poètes du New Negro :

> On retrouve derrière tout cela, note-t-il, *un régulateur de l'âme noire qui est le tam-tam :* c'est-à-dire *l'obsession du courant rythmique à percussion alors que l'Europe est plutôt axée sur la mélodie* (106).

Outre danses et musique populaires il mentionne le sens du merveilleux et du fantastique, parfaitement représentés par les contes auxquels Lafcadio Hearn sut donner une large diffusion. Il mentionne enfin les pratiques vaudoues, plus haïtiennes que martiniquaises. Mais on retrouve ici une question posée plus haut : comment des poèmes, et non pas un roman, un film, une pièce de théâtre, pourraient-ils être informés par ces genres et ces pratiques ? Retenons surtout de ce modèle problématique ce qui vient des Etats-Unis et que Césaire considère comme l'expression du « lyrisme nègre ». Il le définit ainsi :

> épanchement direct, rapide comme un torrent de montagne ; délivrance de deux ou trois états d'âme, toujours les mêmes, les plus élémentaires et les plus

(105) V. E. YOYO, *op. cit.* et G. DESPORTES, « Saint-John Perse, poète créole ou l'insulaire révolté », *N.R.F.*, 278 (1976), 49-57. L'article suivant de GLISSANT est beaucoup plus nuancé dans ce domaine (« Saint-John Perse et les Antillais », *ibid.*, 68-74).

(106) G. DESPORTES, « Points de vue sur la poésie nationale », 98. Il propose, au début de son article, une définition séduisante de l'âme caraïbe : « Nous sommes, nous Antillais, de cœur créole, de pied africain, de tête française. Et notre création doit pouvoir résumer tout cela » (89). Il a été proposé ci-dessus, au sujet de Césaire (31), une formule voisine.

simples : le cafard, la joie, l'émotion religieuse : déversement subit du trop plein d'une âme vite remplie (107).

Les Africains ont à leur disposition des modèles plus nets et plus directement exploitables. On a pu noter l'intérêt que portent nos poètes aux cultures traditionnelles et le sentiment qu'ils éprouvent que ces cultures sont utilisables dans leur propre création (108). Mais rappelons que l'enquête à laquelle nous nous référons date des années 60, c'est-à-dire d'une époque où les œuvres traditionnelles commençaient à être réunies, éditées, étudiées et assez largement diffusées, et ce, par les Africains eux-mêmes. La situation était bien différente entre les deux guerres : textes rares ou vulgarisés sans précaution, ou, inversement, rigoureux mais de peu d'audience. Des œuvres majeures, comme le *Chaka* de Mofolo ou le *Doguicimi* d'Hazoumé (pour ne pas parler de son plus austère *Pacte de sang*) ont été connues assez tardivement. Il est significatif que le « Chaka » de Senghor soit postérieur à 1950. Mais la pratique de ces textes sous leur forme naturelle, c'est-à-dire orale, est assez générale dans l'enfance et l'adolescence. Si le jeune Senghor s'insurge contre la théorie de la table rase dont se recommandent ses maîtres au collège Libermann, c'est bien parce que l'enfant non seulement connaît l'existence de cette littérature et, plus généralement, des pratiques culturelles, mais en a les oreilles remplies. Senghor attestera plus tard la vitalité des traditions mystiques et culturelles qui ont instruit son enfance :

> Qu'au moins me console, chaque soir, l'humeur voyageuse de mon double.
> Tokô'Waly mon oncle, te souviens-tu des nuits de jadis quand s'appesantissait ma tête sur ton dos de patience ? [...]
> Toi Tokô'Waly, tu écoutes l'inaudible
> Et tu m'expliques les signes que disent les Ancêtres dans la sérénité marine des constellations (*C.* 18 36 127-135).

Si le jeune Senghor, issu d'un milieu catholique et complaisant à l'occidentalisation, a « vu de [s]es yeux, de [s]es oreilles entendu les êtres fabuleux par-delà les choses : les Kouss dans

---

(107) CES., « Introduction à la poésie nègre américaine » (1941), 41.

(108) L. KESTELOOT, *op. cit.*, 292. Si 15 sur 17 écrivains interrogés s'intéressent aux œuvres artistiques, seulement 13 le font aux œuvres littéraires. Cela montre-t-il un certain scepticisme sur la validité de ces modèles dans une littérature de langue française soumise aux impératifs de communication que nous connaissons ?

les tamariniers, les Crocodiles, gardiens des fontaines » (109),
etc., on est en droit de supposer que les autres, *a fortiori*,
connurent une enfance encore plus étroitement africaine.

On sait, d'autre part, que dans l'enseignement primaire,
le plus développé, et dans les écoles normales, les élèves et
les apprentis instituteurs sont souvent invités à recueillir et
à traduire, à titre d'exercice, des contes et des légendes.
Bakary Traoré est très explicite, à ce sujet, en ce qui concerne
les méthodes de travail en usage à l'Ecole William Ponty (110).
C'est ainsi, en particulier, que le théâtre africain traditionnel
put être diffusé auprès de l' « élite » blanche et noire des
grandes villes. Il ne faut pas, certes, méconnaître les différences très sensibles qui se manifestent d'un territoire à l'autre,
non pas seulement dans les pratiques scolaires, mais également dans les traditions elles-mêmes. L'Afrique de l'ouest jouit,
dans ce domaine, d'une situation privilégiée. On n'oubliera pas
que, pour ce qui est de l'Afrique, la négritude touche essentiellement sa partie occidentale. Si la cause évidente paraît
être une scolarisation plus ancienne et plus vaste, il n'est pas
impossible que jouent également une plus grande richesse
littéraire ou, à tout le moins et plus vraisemblablement, des
conditions d'échange et de communication plus propices, favo-
risées en particulier par l'islam. Le public français savait
depuis longtemps que l'Afrique était un assez prodigieux réservoir de contes. Voici qu'il découvre à présent une richesse
comparable dans l'épopée et dans les autres genres poétiques :
lyrique amoureuse, chants d'initiation, hymnes religieux, incantations professionnelles, etc. Mais tout cela, les « talbés » le
connaissaient de longue date. Senghor a beaucoup parlé, non
peut-être sans idéalisation ni fioritures, de la vie littéraire de
l'Afrique traditionnelle. Mais les griots, les dyâlis, les maîtres
de langue, de science, de l'euphuisme (111) ... :

> Ton père était docteur chez les Askias, ton hoirie de
> quatorze cents volumes.
> La plume du talbé chantait tes cils, l'odeur des parche-
> mins teignait tes mains
> Mieux que henné mieux qu'antimoine (SEN. *N*. 14 183
> 8-10),

tous les lettrés qui parsèment son œuvre poétique sont des

(109) SEN., « Comme les Lamantins... », *P.*, 160 (*L. 1*, 221).
(110) B. TRAORE, *Le Théâtre négro-africain et ses fonctions sociales*,
47-49. L'auteur ne cache pas ce que ces méthodes avaient d'intéressé de
la part du colonisateur.
(111) V. SEN. *C.* 18 31 49, *E.* 6 110 7, *C.* 25 51 70, *N.* 11 179 8, *E* 13 141 7, etc.

personnages bien réels de cette Afrique partiellement islamisée, du moins l'étaient encore au temps de sa jeunesse, malgré l'inévitable nécrose imposée par une colonisation qui réduisait la société aristocratique dont ils étaient l'émanation à un faste coupé de ses racines politiques et sociales.

Peut-être est-ce, cependant, le domaine malgache qui offre les exemples les plus vivaces, les plus spécifiques et les plus « littérarisables », si l'on peut dire. Le hain-teny, genre si typiquement malgache, profondément implanté dans les diverses couches sociales, est bien connu en France depuis que Paulhan lui a consacré un petit livre classique, malgré des interprétations erronnées aux yeux des Malgaches, Paulhan étant naturellement amené à le comparer à des genres existant en France, comme les fatrasies. « Mais les *hain-teny* ne sont pas que des poèmes énigmatiques », précise Ranaivo, qui ajoute :

> C'est à mon sens la base de la littérature malgache. Et si l'on se rapporte à l'affirmation selon laquelle il n'existe pas de poésie dans la culture malgache — le mot poésie ne figure pas en effet dans le vocabulaire du pays — parce que tout y est poésie, l'on se doit de situer le *hain-teny* au moins par rapport à ses frontières dans l'ensemble de la vie culturelle et, particulièrement, dans la littérature traditionnelle.

> Cette littérature est d'une richesse telle qu'elle éclipse en quelque sorte la littérature contemporaine (112).

On connaît moins les proclamations royales, ou *antsas*. Plus solennelles, plus circonstancielles, elles ont évidemment perdu de leur nécessité depuis l'occupation française et ne sont plus guère qu'une survivance. Mais les *kabary* (discours-palabres), les *ohabalana* (proverbes), etc., n'ont pas perdu toute vitalité. La littérature malgache traditionnelle est certainement, dans notre domaine, l'une des plus originales qui soient. Peut-être est-ce le poids de cette littérature et les conditions linguistiques propres à l'île qui expliquent le très petit nombre de poètes tentés par l'expression française. Le malgache se suffisait à lui-même et la demande du public était assez importante pour que l'édition dans la langue nationale soit possible.

Aux divers modèles que leur culture propose aux poètes de la négritude et qui viennent d'être sommairement énumérés (occidental, américano-antillais et africain au sens large) il convient d'en ajouter un quatrième : le modèle même de la négritude. En effet, les plus jeunes de nos poètes, ou les

---

(112) RAN., *Poèmes hain-teny*, 5-6.

moins précoces, ou ceux qui accusent une certaine longévité ont à leur disposition les œuvres de leurs confrères en négritude parues antérieurement. L'enquête à laquelle nous nous sommes référés à plusieurs reprises souligne le crédit dont jouissent Césaire, Roumain, Senghor, Damas et Rabemananjara auprès des écrivains noirs (113). Sans qu'on puisse aucunement parler de composition en vase clos ni de chapelle, on ne peut négliger pour autant cette sorte d'auto-influence.

Mais c'est, évidemment, à plus long terme que peut se manifester positivement et négativement, à présent surtout négativement, la prégnance du « modèle » de la négritude, si complexe et contradictoire qu'il apparaisse, comme on essaie de le montrer ici.

Sans doute la perspective adoptée tend-elle à privilégier les racines littéraires quel qu'en soit le terreau d'origine, selon le principe, généralement admis aujourd'hui, que la littérature naît *principalement* de la littérature. Sans doute également ne doit-on pas méconnaître d'autres sources culturelles et idéologiques mentionnées au passage dans les pages qui précèdent : le catholicisme et le teilhardisme d'un Senghor, le spenglerisme d'un Césaire, le marxisme ou, peut-être, plutôt, le léninisme d'un Roumain, le « jazzisme » (si l'on peut dire, pour la symétrie) d'un Damas ou d'un Socé, sans parler d'influences plus diffuses (qui peuvent n'être que d'involontaires collusions), comme le nietzschéisme ressenti plus que prouvé dans des chapitres antérieurs. Une enquête plus soucieuse d'histoire et plus rigoureusement orientée dans ce sens amènerait au jour, selon toute vraisemblance, bien d'autres sphères d'influence ou de convergence ignorées ici. Il ne semble pas, cependant, qu'elle remettrait en cause l'enracinement essentiellement littéraire de la négritude. On l'a dit et répété, la négritude est sans conteste une idéologie, apte par là-même à tramer une politique, celle, par exemple, que Senghor a essayé de conduire au Sénégal, mais c'est une idéologie informée avant tout par la littérature.

---

(113) L. KESTELOOT, *op. cit.*, 286. Sur les 17 écrivains interrogés Césaire est cité 8 fois, Roumain 5, Senghor et Damas 3 et Rabemananjara 2.. On peut prendre ces chiffres comme indices de notoriété au sein même de la négritude (prise au sens large de génération de la négritude), du moins à l'époque où ils furent établis.

Chapitre 2

INTERPRETANTS LITTERAIRES

Un énoncé ne peut délivrer son ou du sens que par référence au système de la langue dans laquelle il est émis. Ce passage par la langue est une condition nécessaire mais non suffisante. De manière analogue, sans qu'il y ait pour autant la même nécessité, un texte littéraire engendre ses sens spécifiques par le relais du ou des systèmes littéraires : tout texte littéraire se dit en disant d'autres textes ; en retour, ces autres textes contribuent à faire signifier le texte visé.

Ce fonctionnement a été banalisé sous le nom d'*intertextualité*, diffusé en France par J. Kristeva (1). Mais l'exploitation que fait cet auteur d'une notion irréfutable aboutit à un terrorisme herméneutique, certes utilisable idéologiquement, mais non lorsqu'on cherche à y voir plus clair dans le maquis des sens et des significations. L' « intersubjectivité », évacuée en théorie, se réintroduit en force. Il va de soi que la subjectivité est partie prenante dans l'élaboration du sens. On l'a répété ici même. Il est donc nécessaire de ne jamais perdre de vue le rôle informant du lieu de lecture. J. Bellemin-Noël s'est élevé à bon droit « contre l'impressionnisme et l'hypertrophie culturelle : pernicieuse, dit-il, est l'attitude critique qui projette indûment *sur l'œuvre* d'une part les richesses encombrantes

(1) J. KRISTEVA, *Sèmeiôtikè*, 146, 181.

de ses connaissances, d'autre part les fantaisies, voire les phantasmes de sa personnalité » (2). Il paraît, en outre, erroné de considérer qu'un texte fonctionne *réellement* dans toute la ou les littératures. De même qu'un message linguistique *est* dans la langue, qui le définit pour partie, mais n'actualise, pour signifier, que quelques sous-codes de cette langue, de même le texte littéraire *est* dans « l'ensemble des textes » littéraires (et même non littéraires) déjà produits, mais n'actualise, en raison de son fonctionnement textuel et des conditions de sa production-communication, qu'un nombre limité (pour nombreux qu'ils puissent être) de sous-codes littéraires. Si on l'oublie, on risque fort d'avancer des propositions gratuites et de compromettre l'intercommunication.

L'analogie proposée entre le système de la langue et le système (?) de la littérature, comme relais nécessaire de la signification, nous autorise à avancer le terme d'*interprétant littéraire*. Le nom est évidemment emprunté à Peirce (3). Il présente l'avantage de montrer que, 1°) le renvoi à un texte fait partie du sens du texte étudié ; 2°) celui-ci, du fait du dynamisme du suffixe verbal -*ant*, est posé comme *source* de sens et non comme *terme* d'une imitation ; 3°) ce sens est une interprétation du texte cible. Ainsi défini, l'interprétant littéraire est d'un maniement particulièrement délicat, puisqu'il se manifeste soit comme *signe*, sait comme *indice*, les deux mots étant pris dans leur sens arrêté en linguistique française. L'interprétant-signe est un interprétant avéré, objectif, qui fonctionne pleinement comme tel, l'interprétant-indice, au contraire, a une existence douteuse et un fonctionnement discutable. C'est sous cette dernière forme qu'il apparaît le plus souvent. Il va de soi que l'on passe du signe à l'indice sans solution de continuité et qu'il existe une zone d'incertitude entre les deux éléments.

Le domaine indubitable de l'interprétant-signe est celui de la citation, au sens restrictif du terme, c'est-à-dire de la citation qui s'avoue explicitement telle, par exemple par l'utilisation de guillemets, avec ou sans référence à un texte, à un auteur. Moins probante, mais tout aussi explicite, elle peut

---

(2) J. BELLEMIN-NOEL, « En Marge des premiers « Narcisse » de Valéry », 987.

(3) L'une de ses définitions du signe est bien connue : « Anything which determines something else (its *interpretant*) to refer to an object to which itself refers (its *object*) in the same way, the interpretant becoming in turn a sign, and so on *ad infinitum* » (C.S. PEIRCE, *Collected Papers*, 2, 303 ; trad. fse in *Ecrits sur le signe*, 126). V., entre autres commentaires, U. ECO, *La Structure absente*, 67 et G. GRANGER, *Essai d'une philosophie du style*, 114-116.

prendre la forme d'une simple nomination : nom d'œuvre, d'auteur.

Les citations *stricto sensu*, fréquentes dans le roman, sont exceptionnelles en poésie (4). Elles n'apparaissent ici, sauf erreur ou omission (5), que sous la plume de Rabearivelo. Trois de ses poèmes de *Volumes* sont une glose affective de quelques vers connus de Mallarmé. *V.* 7 16 s'achève sur une citation d' « Hérodiade » en italiques avec une modification signalée :

Et c'est pour moi, pour moi, que tu fleuris, déserte ! (14).

Dans *V.* 19 35, Rabearivelo commente, en se l'appliquant à lui-même, « Le Vierge, le vivace »... Le poème précédent (18 34) se fonde sur un vers du « Tombeau d'Edgar Poë » pour en tirer un art poétique personnel, dont on a déjà parlé :

Donner un sens plus pur aux mots de la tribu
et l'imprégner du sang de mes morts que nos combes
ombreuses et nos monts ensoleillés ont bu :
mission périlleuse et double qui m'incombe ! (1-4).

Citations encore dans un poème antérieur de *Sylves* (32 55) où des vers de Vérane et de Carco sont tressés dans les vers originaux du Malgache, qui essaie de percevoir une scène par les yeux de ses amis :

L'alcool nous désabuse :
Le frisson de ton pagne ondulant et jusqu'au
mouvement de tes seins évoquent un Carco
nostalgique de terres chaudes (4-7) (6).

Le procédé, spécifique du premier Rabearivelo, montre clairement cette confusion entre littérature et réalité dont ce poète a pâti plus qu'un autre.

Un second type de citation avouée est fourni par les épigraphes. Pratique rare dans la négritude, mais qui témoigne, comme telle, de son appartenance littéraire. Tout se passe comme si l'épigraphe était donnée comme une, voire la source du texte qu'elle introduit. Près de la moitié des 27 épigraphes relevées sont le fait de Rabearivelo, ce qui ne surprendra pas (6 pour la seule *Coupe de cendres*). Six seulement n'ont pas une origine occidentale : Damas écrit *Pigments* sous les auspices de MacKay, qu'il cite en anglais : il se reconnaît, comme lui, fils de l'Afrique, Tirolien se réfère à Roumain (2 239 41)

---

(4) Un exemple célèbre, cependant, le sonnet « A Mme Sand » de Nerval.
(5) Cette restriction porte également sur tout ce qui suit.
(6) L'hémistiche de Carco figure dans « Complainte exotique », *La Bohème et mon cœur*. Mentionnons enfin une citation de Toulet dans *V.* 9 18 1-2.

pour l'un de ses poèmes (11 29) et Senghor, par deux fois, à des vers sérères et wolofs (*C.* 19 38 et *N.* 22 192), une fois, à quelques mots, souvent repris, du *Cantique des cantiques* (*M.* 7 323). La dernière épigraphe de cet ordre est empruntée par Rabearivelo, en malgache, à l'*Histoire des rois* (*Tantara ny Andriana*), pour le poème d'ouverture de *V.* 56 89 consacré, selon toute apparence, à la reine Ranavalona. Parmi les autres épigraphes de Rabearivelo notons Laforgue (*S.* 39), Maynard (*V.* 9 18), Moréas (*V.* 61), etc. Il n'est pas jusqu'à *Traduit de la nuit,* la plus malgache de ses œuvres, qui ne soit mise sous le patronage d'un poète français : Supervielle. Les autres références « occidentales » sont les suivantes : Marc Aurèle et Renan chez Sissoko (105 et 65), Musset chez B. Diop (35), Poë et Flaubert chez Ranaivo (*C.* 9 27 et *O.* 6 23), Apollinaire, Jules Romains et O. Khayyam chez Roumain (6 255, 18 279, 20 283) et Milosz chez Rabemananjara (*R.* 7).

Une fonction analogue est remplie par les préfaces. N'entrent évidemment en ligne de compte que les préfaces demandées ou acceptées par l'auteur et qu'il n'a pas signées lui-même. Rares également sont de telles préfaces. Elles offrent néanmoins un témoignage intéressant, en particulier pour ce qui concerne deux des Malgaches : Ranaivo demande une préface à Senghor (*C*) et deux à des Français : O. Mannoni (*O*) et Robert Mallet (*R*). Ce dernier texte, par son titre même, exigeant plutôt un présentateur malgache. Trois des recueils de Rabemananjara sont préfacés : *Lamba* par Césaire, *Antsa* par Mauriac et sa dernière œuvre, *Les Ordalies,* par R. Mallet. On opposera l'hommage chaleureux des deux derniers aux réserves, déjà signalées, de Césaire qui regrette « l'abus d'un vocabulaire postsymboliste français » (8). Le même Césaire publie la version définitive du *Cahier* avec une préface de son ami Petar Guberina et accepte que la version bilingue soit précédée de l'article que lui avait consacré Breton dans la revue *Fontaine* en 1944. Son appartenance surréaliste est ainsi affirmée (à l'occasion de son poème le moins surréaliste). Inversement, Damas a supprimé de la réédition de *Pigments* la préface de Desnos, rattachant ainsi son œuvre à la signification de son seul nom (en l'occurrence : fondateur de la négritude ?) et en biffant toute référence surréaliste. On ne signalera que pour mémoire le liminaire de Pierrette Micheloud aux *Poèmes* de Sissoko : c'est une voix française qui précise que l'originalité de l'auteur « est d'être intégralement un poète de sa race ».

Epigraphes et préfaces permettent de compléter ce qui a été dit antérieurement des dédicataires : il s'instaure une sorte de circuit de communication et de signification : le poème, ou le recueil, découle d'un lieu textuel et s'oriente vers un autre lieu, un individu qui, le plus souvent écrivain lui-même, représente un lieu textuel. De manière générale, lieu-source et lieu-cible coïncident. Très schématiquement, et malgré des exceptions que nous avons vues et que nous reverrons, la négritude émane de la culture occidentale et y retourne.

On considère la mention du nom d'un auteur comme le substitut d'une citation. C'est en fait l'œuvre entière de cet auteur, ou, plus précisément, sa représentation idéologique, qui sert, dans ce cas, d'interprétant. Si, parmi les artistes nommés, les écrivains dominent, il convient de leur associer d'autres artistes (peintres et musiciens) dont la signification culturelle est voisine. 34 noms ont été relevés (pour une quarantaine d'occurrences). Le tiers figure chez Rabearivelo et autant chez Tirolien. Quand on se rappelle combien est brève l'œuvre de ce dernier, on tiendra ce phénomène pour très caractéristique : la poésie de Tirolien est, plus qu'une autre, inscrite dans la littérature et voulue littéraire. La mention d'artistes noirs dépasse de peu le tiers des occurrences (14). La moitié d'entre elles concerne des musiciens noirs : L. Armstrong, à qui Damas dédie *P.* 25 65 (SOC. 15 56 66 et TIR. 23 63 O : « Satchmo »), Duke Ellington (SOC. 2 19 45, SEN. *C.* 15 25 12), Paul Robeson (TIR. 24 69 51, SOC. 2 19 56-58), etc.

Les écrivains noirs sont surtout ceux de la négritude (ou de la périnégritude) : Maran et Senghor chez Brierre (*B.* 47 97 et *D.* 22 447). Le contexte où apparaît ce dernier mérite d'être cité :

> Et ce Tchad frémissant de l'attente d'Eboué,
> Le Sénégal où gazouillait Senghor des Hosties Noires
> Le Gold Coast où N'Kruma apprenait à briser
> Les chaînes du Ghana, etc. (446-449).

Il est conforme à l'idéologie de Brierre qu'il réduise Senghor à ses *Hosties noires*, mais on ne laisse pas d'être surpris par le mot « gazouiller » qui amortit la portée d'une dénonciation pourtant, par moments, vigoureuse. Il est vrai que « gazouiller » figure dans ce recueil (*H.* 2 60 44). Tirolien mentionne Césaire, MacKay et Guillen (24 69 50-51) et Rabemananjara Rabearivelo (*M.* 16 53-58). La rareté de ces allusions s'explique historiquement : les références authentiquement africaines ne pouvaient concerner que la littérature orale, anonyme par définition. Deux noms, cependant, figurent chez Senghor :

> O Toi qui donnes la maladie du sommeil aux nouveau-

nés, à Marône la Poétesse à Kotye-Barma le Juste !
(*N.* 25 200 41).

On connaît Marône. Quant à Kotye-Barma, c'était un « poète et
conteur qui parcourait le pays en donnant ses leçons de sagesse
sous forme d'énigmes et d'apologues » (7). Allusions exceptionnelles, donc remarquables, Senghor n'y donnera guère suite que
dans une page curieuse de l' « Elégie pour Martin Luther King »
où Booker T. Washington voisine avec William E. B. Dubois et
Langston Hughes, mais aussi Malcolm X et Angela [Davis], mais
aussi George Washington, Benjamin Franklin et le marquis de
La Fayette, et d'autres (*M.* 4 301 128-138). On retiendra surtout
que l'interprétant majeur est ici, plus que littéraire, musical. Le
jazz négro-américain, celui des années 30, sert indubitablement
de résonateur à la négritude. On en verra ci-dessous de claires
manifestations.

Mais la plupart des références nominales concernent l'Occident (au sens très large du terme) : Whitman s'y trouve (RBR.
T. 15 104 5), également Tagore (*ibid.*, v. 4). Bien qu'il soit
cité par le seul Rabearivelo (*S.* 41 71 10, *T.* 18 107 1), Virgile
est important, de même Pindare (SEN. *H.* 2 61 56). A quelques
autres exceptions près, dont Keats (RBR. *P.* 29 80 28), Beetho-
ven et Rimsky-Korsakov (RBM. *O.* 20 45 0, TIR. 26 74 41,
31 85 12), tous les autres sont français ou assimilables à des
Français. Il faut noter plusieurs « tombeaux » : deux chez
Césaire, à Lafcadio Hearn et à Eluard (*F.* 25 43-44, 38 62-65),
deux aussi chez Brierre, à Roumain et à Lumumba (*G.* et *O.*),
un chez Damas à Desnos (*N.* 3 85), un chez Rabearivelo à Gau-
guin (*P.* 26 73-74) ; ou des manières de tombeaux, comme quatre des sept *Elégies majeures* de Senghor ou bien encore, de
Césaire, le poème à la mémoire de Damas et la séquence à
Wifredo Lam de *Moi, laminaire...* (*M.* 4 17-18 et 55 83-58 87) ou
la « Cérémonie vaudou pour Saint John Perse » de *Noria* (*N.*
304-305). De tels textes sont parfois à lire comme la reconnaissance d'une filiation :

> ô Paul Gauguin, ô Paul Gauguin
> qui t'exilas au bord de la mer lointaine
> où mes pères s'étaient peut-être embarqués dans des
>   boutres —
> là où je fusse, moi, resté
> en l'attente de ton miracle (RBR. *P.* 26 74 36-40).

Le rôle de ces personnalités est fondamental dans l'être de

---

(7) R. JOUANNY, *Les Voies du lyrisme...*, 151. Senghor évoque également la chanteuse portugaise Amalia Rodriguez (*N.* 27 206 60).

Rabearivelo. Voyez, par exemple, le thrène « pour une petite phtisique », où le poète écrit :

> Moi, c'étaient les ombres d'autres hommes que je suivais, que j'interrogeais et écoutais
> chaque fois que le soir déroulait sa longueur sur ton front (*P.* 29 80 21-23).

Ces ombres, ce sont : Keats, apparaissant « le premier comme une lune / émergeant de songes inconnus », puis Chopin, Laforgue « qui se plaint de la vie trop quotidienne / et qui fume de très fines cigarettes », « qui obombrent le fantôme maladif de Samain ». Laforgue est éminemment présent chez lui (*S.* 21 41 1). Ajoutons Jammes (*S.* 27 50 1, *T.* 15 104 5) et Toulet, évoqué avec ses personnages, Nane et Floryse (*S.* 26 49 1). Ces appels, on le voit, concernent toute l'œuvre de Rabearivelo et non les seuls premiers recueils. Ranaivo, si enraciné qu'il soit dans son terroir, s'adresse cependant à Verhaeren (*R.* 18 34 6). Neuf autres noms sont mentionnés par Tirolien : trois peintres : Matisse, Braque et Picasso (26 75 51-52) et six poètes : Prévert, Aragon et Perse (31 85 13, 87 55-56), Verlaine (8), Mallarmé (9) et Rimbaud (10). Ces trois derniers noms ne manquent pas d'intérêt puisque Tirolien précise les raisons de son choix (Rimbaud) et de ses refus ; ceux-ci, du reste, plus intéressants encore du fait que la référence littéraire est jugée nécessaire, malgré son inutilité (11).

Il reste à signaler une dernière catégorie d'interprétants-signes, moins certaine que les précédentes (peut-être s'agit-il déjà d'indices) puisqu'elle implique un savoir, mais presque aussi *déterminante* : la citation d'un titre, particulier ou générique, que celle-ci se trouve dans le texte ou reprise elle-même comme titre. On établira, ici encore, une dichotomie entre le domaine noir et le domaine occidental. Outre un cas isolé chez B. Diop, « Kassak », évoqué plus loin, deux exemples sont bien connus : le long poème de Rabemananjara intitulé *Antsa* et l'habitude prise par Senghor d'appeler nombre de ses poèmes « woy » (ou « guimm »). Plutôt que de donner un titre à ses poèmes, il se contente fréquemment

---

(8) « Moi le nègre fou / fou du bijou d'un sou / que Verlaine / dédaigne » (22 60 37-40).

(9) « Comprenez-moi / si malgré Mallarmé / je veux haut proclamer / que la vie n'est que rythme / et rythme au sein d'un rythme » (22 61 50-54).

(10) « Je chanterai Rimbaud / qui voulut se faire nègre / pour mieux parler aux hommes / le langage des genèses » (26 75 47-50).

(11) Le phénomène a été bien vu par E.A. HURLEY, « Guy Tirolien in Search of an Attitude », 60 : « Even when he tries to assert his right to exploit African Rhythmes, he has at the back of his mind the possible disapproval of Verlaine and Mallarmé. »

d'une indication instrumentale : « pour kôra », « pour flûtes et balafong », etc. Le poème est ainsi présenté comme la partition d'un *chant* africain. Proposition originale qui signifie que seule une interprétation africaine peut réaliser pleinement le texte. Senghor le précise lui-même :

> Le poème est comme une partition de jazz, dont l'exécution est aussi importante que le texte (12).

Ce procédé qui vise à établir, par la musique, une communication avec le peuple, est donc inspiré non seulement des pratiques africaines, mais aussi du jazz américain. Et Senghor n'adopte-t-il pas, pour l'un de ses poèmes (*C.* 15 24 0), le titre de « Blues » ? On donne acte au poète de son propos ; mais on se demande s'il ne s'agit pas, précisément et seulement, d'un propos. Le texte, français, demeure l'élément majeur et il ne suffit pas d'exiger la participation de quelques instruments pour en faire une partition. Certains parleront d'africanisation à bon marché. Ajoutons que le « woy » wolof est soumis au principe de l'interférence puisque, dans son lexique, Senghor le donne ainsi que « guimm », comme « la traduction exacte de l'*ôdê* grecque ». Le mot « exact » ne peut entraîner qu'une contamination fâcheuse. Ajoutons surtout que Senghor ne se fait pas faute d'utiliser, tels quels, des titres génériques occidentaux (Epîtres, Elégies) sans chercher à fournir un équivalent africain. Le terme de *chant*, non marqué culturellement, aurait sans doute mieux convenu : il est fréquent (*Chants d'ombre...*) mais non systématique.

En fait, le titre porte assez généralement un vêtement occidental. Passons sur l'évidente assimilation dont témoigne une complaisance pour le sonnet (13), pratiqué par Rabearivelo, B. Diop et par Rabemananjara, qui revient, sur le tard, à des amours de jeunesse (la forme du poème vaut titre). On trouvera bizarre que les formes littéraires si typiquement malgaches ne soient reprises qu'exceptionnellement. Ranaivo n'intitule aucun de ses poèmes « hain-teny », même quand il s'en inspire, et donne à lire, par exemple, un « Epithalame » (*C.* 3 14 0), comme Rabearivelo des « Thrènes ». Ce dernier intitule un de ses recueils *Sylves*. Il serait vain d'y chercher l'évocation d'une poésie sylvestre. Malgré le « y », on ne peut guère comprendre autre chose que *Silves*, au sens latin : matériaux

---

(12) SEN., *P.* 167 ou *L. 1*, 226 (« Lamantins »...).
(13) Césaire le prend explicitement à partie dans sa « Réponse à Depestre », 114 (*N.* 3 300 25-27) : « C'est vrai ils arrondissent cette saison des sonnets / pour nous à le faire cela me rappellerait par trop / le jus sucré que bavent là-bas les distilleries des mornes. »

bruts. Rabearivelo se présente au lecteur cultivé français comme un Stace malgache. « Impromptus » souvent anecdotiques, liberté du ton malgré les rigueurs de la versification, néo-classicisme (outre la commune admiration pour Virgile), ces textes qui chantent aussi les beautés de Madagascar ne sont pas sans rappeler ceux du poète latin friand de sa Campanie. En conséquence, le recueil suivant, *Volumes*, tend à connoter de nouveau la latinité. Il en est de même pour les *Ethiopiques* de Senghor, qui renvoient simultanément au roman d'Héliodore, aux *Olympiques* (et autres) de Pindare, à l'Ovide des *Pontiques* ou aux géographes de l'Antiquité.

Voici des citations plus nettes encore, car non plus génériques mais individuelles. Un poème de Rabearivelo, déjà évoqué (*V*. 7 16 0), se nomme, comme son modèle, « Hérodiade », un autre reprend l'appellation de « Vers dorés » (*S*. 44 76 0), désignant à la fois Pythagore et Nerval, une sous-partie du premier recueil de Rabemananjara est empruntée à la bible : « Cantique des cantiques », la suivante à Du Bellay : « Regrets », Tirolien écrit, comme Baudelaire, un « Spleen » (30 83 0). L'exemple le plus déterminant est dû à Césaire, qui tire d'Apollinaire le titre d'un de ses grands recueils : *Soleil cou coupé*. L'ensemble du texte prend donc comme interprétant « Zone », dont les derniers vers n'ont pas manqué de séduire la négritude. On posera légitimement que le poème liminaire d'*Alcools* sert d' « embrayeur de sens » au *Soleil* de Césaire, tant sur le plan historique (la négritude se greffe sur une certaine poésie française) qu'idéologique (refus d'une civilisation donnée), qu'esthétique (poème promenade, ruptures, interférences...), etc.

De moindre portée, mais néanmoins signifiante, l'intrusion dans les *Chiens* (c'est une voix tentatrice qui parle) d'une formule juridique qui est aussi un titre de Char : « l'action de la justice est éteinte » (*E*. 40 315, 325). Signifiante, mais de quoi ? Le contexte impose à la phrase son sens propre. La présence de Char et de ce bref recueil de 1931 complique le décryptage, autrement relativement simple : la tentation, c'est de croire à l'innocence de l'Afrique et à la seule responsabilité des hommes « aux yeux d'acier » contre lesquels il est vain d'espérer l'application de la justice. Les vers de Char semblent soutenir le contraire. En fin de compte, la voix tentatrice n'est-elle pas, à son insu, une messagère « de la poésie frénétique », d'une certaine poésie frénétique à la mode des surréalistes français ? (Il est certain, en tout cas, que la citation introduit dans le texte une question d'écriture, totalement absente sans elle). L'apparition des *Romances sans paroles* dans un poème de Rabearivelo (*S.* 35 58 10) est évidemment moins énigmatique, de même, chez Damas : « plaise à *mon cœur / mis* un instant à *nu* »... (*N.* 54 148 5-6), etc. (14).

Tous les interprétants-signes qui viennent d'être énumérés fixent, si l'on peut dire, les coordonnées des lieux d'écriture et de lecture. On voit que, pour un certain nombre des œuvres de la négritude et parmi les plus importantes, ces « coordonnées » littéraires sont principalement occidentales et françaises.

*
**

L'interprétant-indice détermine moins un lieu de lecture qu'une orientation de celle-ci, ajoutant au signifié (on l'a noté à propos de la citation de Char) un second signifié d'essence littéraire qui réactualise un autre univers poétique à l'intérieur duquel le texte lu va également signifier. C'est à un processus de ce genre, et à lui seul, que nous proposons, en accord avec Hjelmslev, de réserver l'emploi du mot « connotation ».

L'interprétant-indice, on l'a dit, est d'un maniement délicat puisqu'il implique un savoir, nécessairement variable d'un lecteur à l'autre. Le risque est considérable de prêter au texte une connotation que son orientation et ses références excluent en principe (d'où l'intérêt d'une enquête préalable sur les interprétants-signes). A défaut de critères aptes à distinguer les connotations contraintes par le texte de celles qui sont contraintes par le montage culturel du lecteur, au moins peut-on tester la pertinence d'un interprétant par rapport à la structure textuelle et contextuelle et son rendement à l'intérieur d'une œuvre donnée : on opposera ainsi un interprétant isolé, donc de peu de conséquence (voire gratuit) à une chaîne d'interprétants (qu'on pourrait appeler, à la suite de Greimas, une isotopie). De même, on ne traitera pas identiquement l'interprétant réduit à un simple mot (si mallarméen que soit le nom « azur », chaque item ne renvoie pas nécessairement à Mallarmé) et l'interprétant plus long et mieux structuré. Mais on ne parviendra jamais qu'à définir un degré d'improbabilité. Et il demeurera que, même problématique et, comme telle, non réellement communicable, une connotation s'imposera à tel lecteur et informera sa lecture. Dès le moment qu'un auteur reconnaît qu'il joue un jeu culturel, il s'en remet à la culture de son

---

(14) A deux reprises Senghor utilise le syntagme « mourir de ne pas mourir » (*E.* 6 111 21 et *N.* 25 199 28), évidente citation. Mais renvoie-t-elle à un titre d'Eluard ou à l'exclamation de ste Thérèse ? On sait que l'expression s'est vulgarisée en France depuis le XVIIᵉ siècle.

lecteur. Ne prenons qu'un exemple. A propos d'une courte séquence de Senghor : « Servante, suspends ton geste » (*C.* 3 11 7), on cite comme interprétant « Le Lac » : « O temps, suspends ton vol » (15). Le rapprochement s'explique par la voyelle accentuée [ã] d'une cellule dissyllabique, par la suite « suspends ton » suivie d'un nom monosyllabique et par la reprise, un peu plus loin, de « et vous ». Mais se justifie-t-il ? Lamartine apparaît-il ailleurs dans l'œuvre de Senghor ? Il ne semble pas. Et, surtout, il n'y a pas coïncidence rythmique. Voici le vers dans son entier :

> Servan*te*, suspends ton ge*ste de statue* et vous, *enfants,*
> *vos jeux et vos rires d'ivoire.*

(Sont soulignés tous les éléments qui ruinent la coïcidence). Donc, interprétant problématique, mais intéressant puisqu'il fait signifier également au vers : arrêt du temps. Notre point de vue étant très général, nous négligerons les interprétants de cet ordre.

Mais peut-on exclure d'autres interprétants problématiques : tous ceux qui ne relèvent pas de la citation textuelle, mais renvoient, synthétiquement, à un mode, un thème, une œuvre, etc., bref, au signifié, à l'exclusion du signifiant ? On retrouve ici tous les risques de gratuité inhérents au jeu culturel et, dans ce cas encore, difficilement palliables. Or, on l'a vu, entre les deux domaines littéraires, la balance n'est pas égale. Si l'Occident offre, dans la langue même du texte « interprété » un grand nombre de signifiants *textuels*, le monde noir, à l'époque de la négritude, ne fournit guère, comme signifiants, que des signes *linguistiques* appartenant à une autre langue et donc aisément repérables (sauf calque). Il fournit surtout des signifiés ressortissant à la tradition orale. On est immanquablement conduit à privilégier les interprétants du premier domaine. Ceux du second risquent de ne pas être perçus, du moins par une lecture essentiellement informée, comme la nôtre, par la culture occidentale. Seuls, répétons-le, des compatriotes de nos poètes sont à même de traiter valablement cet aspect de la question. La brièveté de nos remarques sur les interprétants *nègres* ne préjuge donc en rien de la possible importance du phénomène.

La première remarque qui s'impose est que certains de nos auteurs, à défaut d'interprétants nègres répertoriables (même

---

(15) J.-B. TATI, *Traditions africaines et apports européens...*, 203. L'interprétant lamartinien est, en revanche, à peu près certain dans *BDP.* 37 58 9-11 : « Sur le désert et dans l'infini des âges [...] Aborderons-nous à de lointains rivages ? ».

s'ils existent et ils existent sans doute), neutralisent à peu près complètement les interprétants littéraires occidentaux : avant tout Keita et Sissoko, mais aussi Dadié, Socé et Ranaivo, à un moindre titre Roumain et D. Diop. Les textes de Keita semblent, sinon la traduction, du moins la transposition dans une langue assez neutre de genres poétiques traditionnels. Ils sont confiés à un récitant, interrompu à la fin de chaque strophe par des phrases orchestrales. Contrairement à ce qui a été dit de Senghor, le procédé ne jure pas ici : il échappe à l'artifice (16). Comme lui, Sissoko s'en remet au signifié sans essayer d'interposer une forme prosodique. Or le signifié ne doit guère à la littérature française. La langue de ces deux auteurs n'est pas aussi simple et naïve qu'on l'a prétendu (17), mais les « élégances » qu'on rencontre chez eux (« la sylve endeuillée »..., KEI. *P.* 1 14 91 et *A.* 1 19 105) peuvent être moins un reflet de la littérature française qu'un effet de la pratique scolaire. On accordera la même origine à des purismes qui s'éloignent de la langue courante (« hommes et femmes [...] *achalandaient* les ruelles *naguère* taciturnes », KEI. *P.* 7 60 21) ou, inversement, à des « fautes » qui sont, en réalité, des expressions idiomatiques du français d'Afrique : « Mais c'était bien fait qu'il avait décidé de m'attendre » (SIS. 108 159 2) (18). Dadié, on s'en souvient, partage la formation de sissoko et de Keita. Selon une optique occidentale, contrairement aux deux derniers qui passent pour plus prosateurs que poètes, Dadié, par le fait même qu'il adopte, formellement, une versification (le découpage par vers), mérite naturellement le titre de poète. Son indifférence aux modèles occidentaux fait de lui, aux yeux de certains, le seul poète authentique de cette génération :

> Plus que Senghor, qui est de mouvement et de style amples et savants, je salue en ce frère de Côte-d'Ivoire, le premier poète négro-africain (19).

(16) « Du point de vue de la poésie, nul doute que son art ne soit proche des canons esthétiques du griot, car il marie constamment paroles dites ou chantées et musique » (C. NENEKHALY-CAMARA, « Conscience nationale et poésie négro-africaine », 14).

(17) ID., *ibid.*

(18) Cf. KEI. *P.* 5 42 18 : « Bailleux n'avait pas fait une semaine à Damissa » ; 5 44 60 : « il fait très tard », etc.

(19) C. NENEKHALY-CAMARA, *loc. cit.* Les raisons de l'auteur se fondent moins sur le texte que sur le lieu d'écriture, attitude que nous avons souvent rencontrée : l'authenticité de Dadié vient surtout de sa conscience politique. S'il mérite un tel salut, c'est non seulement à cause de sa « profonde sensibilité », de sa « grande richesse d'expression » et de son « aisance d'écriture assez remarquable », mais surtout parce qu' « il paraît traîner derrière lui, comme un boulet, les désillusions qu'a apportées aux peuples africains la trahison politique du Rassemblement Démocratique Africain, quand ce mouvement se détourna de la voie révolutionnaire ».

A vrai dire, un tel jugement s'appliquerait mieux à Socé car, ainsi qu'on le verra, Dadié n'a pas résisté à un certain néo-classicisme, et, plus encore, à D. Diop (pour ne pas mettre l'Antillais Roumain sur les rangs) dont l'œuvre, pour une bonne part (et plus chez Diop que chez Roumain), exclut le modèle français par neutralisation sans pour autant recourir à des interprétants africains traditionnels : l'écriture s'organise en fonction de l'engagement idéologique.

Les interprétants nègres les plus évidents, d'après ce qui précède, sont à chercher du côté de Harlem, à qui Senghor rend indirectement hommage dans son poème « A New York » (E. 7 115-117). Les *Weary Blues* de Langston Hughes représentent certainement un interprétant majeur de la poésie de Damas, principalement dans *Pigments* et dans certains passages de *Black-Label*. Son usage presque constant de la syncope rythmique évoque presque nécessairement le jazz, présent par ailleurs comme signifié, de même la technique des reprises et des développements dont on reparlera en 4, 2 :

> Trois Fleuves
> trois fleuves coulent
> trois fleuves coulent dans mes veines (B. 1 9 12-14).

Il n'est pas impossible que les expressions triviales ou argotiques, assez fréquentes chez lui, renvoient également au *New Negro* (20), mais la chose n'est pas évidente. La référence au parler populaire peut être suffisante, surtout si l'on songe à Césaire faiblement marqué par Harlem. Outre Damas, cet interprétant (appelons-le « blues ») ne se rencontre guère, occasionnellement, que chez Roumain (15 273 10-17, etc.), Socé (2 17 7-10, etc.) et Tirolien (23 63-66), mais, comme pour un poème isolé de Senghor (D. 10 223), il est plus vraisemblable que l'interprétant soit Damas lui-même.

L'interprétant africain consiste surtout, ainsi que nous l'avons vu, en première analyse du moins, dans le mode d'exécution que Senghor tente d'adapter aux manifestations de l'art « total » africain : le poème-cérémonie (21), et dans le choix de certains genres traditionnels : chants d'initiation (N. 22 192-195), incantations (C. 3 11), odes gymniques (N. 13 181-182). Simples exemples et non liste exhaustive que pourront établir les spécialistes.

---

(20) Proposé par J.-B. TATI, *op. cit.*, 76.
(21) V., p. ex., SEN., *L. 1* (1947), 78 : « Tu te lèves au milieu d'un conte. Les tam-tams battent, et les mains. Tu vas réciter un poème-intermède, plutôt tu vas le chanter et le danser ; et les spectateurs reprendront le refrain en chœur. » La scène a lieu dans une baraque de prisonniers, en Allemagne.

B. Diop le suit dans cette voie, pour la partie « Lueurs » de son recueil, à moins qu'il ne le précède, car certains de ces poèmes sont anciens, tel « Kassak », précédemment annoncé :

> La Terre saigne
> Comme saigne un Sein
> D'où coule du lait
> Couleur du Couchant (48 81 1-4).

On reconnaîtra, en lisant tout ce poème, que l'interprétant africain s'impose ici avec beaucoup plus d'évidence que chez Senghor. Le genre épique est peu représenté, mais il figure chez Sissoko (5 15-17, 30 48-49) et Socé (3 21-26) et, sous forme de ballade épique, chez Keita.

L'interprétant malgache ne peut être confondu avec l'africain. Sensible mais diffus dans le Rabearivelo de *Traduit de la Nuit*, il paraît plus hypothétique dans *Presque-Songes* (22). Il est de fait que l'inspiration populaire qui préside à la composition et à l'écriture de la « cantate » *Imaitsoanala, fille d'oiseau* est absente des poèmes de notre corpus ; mais il est également de fait que le *ton* des quelques poèmes de la *Coupe de cendres* « traduits du malgache par l'auteur » se retrouve dans la mélancolie résignée de nombreux autres textes, de *Sylves* à *Traduit de la Nuit*. A un enquêteur malgache de prouver (ou d'infirmer) cette impression. A lui de reconnaître également si Rabemananjara utilise des interprétants littéraires autochtones : le moins qu'on puisse dire est qu'ils ne sont pas évidents, tout au contraire de Ranaivo : l'écriture de celui-ci, qu'on jugera excessivement précieuse et alambiquée, relève de la rhétorique imérinienne. Certes, une telle rhétorique n'est pas sans analogie avec certaines traditions littéraires françaises (au reste, nombre de procédés rhétoriques font figure d'universaux) : le poète semble se complaire dans un ronsardisme maniéré, pourtant les genres adoptés, les sujets retenus, le style formulaire, le mode, qui est celui de l'impromptu, tout a un répondant malgache. Un de ses poèmes commence de la façon suivante :

> — Dites, ô herbes, ô fougères,
> la-bien-aimée-aux-yeux-de-jais
> qui baigna son ombre
> dans l'étang-des-libellules
> a-t-elle passé par ici ?
> — Elle a passé hier,
> elle était là avant hier.

(22) V., di-dessus, 3, 1, 29, n. 81.

— Et quel message a-t-elle laissé ?
— Poutres d'or, murs de cuivre (*C.* 1 11 1-9).

On comparera ces vers à un authentique hain-teny :
Dites-moi,
herbes des environs,
dites-moi, buissons pernicieux :
est-elle passée par ici
la-belle-à-l'ombre-d'or ?
Confiez-lui mon message :
la racine de la vie
est la femme qu'on aime (23).

L'exemple n'est pas isolé. De manière générale, c'est dans l'œuvre de Ranaivo que la théorie de l'interférence se montre le plus pertinente.

Pour un lecteur français, l'interprétant *nègre* prend principalement l'aspect, non pas littéraire, mais linguistique, c'est-à-dire, avant tout, lexical. Cet aspect a déjà été abordé à propos de l'exotisme. Il est inutile d'y revenir. Rappelons seulement que les termes locaux abondent (sauf chez les « neutralisateurs »), en particulier dans les domaines géographique, botanique et zoologique. Préférer le nom local au nom français, quand il existe, ou décider d'employer un terme vernaculaire sans correspondant français, c'est vouloir désigner un contexte situationnel spécifique : le milieu originaire est ainsi connoté par le terme, qui est indubitablement un interprétant. Autre interprétant linguistique, mais, lui, problématique, et soumis à l'interférence, le calque d'une expression indigène. Senghor note à ce propos :

Il est arrivé parfois que des poètes ont dit que j'avais imité, mettons, Homère, Virgile, etc. J'avais tout simplement transcrit une expression d'un poème populaire africain (24).

Il est dommage qu'il ne présente qu'un exemple théorique et on ne se contentera pas de la qualification vague : « un poème *africain* ». Ne méconnaissons pas ce procédé d'écriture. Il risque seulement de passer inaperçu d'un lecteur français enclin à prendre pour une expression idiolectale un interprétant linguistique. Quelques exemples :

Un oiseau sans couleur et sans nom

(23) *Poèmes Hain-teny*, traduits du malgache par F. Ranaivo, 21.
(24) SEN., « La Littérature d'expression française d'outre-mer », discussion, 34.

a replié les ailes
et blessé le seul œil du ciel (RBR. *T*. 6 94 1-3).

« Le seul œil du ciel » traduit littéralement le syntagme *maso tokan' ny lanitra*, lui-même image jouant sur le nom du soleil (*maso andro*) (25). De même, « le Seigneur-Parfumé » de Ranaivo (*C*. 3 16 109) est l'équivalent textuel de *Dieu* en malgache (*Andriamanitra*) (26). « Les Hommes au cœur noir » (BDP. 42 72 41), si naturel en français, interfère avec une formule wolof (27). Viennent également du wolof « les Roses-d'oreilles » dont parle Senghor, par la bouche du Zoulou Chaka (*E*. 8 125 98) (28). Au contraire, lorsque Sissoko écrit qu'avec l'âge tout Dabo a « une tête de chèvre dans sa culotte » (5 17 53), cette expression bizarre, au demeurant assez claire, sera considérée comme une probable traduction du malinké. Les créolismes peuvent ne pas être perçus comme marqués. Césaire, pour saluer le tiers monde, s'écrie :

Ecoutez :
de mon île lointaine
de mon île veilleuse
je vous dis Hoo ! (*F*. 44 83 12-15).

Quoi de plus banal que ce cri d'appel vide de sens ? Ce serait pourtant un cri typiquement antillais (29). C'est donc moins Césaire qui salue que les Antilles toutes ensemble. Créole également la répétition de « beaucoup » en fin de phrase et non recherche expressive personnelle :

Femme, ton visage est plus usé que la pierre ponce roulée
par la rivière
beaucoup, beaucoup (CES. *E*. 72 746-747).

De tels interprétants sont sans doute très nombreux et autorisent des lectures différentes selon l'origine du lecteur. Cependant, comme on le verra prochainement, le calque peut, à la limite, devenir une illusoire panacée (cas, en particulier, de Rabemananjara).

On mentionnera, pour terminer cette trop rapide évocation, un interprétant plus évident : la circulation de citations à l'intérieur même de la négritude. Celle-ci a suffisamment de durée et de variété pour entraîner, comme on l'a dit, des contamina-

(25) J.-L. JOUBERT, « Sur quelques Poèmes de Jean-Joseph Rabearivelo... », 85.
(26) J. VALETTE, *Flavien Ranaivo*, 62.
(27) M. KANE, *Birago Diop*, 195.
(28) P.G. N'DIAYE, *Ethiopiques, poèmes de L.S. Senghor*, 67.
(29) Y. LABEJOF, in KESTELOOT et KOTCHY, *A. Césaire, l'homme et l'œuvre*, 155-156.

tions d'un membre du groupe à l'autre. Elles ne manquent pas d'intérêt puisqu'elles tendent à unifier et à caractériser le mouvement. Le *sens* de la citation ne s'impose pas toujours avec évidence. Niger, par exemple, offre, apparemment, un certain nombre de « senghorismes ». On a déjà signalé (t. 1, 274, n. 66) :

Un rire soudain d'ivoire sonore sur fond d'ébène tendre (5 33 42),

qui évoque, entre autres, SEN. *N.* 22 193 16. Un peu plus bas,

D'où surgit le baiser ardent du serpent cracheur (33 50)

fait penser à SEN. *E.* 8 121 43. Niger use d'un « ronsardisme » :

Que tu es balourd, balourd *comme un*
Qui ne comprend pas l'ironie (1 8 34-35),

Senghor également :

Depuis, *comme un qui* cherche la fumée d'un songe, j'ai promené ma quête inquiète (*N.* 14 182 3).

S'il y a emprunt, dans quel sens joue-t-il ? Les poèmes de Niger sont antérieurs à ceux, cités, de Senghor. Tous deux, se connaissant bien, ont pu se communiquer leurs poèmes, assurément échanger leurs vues poétiques. Dans le dernier cas, s'agit-il d'emprunts indépendants à Ronsard, ou d'un emprunt de Senghor à Niger, à moins que ce ne soit l'inverse ? (30). Mais peu importe le sens ; ce qui compte, c'est qu'il existe un interprétant « négritude ». Les exemples sont nombreux. En voici quelques-uns parmi les plus significatifs :

Césairismes chez Brierre (*N.* 41 999, *S.* 15 201) (31), Damas (*N.* 55 149 2, voire 13-14, qu'on rapprochera de CES. *E.* 116 1296), D. Diop (11 30 1-2) (32), Rabemananjara :

Kouro-Sivo ruant dans la vanne et les veines de pleine crue, toute l'hérédité sismique de l'Austral ! (*L.* 46 146-147 ; cf. 55 183-185).

Senghor (*C.* 4 11 1 (33), *E.* 8 127 122 (34), *N.* 29 211 28-29 (35), etc.), Niger (6 37 49-51) et Tirolien :

---

(30) On pourrait également citer des termes comme « récadaire » (NIG. 6 41 134), « tata » (5 33 53), qui se trouvent, tels quels ou très voisins, chez Senghor, qui paraît, ici, l'initiateur. « Récade » a plu également à Césaire (*M.* 32 51 16).

(31) Brierre parle ailleurs des « *armes* non *miraculeuses* / Qui porteront la guerre au cœur de l'Ethiopie » (*D.* 29 648-649).

(32) Signalé par E. ELIET, *Panorama...*, 117, qui rapproche (abusivement) de CES. *R.* 40 352-353.

(33) Cf. CES. *R.* 90 1462. Le poème de Senghor lui est dédié. Le dédicataire sert, ici, d'interprétant. Ce n'est pas rare.

(34) Ex. intéressant : « O ma fiancée, j'ai [...] / Longtemps peiné pour cette nuit d'amour sans fin, souffert *beaucoup beaucoup.* » Chaka s'exprime comme le Rebelle (et comme eux, Senghor lorsqu'il dit (*M.* 6 317 65) qu'à

(Suite p. 62)

C'est là que s'élaborent
nos futures explosions (2 10 18-19) (36).

Damasismes chez Brierre (*D.* 23 487-24 527), Césaire (*R.* 39 326-40 339, etc.) (37), Dadié (*H.* 22 45-46), B. Diop (40 67 1-5) (38), D. Diop (26 54 et 27 55), Roumain (3 241-247), exceptionnellement chez Senghor (*D.* 10 223, déjà cité), Tirolien (4 13 4-6, 30 84 33-36) (39).

Biraguismes chez Dadié (*A.* 6 18 24) (40) et, comme on l'a vu, *peut-être* chez Senghor.

Rabearivelismes chez les deux autres Malgaches, en particulier l'emploi de l'interrogatif « quel » : « Souffle odorant venu de *quel* rose Atlantique » (RBM. *M.* 2 13 14), « Le soleil est crépu / et pénètre tout entier sous *quelle* tente tendue » (RAN. *C.* 10-2 29 4-5) (41). Mais on trouve également le zébu (RBM. *A.* 59 513-514, RAN. *R.* 11 25) (42). Le mot « anténéant » des *Calepins bleus* figure chez Rabemananjara (*C.* 195 3) et Ranaivo (*R.* 14 29 12), etc. (43).

ceux qui se sont aimés « comme deux braises » il « serait beaucoup pardonné, *beaucoup beaucoup* »). L'emprunt le plus évident, le plus avoué aussi, tant est souvent cité le texte de Césaire, est fourni par une définition de la négritude. A Césaire qui écrivait, dès 1938-1939 (v. L. PESTRE de ALMEIDA, « Les Versions successives du *Cahier...* », 66) : « ma négritude n'est pas une pierre », etc. (*R.* 71 1035-1043) Senghor répond, une trentaine d'années plus tard : « Ma négritude point n'est sommeil de la race », etc. (*A.* 263 71-73). Le curieux « lait noir » de *E.* 7 117 28 a peut-être pour interprétant CES. *F.* 33 54 11 puisque le poème de Césaire, paru en 1955 dans *Les Temps modernes*, est antérieur à la publication d'*Ethiopiques*. L'inverse est néanmoins possible, ou s'agit-il d'une convergence ? Les deux textes, en tout cas, s'interprètent réciproquement.

(35) Cf. CES. *E.* 31 203-207.

(36) Cf. TIR. 5 15-16 et CES. *F.* 25 43-44 : v. t. 1, 319, n. 19.

(37) Damas rapporte (« La Négritude en question », 59) comment il prit connaissance du *Cahier* des mains mêmes de Césaire : « J'étais encore couché, c'était un matin, très tôt, je l'entends encore : " Tu me diras dans quelle mesure j'ai été influencé par toi. " J'ai été tellement surpris par la beauté de ce poème que je n'ai rien dit. Mais il est certain qu'il a subi à certains endroits mon influence. » Comme dit ci-dessus (et comme on le redira), il ne faut pas exagérer cette influence.

(38) Cf. DAM. *N.* 17 103 4, 6. Damas est dédicataire de 38 61-63 où B. Diop reprend le leit-motiv de *P.* 9 29.

(39) Cf. DAM. *P.* 5 21 1 s. Les vulgarités déjà signalées de 30 83-84 se réfèrent sans doute à Damas plus qu'au New Negro. 22 60 22-24 renvoient vraisemblablement à DAM. *N.* 55 149 1-2.

(40) Cf. BDP 41 69 19-20. Ce poème figure dans l'*Anthologie* de Damas.

(41) Cf. « s'enivrant de quel mensonge / dont se pare la nuit » (RBR. *S.* 15 29 9-10). Ex. Innombrables : *S.* 21 41 7..., *V.* 7 16 5, 20 36 3..., *P.* 22 64 15, *T.* 1 89 3, 2 90 1, etc. SEN. *C.* 7 16 16 a peut-être la même origine.

(42) Cf. RBR. *P.* 19 59-60. Mais dans ce cas comme dans le précédent, l'interprétant est peut-être tout simplement malgache. Il en est de même de la fréquence du chiffre 7 ou de l'adjectif « septuple » : cf. RBR. *T.* 3 91 3, RBM. *R.* 1 10 42, *A.* 28 232, *L.* 15 13.

(43) Cf., p. ex., RAN. *R.* 20 37 5 et RBR. *V.* 57 91 5, RAN. *R.* 14 29 1-2 et RBR. *V.* 41 69.

Senghorismes enfin. Peut-être DDP. 2 20 1-3 sont-ils, comme le pense G. Moore, une réponse indignée à SEN. *H.* 20 95 43-44) (44), mais les exemples les plus nombreux et les plus évidents sont le fait de Rabemananjara et de Tirolien. Comme Rabearivelo est très présent dans les *Marches du soir*, Senghor est proche dans *Rites millénaires*. Comparer, par exemple, « Je t'apporte, Déesse, un salut blanc comme la neige » (*R.* 1 9 1) à SEN. *H.* 15 82 3, « Et les ténèbres / ont englouti les cris de mon sang » (1 10 40-41) à SEN. *E.* 2 102 23-24, « faste de l'aube seconde » (1 11 56) à SEN. *E.* 2 102 14, « Mais étrange, combien étrange / l'accent de ton sourire » (1 11 62-63) à SEN. *N.* 4 173 3, 11 179 6, 18 188 12, « en la clairière de tes cheveux » (1 11 76) à SEN. *N.* 22 193 15) (45). Ranaivo utilise assez clairement Senghor dans *C.* 11 30 : « soirs bleus » (3), « voix de bronze » (13), « baiser-bleu-d'adieu » (27). Quant à Tirolien, il écrit « ton rire / d'or natif » (1 6 41-42) et Senghor : « ta voix d'or vert » (*E.* 12 141 22), « fulgurances bleu natif de joie » (*N.* 22 193 10). Tirolien : « la laine docile de nos têtes » (10 27 3), Senghor : « il nourrit les têtes laineuses de mon troupeau » (*N.* 26 202 34). Tirolien : « nos garçons [purent] décliner la rose sans odeur » (10 27 9) et Senghor : « vous déclinez la rose, m'a-t-on dit » (*C.* 10 19 22), etc.

Ce ne sont là que quelques exemples qui sautent aux yeux. Beaucoup d'autres, sans aucun doute, se montreraient à une lecture plus attentive. Si schématique soit-elle, cette ébauche montre, au sein de la négritude, non seulement dépendance (Rabemananjara et Tirolien au premier chef, mais aussi Brierre, D. Diop, Roumain) et autonomie (surtout Keita et Sissoko, mais aussi Ranaivo et Socé), elle montre également attraction (Césaire, Senghor, Rabearivelo, Damas) et satellisation (où l'on trouve les « dépendants »).

Sans trop anticiper sur un chapitre ultérieur (4, 3), signalons que le vocabulaire, dans une certaine mesure, circule d'un poète à l'autre. Ne prenons que deux termes. Le mot « désastre » (dont l'origine est peut-être mallarméenne) figure très tôt chez Damas (*P.* 12 35 7-8) et passe, semble-t-il, chez Césaire, qui en fait un usage constant (*A.* 25 93 30, *S.* 23 37 21, 28 43 10, *C.* 5 13 0, 7, 8 16 2, 46 76 32, etc.). Dès qu'il figure ailleurs, il connote la (ou une) négritude antillaise. Le second terme est

(44) G. MOORE, *Seven African Writers*, 20-21.
(45) La synesthésie d'un vers de *L.* (58 195) : « le cri multicolore, au matin bleu d'amour, des pêcheurs de liesse » est également, outre l'emploi de « bleu », assez senghorienne. V. *R.* 1 11 70 (cf. SEN. *N.* 4 174 13, 11 179 4), etc. L'influence de Senghor sur Rabemananjara a été notée, à propos de la femme, en 2,2 (t. 1, 272).

peut-être plus caractéristique : le verbe « fluer » et ses dérivés. Il semble qu'il apparaisse, pour la première fois, dans le *Cahier* (36 262 et 78 1187). Il donne « flueur » dans les *Armes* (2 11 21), etc. Le verbe est employé par Senghor (*N.* 23 196 8), par Socé (8 39 73) et par Niger (3 20 19), qui connaît également « déflue » (2 18 214) et « fluence » (3 20 2), qui se retrouve chez Brierre (*D.* 17 321), etc. Un tel exemple retient légitimement l'attention : les termes de cette « famille » ont tous comme interprétant initial une pratique poétique française (connotation : néo-classicisme français). Mais l'isotopie que réalise la négritude leur permet de la connoter elle-même au second degré. Pour le mot « désastre » on assiste à un transfert d'interprétant, pour « fluer » il s'agit presque d'une annexion.

$$*\atop{*\ *}$$

Les interprétants *occidentaux*, qu'il nous reste à examiner, sont plus facilement et plus sûrement répertoriables. Leur nombre est énorme. Contentons-nous de dégager quelques points forts.

Le premier, l'un des plus importants peut-être, car il est enveloppant, est l'interprétant « *Méditerranée antique* ». Il renvoie accessoirement, pour parler comme Senghor, à la « judéité » biblique et à la « latinité », pour l'essentiel à l' « hellénité ».

L'inspiration biblique est évidente dans l'œuvre de Brierre, plus occasionnelle dans celle de Césaire, encore que s'y lise la puissance fantastique des grands prophètes de l'ancien testament (46), et, si l'on peut dire, culturalisée chez Senghor : ses recueils produisent une « ambiance » biblique, justifiable par sa formation et son idéologie (47), tissée d'interprétants ponctuels (48). Ceux-ci ne sont pas rares ailleurs (49). La Grèce

(46) Pour des citations plus circonscrites, v., p. ex., *A* 2 12 40-41 où le « troisième jour » se réfère aussi bien au troisième jour de la création (où la terre se sépare de la mer et où sont créés les végétaux) qu'à celui de la Résurrection. *S.* 36 55 11 a comme interprétant *Marc* 4 30-32, etc.

(47) « Un jésuite me confessait l'autre année : « je comprends mieux la Bible depuis que je connais l'Afrique noire. » En effet, [...] le Cosmos de la Bible [...] était dans sa forme, celui de la raison intuitive, de la pensée mythique ; l'Évangile l'a mis à jour, en le *rationalisant*, sans lui enlever sa sève » (SEN., *L. 1* (1963), 419). On se reportera aux vues de M. Jousse évoquées en 2, 1.

(48) Ainsi l'enfant prodigue (*C.* 25 47 0), Sodome et Gomorrhe (*H.* 18 89 9, etc.), David dansant devant l'arche (*C.* 18 29 23), etc. Senghor, lui aussi, mentionne, plusieurs fois, le troisième jour (ou le Jour Troisième), au sens de la *Genèse* (E. 2 102 14, *N.* 27 204 26, 29, etc.).

(49) V. DAD. *R.* 8 236 16, RBM. *R.* 4 24 19, 7 30 33-34, etc. D.S. BLAIR voit dans DDP. 4 22 une paraphrase de l'*Ecclésiaste* (*African Literature in French*, 160). Cela s'impose-t-il vraiment ?

est, en revanche, constamment sollicitée, en particulier dans le vocabulaire. Le phénomène se manifeste jusque dans la langue des moins occidentalisés de nos poètes : Sissoko et Dadié : sirènes (50), éphèbes (51), amphores (52), etc. (53). A vrai dire, ces indices lexicaux, s'ils témoignent, ici et là, d'une véritable fascination pour l'Antiquité méditerranéenne, impliquent plus généralement une attirance pour les formes classiques et néoclassiques de la littérature française : ils proviennent d'un choix parmi les interprétants français. L'hellénité n'est atteinte qu'au second degré. Cette tentation ne va pas, chez certains, sans réticences critiques, mais l'éblouissement est le plus fort. Rabemananjara peut servir d'exemple. Dans un poème dont le titre et le contenu sont une déclaration d'amour à Madagascar, *Lamba*, il démarque clairement la réalité et la civilisation malgaches des modèles occidentaux, singulièrement du modèle antique :

Ta grâce, O Sœur de sang de mon nombril,
pas celle de la déesse chue en pays de légende ;
pas de la nymphe d'or dressée au péristyle du temple ;
pas non plus de la vierge égarée aux marches de Cythère
et de Formapolis (*L.* 21 39-42) (54).

Mais, dans ce code qu'il refuse, il ne pourra pas s'empêcher de puiser plus loin, et ultérieurement. Certes, un mot comme « népenthès » (*L.* 61 215) conjoint habilement la tradition homérique et la réalité malgache, puisque la plante existe bel et bien à Madagascar (interférence), mais c'est un cas isolé. L'interférence est sans doute plus pertinente, on le sait, chez Ranaivo, qui se plaît, tout en restant profondément malgache, à se laisser

(50) DAD. *R.* 8 236 31, RBR. *V.* 35 57 3, SEN. *E.* 19 151 11.
(51) RBR. *P.* 9 41 7, SIS 50 76 23, 66 96 1, SEN. *M.* 3 285 33.
(52) DAD. *R.* 8 236 38, RBR. *V.* 32 54 1 (associé à Ganymède), 53 84 12.
(53) Citons, un peu au hasard, en intégrant quelques interprétants latins : « Okeanos », « naute », « custode » (BRI. *D.* 7 17, 33 788, *N.* 30 663), « galles » (CES. *S.* 3 9 15), « Zéphyr », « ambroisie des dieux » (DAD. *R.* 7 235 29, 8 236 42), « syringe », qui rime avec « sphynge », « taures » (BDP. 22 38 1, 4, 48 82 25), « Diane », « Amalthée », « ténébreuses Parques », « soleil anadyomène » (RBR. *S.* 46 81 10, *V.* 48 79 13, 28 47 2, 53 84 4), « Diane », « augure », « phylarque », « mystagogue », « myste », « thyrse » (dont on a déjà eu l'occasion de parler : v. 3, 1, 29, n. 84), « Hespérides », « thrène » (RBM. *R.* 1 11 74, *L.* 29 67, 45 140, 49 158, *A.* 14 53, 15 65, 56 490, *D.* 3 24 46. « Thyrse » et « thrène » se trouvent chez les autres Malgaches ; cf. SEN. *N.* 29 213 57, *M.* 6 318 90. Signalons un faux sens dans RBM. *O.* 19 41 8 : « ce flot où l'arc-en-ciel jette son discobole »), « nymphes », « mérétrix », « aruspice » (RAN. *C.* 1 11 10, 4 19 73, *R.* 14 29 16), « Dzeus-Upsibrémétès », « athlètes antagonistes », « jeux agonistiques », « néoménie », « victimaire », « amébée » (SEN. *C.* 23. 45 21, *H.* 2 61 54, 7 69 17, *E.* 2 102 23, *N.* 14 183 12, 16 185 3, *L.* 20 246 20), « bergers d'Arcadie » (SIS. 61 90 4), « Nausicaa » (TIR. 6 18 24), etc. On reviendra sur ce vocabulaire en 4,3.
(54) Faut-il voir dans « Formapolis » un hybride latino-grec traduisant : ville de (la) beauté ou une simple création de dérision ?

prendre pour un disciple d'Anacréon, de Théocrite ou de Bion (directement ou par l'intermédiaire de Ronsard) (55). Cette volonté d'esthétisme n'est pas nécessairement gratuite, en particulier dans l'œuvre de Rabearivelo où elle prend une fonction déréalisante, fonction dont on a vu qu'elle était nécessaire au poète. Quels qu'en soient les conditions et les effets, on opposera à cet esthétisme une utilisation beaucoup plus signifiante de tels interprétants. Lorsque Niger s'adresse à la lune, il commence par s'adonner aux beautés antiques .

> Lune qui baigna les marches des Propylées, lune de Périclès, lune de Praxitèle (3 21 31-32),

Mais c'est, semble-t-il (car la pensée est passablement confuse), pour montrer la marche de l'Histoire vers l'avènement du nègre. Il poursuit en effet :

> lune d'égalité qui éclairas la course du Grand Khan sur l'épiderme des steppes glacées, te voilà visitant le pays des lagunes. Viens-tu me signifier souvenance de mon sang, de mon rang, pauvre égaré de soleil cuit, prisé des vers et des moustiques adulé ? (32-37) .

Plus encore, c'est un modèle de signification que Césaire demande à la Grèce, précisément à la dramaturgie d'Eschyle. On a montré comment les *Chiens* répondent au schéma de la tragédie primitive. Césaire lui-même souhaite que la pièce soit jouée « avec des masques, comme une tragédie grecque » (56). Allons plus loin : s'il est une tragédie qui serve d'interprétant aux *Chiens*, c'est bien *Prométhée*. La Rebelle apparaît comme le voleur de feu de notre âge. Ne prenons qu'un exemple précis, chez un autre poète. Senghor écrit, parlant des colonisateurs :

> Et comme des terrains de chasse, ils ont incendié les bois intangibles, tirant Ancêtres et génis par leur barbe paisible (*H.* 20 93 16) .

L'interprétant est limpide. Il tend à mettre sur le même pied la mâle et vertueuse civilisation de la première Rome et celle des royaumes africains. Il montre que la France colonisatrice est aussi barbare que les hordes de Brennus. Il laisse entendre que, de même que la latinité a su civiliser la Gaule et faire d'elle une « France qui [soit] la France » (*ibid.*, 95 38), la négritude pourra lui rendre la conscience de son être et de ses devoirs. La crise de la civilisation européenne vient en grande

---

(55) Impression voisine chez Senghor : « Je serai la flûte de ma bergère » (*L.* 29 255 22), etc.
(56) R.E. HARRIS, *L'Humanisme dans le théâtre d'A. Césaire*, 29.

partie, selon Senghor, de l'oubli des vertus méditerranéennes.
Les véritables dépositaires actuels, ce sont les Africains :

> La plupart de ceux qui, aujourd'hui, se réclament
> de la Grèce, la trahissent. Quel continent, si ce n'est
> l'Afrique, oserait reprendre à son compte la phrase
> d'Anaxagore : « Tout ce qui se montre est une vision de
> l'invisible » ? Lequel oserait dire qu'il retrouve son génie
> chaque fois qu'il chante la Terre-Mère ? Nous devons
> contribuer à refaire l'unité de l'homme et du monde,
> de la nature et du surnaturel. Le plus grand mythe des
> Grecs est le mythe d'Antée (57).

C'est là une idée-force de Senghor (et de la négritude ; on en
a déjà parlé). Il l'exprimait dès 1939 (58). Il n'a cessé de la
répéter depuis (59). Elle se fonde sur des analogies culturelles (60), géographiques, notionnelles (61), etc. et, plus encore,
sur la réalisation d'un de ses désirs les plus profonds :

> Je finis par découvrir que le *miracle méditerranéen*
> — des Egyptiens aux Arabes (62) —, mais d'abord le
> miracle grec, c'était le *miracle du métissage culturel* (63).

Mais Senghor dépasse le stade de l'analogie (donc de l'interférence) pour garantir celui de la parenté, comme nous l'avons vu
au début de cet essai. Le métissage culturel est le fruit d'un
métissage physiologique dans lequel le noir est, depuis les origines, partie prenante. C'est réellement « par le nombril » que
l'Afrique est liée à la civilisation méditerranéenne. Le reconnaître, en accepter l'héritage, ce n'est nullement trahir l'Afrique,
au contraire. Et Senghor peut résumer, non sa foi, mais sa certitude dans un raccourci saisissant :

> Or la Négritude et l'Antiquité. Prodigieux (*L.* 26 251 1).

(57) C'est Malraux qui le fait parler ainsi dans *Hôtes de passage*, 48
(in *Le Miroir des limbes*, Pléiade, 1976, 530).

(58) SEN., « Ce que l'Homme noir apporte », *L. 1* (1939), 38.

(59) ID., *ibid.* (1949), 85-86 ; (1954), 171 ; (1956), 227 ; (1962), 334, 352, etc.

(60) Comme les Grecs, « les athlètes de mon pays, ainsi que leurs cousins
wolof, improvisent des défis rythmiques et des chants de victoire. Les jeunes
filles composent des chants pour les encourager et elles accompagnent la
lutte avec des battements de mains » (A. GUIBERT, « Jour à jour avec L.S.
Senghor, chef d'Etat africain et poète français », 12). Cf. *N.* 17 187 17-18,
A. 268 161, 270 196, *L.* 18 243 9, 26 252 19...

(61) Il montre, à la suite de D. WESTERMANN (*Noirs et blancs en
Afrique*, 27), que les termes de l'éthique sérère sont « l'exacte traduction »
des notions latines (*L. 1*, 76-77 ; v. t. 1, 74).

(62) L' « *arabité* » est aussi un interprétant senghorien (*E.* 11 137 2, *N.* 14
183 6-10, etc.). L'Islam est, pour Senghor, « d'esprit *méditerranéen* », *L. 2*,
171.

(63) SEN., « Négritude et civilisations méditerranéennes », 45 ; répété
dans *La Poésie de l'action*, 184.

Moins motivés, moins justifiés, mais beaucoup plus nombreux sont les interprétants littéraires français. Il n'est pas question de les passer tous en revue, dans la mesure où la chose serait possible, mais de cerner quelques lignes directrices.

On a déjà signalé la fréquence de la tradition courtoise. Elle informe incontestablement la lyrique amoureuse de Senghor et, plus indirectement, celle de Rabemananjara (qui utilise partiellement un relais senghorien). La femme chantée par Senghor, femme générique, a-t-on dit, est à la fois désirée par les sens et repoussée par intellectualisation de l'amour. Telle est bien la *dame* de la littérature courtoise. Latent dans l'œuvre entière, le mot lui-même n'apparaît que tardivement :

> Alors je danserai, léger et grave, la danse de ma Dame
> et pour ma seule Dame / (*L.* 22 247 4-5 ; cf. 24 249 14).

Il suffit qu'à l'hommage occidental (exploit, poème) soit substitué un signe typiquement africain, la danse, pour que la courtoisie prenne sa forme et son sens africains. Dans les *Ordalies* et dans la *Lyre à sept cordes*, Rabemananjara resterait plus proche d'un modèle strictement français, au reste plus baroque que médiéval :

> Trop pure l'exigence de mon sang, du sang terrible dont
> vous avez fécondé mes veines
> Et mon âme jouait d'indifférence et mon cœur était
> demeuré
> sourd
> aux ruses de la fée, aux appels enchanteurs des sirènes !
> (*C.* 198 91-94).

La Pléiade est en tout cas présente chez Senghor, par exemple dans un vers comme celui-ci, où du Bellay sert, à l'évidence, d'interprétant :

> Eté splendide Eté, qui nourris le Poète du lait de ta
> lumière (*N.* 25 198 1).

Est-ce de Corneille ou de Valéry que provient ce distique de Rabemananjara :

> Les dieux, sans aucun but, auraient-ils réuni
> Nos pas que le hasard a comblés de merveilles ? (*M.* 18
> 72 45-46) ?

Faut-il accorder, comme on l'a fait, un caractère cornélien au Rebelle de Césaire (64) ? Il demeure surtout, ici comme précédemment, que le classicisme ou, plus exactement, le néo-classicisme se manifeste dans le vocabulaire, indépendamment des

---

(64) J. BERNABE, « La Négritude césairienne et l'Occident », 115.

valeurs qui le sous-tendaient autrefois. L'interprétant est beaucoup moins l'âge classique que son héritage figé dans un formalisme littéraire ou, si l'on préfère une affirmation moins rude, réinterprété par le néo-classicisme d'un Valéry, par exemple.

C'est ainsi que le mot « onde » jouit chez nos poètes d'un privilège certain (65) (d'où, peut-être, tant d'ondines) (66). Parmi les clichés reçus de cette tradition citons « flamme » pour amour (RBR. C. 9 21 15, RBM. M. 14 41 7), « plaine marine » (RBR. S. 51 90 3), « ombreux rivages » (V. 11 23 15), l'archaïsme (?) « vois-tu pas ? » (S. 6 17 5) et, pour la versification (qu'on envisagera en 4, 2) : « jusques au » (BDP. 31 50 7), « encor » (67) et l'inversion du complément de nom : « voici que du désert le vent rompt la limite » (RBM. M. 2 12 9), « désertant de mon verger le seuil » (RBR. S. 22 43 4), « vienne de dauphins une insurrection perlière » (CES. R. 69 989), etc.

Puisque nous nous fondons ici sur le lexique, signalons, par anticipation, la fréquence de stéréotypes symbolistes. On se souvient que Césaire en faisait reproche à Rabemananjara (68). Il partage ce goût avec Rabearivelo, B. Diop et Niger, d'autres plus occasionnellement. L'interprétant est dans ce cas un genre, ou plutôt une tendance historique, qui « colore », ou « parfume », comme on voudra, toute une partie de la négritude en lui donnant un cachet suranné. On lit, en grand nombre, des mots comme « temps de promission » (CES. R. 52 616-617), « conturber » (77 1165), « trémulement » (A. 2 13 71), « oubliance » (E. 14 54), « matutinal » (S. 4 11 6), « lacrimeux » (C. 53 89 20), « selves » (F. 33 54 3) (69), « languide » (RBR. S. 27 50 4), « vert-de-griser » (31 54 6), « grâce flexueuse » (V. 19

(65) On le rencontre chez Brierre, qui écrit même « onde amère » (D. 7 16), DAD. R. 8 236 20, 16 244 4, 21 249 10, BDP. 48 81 10 (c'est-à-dire dans la partie « Lueurs »), RBM. M. 13 34 17, R. 1 11 64 (dû en partie à la rime, mais non L. 57 192 et D. 4 37 75), SEN. E. 13 144 46, etc. Rabearivelo, au contraire, paraît l'éviter (C. 14 36 1 et 3).

(66) Que connaît Rabearivelo (T. 28 117 14). Cf. SIS. 60 89 31, 83 122 11, etc.

(67) Imposé (?) par la rime chez RBR. S. 16 31 8, mais passablement gratuit chez NIG. 2 19 233.

(68) V., ci-dessus, 48 (et, pour une réserve d'un autre ordre, t. 1, 298). Cf. RAKOTO et LORIN, « J. Rabemananjara et le thème de la vie », 38 : « La forme [...] reste obstinément française, et fleure un parfum désuet de postclassicisme, avec ses alexandrins trop bien balancés, ses inversions et ses métonymies. »

(69) M. NADEAU (« Aimé Césaire, poète surréaliste », 293) signale pour sa part : « pouacre », « saburre », « la gerce lucide des déraisons », « les fleurs [en fait " Une flueur "] de cadmium », « expalmées », « les inouïs blanchoiements », « les ardentes lactescences », « le néroli » et « les mordorures », tous exemples tirés de A. 2 : 11 13, 14, 16, 21, 22, 26, 28, 30, 12 36. « Symboliste » est ici insuffisant. Ce vocabulaire est, comme on le verra, rimbaldien.

35 1), « rubescent » (44 72 10), « s'illuner » (*P*. 22 66 56),
« nonchaloir » (BDP. 15 27 7 ; le poème est intitulé « Quies-
cence »), « énervance de l'air » (19 32 13), « bémoliser » (25
41 2), « souvenance » (SOC. 10 43 13), « déclive » (SEN. *C* 4
13 27), « abondance rameuse » (18 34 88), « pullulance » (*H*. 11
77 9), « langueur » (RBM. *M*. 12 29 6), « obombrer » (*L*. 25 53),
« transes d'extase », « rêve de pâmoison » (*O*. 13 31 7, 14 32 2),
« supplétoire », « promissoire », « térébrer » (NIG. 2 17 188,
189, 18 198), le nom « fiance » (3 21 47), « lancinance », « élé-
mental » (TIR. 4 13 5, 26 75 54), etc., etc. Du même ordre
nous paraît le sens étymologique, généreusement employé (qu'on
retrouvera également, en 4, 3) : « imbu » (RBR. *S*. 4 15 10, *P*. 11
43 12), « candeur » (SEN. *C*. 9 17 1), « querelle » (25 51 68),
« tourment » (RBM. *A*. 17 100), « la gravité des étoiles » (NIG.
2 14 106 ; cf. 17 186), « l'article des chevilles » (18 220), « brume très lucide » (3 20 5), « volets offusqués » (20 18), « mou-
vance d'images » (CES. *A*. 2 17 167), « instance » (*E*. 55 540),
« essoufflé » (103 1119), « bêtes faramines » (*F*. 19 35 19-20),
etc. La langueur symboliste se manifeste complaisamment dans
des vers, voire des poèmes entiers. Il faudrait citer les trois
quarts de « Leurres » de B. Diop :

> Pâle le soleil grelotte ;
> Morne mon rêve sanglote (10 21 2-3),
> Le pleur qui n'a pas chu augmente
> La sourde rumeur des sanglots (18 31 13-14),

les premiers recueils de Rabearivelo :

> Souvenir, souvenir, automne de mon cœur
> quel oiseau chantera dans nos bois désolés,
> et quelle floraison charmera la langueur
> où, rois découronnés, nous sommes exilés ? (*S*. 10 21
> 1-4), etc.,

Rabemananjara, bien sûr :

> Gardien mélancolique aux portes du passé,
> Le Souvenir nous sourira coiffé de fanes
> Et de bouquets d'antan aux couleurs diaphanes,
> Afin de nous offrir les fleurs des trépassés (*M*. 13 37
> 57-60),

mais aussi Niger (3 20 11-15), Tirolien (6 18 28-29), Dadié (*A*. 3
14 24-25, *R*. 7 234 9-10), Roumain (70), Socé (2 17 1-6), Senghor (71).

(70) « La nuit / déploie ses voiles de moire / sur les lointains / jardins /
où pleure sans bruit / le deuil / des roses qui s'effeuillent » (16 275 10-16).
(71) *H*. 16 85 1-6, *E*. 21 153 11, *N*. 21 191 1-3, etc. Et ce, malgré *H*. 1 55 7-9.

Du romantisme, dont Césaire a été taxé non sans une certaine exagération (72), on pourra retenir comme interprétants à peu près certains : Musset (73), Hugo (74) et Nerval (75). Les Parnassiens sont également sollicités. Le « buccinateur » que nous avons rencontré (t. 1, 396) dans un vers de *Ferrements* (39 71 117) est sans doute moins un emprunt à l'Antiquité latine qu'une citation de Hérédia. De même, la « dilection » de Senghor pour les noms propres flamboyants n'est pas sans évoquer Leconte de Lisle. On comparera, par exemple, le dernier vers de SEN. *N.* 8 177 10 :

J'ai nommé la fille d'Arfang de Siga,

à la chute du « Jugement de Komor » des *Poèmes barbares* :

Tels finirent Tiphaine et Komor de Quimper.

Mais c'est avec Baudelaire que les interprétants prennent une importance majeure. Plusieurs passages semblent construits sur le modèle du « Spleen » 77 : « Je suis comme le roi d'un pays pluvieux » (v. aussi « Causerie » : « Mon cœur est un palais flétri par la cohue ») : deux se rencontrent sous la plume de Césaire (76), trois sous celle de Senghor (77) et un chez Tirolien (78). Des « synesthésies » clairement avouées échappent difficilement à l'emprise de Baudelaire, ainsi lorsque Césaire écrit : « le parfum des bruits les plus neufs » (*C.* 18 31 20-21),

(72) H. JUIN, « Aimé Césaire, poète de la liberté », 574.

(73) Principalement chez B. Diop qui reconnaît son influence, avec celle de Valéry, sur « Décalques » (M. KANE, *op. cit.*, 203). V. aussi RBM. *R.* 1 12 96-97 où « le Voyageur du soir » qui « frissonne, pris d'angoisse » rappelle celui qui, « sentant passer la mort, se recommande à Dieu ». Enfin l'épitaphe composée par Senghor semblera nécessairement à un lecteur français une variation sur « Mes chers amis, quand je mourrai »... : « Quand je serai mort mes amis, couchez-moi sous Joal-l'Ombreuse » (v. le texte in *A.L.A.*, 37 (1975), 2-3).

(74) V. BRI *D* 29 670-671 : « Quand voudrons-nous sauver le grand arbre de vie / Des haches qui en font chaque jour une croix ? » ; RBM. *M.* 18 70 21 : « je m'en irai pensif m'enfoncer dans les bois », etc. R. MERCIER (« La Littérature d'expression française en Afrique noire »..., 36-37) voit dans BDP. 38 61-63 une transposition des « Djinns ».

(75) Le v. terminal de CES. *S.* 34 53 18, avec son rythme d'alexandrin : « l'éteint Chamborazo dévore encor(e) le monde », rappelle la fin d'un sonnet de Nerval. V. aussi : « Et vous *fantômes montez bleus* de chimie » (*R.* 40 354). Aussi nets, BDP. 34 55 9 : « Vous saurez ce que pensent vos dieux d'argile » (cf. RBM. *O.* 27 55 12-14, 28 56 12-14) et SEN. *M.* 7 323 1-2 : « Oui ! elle m'a baisé, *banakh*, du baiser de sa bouche / Et ma mémoire en demeure odorante » (il s'agit de la *reine* de Saba).

(76) « Je suis un souvenir qui n'atteint pas le seuil », etc. (*C.* 7 15 1-4), « Je suis une pierre couverte de ruines » (*S.* 24 38 15 s.)...

(77) « Mon cœur est un tam-tam détendu et sans lune » (*E.* 16 148 6), 18 150 5 : « Je suis le marigot au long de la saison » et *N.* 18 187 1 : « Ma tête est un marais putride. »

(78) « Je suis un fruit veuf de toute mémoire et de tout cousinage » (13 37 1). Mais peut-être Senghor sert-il ici de relais.

mais elles sont surtout fréquentes chez Senghor (79). Trois vers de « Paysage » ont sans doute dicté deux courtes séquences (80), un des « Spleens » un poème de B. Diop (81), « Recueillement » quelques passages de Césaire (82), qui emprunte également aux « Chats » (83) et au « Spleen » 78 (84). « L'Invitation au voyage » et « Elévation » interprètent deux vers de Senghor (85) et nous avons noté que la « démarche de navire » de la princesse de Belborg était un écho du « Beau Navire » (86). Enfin, pour se borner, « les *caresses mystiques et sensuelles* des lunes du Nord » (RBM. *R* 1 12 91) sonne de façon très baudelairienne.

Autre interprétant fondamental : Lautréamont, essentiellement cité pour ses « beau comme » qui ont tant fasciné les surréalistes. La première exploitation se rencontre dès le *Cahier* :

> mais est-ce qu'on tue le Remords, beau comme la face de stupeur d'une dame anglaise qui trouverait dans sa soupière un crâne de Hottentot ? (*R.* 40 340-342).

Césaire l'utilisera régulièrement : « beau comme la matrice d'ombre de deux pitons à midi » (*E.* 93 985), etc. (87) et, dans son sillage, Damas (88) et Rabemananjara (89). Outre cette

(79) « Et d'autres [odeurs], suaves comme des hautbois » (*N.* 27 204 28), signalé par A. BADUM-MELADY, *L.S. Senghor, Rhythms and Reconciliation*, 39 et par H. de LEUSSE, *L.S. Senghor l'Africain*, 200, qui ajoute *E.* 7 116 20-25, *N.* 5 174 3, 14 183 14 et 22 194 32.

(80) RBR *T. 9 98* 9-10 : « nous en calfeutrerons toute fente / communiquant au tumulte de la vie » et TIR 32 90 21 : « J'ai verrouillé ma porte. J'ai tiré les rideaux. »

(81) 29 48, selon R. MERCIER, *loc. cit.*

(82) *E.* 66 702 : « mon enfant... donne-moi la main... », *A.* 17 59 95 : « c'est la mer *ma chère* » (cf. *ibid* 99 et *C.* 4 12 15).

(83) *S.* 52 83 30 : « corbeau [...] comme moi vénéneux et tranquille ». Le corbeau est-il interprété par Poe, ou Leconte de Lisle ?

(84) *Ibid.*, 85 65-67 : « les termites bâtissent haut /dans mon crâne leur pyramide funèbre tendue d'un vol de pigeons multicolores. » Le dernier syntagme renvoie également à « Vies, I » des *Illuminations* : « un envol de pigeons écarlates tonne autour de ma pensée. » Baudelaire et Rimbaud convoqués dans la même phrase : est-ce la raison pour laquelle ce poème n'est pas repris dans *C.* ? (V. M. HAUSSER, « Du Soleil au Cadastre », 209). On a signalé, à propos de *C.* 29 49 2, une réminiscence, peut-être ironique, de « La Vie antérieure » (t. 1, 317, n. 17).

(85) *N.* 9 177 2 : « Des meubles de Guinée et du Congo, graves et polis sombres et sereins » et 27 205 49 : « Dans la nuit des cheveux, des fleurs qui sont langage aux Initiés. »

(86) V. t. 1, 321.

(87) V. *E.* 36 267, *A.* 13 47 11-12 (suivi de l'expansion « Bel et bien comme », 13-18), *C.* 34 56 8-9, souvent cité (« nos faces belles comme le vrai pouvoir opératoire / de la négation »), etc.

(88) « Beau comme / comme une rose / dont la Tour Eiffel assiégée à l'aube / voit s'épanouir les pétales » (*N.* 5 87 9-12, cf. 21 108 2).

(89) « Beau comme la vie au seuil de la mort » (*R.* 1 15 158). Mais l'interprétant est, peut-être, plutôt Césaire que Lautréamont.

formule caractéristique, Césaire a une prédilection pour les comparaisons baroques et circonstanciées qui, à l'évidence, citent Lautréamont, et ce, là aussi, dès le *Cahier*.

> terre dont je ne puis comparer la face houleuse qu'à la forêt vierge et folle que je souhaiterais pouvoir en guise de visage montrer aux yeux indéchiffreurs des hommes (*R.* 41 365-368).

Le bestiaire monstrueux de Césaire, de son côté, n'est pas sans emprunter à Lautréamont, dans sa nature et ses relations : ainsi des « formidables amours du calmar et du cachalot » (*S.* 65 110 29), etc. (90). Il n'est pas contestable que Lautréamont a puissamment participé à l'élaboration d'une poésie antillaise originale. R. Ménil, dans un article fougueux de *Tropiques*, annonce cette création en se fondant sur des formules déjà connues :

> Une littérature se forme. [...] La poésie martiniquaise sera virile. La poésie martiniquaise sera cannibale. Ou ne sera pas.

Puis, ayant stigmatisé le « lièvre colonial » insensible à la poésie, il décrit l'avenir de celle-ci. Il sera « beau comme la rencontre dans la forêt antillaise, au cœur d'une clairière illuminée de fine lumière sanglante, d'un cannibale et d'une chabine au teint de cendre » (91). Lautréamont est un interprétant indubitable de Césaire qui le lègue, sans grand succès il est vrai, au reste de la négritude.

La fonction de Rimbaud est voisine. Elle marque au premier chef, ici encore, Césaire. On a montré valablement comment ses premiers écrits poétiques, le *Cahier* et les *Chiens*, procèdent de Rimbaud, singulièrement de « Mauvais Sang » (92). Comment, en effet, Césaire serait-il resté indifférent à des passages comme :

---

(90) Cf. *S.* 4 12 25-29, *C.* 39 62 3, etc. M. BENAMOU note comme « images Ducassiennes », dans *R.* : « la face d'une femme qui ment » (25 7). Il cite également une partie de 40 341-342 (« Sémiotique du *Cahier*... », 4). V. G.G. PIGEON, « Le Rôle des termes médicaux [...] dans l'imagerie césairienne », 14 ; M. a M. NGAL, *Aimé Césaire, un homme à la recherche d'une patrie*, 190-196, etc.

(91) R. MENIL, « Laissez passer la poésie », 27 (qui annonçait, p. 25, l'avènement de l'humour aux Antilles, un « rire amer »). Le poème qui suit cet article, signé Lucie Thésée, est intitulé « Beau comme ». Si la poésie de Césaire prend son visage avec et dans *Tropiques*, on conviendra qu'elle naît, en partie, de la pression surréaliste, ici : humour noir et réinterprétation de Lautréamont.

(92) J. BERNABE, *op. cit.*, 112-113. V. M. NGAL, *op. cit.*, 186-190, et J. NGATE, « Mauvais Sang » de Rimbaud et *Cahier* [...] de Césaire... ». Pour E. SELLIN (« A. Césaire and the Legacy of Surrealism », 74), c'est une *Saison en enfer* qui impose, outre l'évidente *Saison au Congo*, le mélange de vers et de prose du *Cahier*.

> Il m'est bien évident que j'ai toujours été race infé-
> rieure. Je ne puis comprendre la révolte. Ma race ne
> se souleva jamais que pour piller. [...] Le sang païen
> revient ! [...] Prêtres, professeurs, maîtres, vous vous
> trompez en me livrant à la justice. Je n'ai jamais été de
> ce peuple-ci [...]. Oui j'ai les yeux fermés à votre lumière.
> Je suis une bête, un nègre [...] ?

On sait, de reste, que « Mauvais Sang » est explicitement cité,
précisément dans les *Chiens* : « Les Blancs débarquent » (*E.* 16
70-73) (93). En épigraphe de la première version d'un des plus
importants poèmes des *Armes*, « Les Pur-Sang » (*A.* 2 10),
figure la phrase fameuse : « Je dis qu'il faut être voyant, se
faire voyant » (94). On sera sensible à des références précises, à
« Vies I », par exemple, déjà cité (ci-dessus, n. 84), à quoi renvoie peut-être également *S.* 17 29 11-12, à « Ornières », pour
le début de *C.* 28 46, à « Barbare », pour *C.* 13 22 30, à « Pro-
montoire », pour *C.* 51 85 4-9, etc., mais l'essentiel se situe
davantage dans une tension particulière, une manière de voir
et de dire, plus précisément dans le vocabulaire, qui témoignent
une pratique assidue et intériorisée de l'univers rimbaldien.
Des vers comme ceux-ci, on nous l'accordera, sont écrits du côté
de Rimbaud :

> Essentiel paysage.
> Taillés à même la lumière, de fulgurants nopals,
> des aurores poussantes, d'inouïs blanchoiements,
> d'enracinées stalactites porteuses de jour
> O ardentes lactescences prés hyalins
> neigeuses glanes (*A.* 2 11 24-29).

Combien de termes ou de syntagmes marqués sont garantis par
Rimbaud ! Dans les vers qui viennent d'être cités, « lactescences », « inouïs » ont leur correspondant dans « Le Bateau ivre »,
un peu plus haut, « flueur » (déjà remarqué) (2 11 21) figure
dans « *Le juste restait droit...* », des adverbes comme « médul-
lairement », « mauvaisement » (*A.* 2 17 163, 172) n'évoquent-ils
pas le « puamment » des « Pauvres à l'église », le « fervem-
ment » des « Vagabonds » ?, « clarteux » qui achève *A.* 6 30 17,
achève également « H », la « darne indifférence » de *A.* 23 75 98
serait incompréhensible si elle n'entrait en corrélation avec

---

(93) Repris par TIR. 3 11 11-12 : « les voilà ! / les voilà ! ». Peut-être un
autre interprétant joue-t-il ici : l'une des *Chansons madécasses* de Parny,
popularisées (?) par Ravel : « Aoua ».

(94) In *Tropiques*, 1 (1941), 10. Le « Poète-Voyant » figure dans RBM.
D. 1 14 183-184, à côté de « volcans endormis » : le voyant vient peut-être
de Hugo, et les volcans de Césaire.

deux poèmes de Rimbaud (95), etc. Une étude comparée des lexiques de Rimbaud et du Césaire des premières œuvres serait féconde, comme le serait une recherche sur Césaire, lecteur de Rimbaud. Est-ce également à Rimbaud que Rabearivelo a emprunté le verbe « illuner » cité précédemment (96) ? C'est lui, en tout cas, que cite Niger lorsqu'il écrit : « O Saisons » (6 37 52). Cependant, Césaire mis à part, Rimbaud n'occupe qu'une place diffuse au sein de la négritude, encore que Tirolien cite la « blanche Ophélie » (6 18 26-27).

Plus diffuse encore la présence de Mallarmé, malgré un article louangeur (en fait peu original) de Césaire (97). Mais sa syntaxe est sensible chez Rabearivelo : « selon mainte crédulité » (V. 5 14 6-7), « parmi le ciment de la Cité future » (67 101 1) et, de même, chez Césaire qui emploie la dernière expression (S. 54 87 6), ainsi que « en le », si typiquement mallarméen : « en déjà l'invincible départ » (C. 15 25 3) (98). Le « beau steamer » de Rabearivelo (V. 1 10 25) doit avoir la même origine et sans doute « la floraison des mouchoirs » de Senghor (N. 12 181 17) se réfère-t-elle à « Brise marine ».

Des autres symbolistes, au sens large, on mentionnera surtout Verlaine et Laforgue, Laforgue très proche, comme on sait, de Rabearivelo qui le nomme et lui emprunte, comme au reste Rabemananjara et, partiellement, Niger, sa mélancolie lunaire (en revanche, la lune senghorienne ne paraît rien lui devoir). Le Hamlet de Rabearivelo (S. 46 80 7 et V. 1 9 1) provient moins vraisemblablement de Shakespeare que des *Moralités légendaires*. Verlaine interprète à coup sûr certains poèmes de B. Diop (99) et, comme on l'a souligné, imprègne un recueil de Damas (100). Outre la grisaille et la lenteur des sentiments, Rabearivelo lui emprunte quelques formules, l'emploi de « fiancer » (V. 42 70 13) ou le participe « en allé » (22 41 10), que

(95) « Accroupissements » et « Les Poètes de sept ans » : regard, ou œil *darne*. V. l'exégèse d'A. Adam (Pléiade, 886) : pris de vertige, ivre. Un terme ardennais chez un Césaire aurait de quoi surprendre. Il n'est pas pour lui ardennais mais rimbaldien et cela suffit. La « darne indifférence » n'est pas qu'un étrange oxymore, le syntagme signifie également, voire d'abord : cette apparente indifférence que je tiens de Rimbaud.
(96) Il se trouve dans « Les Poètes de sept ans » et dans « Les premières Communions ».
(97) « Vues sur Mallarmé », in *Tropiques*, 5 (1942), 53-61. Il est fait surtout de citations et d'une comparaison entre « *Ses purs ongles* »... et « Véra » des *Contes cruels*.
(98) Rabemananjara l'emploie lui aussi (M. 16 57 56). Par ailleurs, Césaire lui doit certainement des éléments de son vocabulaire : « lacrimeuse », « nixe », « flébilant ».
(99) R. MERCIER, *loc. cit.*, signale 4, 13 et 6, 15.
(100) O. BHELY-QUENUM, « *Névralgies*, de L.-G. Damas », 49-50, qui cite valablement N. 2 84 et 14 98 13 : « à mon cœur de fou sans haine. »

connaît B. Diop (8 18 17), etc. Rabemananjara qui, dans l' « Ode
à Ranavalona » (*M.* 17 64 46), parle de « sanglots longs », construit, comme on sait, un « poème cellulaire » sur le modèle de
« *Le ciel est par-dessus le toit* »... (*D.* 2 20-21). Enfin, pour ne
pas multiplier les exemples, Senghor, avant d'invoquer Duke
Ellington, cite indubitablement Verlaine en écrivant :

> [...] Oh ! le bruit de la pluie sur les feuilles mono-
> tones ! (*C.* 15 25 11).

Rappelons que les attardés du symbolisme que sont les fantaisistes, héritiers de Laforgue, particulièrement Toulet, ont largement conditionné l'écriture de Rabearivelo. Les dizains de
Sylves sont un hommage non déguisé aux *Contrerimes*. L'un
d'eux (28 51) peut même passer pour un pastiche de Toulet.
Qu'on juge au moins de la chute :

> Ainsi chantait Clara
> tandis que jacassait près d'elle un bel ara (9-10).

Il n'est pas jusqu'à tel tableautin de Ranaivo qui, pour un lecteur français, n'évoque l'art délicieusement désuet d'un Kling-
sor :

> Comme un parfum d'œillet, de rose et de santal
> envahit le chalet au décor oriental (*O.* 8 (1) 27 1-2), etc.

Le classicisme de Valéry, sa rigueur lexicale, la richesse
de son sémantisme ne pouvaient que plaire à Senghor qui,
pourtant, le cite peu, bien qu'il emprunte à son style archaïsant
et partage son goût pour le sens latin des mots. Un hommage
tardif lui est rendu dans les *Lettres d'hivernage* :

> La *mer* bavait sur les brisants des *tuiles vertes*, la *mer*
> meuglante (*L.* 11 237 3).

(« Vertes » n'est pas souligné abusivement vue la fréquente
association d'*or* et de *vert* dans la poésie de Senghor : « Tes
yeux d'or vert » (*E.* 11 139 33), etc.). Au cas où cette citation
du *Cimetière marin* passerait inaperçue, le poète utilise explicitement le syntagme un peu plus loin (15 241 20). Mais plus
intéressante est la citation toute négative que fait Césaire du
même poème dans « Intimité marine » (*F.* 29 50 1-2) :

> Tu n'es pas un toit. Tu ne supportes pas de couvreurs.
> Tu n'es pas une tombe.

C'est dire clairement : j'écris avec Lautréamont, Rimbaud, contre
Valéry (101).

(101) Mais J.-L. JOUBERT signale justement que le début de tel autre
poème (*C.* 44 71 1-3) : « Parmi moi / de moi-même / à moi-même » est écrit
à partir de la strophe 8 du *Cimetière*, non contre elle (« Aimé Césaire et
la poétique du mot », 246).

La trace de Claudel est plus visible, au moins chez Senghor, parce que plus profonde : Senghor partage sa vision du monde et sa conception de la poésie. Comme on l'a vu, s'il se détermine pour le verset, c'est non seulement parce qu'il lui est imposé par ses recherches sur la poésie sérère mais encore et surtout parce que Claudel en a fait un outil parfaitement adapté à ses intentions poétiques, que lui-même fait siennes, à si peu près. Les commentateurs de Senghor ont repéré un grand nombre d'interprétants. Mezu, par exemple, souligne la fréquence de l'invocation « Seigneur » (*C.* 12 21 1, *H.* 20 92 1, 5, etc., *N.* 28 207 14...), rapproche *C.* 25 49 34, *H.* 2 57 1, etc. du « Magnificat » et *H.* 2 62 68 du « Processionnal pour saluer le siècle nouveau », etc. (102). Ne donnons que deux exemples qui prouvent à l'évidence la proximité de Claudel :

> Je vous salue mes frères [...] vous des mers pacifiques
> et vous des forêts enchantées
> Je vous salue tous d'un cœur catholique (*H.* 20 95 45-46),
> Dis seulement les paroles propices (*E.* 15 147 13 ; cf. :
> « Dis seulement une parole humaine ! », « La Muse
> qui est la grâce »).

L'essentiel est de voir que Claudel joue en Senghor un rôle aussi puissant, sinon plus puissant, que Rimbaud en Césaire. On soutiendra même sans invraisemblance que Senghor écrit *dans* Claudel. Que, comme le pense S.W. Bâ, cela nuise à l'authenticité africaine de la poésie senghorienne, c'est une autre affaire. Il reste que si l'on biffe ce qui s'y trouve de claudelien, Senghor en est défiguré. Il reste également que la négritude n'a pas, en général, repris cet héritage dont Senghor s'est fait le médiateur, à une exception près, mais limitée : un poème de Tirolien, très significatif : « Redécouverte » (8 23-24). K.Q. Warner a montré que le texte de Tirolien est intégralement tiré de l'acte IV, scène 4 de *L'Annonce faite à Marie* (première version) (103). L'auteur est effaré de sa « découverte » qui remet en cause sa foi dans la négritude. Il pose ainsi un problème général dont nous reparlerons en conclusion. Tirolien est certainement un révélateur de la situation et de la position culturelles de la négritude, mais il faut tenir compte de ce qu'il est

---

(102) S.O. MEZU, *L.S. Senghor et la défense...*, 181-183. On consultera J.-B. TATI, *op. cit.*, 202 s. et S. W. BA, *The Concept of Negritude in the Poetry of L. S. Senghor*, 126, pour laquelle, en dépit de la théorie de l'interférence, les poèmes les plus claudeliens de Senghor (*H.* 12 78-79 et 20 92-96) sont aussi les moins africains.

(103) K. Q. WARNER, « Redécouverte » de Tirolien : une découverte », 48-50.

et qu'il est seul à être. On n'oubliera pas cet aveu (qui vient, peut-être, d'Apollinaire) :

> Et je me suis parlé par la bouche des autres
> afin de mieux m'entendre et de mieux me confondre
> (32 89 12-13).

Son recueil poétique est un exercice d'écriture dont il attend la révélation de lui-même. Il se trouve, assez tragiquement, que cette propédeutique n'a débouché sur rien (104).

A Claudel s'associe naturellement Saint-John Perse, qui lui doit lui-même beaucoup. On a déjà vu l'importance, tardive, que Senghor lui accorde. Rencontre, convergence, admettons-le. Toutefois, force est de reconnaître que Perse lui sert fréquemment d'interprétant. C. 10 18 1-2 et E. 4 106 1-2 ont-ils été réellement écrits avant la lecture d' « Amitié du prince » (105) ? On a noté que

> Ma gloire n'est pas sur la stèle, ma gloire n'est pas sur la pierre (E. 6 110 9)

interfère avec Exil, II : « Ma gloire est sur les sables », et, quelques vers plus bas,

> toutes choses vaines sous le van, toutes choses vaines
> dans le vent et l'odeur des charniers (14)

avec Exil, IV :

> Ah ! toute chose vaine au van de la mémoire ; ah ! toute
> chose insane aux fifres de l'exil (106).

De même, N. 28 208 35-40 correspond à l'avant-dernière strophe de « Neiges », 2 (107), ainsi qu'à « Pluies ». Ce poème, « Elégie des eaux », utilise, à l'évidence, au moins trois interprétants : la bible, Claudel et Perse. Ajoutons quelques autres exemples : la rue Gît-le-cœur (E. 13 143 20) figure, on le sait, dans le Poème à l'étrangère (108) (qui a peut-être suscité les « Epîtres à la princesse »), au « pentagramme » de E. 6 113 53 correspond l' « hexagramme » d'Amers, « Chœur », 2 (109), aux « Princes confédérés » (N. 16 184 1) les « Rois confédérés du Ciel »

---

(104) Ou presque rien. Feuilles vivantes au matin, paru tardivement (1977), est moins une œuvre qu'un assemblage de nouvelles et de poèmes.
(105) Qui, selon MEZU, op. cit., 185, inspire « La Mort de la princesse ». D'après lui (184), le bestiaire de E. 1 99-101 serait emprunté à « La Ville » des « Images à Crusoé ».
(106) S.W. BA, op. cit., 127. Le second exemple est également cité par Mezu.
(107) S.O. MEZU, op. cit., 187.
(108) Il est vrai que le nom de cette rue est propre à faire rêver tout poète.
(109) Passage publié en 1953, donc avant Ethiopiques.

d'*Anabase*, V. « J'ai dessein de faire retraite / Loin des guer-
riers » (*E.* 9 135 18-19) évoque (comme si souvent dans les
« Epîtres ») le « duc » d'*Anabase* (110) : Si « le palmier n'est
pas nommé » (*E.* 13 143 31), n'est-ce pas parce que le soleil
ne l'est pas non plus dans *Anabase* (I) ? Enfin, Senghor « li [e]
amitié / Avec un jeune palmier du Trarza » (*L.* 15 240 8-9),
tout comme Perse était attendu par un insecte pour traiter
(*Eloges*, 18) ou se tenait avec prudence dans le commerce d'un
vieil arbre (*Anabase*, Chanson terminale). Niger, proche souvent
de Senghor, comme on sait, reprend le personnage de l'Etran-
ger d'*Anabase* ; il le fait s'appuyer « sur l'ambition des hommes
en avancement d'hoirie » (6 37 56) : tous ces vers (qui commencent par « O Saisons ») sont nettement interprétés par le style
mythique de Perse. Impression identique dans quelques passages de Rabemananjara (*L.* 44 135-45 142, etc.). La relation
de Césaire à Perse est certainement plus complexe. La longue
citation explicite qu'il met dans la bouche d'Hammarskjöld à
l'acte I, scène 12 d'*Une Saison au Congo* (*Vents*, III, 5) est
sans doute ironique. On a pu rapprocher

> l'animalité subitement grave d'une paysanne urinant
> debout, les jambes écartées, roides (*R.* 28 68-69)

de ces filles qui « urinaient en écartant la toile peinte de leur
robe » (*Anabase*, 9) (111). Rapprochement plausible. Mais on
assiste surtout à une inversion des valeurs : l'attitude de la
paysanne relève, si l'on peut dire, de la métaphysique sociale
et non, comme chez Perse, du seul esthétisme. On opposera de
même la beauté de la laideur, fréquente chez Perse, à la tristesse poignante de la laideur chez Césaire (112). Celui-ci se
définit donc contre Perse (113), comme il le faisait contre
Valéry. La « grande fille à trier sauvage condamnée » (*C.* 45
74 32) rejette dans un idéalisme aveugle au réel social la
« grande fille » du poète d'*Anabase*, peut-être son âme (Chanson
initiale). L'accord ne peut se faire que dans la nomination du

(110) Noté par C. WAKE, « The Personal and the Public », 115.
(111) E. YOYO, *Saint-John Perse ou le conteur*, 56.
(112) Cf. PERSE, *Eloges*, 13 : « la splendeur des eaux pourpres lamées de
graisses et d'urines » et CES. *R.* 38 310-312 : « C'est là surtout que la mer
déverse ses immondices, ses chats morts et ses chiens crevés. »
(113) Confirmation en est peut-être donnée par « Cérémonie vaudou pour
Saint-John Perse... » qui s'amuse à pasticher le « maître », sans grand
respect : « la belle coiffure afro de l'haemanthus / — Angela Davies de ces
lieux » (*N.* 5 305 20-21). C'est l'un des quatre poèmes de *Noria* écartés de
Moi, laminaire..., dont le nom est persien (v. *Vents*, 1, 6). Mais le poème
précédent, repris dans *M.*, « Wifredo Lam... », contient une citation, apparemment sérieuse, de Perse : « toutes choses aiguës / toutes choses bisai-
guës » (*M.* 55 83 20-21). La corrélation Césaire-Perse n'est pas chose simple.

réel, telles « la liane pringamosa » ou les « fourmis tambochas » (*P.* 3 31 23, 31, non reprises dans *C.*), etc.

Il faut accorder une place à Apollinaire, à qui Rabearivelo a certainement emprunté les « tu » si fréquents dans les dernières œuvres et dont nous avons déjà parlé. « La jolie Rousse » a singulièrement retenu l'attention. Rabearivelo s'y réfère quand il parle de « fleurs jamais vues » (*P.* 6 36 14) et Césaire, lorsqu'il s'écrie :

> Pitié pour nos vainqueurs omniscients et naïfs (*R.* 73 1080),

ou bien :

> O justice midi de la raison trop lente (*F.* 35 57 10).

Tel vers de *Cadastre* nous a paru (t. 1, 316) interprété par « Palais ». Le « blizzard *mâle* » (*A.* 24 88 163), l' « oiseau *mâle* » (*C.* 53 92 80) renvoient à « La Chanson du mal aimé » (v. 35) et au « Larron » (v. 52, 92). Le contexte de la dernière référence est, au reste, d'une écriture évidemment apollinarienne :

> Aux crises des zones écartelé
> en plein cri mélange ténébreux
> j'ai vu un oiseau mâle sombrer
> la pierre dans son front s'est fichée
> je regarde le plus bas de l'année (78-82).

Tout le poème est à lire dans cette perspective, en particulier 89 8 et 90 27-31 (proches aussi d'Aragon). La « *nénie* séduleuse » (*A.* 23 79 169) ne vient-elle pas du « Larron », comme du début de « Cortège » ce vers de Senghor :

> Bec inutile oiseau aptère, je glisse au long de ton visage transparent (*E.* 20 151 1)

ou de « Zone », cet autre :

> Ce matin, jusqu'aux cheminées d'usine qui chantent à l'unisson (*C.* 12 21 5) ?

Le plaisir de la datation que nous connaissons à Senghor vient-il, pour partie, de vers comme : « C'était tu t'en souviens à la fin de l'été » (« Le Voyageur », v. 50) ?

Dans la quête sans fin des interprétants bien d'autres pourraient être cités (et l'ont été), dont la fonction est secondaire ou occasionnelle : par exemple, la marque de Prévert sur Damas (114), de Supervielle sur Rabearivelo (115) et sur Sen-

---

(114) J. CORZANI, *La Littérature des Antilles-Guyane...*, t. 3, 257.
(115) Selon C. WAKE *op. cit.*, 109

ghor (116), de Péguy sur ce dernier (117), de Rilke sur Rabearivelo (118), etc.

Il reste, cependant, un ultime interprétant fondamental
que nous mentionnons seulement ici pour en reparler en 3, 4
dans une autre perspective : le surréalisme, qui exigerait, à
lui seul, une très longue étude. On sait avec quel émerveillement Césaire le découvrit : les poèmes des *Armes* sont tous
écrits dans une profonde adhésion au surréalisme. Ne citons
qu'un vers, pris au hasard :

> il neigera d'adorables crépuscules sur les mains coupées
> des mémoires respirantes (*A.* 6 30 11).

Si évidente que soit l'évolution de l'écriture de Césaire, elle
demeurera marquée par les techniques surréalistes : il écrit
encore dans son dernier recueil :

> les nuits de par ici sont des nuits sans façon
> elles sont toujours en papillotes (*M.* 25 44 1-2).

Certains de ces poèmes, il faut le reconnaître, sont moins composés par Césaire que par un surréaliste anonyme. *C.* 38 61, par
exemple, se lit comme un entrelacs de « surréalismes » et de
« rimbaldismes ». On rencontre, à l'occasion, des interprétants
moins vagues, Breton, par exemple, dans « ma grande statue
d'au gui l'an neuf et des eaux de toujours » (*A.* 13 48 45-46),
Péret dans « mon rêve aux jambes de montre en retard »
(1 8 9) (119), Eluard dans « il y a ton visage qui tourne sur
l'essieu de ton cou quand tu pleures » (*S.* 39 59 4-5), etc. On a
vu plus haut une citation possible d'Aragon chez Césaire, elle
est patente chez Rabemananjara .

> Voici le temps des libations ! Le temps des floraisons !
> (*R.* 1 14 136),

comme est claire la présence de Desnos dans *Pigments* :

> Des essieux crient leur fatigue à des gants blancs (*P.* 11
> 33 1)

et dans tels passages de Césaire (120), etc.

---

(116) D. S. BLAIR (*op. cit.*, 156) rapproche *E.* 17 148 1 : « Je ne sais en
quels temps c'était » et *N.* 27 204 36 : « je confonds présent et passé », d'un
vers des *Amis inconnus* : « Homme égaré dans les siècles » (« Solitude »).
Corrélation gratuite. S'il se trouve ici un interprétant, il serait plutôt,
comme on l'a pressenti, « africain ».
(117) J.L. HYMANS (*An Intellectual Biography...*, 183), à propos de
C. 18 30 39 : « J'ai choisi mon peuple noir peinant, mon peuple paysan, toute
la race paysanne par le monde. »
(118) RAKOTO et LORIN (*op. cit.*, 30) à propos de *T.* 10 99 16-18.
(119) Cités par M. NADEAU, *loc. cit.*
(120) E. SELLIN (*op. cit.*, 75-76) voit une imitation de Desnos dans le jeu
de mots « anti-venin » / « antique venin » de *C.* 52 88 25.

Si déterminant que soit le rôle du surréalisme dans l'histoire de la négritude et dans la formation personnelle de Césaire, il ne faut pas en surfaire l'influence. Damas, malgré ce qu'on a dit (121), lui doit peu, même dans *Pigments*. Rabearivelo, comme on le précisera ultérieurement, ne semble pas l'avoir vraiment connu. Au reste, il était trop respectueux des normes prosodiques, trop inféodé au symbolisme et au « touletisme » pour pouvoir y adhérer. Le néo-classicisme d'un Rabemananjara s'y opposait. Quant à Senghor, soucieux de beau langage et de continuité culturelle, hypnotisé par un humanisme universel, enclin au compromis, comment aurait-il pu prêter les mains à la révolte iconoclaste des surréalistes ?

*
**

Que conclure de cette revue hâtive et superficielle ?

En premier lieu, une fois encore, il n'est pas un modèle, pas un interprétant qui soit commun à l'ensemble de la négritude et qui, donc, puisse contribuer à l'unifier. Même si un poète partage tel modèle avec un ou plusieurs autres (Rimbaud commun à Rabearivelo, Césaire et Tirolien), il compose un lieu d'écriture singulier, incompatible avec tout autre. L'intersection est fréquente ; elle n'est pas constante : certains noms, en particulier Brierre, Dadié, D. Diop, Keita, Roumain, Sissoko, Socé, n'ont guère ou pas été cités et ne sont donc pas concernés par les interprétants qui viennent d'être énumérés.

Les dernières pages paraissent privilégier les interprétants littéraires français, omniprésents, au détriment des interprétants « nègres ». Une lecture africaine, intéressée à valoriser ces derniers, serait certainement à même de réduire ce déséquilibre, mais ne parviendrait pas, sans doute, à inverser le rapport. Le premier problème déterminant porte sur les origines, entendons : les origines de l'écriture. Un Africain est idéologiquement fondé à poser une source africaine : « La manière senghorienne en poésie, faite de souffles et de longs silences, est empruntée certainement à l'art du griot négro-africain » (122). L'auteur de cette affirmation soutient, dans les lignes suivantes, que

Senghor a truqué l'héritage formel emprunté aux griots en coulant dans leur moule poétique une pensée qui est

(121) L. KESTELOOT, *Les Ecrivains noirs...*, 139.
(122) C. NENEKHALY-CAMARA, *op. cit.*, 12-13.

loin de posséder les vertus de la parole et du chant griotiques.

Mais c'est là une thèse idéologique sans caractère démonstratif.

Une nécessité idéologique voisine entraîne Sartre à soutenir des vues apparemment analogues : l'acte poétique de la négritude est spécifique : c'est « une danse de l'âme », de l'âme noire évidemment. D'où

> l'impression en feuilletant ce recueil [l'*Anthologie*] que le tam-tam tend à devenir un genre de la poésie, comme le sonnet ou l'ode le furent de la nôtre.

Pour les Malgaches, la source serait les *antsa* et les *hain-teny*. Cependant, là encore, il y aurait impossibilité historique de demeurer en accord avec la tradition africaine, à une exception près :

> Le centre calme de ce maëlstrom de rythmes, de chants, de cris, c'est la poésie de Birago Diop, dans sa majesté naïve : elle seule est en repos parce qu'elle sort directement des récits de griots et de la tradition orale.

(Rappelons que B. Diop ne figure dans l'*Anthologie* que par un conte, « Les Mamelles », et deux poèmes de « Lueurs », « Viatique » et « Souffles ». Sartre ignore tout des autres poèmes de Diop qui « sortent directement » de la tradition post-symboliste). Il conclut :

> Presque toutes les autres tentatives ont quelque chose de crispé, de tendu et de désespéré parce qu'elles visent à rejoindre la poésie folklorique plus qu'elles n'en émanent (123).

Il postule donc comme origine la volonté ou le désir d'adhérer aux genres traditionnels, mais reconnaît implicitement que le lieu d'écriture est autre qu'africain. Il ne peut se permettre de dire qu'il est européen. La conséquence est l'impossibilité de restituer une authentique « africanité ». Il semble, au contraire, que ce chapitre et le précédent nous autorisent à poser, pour les trois quarts de la négritude, une origine à peu près exclusivement occidentale et à considérer que, dans un terrain constitué, dans la forme et la substance de l'expression et dans la forme du contenu, d'interprétants littéraires français, sont semés, principalement dans la substance du contenu, un certain nombre, voire un grand nombre d'interprétants « nègres ».

On se rappellera que, pour une large part, l'intention des hommes de la négritude n'est pas de manifester la pure « âme

(123) SARTRE, « Orphée noir », 253-254.

nègre », dans la mesure où elle existe, mais de mêler une voix nègre au concert international, ce qui implique l'adhésion à des normes internationales, abondamment définies, jusqu'ici, par les pratiques occidentales, auxquelles leur formation scolaire et universitaire leur donne aisément accès. Rabemananjara déclarait sans ambages :

> Les écrivains noirs se veulent les héritiers de toute la culture occidentale d'Homère et Socrate à Joyce et Valéry (124).

C'est en effet l'impression qu'il nous donne, lui-même et tous ceux qui proclament (Senghor) ou acceptent (Césaire) la nécessité littéraire et culturelle. Les militants (Roumain, D. Diop, quelque peu Dadié), qui négligent le problème culturel, adoptent en fait, sans le remettre en cause, l'outil linguistique profondément culturalisé qu'ils trouvent en Occident : leur rhétorique n'a rien de spécifiquement africain ou antillais. La seule spécificité concerne l'objet de leur discours. En fin de compte, les seuls, peut-être, à échapper à l'héritage culturel occidental et à s'exprimer d'un lieu culturel « africain », c'est avant tout Keita, en second lieu Sissoko ou Ranaivo et, plus loin encore, Socé. Malgré qu'on en ait et en dépit des illusions dont on a intérêt à se nourrir, la stratégie adoptée par la négritude vise à introduire et à adapter un thématisme et des perspectives spécifiques dans des *cadres* littéraires et culturels acquis ou imposés.

Toutefois, peut-on s'approprier un cadre sans courir le risque de s'approprier en même temps la substance dont il est l'expression historique ? Peut-on prendre impunément Baudelaire (par exemple) comme modèle et comme interprétant, c'est-à-dire sans s'éprouver soi-même dans une inquiétude baudelairienne ? A la suite de Lukacs, Mphahlele considère que l'angoisse kafkaïenne est le témoignage le plus clair du modernisme occidental parce que « le monde occidental d'aujourd'hui est un monde désintégré ». Mais, ajoute-t-il, « nous n'avons pas encore produit de telles sociétés en Afrique et [...] aucun héros noir de la fiction négro-africaine n'est atteint par une *angoisse* qui le ferait se débattre comme une mouche prise au piège » (125). Imiter Baudelaire (par exemple) serait donc s'aliéner. La position de Mphahlele se justifie stratégiquement mais prouve une certaine cécité. Pour le nègre colonisé, pour la victime de l'apartheid ou d'une dictature, le monde légal n'est-il pas interpré-

---

(124) RBM., « Les Fondements de notre unité », 73.
(125) E. MPHAHLELE, « Writers and Commitment », 39.

table en termes kafkaïens ? Césaire, non certes en tant qu'africain mais comme nègre étouffant sous la contrainte politique et culturelle, trahit-il sa situation en écrivant :

> mon cri fumant mon cri intact d'*animal pris au piège*
> (*E.* 78 812) ?

Mphahlele répond oui, Senghor, garanti par l'interférence, non. La réponse n'est pas si simple. L'interférence implique un choix vigilant des modèles et des interprétants et, dans l'optique de la négritude, le choix de Claudel ou de Barrès (126) peut se justifier plus aisément que celui de Baudelaire ou de Mallarmé qui, tous deux, en arrivent à savourer l'impuissance et l'échec. S'en remettre à Rimbaud sous prétexte qu'il voulait être nègre, n'est-ce pas oublier, comme on l'a laissé entendre de façon un peu naïve, qu'il devint en Afrique « un colon intraitable et un esclavagiste » et que, donc, « Mauvais Sang » n'a été qu'un « jeu » d'intellectuel » (127) ? L'interprétant littéraire réveille la totalité du monde qui l'a produit. Le problème est : comment couper l'interprétant de ses racines « naturelles », comment neutraliser tout ce qui, dans son monde d'origine, contredit ou dénature le monde qu'on entend instaurer ? En acceptant les modèles à la mode, en « littérarisant » à outrance, les « grands » de la négritude (Rabearivelo, Senghor, Césaire) n'ont-ils pas en fait, tout en créant une œuvre individuelle plus ou moins originale, renoncé à jeter les bases d'une littérature « nègre » (si l'on accepte le terme pour un Malgache) ? On a souligné que les premiers vers de Rabearivelo avaient « heurté le goût malgache par leur réalisme » : « Rabearivelo, imbu de la poésie française contemporaine bravait les interdits » (128). Il semble que, pour ce poète, pour d'autres aussi, à un moindre degré peut-être, la littérature française, parce qu'*exotique* et sans véritable rapport avec la littérature nationale, a constitué un moyen *personnel* d'évasion. Rabearivelo reconnaît lui-même que l'imitation des poètes français lui masque la réalité malgache :

> Lisant tous les aînés et fumant dans leur pipe,
> je n'ai pu me gorger des lumières torrides
> qui dévorent nos monts et nos landes arides,
> ni baigner mon regard de lune et de rosée ! (*V.* 17 33
> 2-5).

La position du marxiste haïtien Depestre est intéressante à considérer car il se veut plus lucide qu'un Césaire, qui affecte

---

(126) V. SEN., *La Poésie de l'action*, 65.
(127) J. NGATE, *op. cit.*, 30.
(128) RAKOTO et LORIN, *op. cit.*, 27.

de penser que le problème littéraire ne se pose pas et qu'il suffit de se plier à son essence propre et à ses convictions. Voici la démarche dialectique qu'il prête à tout poète noir, c'est-à-dire à tout poète qui se veut authentiquement noir, à tout noir qui se veut authentiquement poète : thèse : faire la somme des expériences du langage poétique des réalistes d'abord, de tous les autres poètes ensuite. Antithèse : descendre en soi-même pour percevoir les exigences d'une technique originale. Synthèse : « Assimilation critique, alliance de la tradition et de l'invention, alliance d'une connaissance approfondie de la poésie du passé et de la hardiesse dans l'exploration des contrées inconnues. Cette synthèse se traduit par le talent, et quelquefois par le soleil du génie » (129). L'appel au génie prouve la jeunesse de l'auteur, mais aussi son intégration à notre culture classique. On voit, au reste, que la poésie haïtienne qu'il entend promouvoir n'est nullement coupée de la littérature occidentale : elle est envisagée comme une variante particulière du domaine français par incorporation de traits locaux ou empruntés à d'autres littératures que la française. Un article de *Tropiques* fixait, dès 1942, un programme analogue. Le ton est plus acerbe, la pensée plus laconique, mais l'objectif, et surtout les moyens, semblables :

> Nous ne pouvons l'atteindre [notre humanité totale], croyons-nous, — que les imbéciles et les lâches n'attendent ici aucune concession de notre part — que par l'expression, *grâce aux précieuses techniques européennes*, de tout ce que notre négritude comporte d'exigences (130).

Un compatriote de Depestre, Alexis, réclamait en 1957 : « Faisons notre Bandoeng littéraire ! » (131) Si l'on considère que cette conférence chercha surtout à arracher le tiers monde à l'emprise de l'Occident, en particulier à ses schèmes de pensée, il faut admettre que la négritude n'a pas réalisé son Bandoeng, sinon même qu'elle ne l'a pas tenté. *Elle demeure dans le système littéraire et culturel occidental.*

On peut objecter cependant que, tout intégrée qu'elle soit dans le système, elle s'y oppose de l'intérieur et le mine. Le même Depestre définissait la négritude comme « l'équivalent

---

(129) R. DEPESTRE, « Réponse à Aimé Césaire (introduction à un art poétique haïtien) », 60.

(130) Présentation anonyme d'extraits de l'*Histoire de la civilisation africaine* de Frobenius, *Tropiques*, 5 (1942), 62 (souligné par moi). L'incidente est bien dans le style polémique de Breton.

(131) J. S. ALEXIS, « Où va le roman ? », *P.A.*, 13 (1957), 101.

moderne du vieux marronnage. C'est un marronnage culturel conscient » (132). C'est ainsi que peut apparaître Césaire. Mais le marronnage refuse le système, même si, partiellement (expéditions punitives, pillage), il en vit, alors que la négritude non seulement en vit, mais l'accepte.

Si nous avons demandé à être indépendants, déclarait Senghor, c'est pour nous réaliser en tant que nègres, et cesser d'être des consommateurs de cultures pour être des producteurs de culture (133).

Le tout est de savoir si, avec les armes dont elle se dote, elle peut atteindre ce but. Dès le moment qu'on s'interroge sur l'authenticité africaine de la source et des moyens de cette littérature (134), on est en droit d'en douter.

A tout le moins faudrait-il que des échanges réciproques aient lieu entre la négritude et la culture française, que, donc, la littérature française qui a donné reçoive en retour. Rabemananjara l'affirme (135). Rien n'est moins sûr. Sans cet échange la négritude ne peut être considérée que comme une annexe de la littérature française. En effet, si cet échange est inexistant, c'est que la littérature française n'y reconnaît que ses propres modèles (136). On a soutenu que, dans l'œuvre de Césaire, « la part de la culture noire et antillaise [...] est plus forte que les emprunts faits à la culture lycéenne de l'Occi-

---

(132) R. DEPESTRE, « Les Métamorphoses de la négritude... », 29.
(133) SEN., « La Littérature d'expression française d'outre-mer », discussion, 35.
(134) W.H. WHITELEY demandait en 1962, dans « Le Concept de prose littéraire africaine », 44 : « Est-ce que le symbolisme d'un Camara Laye ou même d'un Birago Diop relève véritablement d'un fonds culturel panafricain ou néo-africain, comme le clament certains intellectuels ? Ou bien ce concept d'une culture africaine ne naît-il pas plutôt de la valeur que quelques intellectuels occidentaux accordent à certaines cultures d'Afrique occidentale qu'on ne saurait en aucune façon considérer comme représentatives de tout le continent ? » La question mérite d'autres réponses qu'idéologiques.
(135) RBM, « Les Fondements... », 77 et « L.S. Senghor ou la rédemption du dialogue », 31.
(136) On a vu que c'est l'opinion de quelques noirs et Occidentaux. V., p. ex., J. ROUCH (« Vers une Littérature africaine », 145) : « La littérature africaine écrite en langue française [...] a perdu presque tout caractère africain, elle n'est en fait que de la littérature française. Certes le Noir s'y montre particulièrement habile et inspiré, mais toutes ses œuvres s'apparentent finalement aux diverses tendances de notre littérature moderne. » René MENIL associe Césaire à Senghor dans sa réprobation comme adorateurs de Novalis, Frobenius, Bergson et des surréalistes (« Une Doctrine réactionnaire : la négritude », 45). On sait que, pour MPHAHLELE (The African Image, 88), le style de la négritude se réduit à une « uncritical imitation of white models ». V., cidessus, t. 1, 402, n. 124.

dent » (137). Mais qu'est-ce qui justifie une telle affirmation ? Un montage du *Cahier* réalisé pour un plublic populaire martiniquais avant les élections législatives de 1973. Le succès fut certain, mais les adaptateurs en avaient supprimé les images inspirées de Lautréamont qui « ne passaient pas ». C'est donc considérer que le *Cahier* nécessite une sorte de traduction (par édulcoration) pour s'apparier à la culture du public antillais. Mais, ce faisant, c'est une autre œuvre que celle de Césaire que l'on donne à entendre. On en arrive à cet apparent paradoxe que, aux yeux d'un Antillais, Saint-John Perse est plus antillais que Césaire lui-même (138).

On n'assiste donc pas à un marronnage culturel. Nous l'avons vu : à de très rares exceptions près, les interprétants français témoignent non pas d'une opposition mais d'un accord culturel. Il est très vrai de dire, par exemple, qu' « un dialogue se noue [...] entre Rimbaud et Césaire » et que « le discours césairien apparaît, non pas comme la simple reprise en écho de celui de Rimbaud, mais comme le résultat d'un travail transtextuel à la fois idéologique et mythologique » (139), mais ce dialogue se noue dans et pour la littérature française, à la fois lieu de départ et d'arrivée. C'est ce qu'a fait Tirolien, avec moins d'adresse sans doute et moins d'originalité, mais avec une évidence tragique. Il en est resté à un travail dans ce que Depestre appelait l' « antithèse », sans parvenir à conclure et, moins encore, à déboucher sur la synthèse. Il est vain de lui reprocher ses imitations et ses « plagiats ». Il dit en clair et reconnaît ce que les autres, la plupart des autres (Césaire compris et, bien évidemment, Senghor) maquillent avec talent sans se l'avouer à eux-mêmes. Fraude volontaire, comme les en accusent leurs adversaires, ou ingénuité ? Tirolien est l'exemple le plus typique de l'impuissance de la négritude, impuissance qui entraîne un Rabearivelo à la mort, parce qu'il en a, peut-être le seul, une conscience aiguë.

On a reproché à Birago Diop la caducité de la première partie de son œuvre poétique dans laquelle « on ne saurait rien déceler de véritablement africain », ce qui est assez juste. Est-ce à dire que ces poèmes n'aient été que de simples exercices (140) ? Non sans doute, au moins dans l'esprit de l'auteur,

---

(137) M. BENAMOU, *op. cit.*, 8. Mieux vaut parler d'anthropophagie généralisée, Césaire dévorant tout, de la bible à *Conte colibri* en passant par Shakespeare et Lautréamont, etc. (L. PESTRE de ALMEIDA, « Défense et illustration de l'anthropophagie... », 126-127).

(138) E. YOYO, *op. cit.*, 79.

(139) J. BERNABE, *op. cit.*, 113.

(140) M. KANE, *op. cit.*, 83.

car on s'expliquerait mal qu'il ait attendu si longtemps pour recueillir ces textes. Du reste, il ne semble aucunement les renier (141). Mais pourquoi publier des poèmes de jeunesse objectivement désuets et qui, loin de rehausser sa notoriété, lui nuiraient plutôt, tant en Afrique qu'en France ? Indépendamment d'une possible « valeur sentimentale », il faut prendre garde au titre adopté : *Leurres* prend ici toute sa signification et fait du recueil une démarche symbolique, passant des leurres de l'assimilation aux lueurs de l'émancipation : ouvrage exemplaire où se lit l'histoire de la négritude : empêtrée dans les leurres, mais permettant à d'autres d'entrevoir des lueurs.

---

(141) Si l'on en juge par mainte page de *La Plume raboutée* (par exemple 169-173), Birago Diop est moins acculturé que « biculturé », et parfaitement à l'aise dans l'une et l'autre culture.

CHAPITRE 3

FRANÇAIS ET PARLURE NEGRE

Si, à quelques exceptions près, la négritude n'a pas su, ou voulu, échapper aux modèles littéraires occidentaux, a-t-elle mieux résisté (l'a-t-elle voulu ?) aux pressions de la langue qu'elle utilise, le français ? La question a été abordée dans des chapitres antérieurs. Il faut l'envisager à présent de façon plus systématique.

Dans un de ses premiers discours, Senghor paraît admettre le caractère paradoxal d'une « littérature indigène qui ne serait pas écrite dans une langue indigène » (1). Toutefois, se fondant sur l'exemple très contestable d'Haïti (2), il en reconnaît la possibilité. Mais cette possibilité n'est pas réellement offerte, selon lui, à l'Afrique de 1937, pour deux raisons : d'une part, la connaissance trop sommaire du français en Afrique rend une telle littérature *prématurée*, d'autre part, même plus étendue, « elle ne saurait, dit-il, exprimer toute notre âme » (3). L' « *ex-*

---

(1) SEN., *L. 1*, 19.

(2) Contestable non seulement parce que la situation linguistique d'Haïti n'a rien à voir avec celle du Sénégal et de l'Afrique colonisée, mais parce que la littérature haïtienne a été, pendant près d'un siècle et demi, rien moins qu'originale et « indigène ».

(3) Le raisonnement qui sous-tend ce passage est boiteux. D'un côté Senghor associe la situation du Négro-africain à celle du Négro-américain et du Négro-antillais, de l'autre il laisse entendre que ce qui est valide pour les uns ne l'est pas pour l'autre. En outre, pour prouver que les instruments européens sont incapables d'exprimer la saveur particulière de l'âme noire, il note que le *jazz-hot* a dû recourir à la trompette bouchée. Exemple curieux : la trompette bouchée est un instrument occidental utilisé de façon spécifique. Cette comparaison prouverait donc que le français est acceptable pour peu qu'il soit manié avec originalité.

pression intégrale du *Nègre nouveau* » exige donc deux outils linguistiques : le français pour les ouvrages scientifiques, les langues africaines pour la littérature. Position étrangement moderne, voire révolutionnaire pour l'époque, tant aux yeux des colonisateurs que des Africains eux-mêmes. Cependant, elle échappe à l'emprise de la négritude : rééditant ce discours en 1964, Senghor précise qu'il est revenu sur ce jugement. Cette rectification est bien en accord, elle, avec la politique de la négritude. Celle-ci, entre temps, a prouvé, comme dit Senghor, le mouvement en marchant : elle a prouvé, selon lui, la possibilité et la validité d'une littérature noire authentique de langue française. L'administration de cette preuve est même l'un de ses buts les plus clairs. On est en droit d'aller plus loin : la négritude ne se conçoit, n'est concevable, qu'en français et ne peut durer, rappelons-le, qu'autant que se maintient cette acceptation, ou mieux, cette revendication du français. Nous posons que cette attitude vis-à-vis du français constitue une frontière de la négritude.

Lorsque, comme on l'a vu, Rabemananjara se considère comme un voleur de langue (4), lorsque Senghor déclare : « il faut reconnaître que l'aspect positif de la colonisation, c'est la langue française » (5), tous deux font acte de négritude. Lorsqu'on crie (durant le « mai malgache ») : A bas le français ! lorsqu'on écrit que « l'Afrique est ravagée par trois grands fléaux, la dictature, l'alcoolisme et la langue française, à moins que ce ne soit trois visages d'un même malheur » (6), on peut considérer que la négritude a fait son temps. Avec les aménagements qui s'imposent, la même proposition s'applique à la négritude antillaise. Césaire, par exemple, exclut toute langue autre que le français :

> On m'a parfois demandé pourquoi je n'écrivais pas en créole. Pour moi, le problème ne s'est même pas posé ; le créole est un langage caricatural, plutôt qu'un patois qui porte les stigmates mêmes de la condition antillaise (7).

Pour d'autres, dans le même temps, et surtout ultérieurement, le problème se pose (plus nettement, il est vrai, à Haïti que dans les Antilles françaises). Depuis 1950 environ, Haïti accuserait une nette régression du français au profit du créole chez

(4) RBM., « Les Fondements de notre unité... » (1959), 70. Dix ans plus tard il n'a pas changé d'avis (« Pourquoi la Francophonie ? » (1969), 23-24).
(5) Propos adressé à Philippe Herreman, *Le Monde*, 22 juillet 1966, 1.
(6) M. BETI, *Perpétue et l'habitude du malheur* (1974), 132.
(7) J. SIEGER, « Entretien avec Aimé Césaire » (1961), 67.

les intellectuels. Les arguments rappellent ceux du Senghor de 1937 :

> la langue française est incapable de traduire avec fidélité l'inspiration d'un auteur authentiquement haïtien [...]. L'émotion haïtienne avec sa chaleur africaine, la sensibilité haïtienne avec toute cette gamme de tons, bref, ce rythme de l'expression, tout cela ne peut être rendu que par le créole d'une façon fidèle (8).

Une telle créolisation est donnée comme une conséquence de la négritude. Ce n'est paradoxal qu'en apparence. Dans l'esprit des Haïtiens, la négritude est surtout représentée par Price-Mars, sans doute « père de la Négritude » (9), mais davantage haïtien que noir et promoteur du mouvement indigéniste beaucoup plus que d'un humanisme nègre, comme le sera Senghor. Par ailleurs, si la négritude senghorienne se détourne des langues africaines, sa logique y conduit. Il n'est que de se rappeler les thèses d'Anta Diop. Nous savons que la négritude est tissée de contradictions ; ce n'est pas la première fois que nous la voyons promouvoir ce qu'elle refuse.

Historiquement, elle est solidaire de la nécessité politique et sociale de l'acculturation, pour ne pas dire de l'assimilation. Instrument de promotion individuelle, le français est alors senti également comme un instrument de libération, ce qui confirme une fois encore le caractère colonial de la négritude. Elle implique, certes, un déclin de la colonisation, mais c'est toujours de colonisation qu'il s'agit. Melone est donc fondé à réfuter les arguments littéraires et linguistiques de Senghor, dont on n'a pas encore fait état, pour lui opposer la réalité historique :

> Si le Négro-africain se trouve prisonnier des charmes de la langue de l'Occident, ce n'est pas parce que la langue de l'Occident est la langue des dieux et que les langues négro-africaines sont langage de la mort, c'est parce que la langue d'Occident offre *pour le moment* le meilleur, le plus efficace, le plus opérant support du langage négro-africain (10).

Dès le moment que l'indépendance approche, *a fortiori* quand elle est acquise, le problème se pose différemment. On a vu, par exemple, que l'indépendance impose une alphabétisation de masse. On ne peut plus alors, à plus ou moins longue échéance, ignorer les avantages des langues vernaculaires.

---

(8) J.-J. ZEPHIR, « La Négritude et le problème des langues en Haïti » (1972), 21.
(9) ID., *ibid.*
(10) Th. MELONE, *De la Négritude...,* 115 (souligné par moi).

Si, à l'insu bien souvent des intéressés, l'attitude vis-à-vis du français est en premier lieu politique, on ne s'étonnera pas de découvrir des points de vue variés sinon contradictoires au sein de la négritude. Les Haïtiens, politiquement, renâclent devant le français et, culturellement, l'acceptent quand ils ne l'exaltent pas, plus proches, en ce sens, des Africains que des Antillais français. Césaire choisit ou, plutôt, n'a même pas à choisir le français, parce qu'il est lucide sur les conditions de communication et soucieux d'efficacité. L'adhésion de Senghor au français est totale ; D. Diop est, lui, réticent : tout se passe comme s'il se soumettait de mauvais gré aux contraintes du présent historique : « le cercueil des mots » (11 30 22), qu'on a déjà rencontré, vise à coup sûr les mots français. Diop est, plus qu'un autre en Afrique, conscient des risques de cette imprégnation linguistique dont on parlera plus loin.

Imposé, accepté ou revendiqué, le français offre à la négritude des avantages dont elle a conscience et que nous avons envisagés au début de cette étude. Mais, glissant sur le fait que les noirs de la négritude ne peuvent échapper au français, Senghor fonde son « choix » sur plusieurs autres raisons (11). Il pose que la langue n'est pas attachée à une race (sans doute faut-il comprendre surtout : à une nation) mais à une culture : le français exprime moins la France que la francité. Il en tire une indubitable vertu pédagogique : mis en contact étroit avec une civilisation autre que la sienne, le nègre est amené à mieux comprendre ce qu'il est lui-même et dans le monde. Cet avantage, n'importe quelle « grande » langue est apte à le fournir. Mais il existe des ressources dont seul, selon Senghor, le français est prodigue : c'est une langue d'ordre et de clarté, mieux adaptée qu'une autre, donc, à l'expression du raisonnement et de la pensée : Senghor insiste volontiers sur les capacités d'abstraction du français (12) (vertu, à la vérité, plus scientifique ou philosophique que poétique). Mais, si elle peut ainsi exprimer « le soleil de l'esprit », « la nuit abyssale de l'inconscient » ressortit également à son domaine. A proprement parler, ce n'est pas la langue qui a ce pouvoir, mais sa longue histoire et les textes qu'elle a produits. On ne l'ignore pas, mais tout se confond dans une déclaration d'amour lyrique où la

(11) Je m'appuie principalement, sans en respecter le déroulement, sur l'article « Le Problème des langues vernaculaires ou le bilinguisme comme solution » (1958), repris dans *L. 1*, 228-229.

(12) « Et puis le français nous a fait don de ses mots abstraits — si rares dans nos langues maternelles —, où les larmes se font pierres précieuses » (SEN., *L. 1*, 226 ou *P.*, 167 : « Lamantins... »). Est-ce un écho de Vigny : « Poésie ! ô trésor »... ?

métaphore tient lieu de raisonnement. Si connu soit-il, le passage mérite d'être cité. Reprenant le mot de Guéhenno (13) : le français est une langue « de gentillesse et d'honnêteté », Senghor ajoute :

> Je sais ses ressources pour l'avoir goûté, mâché, enseigné, et qu'il est la langue des dieux. Ecoutez donc Corneille, Lautréamont, Rimbaud, Péguy, Claudel. Ecoutez le grand Hugo. Le français, ce sont les grandes orgues qui se prêtent à tous les timbres, à tous les effets, des douceurs les plus suaves aux fulgurances de l'orage. Il est, tour à tour ou en même temps, flûte, hautbois, trompette, tam-tam et même canon.

C'est le cœur qui parle, non l'esprit. Outre qu'on peut se montrer indifférent à cette hiérarchisation des langues, dont le xvie siècle était friand, ou à cette réactualisation du fameux *Discours* de Rivarol, on soutiendra sans peine que cet hommage s'adresse moins au français qu'à toute langue qui a eu le temps et l'occasion de « faire ses preuves » littéraires et d'obtenir une audience internationale. La seule raison probante est fournie par Senghor lui-même avant le passage qui vient d'être cité : « On me posera la question : "Pourquoi, dès lors, écrivez-vous en français ? " Parce que nous sommes des métis culturels ». Senghor a certainement raison de se reconnaître tel et la négritude, dans son ensemble, malgré les évidentes réticences de certains, est en effet l'expression d'un métissage culturel, mais ce métissage est le résultat de la politique d'assimilation pratiquée par la France, dont l'un des articles, admis par tous les enseignants (et dont témoigne Guéhenno), est précisément l'amour de la langue française. La négritude adhère ici à son destin colonial. Senghor, plus que tout autre, transforme en élection volontaire ce que lui impose sa situation de colonisé français.

Il est difficile de concevoir semblable dilection dans les autres systèmes coloniaux, l'anglais et le belge, par exemple. La langue européenne y paraît surtout un véhicule utilitaire dont on use commodément, sans amour ni haine. L'enseignement français (dont on a souligné l'orientation littéraire) exclut, en général, cette indifférence et suscite plus normalement l'amour ou la haine, voire les deux ensemble. Senghor opte pour l'amour, suivi de plus ou moins loin par les autres membres de la négritude africaine, plus discrets que lui dans ce domaine, mais qui, par leurs textes, portent un témoignage analogue au sien. Il est également des degrés dans la bonne conscience :

---

(13) J. GUEHENNO, *La France et les noirs*, 139.

totale chez Senghor et Rabemananjara, elle est ambiguë, on vient de le voir, chez un D. Diop et, on le sait, chez Rabearivelo, dont quelques vers significatifs ont déjà été cités. En théorie, pour l'homme de la négritude africaine, qui possède une langue maternelle originale, le français, langue seconde apprise, réellement étrangère, est un objet extérieur (contrairement au nègre martiniquais... qui ne se distingue guère du Français de province, qu'il soit alsacien ou basque, breton ou catalan). En fait, par un processus aliénant, cet objet cesse d'être un « vêtement » pour s'intégrer à l'essence du sujet. Senghor va jusqu'à déclarer : « je pense en français ; je m'exprime mieux en français que dans ma langue maternelle » (14). C'est sans doute un cas extrême, néanmoins représentatif. Il reste que Senghor et les autres Africains et Malgaches, parce qu'ils sont, au moins, bilingues, se trouvent à la fois dans le français et hors de lui, situation singulière que ne connaissent pas les Antillais, dont le créole (pour ce qui est de la négritude) est assez régulièrement neutralisé.

Résumons. L'attachement d'un Césaire au français lui vient de sa naissance, attachement qu'il n'a nul besoin de claironner et qui n'a rien de sentimental (15), celui de Senghor provient (ou plutôt, tout se passe comme s'il provenait) d'une élection amoureuse.

Il est clair que la négritude considère le français beaucoup moins comme un outil de communication que comme un moyen d'expression littéraire (16). Ce n'est pas le français en tant que langue qui a été invoqué dans les exemples cités plus haut, mais le français littéraire de Corneille, de Hugo, de Lautréamont. C'est, au reste, ce que les deux chapitres précédents ont déjà montré et c'est une conséquence presque nécessaire du « culturel d'abord » de Senghor, qui entraîne à son tour d'autres conséquences, que nous verrons. Retenons que la négritude demande au français une rhétorique dont des siècles de littérature ont varié les possibilités. Cette langue s'oppose donc, en quelque sorte par définition, au parler quotidien, utilitaire, représenté

(14) SEN., *L. 1* (1962), 361.

(15) « Les hasards de la culture font que je suis d'un pays francophone, mais je pense que si j'étais né dans les Antilles britanniques, je me serais probablement exprimé en anglais » (N. ZAND, « Entretien avec Aimé Césaire », 14).

(16) Si on l'en croit, Césaire ferait exception. Il ajoute aux déclarations rapportées à la note précédente : « Le français est pour moi un instrument mais il est tout à fait évident que mon souci a été de ne pas me laisser dominer par cet instrument, c'est-à-dire qu'il s'agissait moins de servir le français que de se servir du français pour exprimer nos problèmes antillais et exprimer notre " moi " africain. » Il s'oppose ainsi à Senghor qui entend, lui, servir *aussi* le français.

ici par le créole, là par les langues locales. On représente volontiers ces « parlers », face au français, comme, au moyen âge, le français face au latin. Pour ce qui est du clivage social et intellectuel ainsi réalisé, la comparaison est valable : nous trouvons d'un côté l'élite cultivée qui parle, lit, écrit le français, et de l'autre, l'immense majorité du peuple illettré qui ne pratique qu'une langue non écrite. Mais dans le monde de la négritude, le français est moins la langue de la science, de la technique, bref, de la pensée, que celle de la littérature. La comparaison n'est donc pas pleinement satisfaisante mais, ainsi rectifiée, elle permet une remarque intéressante :

> Selon Aristote, dit Chklovski (17), la langue poétique doit avoir un caractère étranger, surprenant ; en pratique, c'est souvent une langue étrangère : le sumérien pour les Assyriens, le latin en Europe médiévale, les arabismes chez les Perses, le vieux bulgare comme base du russe littéraire ; ou une langue élevée comme la langue des chansons populaires proche de la langue littéraire.

Cette théorie s'applique assez justement à la négritude africaine. Le français lui offre ce caractère d'étrangeté. Considéré comme langue poétique, il dit moins les choses réelles qu'un monde culturalisé et, si l'on peut dire, esthétifié. Langue abstraite, disait Senghor ; peut-être, mais, dans ces conditions, toute langue fonctionne dans l'abstrait : elle dit non la réalité mais la pensée historique de certains hommes sur une réalité spécifique, la leur. Elle peut donc commodément exprimer l' « esprit » des choses, voire leur éternité. Or c'est d'éternité que s'occupe Senghor derrière l'apparence anecdotique des êtres et des événements :

> Visage de masque fermé à l'éphémère, sans yeux sans matière (C. 9 18 6).
> Lors ton visage d'aujourd'hui sous sa patine avait la beauté noire de l'Eternel (N. 10 178 12).

On a « dénoncé » le caractère désincarné de la femme senghorienne, on lui a « reproché » l'aspect troubadour et courtois de sa lyrique amoureuse. La critique ne vise pas Senghor mais le système qui s'est imposé à lui. Ce phénomène déréalisant est perceptible ailleurs, chez d'autres et dans d'autres thèmes : Socé parlant à l' Etoile du Printemps » (5 30 7-11), Dadié, parlant à l'Afrique (R. 5 233 65-71) et même David Diop parlant du nègre :

---

(17) V. CHKLOVSKI, « L'Art comme procédé », in *Théorie de la littérature*, 95.

Il a gravi la route amère
le Nègre
La route aux mille épines qui mène aux esclavages
A coup de sang d'acier de scies
Ils ont broyé la vie sur son corps de volcan
Et son cœur est le noir tombeau
Où palpitent les siècles de cadavres amoncelés (28 56
1-7)...

Il se reconnaît aussi bien chez le nègre antillais. Son expérience du français, on l'a déjà signalé, est notablement différente. Il ne lui a pas été donné, ainsi qu'à Senghor, de découvrir tout à coup le français comme un mets délectable (18), mais il dispose de deux langues complémentaires que l'usage et les conditions socio-politiques ont dotées d'un statut et d'une fonction spécifiques. Grossièrement dit : au créole, le quotidien et l'affectivité, tout le vif des échanges oraux, au français, le contrôle intellectuel, plus solennel, et les prestiges de l'écrit. Selon une tradition bien établie, le parler français implique recherche, élégance, bref, littérarité marquée, volontiers hyperbolique. C'est l'une des caractéristiques les plus évidentes de la littérature des « isles », dont Maran, pour ne citer que lui, témoigne de manière exemplaire. La négritude antillaise modifie les marques (certaines marques), déplace les références, mais conserve les mêmes principes d'écriture. Nous en avons vu des manifestations probantes au chapitre précédent, en particulier chez Niger, mais elles sont repérables chez tous : Césaire le premier, qui, après le *Cahier*, renforce le caractère codé de son langage poétique, code moins personnel qu'hérité, entre autres, on le sait, du surréalisme. On retrouve ici une contradiction mentionnée antérieurement : la tendance référentielle (qui veut saisir le référent dans sa réalité singulière) doit s'accommoder d'un langage à bien des égards stéréotypé. Le choix du français, langue poétique, nous permet de vérifier la prégnance du lieu de lecture : un même texte sera compris différemment selon que le langage qui lui donne corps est perçu comme « naturellement » ou historiquement poétique : texte original dans le premier cas et véridique, dans le second esthétique et conventionnel.

Si l'on néglige un instant la nécessité où se trouvait la négritude d'user du français, on sera sensible à une autre contradiction. Bien que Senghor reconnaisse au français, comme langue, des vertus poétiques (19), ce sont très généralement, comme

(18) V. 3,1, 15.
(19) « Non par sa clarté, dit-il, mais par sa richesse [...]. Hugo [...] libéra une foule de mots-tabous : pêle-mêle, mots concrets et mots abstraits, mots

(Suite p. 99)

on a vu, sa « clarté », sa « logique », son pouvoir d'abstraction et de conceptualisation qui sont pris en considération. Bref, on parle volontiers du français comme de la langue de Descartes. Dès lors, il est légitime de considérer que « la langue des diplomates et des mathématiciens n'est guère apte à exprimer la magie sensuelle de l'âme africaine » (20). On tient au contraire pour évidentes les possibilités poétiques inhérentes aux langues africaines. Elles sont, selon Senghor, naturellement poétiques :

> Les mots presque toujours concrets, sont *enceints* d'images, l'ordonnance des mots dans la proposition, des propositions dans la phrase y obéit à la sensibilité plus qu'à l'intelligibilité : aux raisons du cœur plus qu'aux raisons de la raison (21).

Le créole paraît de même à ses utilisateurs un inépuisable réservoir de métaphores concrètes où s'exprime l'affectivité d'un peuple. Il est donc donné, au même titre que les langues africaines (22), comme une source lyrique irremplaçable. Si ces langues, poétiques par essence, expriment également « les immensités abyssales de la Négritude » (23), il y avait lieu d'y recourir dès que les conditions politiques et sociales rendaient la chose possible. Elle l'est depuis vingt-cinq ans. Le système de la négritude l'interdisait.

Indépendamment de cette contradiction entre l'analyse théorique et les réalisations pratiques, indépendamment de l'insuffisance même de cette analyse, déjà pressentie et dont il sera question ci-dessous, on fera les plus expresses réserves sur la mystification que représente cette comparaison entre langues. Senghor écrit par exemple (et le répétera inlassablement, encore à Gênes en janvier 1988) :

> Au contraire du français qui est une langue analytique avec une syntaxe de subordination, partant de logique, les langues négro-africaines expriment une pensée synthétique dans une syntaxe de juxtaposition et de coordination, une syntaxe surréaliste (24).

savants et mots techniques, mots populaires et mots exotiques » (SEN., *L. 1* (1962), 362). On voit une fois de plus que c'est moins la langue qui est envisagée que son utilisation par des poètes précis. C'est, au reste, la seule façon valable de poser le problème.

(20) L.F. HOFFMANN, « French Negro Poetry », 62. On croit entendre Sartre.

(21) SEN., *L. 1*, 360 (v. 142-143, 159-160, 168, l'analyse de deux poèmes wolofs : 220, 263 etc. et, dans les *Poèmes*, des vers comme E. 13 141 4-6).

(22) Qui livrent tel quel au créole, indépendamment du lexique essentiellement d'origine française, leur sens de la symbolique (G. CHENET, « Sources africaines d'un humanisme d'expression française », 135).

(23) SEN., *L. 1*, 363.

(24) ID., *ibid.*, 142-143.

Que compare-t-il ? Deux niveaux de langue hétérogènes : d'une part une syntaxe, académisée, du (d'un) français *écrit*, de l'autre une syntaxe strictement *orale*. Placé dans des conditions d'émission analogues à celles que Senghor envisage pour les langues africaines, le français offre également une « syntaxe de juxtaposition et de coordination » et, dans le langage commun d'interlocution, la pensée apparaît tout aussi « synthétique ». Même remarque à propos des « mots-images » négro-africains opposés, dans les lignes qui précèdent notre citation, aux « mots abstraits » du français. Il s'agit, d'un côté, d'expression orale (où il est légitime de faire intervenir « timbres, tons et rythmes »), de l'autre, d'*une* expression écrite (et plus celle des diplomates et des mathématiciens que celle des poètes). L'opposition n'existe pas, objectivement, entre deux langues, mais entre deux types d'énoncé, l'un écrit, l'autre oral. Cette dimension réelle est constamment négligée dans le débat. Senghor porte une responsabilité certaine dans la confusion qui en résulte. Il fait comme si le problème ne se posait pas. Il se pose, au contraire, avec acuité. Quand elles seront communément écrites (comme elles le sont ailleurs, en Afrique orientale, au Nigeria, au Togo...), les langues africaines conserveront-elles cette vitalité expressive et concrète ? On peut se demander si l'on ne risque pas de stériliser ces langues en les écrivant. Présentant le créole comme « palabre et gesticulation » qui « débride, à gosier ouvert, un peuple d'onomatopées et de vocalises », un Guadeloupéen demande :

> Ceux qui croiraient sauver le créole en l'enfermant dans les livres, voir[e] sur des bandes magnétiques, ne le saignent-ils pas à blanc en le coupant de son flux pulsionnel et onirique (25) ?

Il ne faut pas dramatiser ce risque inéluctable, au moins pour certaines langues africaines. Dans ce passage, les poètes ont un rôle à jouer, plus important peut-être que les linguistes. La négritude les y a-t-elle préparés ? Evidemment non ou, à la rigueur, indirectement. Le lui reprocher ? Saisie dans un réseau de contradictions, acculée à un comparatisme systématique entre l'Afrique et l'Europe, elle ne pouvait que façonner une nouvelle conscience idéologique dans un cadre colonial impossible à esquiver.

En fait, le problème linguistique se posait à elle en d'autres termes : comment le français, auquel elle était nécessairement conduite, pouvait-il exprimer « l'âme noire » ? Nombreux sont

(25) M. CHARTOL, « Défense du créole » (1976), 25.

ceux, Africains et Européens, qui ont souligné combien l'outil français était, pour ce faire, inadapté. Gide fut l'un des premiers à en avoir conscience :

> Tandis que la musique et la plastique nègres s'offraient à nous sans emprunter rien à notre culture, pour nous parler, pour être comprises de nous, il faut ici recourir à notre langue, instrument d'emprunt et qui risque de tout fausser. [...] Ce que [le monde noir] a sans doute de plus particulier, l'étrangeté même de son lyrisme, reste intraduisible et ne peut, je le crains, nous parvenir que tempérée, qu'assagie (26).

Après lui, parmi d'autres, Sartre, mais confusément, à la manière senghorienne :

> La langue et la pensée françaises sont analytiques. Qu'arriverait-il si le génie noir était avant tout de synthèse (27) ?

Et de citer « Trahison » de Laleau dont on a déjà signalé le succès (et le caractère abusif). Dès leur second congrès (1959), les écrivains africains faisaient état d'un sentiment de déséquilibre « dans tous les cas où l'emploi de [l]a langue autochtone devrait [leur] être impérieu[x], et où [leurs] possibilités créatrices sont diminuées par le non-usage littéraire de cette langue » (28). Hountondji parle, pour sa part, d'un véritable *drame*, parce que l'écrivain « n'a eu ni le temps ni les moyens de cultiver son idiome maternel, qui se trouve ainsi relégué, dans son existence quotidienne, au rang de simple dialecte tout juste bon pour exprimer les banalités de la vie matérielle » (29).

Inutile de multiplier les citations. L'accord est assez général que le français, « forgé » loin de l'Afrique « pour répondre à d'autres besoins » (30), est inapte à traduire authentiquement le génie noir. A vrai dire, nous avons là plutôt une pétition de principe qu'une véritable démonstration. Les arguments avancés portent sur des notions vagues ou non pertinentes : le rythme, la syntaxe, et, plus communément, sur le lexique. Qu'est-ce que le rythme d'une *langue* ? On y trouve (ou non) des accents de nature variable, mais le rythme relève de la seule parole. Ou bien s'agit-il de prosodie et de versification, c'est-à-dire d'un rythme culturel ? Quant à la syntaxe, Mounin a montré dans *Les Problèmes théoriques de la traduction* que des organisations

---

(26) GIDE, « Avant Propos » au n° 1 de *P.A.* (1947), 5-6.
(27) SARTRE, « Orphée noir », 244.
(28) Résolution du 2e congrès, *P.A.*, 24-25 (1959), 388.
(29) P. HOUNTONDJI, « Charabia et mauvaise conscience », 25.
(30) SARTRE, *loc. cit.*

différentes ne modifient pas sensiblement la conscience et la représentation du référent. On sait que l'hypothèse de Sapir-Whorf résiste mal à l'analyse. Reste le lexique. Il est indéniable que tout terme qui se réfère à l'organisation sociale ou aux valeurs et pratiques de civilisation suscite des représentations inconciliables d'une culture à l'autre. Un Africain ne « voit » pas la même chose qu'un Européen lorsqu'il parle de *père*, d'*oncle* ou de *frère*. Le *khalam* n'est pas une guitare, la *kôra* n'est pas une harpe, le *rîti* n'est pas une viole. De même, les catachrèses usent en général d'interprétants incompatibles, *a fortiori* les expressions idiomatiques. Dans l'univers symbolique où vit l'Africain traditionnel, tel mot, ayant un très exact répondant référentiel en français, évoquera pour lui une série de représentations mythiques, alors que, pour un Français, il restera neutre ou amènera des images d'un ordre tout autre. Le renard, qui représente en France un certain type de comportement social, hérité du moyen âge et de La Fontaine, est associé chez les Dogon aux grands mythes cosmogoniques. La grue couronnée n'est pour nous qu'un bel oiseau exotique (également connu comme oiseau-trompette). Pour les Bambara, c'est elle qui apprit aux hommes à parler (31).

Différences évidentes, incompatibilités indubitables, mais le phénomène, pour généralisé qu'il soit ici, étendu aux dimensions d'un peuple entier, est assez ordinaire et participe, comme bruit, à presque toute communication linguistique. On connaît sans doute la page où Mounin montre les représentations affectives cristallisées à l'époque de son enfance autour du mot « sansonnet », qui se distingue, par sa richesse, de son stérile équivalent référentiel d' « étourneau » (32). Comme le dit Martinet (33), sans pour autant en préciser les moyens, il appartient au poète de communiquer et d'imposer au lecteur les « connotations » singulières qui entourent tel mot. Tout est affaire d'organisation contextuelle. Elle exige une élaboration vigilante. Le moyen le plus simple, dont on a vu qu'il ne va pas sans risques, consiste à utiliser le terme « indigène » dans des conditions telles que la référence soit cernable, ou à créer un néologisme conforme aux structures morphologiques du français (34).

---

(31) D. ZAHAN, *La Dialectique du verbe chez les Bambara*, 58. Le terme français, motivé, se réfère à l'apparence ou au cri de l'oiseau. Les Bambara le nomment *kuma n'guma*, litt. : « *n'guma* de la parole ». Les motivations n'ont pas de commune mesure.

(32) G. MOUNIN, « Les Stylistiques actuelles », 58.

(33) A. MARTINET, « Connotations, poésie et culture », 1291-1294.

(34) V. J.-P. MAKOUTA-MBOUKOU, *Le Français en Afrique noire*, 162-164. On connaît le fameux « lamarque » de Senghor (*E.* 6 112, 42, etc.). Nous reviendrons sur cet aspect lexical en 4, 3.

Les valeurs culturelles qui l'entourent éventuellement resteront latentes si rien n'intervient pour les actualiser, mais au moins les représentations culturelles de la langue d'écriture seront-elles neutralisées. Si le néologisme est exceptionnel, le recours au terme local se manifeste fréquemment, en particulier chez Sissoko : deux allusions, par exemple, au « bida » ; incontestablement, un serpent ; quel serpent ? 44 70 10-11 le présente simplement comme serpent, sans doute dangereux ; 59 87 le fait voir : c'est un « long ruban noir », et en précise la valeur : aussi dangereux que le basilic : « ses yeux lancent des flammes ; [...] et le voyageur, cloué sur place, est mort avant même de tomber ! » De tels poèmes sont nombreux chez cet auteur. Beaucoup paraissent même écrits pour révéler la valeur culturelle de l'objet, ce qui ne va pas, souvent, sans didactisme, assez prosaïque à nos yeux d'Occidentaux.

Mais un terme français peut aussi bien convenir pour peu qu'il soit *décalé* ou, si l'on veut, qu'il manifeste sans ambages une certaine *Verfremdung*. Ainsi, puisque nous évoquions plus haut les termes de parenté, lorsque Ranaivo écrit :

Ne m'aimez pas, *ma parente*,
comme votre ombre
car l'ombre au soir s'évanouit (*O.* 2 13 1-3),

le syntagme souligné, immédiatement décodable, mais sans usage en français, désigne une réalité malgache, proche des chansons à la cousine, fréquentes dans le folklore français, mais sans que celui-ci interfère. Inversement, il ne *semble* pas que, dans les deux mentions que Senghor fait de « la trompette des grues couronnées » (*L.* 5 231 6 et 19 244 1), il essaie de « culturaliser » cet oiseau. Certes, il n'y a aucune raison qu'un Sérère partage, adopte ou connaisse le mythe bambara de cette grue. Il *semble* que l'évocation fonctionne dans ces textes au minimum comme effet de réel, au maximum comme valeur idiolectale problématique, devant laquelle le Sénégalais n'est sans doute pas plus guidé dans son interprétation que l'Européen. Le Bambara comprendra différemment ces poèmes, mais, semble-t-il, on assiste plutôt à une projection culturelle sur le texte qu'à une information culturelle imposée par le texte.

D'autres procédés sont envisageables, qui doivent, eux aussi, s'entourer de précautions et de garanties : le calque, signalé précédemment, à condition d'être marqué comme tel (35), qui

---

(35) Senghor et Ranaivo emploient volontiers le tiret, qui peut servir ici d'indice de calque : « Et comment déjouer les ruses des peuples-de-la-Mer ? (SEN. *E.* 12 140 20), périphrase courante pour désigner les blancs. « Je ne suis pas celui-qui-vient-souvent / comme une cuiller de faible capacité, / ni celui-qui-parle-à-longueur-de-journée » (RAN. *C.* 3 14 3-5).

apparaîtra souvent sous forme de périphrase (36) ; la comparaison et la métaphore « génitive », voire la métaphore énigmatique pour peu que le contexte y jette une certaine lueur (37) ; enfin, plus banale et didactique, la glose métalinguistique ou la proposition équationnelle, qui permettront, lorsque le mot réapparaîtra nu, de le doter de sa valeur culturelle :

> Midi-le-Mâle est l'heure des Esprits, où toute forme se
>   dépouille de sa chair
> Comme les arbres en Europe sous le soleil d'hiver (SEN.
>   N. 26 202 21-22).

Ces quelques indices, dont l'énumération n'est pas exhaustive, entendent simplement montrer qu'un certain travail dans la langue peut pallier le risque d'inauthenticité. Pallier seulement et non neutraliser. Kimoni semble bien optimiste quand il refuse de se « laisser impressionner par la valeur lexicologique, sémantique ou psycho-métaphysique des langues et des langages ». Il voit dans la langue un instrument « malléable » entièrement « soumis à la volonté de celui qui parle ». Quant à celui qui écrit, il se heurte à des difficultés, *quelle que soit la langue qu'il utilise, européenne ou africaine*, puisqu'il « doit exprimer son moi à travers un code » (38). Il n'a pas tort de rattacher la question à un domaine plus large, d'ordre linguistique, mais fait preuve d'aveuglement (il n'est pas le seul) devant la pression culturelle qu'exerce nécessairement toute langue. Car, en fin de compte, le problème est moins linguistique que culturel. Peut-être est-il, partiellement, soluble linguistiquement, beaucoup moins culturellement. Or, c'est, précisément, sur le plan culturel que se place la négritude. On a déjà vu que la théorie (culturelle) de l'interférence gênait l'expression de l'authenticité au profit d'un humanisme quelque peu théorique.

(36) « Au seul rythme du tam-tam que syncope *la Grande-Rayée à sénestre* » (SEN. *E.* 1 100 11) : le syntagme souligné traduit le malinké : « la hyène qui se déplace à gauche » (P.G. N'DIAYE, « *Ethiopiques* » *de L.S. Senghor*, 13).

(37) De Senghor encore : « Roses et roses les *navettes* qui tissaient lêlés et yêlas, exquis les éloges des vierges quand la terre est froide à minuit » (*E.* 5 108 9). Bien que « lêlés » et « yêlas » ne soient pas traduits dans le lexique (ce sont des chants lyriques), l'adjectif « roses », le nom « éloges » permettent de métaphoriser « navettes » et même d'en cerner le champ. La réduction est évidemment plus simple pour un Sénégalais : langues des jeunes filles (v. P.G. N'DIAYE, *ibid.*, 39). La métaphore énigmatique, même non réductible pour un Européen, est, en tant que telle, un calque d'une pratique assez constante, on le verra, de la parole africaine.

(38) I. KIMONI, *Destin de la littérature négro-africaine*, 164. On connaît l'heureuse formulation de Sartre : « On parle dans sa propre langue, on écrit en langue étrangère » (*Les Mots*, Gallimard, 1964, 136).

La négritude affirme l'aptitude du français à exprimer le génie noir. Pour justifier cette thèse, elle minimise la gravité du problème (comme le fera Kimoni) et considère que les difficultés subsistantes sont gommées quand on adopte vis-à-vis de la langue et du langage une attitude spécifique. Celle-ci est culturelle et idéologique.

Le postulat sur lequel repose la théorie, jamais formulé, toujours implicite, est la transparence ou la neutralité de l'outil linguistique, transparence ou neutralité par rapport à la civilisation dont il est, historiquement, le véhicule. Même si l'on n'émet aucune réserve contre ce postulat, on reconnaîtra qu'il entraîne une contradiction intenable, comme on a essayé de le montrer en 3, 1-2. A l'exception de quelques écrivains considérés ordinairement comme mineurs, loin de pratiquer une langue déculturalisée (pour peu que la chose soit possible), la négritude puise abondamment dans tout ce que la langue porte en elle de culturel. Certes, la contradiction est réductible par la théorie de l'interférence et la visée humaniste, mais, dans ce cas, la question de l'authenticité (car on prétend quand même délivrer un message singulier) demeure intacte. C'est par la problématique du sujet, comme on le verra ci-dessous, que la négritude entend y répondre ou, plus exactement, éviter de la poser.

Pourtant, la conscience de la contradiction est, ici et là, très clairement lisible, en particulier dans certains vers de Rabearivelo, cités ou évoqués à plusieurs reprises. On assiste même à ce phénomène étrange que la contradiction est, pour des raisons idéologiques, plus nettement perçue aux Antilles (à Haïti surtout), où la question se pose avec moins d'acuité qu'en Afrique. Le poème de Laleau le montre à l'évidence. En voici une autre preuve. On lit sous la plume de Brierre :

> Je rêve [...] à la France.
> Sa langue mit une aile à notre esprit bâtard
> Et dans nos ciels déserts un rayon d'espérance.
> — Et dans notre âme un ridicule fard
> Sous quoi nos plus grands cris de souffrance et de haine,
> Nos façons de sentir, nos gestes, nos écrits
> Sont le fidèle écho d'autres plaintes lointaines (39).

La contradiction est patente dans le style même qui adopte l'alexandrin rimé fourni par la tradition littéraire française.

Avant d'envisager les conséquences que la négritude en tire, il convient de souligner combien la théorie de la transpa-

(39) BRI., *Le Drapeau de demain*, 10.

rence paraît insoutenable. De nombreuses raisons pourraient être avancées sur le plan théorique. Contentons-nous de quelques arguments fondés sur l'histoire des nègres. De ce constat, d'abord, fait aux Antilles par Glissant : les « esclaves oublient de se révolter quand ils apprennent la langue d'ici ; et quand ils connaissent la langue c'est trop tard, ils sont matés » (40). Peu importe que cette langue soit, non le français, mais le créole. La langue maternelle, qui assure, pour partie, l'intégrité de l'individu, est perdue. Lorsque les conditions socio-historiques feront du créole la « langue de la mère », la révolte sera possible. D'où le renforcement du français comme langue de promotion. Fanon écrit :

> Le Noir Antillais sera d'autant plus blanc, c'est-à-dire se rapprochera d'autant plus du véritable homme, qu'il aura fait sienne la langue française. [...] Un homme qui possède le langage possède par contrecoup le monde exprimé et impliqué par ce langage (41).

La négritude acquiesce. Ainsi Rabemananjara, qui dit du français :

> Nous nous sommes emparés d'elle, nous nous la sommes appropriée au point de la revendiquer nôtre au même titre que ses détenteurs de droit divin et il nous arrive, à ce propos, de nous sentir aussi français, anglais, ibériques que l'autochtone de la Seine, l'indigène de la Tamise ou l'originaire du Tage et de l'Ebre (42).

C'est reprendre, sur un autre ton, l'éloge senghorien du métissage. C'est oublier qu'on fait, en même temps, l'éloge de l'aliénation. Car, et voilà bien ce qu'affirme Fanon, en devenant l'Autre, on devient autre. Rabemananjara, qui, dans ce domaine, fait preuve de légèreté, ne précise pas de quels garde-fous dispose l'individu pour se protéger de la dépossession.

N'étayons notre réticence que par un second argument, propre à l'Afrique, et solidaire du premier : si le maintien de la langue autochtone conforte l'unité et la vitalité du groupe, son abandon le désagrège. Westermann écrivait dès avant la Deuxième Guerre mondiale :

> En même temps que la connaissance d'une langue européenne introduit l'élève à la culture européenne, elle le sépare de son peuple. L'enseignement d'une langue

(40) E. GLISSANT, *Le Quatrième Siècle*, 61.
(41) F. FANON, *Peau noire...*, 34.
(42) RBM., *loc. cit.*

européenne est un des facteurs les plus puissants de désagrégation de la vie sociale africaine (43).

L'Afrique offre, en effet, une situation particulière que nos auteurs oublient et dont nous avons déjà longuement parlé :

> Il faut rappeler que la colonisation n'a pas introduit le français en Afrique (au sens où les peuples africains colonisés par la France parleraient français), elle a simplement mis en place une minorité francophone qui gouverne et impose sa loi à une majorité non francophone (44).

S'exprimer en français, quoi qu'on dise ou écrive, c'est lorsqu'on est africain (la question se pose autrement aux Antilles), se couper du gros de son peuple, c'est briser le jeu de la communication, si fondamental en Afrique. Soutenir, en conséquence, la « neutralité » de la langue, c'est s'abuser dangereusement sur la réalité des échanges et de la pratique linguistiques.

A des objections de cet ordre la négritude senghorienne répond : mais nous sommes des métis culturels ! Soit ; à ceci près que ces métis culturels ne représentent qu'une infime partie de la population. Cette présupposition fondamentale est généralement absente de la négritude. La question, dès lors, est la suivante : comment préserver la partie nègre de notre métissage ? Tout se passe comme si la réponse de la négritude était : elle se préserve d'elle-même. La raison implicite réside, semble-t-il, dans la vitalité indélébile du sang noir. Acte de foi, pétition de principe : nous restons en pleine idéologie.

L'un des théoriciens écoutés de cette idéologie, pose l'inaliénable liberté du sujet devant un instrument neutre, soumis à sa volonté. Echappant à la contrainte linguistique, littéraire et culturelle, ce sujet informe la langue qu'il utilise sans être informé par elle. Ce n'est pas la première fois que nous voyons la négritude résoudre ses problèmes, et ce qui apparaît à des témoins qui se veulent impartiaux (y parviennent-ils ?) comme des contradictions objectives, par une problématique du sujet.

Jahn reprend, à la suite de Lamming, le « mythe de Caliban » qui a, légitimement, retenu l'attention des noirs, au moins des noirs américains et antillais qui, descendants d'esclaves, pouvaient se reconnaître dans ce personnage, en dépit ou à cause de la peinture déplaisante que Shakespeare a donnée de lui. « Prospéro, dit Lamming (45), vit dans l'absolue conviction

(43) D. WESTERMANN, *Noirs et blancs en Afrique*, 209.
(44) L.J. CALVET, *Linguistique et colonialisme*, 119.
(45) G. LAMMING, *The Pleasures of Exile*, 110.

que la langue dont il a gratifié Caliban est, au vrai, une prison qui règlera et limitera ses acquisitions. » Mais, enchaîne Jahn, sans préciser par quel processus,

> cette langue se transforme, acquiert d'autres significations que Prospéro n'attendait pas. Caliban devient « bilingue » ; la langue qu'il partage avec Prospéro, et celle en laquelle il refond celle de Prospéro, ne coïncident plus. Caliban force la prison qu'est la langue de Prospéro [...]. Caliban continuera à comprendre la langue de Prospéro. Mais la langue qui sera désormais propre à Caliban, Prospéro ne la comprendra plus que partiellement, tant qu'il maintiendra ses anciennes prémisses (46).

La métamorphose à laquelle Jahn nous fait assister, qu'on l'accepte ou non, n'est applicable qu'aux Amériques et aux « isles ». L'Africain n'est pas simplement « bilingue », au sens où l'entend Jahn : au double usage de la langue européenne il joint, comme on le redira plus loin, sa langue maternelle (voire des langues voisines) : il est, au moins, trilingue, ce qui offre une situation très différente : non substitution mais juxtaposition de langues. On voit comme il importe de distinguer négritude africaine et négritude antillaise, complémentaires et non pas analogues.

Tel qu'il est présenté, le nègre-Caliban figure un propotype du Rebelle. Hostile à Prospéro, dont il cherche à secouer la tutelle, il éprouve pour le langage qui lui est imposé une haine complexe. Sans doute aime-t-il en lui l'arme quasi miraculeuse de sa future libération, mais sa nature lui rapelle trop l'être de Prospéro pour qu'il s'y attache sentimentalement et respectueusement : qu'on relise la *Tempête* de Césaire. La transformation dont parle Jahn ne peut être que le fruit d'une appropriation agressive qui s'en prend à l'intégrité de la langue. Cet autre langage dans le langage de Prospéro est un langage de refus. Nous avons déjà rencontré cette revendication qui paraît donner raison à Jahn. Pour fournir un nouvel exemple, selon Rabemananjara, par l'emploi turbulent qu'en fait le nègre, « la langue française [...] a été malaxée, torturée, désarticulée » (47). Idée séduisante et justificatrice, souvent exprimée par les tenants du français, ainsi par Kimoni (48). Pour prouver cette réalité, il devrait multiplier les exemples. Il n'en donne qu'un, et, à vrai dire, il ne peut guère avancer que celui-là : *Les Soleils des indépendances* de Kourouma, dont la critique a salué, avec

---

(46) J. JAHN, *Manuel de littérature néo-africaine*, 230.
(47) RBM., « Pourquoi la Francophonie ? », 25.
(48) I. KIMONI, *op. cit.*, 165.

excès peut-être, l'originalité toute africaine. Il est de fait que l'œuvre est originale (moins cependant que le *Palm-Wine Drinkard* du Nigérian Tutuola, qui le précède de seize ans), mais combien de décennies aura-t-il fallu attendre pour qu'un Africain francophone *ose* s'attaquer, de l'intérieur, au français ? Le roman date de 1968. Il échappe entièrement à l'idéologie de la négritude. Celle-ci peut déclarer vouloir « malaxer », « torturer », au besoin saper le français de l'intérieur, tout ce qui précède montre qu'elle ne s'y hasarde pas. Nous aurons à le vérifier plus loin.

Si la critique française, pour des raisons que nous avons vues, est portée à suivre Jahn et à accepter pour effectives les pétitions de principe de la négritude (49), bien des critiques africains se montrent sceptiques, insistant sur le fait, très réel, que l'écrivain noir est soumis au public européen, dénonçant, par exemple chez Hamidou Kane (mais on peut généraliser) « une trop grande préoccupation de style » et l'acceptation aveugle du point de vue littéraire français :

> En définitive, l'auteur Noir qui s'évertue à *écrire impeccablement* dans la langue du colonisateur [...] n'a en réalité pas de public africain, ne fait pas de véritable littérature africaine (50).

Comment ne pas lui donner raison ? Insistons à nouveau : loin de rechercher une « anti-culture », la négritude montre son accord, sinon son allégeance à la culture littéraire française, ce qui implique soumission à la langue. On ne perçoit ni haine ni révolte, pas même chez les Antillais, qui seraient en situation de les manifester. Le mythe de Caliban est resté jusqu'ici une utopie, du moins dans le domaine français. Albert Gérard, bien placé pour comparer les littératures anglo- et francophones, souligne la sclérose académique dont souffre la littérature négro-africaine de langue française, dès 1920, selon lui. L'une des raisons qu'il en donne paraît très pertinente : le strict emploi du français qui ne trouve rien en face de lui, ni créolisation vivante ni emploi littéraire des langues africaines pour endiguer sa puissance et infléchir son orthodoxie (51). Cette vue se trouve vérifiée par un poète comme Rabearivelo, qui n'échappe à

---

(49) C'est ainsi que J.-J. MORVAN écrit de Senghor : « Les mots retrouvent souvent une pureté originelle, ils se « déblanchissent », révèlent des arêtes oubliées et, lancés par le poète noir, ils se cognent, dansent. On assiste à une destruction du langage et à une recréation en profondeur d'une langue surréaliste » (« L.S. Senghor », 52). Le seul argument implicite porte sur le sujet : « lancés par *le poète noir* ».

(50) B. KOTCHY, « L'Ecrivain et son public », 25 (souligné par moi).

(51) A. GERARD, « La Francophonie dans les lettres africaines », 380-381.

l'académisme que lorsque, dans ses deux derniers recueils, il enrichit son écriture française de sa pratique du malgache. Une fois encore, la thèse de Jahn, idéologiquement séduisante, s'avère purement théorique parce qu'elle néglige la situation concrète des écrivains francophones et le pouvoir contraignant de la langue d'écriture.

Il se débarrasse de cet obstacle majeur d'un trait de plume :

> Cette situation linguistique spéciale [celle de l'Afrique, que nous allons envisager] peut nous faire comprendre l'importance toute relative qu'il convient d'attribuer au fait qu'un auteur s'exprime dans telle ou telle langue particulière. Que celle-ci soit effectivement sa langue maternelle ou que son adoption résulte d'un libre [?] choix de l'écrivain, on ne peut en aucun cas accuser celui-ci de trahir sa langue (52).

Aucun linguiste n'admettra cette mise entre parenthèses de la langue. Aucun « littéraire » ne l'acceptera sans une argumentation sérieuse. Celle-ci fait défaut. Jahn neutralise la langue et s'en remet au sujet écrivant, qui, contradictoirement, ou est libre de choisir la culture qu'il illustrera (les Antillais, en particulier Césaire), ou se trouve entièrement déterminé par sa culture d'origine et, donc, le voudrait-il, ne peut lui échapper.

Une telle proposition ne peut que satisfaire les écrivains de la négritude, qui voient ainsi justifiée leur pratique. Dans une interview de 1968, Césaire déclare que son point de départ est évidemment la littérature française, mais qu'il a « essayé de créer un nouveau langage capable d'exprimer l'héritage africain ». Il précise son intention mais non les modalités de la réalisation :

> Le français était un instrument que je souhaitais doter d'une nouvelle expressivité. Je souhaitais écrire un français antillais, un français noir, qui, bien que français, porterait un sceau noir (53).

Les commentateurs admettent sans discussion qu'il a réussi (54), comme si intention valait fait. Le raisonnement est en général

---

(52) J. JAHN, *Muntu*, 224.

(53) CES., « Interview with René Depestre ». Il déclarait de même à N. ZAND (*loc. cit.*) : « Dans *Christophe* la langue que j'emploie, qu'on croit un français archaïque ou savant, n'est surtout qu'un français conforme au génie de la langue des Antilles créoles. Et dans *Une Saison au Congo*, j'ai voulu faire un français africain. » Une telle intention est sans doute plus réalisable au théâtre que dans la poésie lyrique. Mais le « français africain » reste à définir.

(54) V., p. ex., E. A. HURLEY, « Commitment and Communication in Césaire's Poetry » et M. DASH, « Towards a West Indian Literary Aesthetic », qui tous deux citent l'interview accordée à Depestre.

le suivant : ils sont autres, donc ils s'expriment autrement, ou bien : ils parlent d'un autre lieu, donc leur langage est différent, et ce, même si les phrases, les mots sont identiques à ceux qu'utilisent les Français de France. On trouve un tel raisonnement chez Rabemananjara :

> Nous pouvons encore parler la même *langue* que François Mauriac, utiliser les mêmes vocables qu'Hemingway. Mais nous n'avons plus le même *langage* qu'eux : les mots par le miracle de la transmutation, ont pris sur nos lèvres et sous notre plume un contenu qu'ils n'ont pas et n'auront jamais acquis chez leurs usagers d'origine.

> Ce n'est pas une affaire de style ou de tempérament, de talent ou d'optique comme on le relèverait entre un Gide et un Valéry, un Montherlant et un Claudel. Le phénomène transcende le particulier et prend la valeur d'une distinction collective (55).

Citation très révélatrice de la position théorique de la négritude. On aura noté les mots « miracle » et « transcende » qui évitent toute démonstration et définissent le phénomène comme une nécessité ontologique. Il importe à l'auteur de balayer (non de réfuter) une objection évidente : il ne s'agit, ni plus ni moins, que de l'utilisation singulière de la langue, propre à tout écrivain. L'individu est, ontologiquement, transcendé : ce n'est pas lui qui s'exprime mais la collectivité de laquelle il participe, collectivité non pas raciale, mais politique, celle des colonisés. Nous reconnaissons le postulat de l'unité prégnante de la négritude qui substitue à l'individu l'entité de tout un « peuple ». On remarquera enfin l'opposition entre *langue* et *langage*. Elle joue un rôle fondamental dans la négritude et résume parfaitement la théorie de Jahn. Peu importe la langue support que nous utilisons, nous avons un *langage* spécifique, du fait que nous sommes noirs et colonisés. Rabemananjara peut conclure :

> Tous les colonisés, semi colonisés ou ex-colonisés de la terre peuvent avoir *un même langage*, car leur situation de « dominés » ou d'anciens « sujets » ne peut s'imposer à eux qu'en *des termes identiques* sous la variété des formes et des conjonctures.

> La vérité est que sous l'impératif de notre drame, nous parlons malgache, arabe, wolof, bantou dans la langue de nos maîtres [...]. Ce même langage se parle aux quatre coins du monde noir : quand on a *un même langage*, on ne peut avoir qu'une même âme.

(55) RBM., « Les Fondements... », 76.

Cette dernière formule a de quoi surprendre. Si la langue est neutralisée, si seule compte la situation de l'individu, c'est celle-ci qui informe son « âme », donc son langage, et non l'inverse.

Rabemananjara, pris ici comme porte-parole de la négritude, en tant qu'il opère son montage sur le seul sujet, montre son accord avec Jahn. Cependant, le contenu idéologique sur lequel repose ce montage est très différent de celui de Jahn (et, somme toute, de Senghor). Ces bases idéologiques paraissent même contradictoires. En effet, schématiquement dit, le « langage » selon Rabemananjara suppose comme sujet le colonisé (au vrai, plutôt, malgré qu'il en ait, le nègre colonisé : « aux quatre coins du monde *noir* »). Le « langage » de Jahn suppose un nègre traditionnel, non marqué par la colonisation : c'est le nègre comme parleur singulier, ayant conservé intactes ses pratiques en dépit de la colonisation, que Jahn a en vue. Le postulat est que le noir se conduit devant le français, ou toute autre langue européenne, comme il se conduit devant, ou plutôt dans sa propre langue maternelle. Dans ces conditions, peu importe la langue support. Ce qui est fondamental pour le nègre, d'après Jahn, c'est son rapport non pas à la (ou une) langue, mais au langage. En tant que nègre, il est saisi dans un système linguistique particulier qui, quelle que soit sa situation individuelle et historique, informera sa conduite langagière.

Cette « indifférence » de l'Africain vis-à-vis de la langue, simplement postulée par Jahn pour les besoins de sa thèse, doit être nuancée. Le noir d'Afrique, on vient de le rappeler, ne vit qu'exceptionnellement dans un monde unilingue. Les conditions ethniques, sociales, commerciales font de lui, ordinairement, un bilingue, sinon un multilingue. Outre la ou les langues voisines, il connaît, lorsqu'elle existe, la langue véhiculaire de sa région ou de son pays. Il est ainsi amené à utiliser fréquemment des idiomes variés, parfois proches, parfois éloignés de sa langue maternelle. On en déduira facilement que la langue, comme telle, compte moins que le langage. L'attitude à l'égard du langage serait une constante, l'usage de telle langue une variable occasionnelle d'application. Conclusion sans doute hâtive. On souligne combien l'Africain est attaché à sa langue et à sa pureté, combien il est sensible aux « fautes » de langage, qui suscitent souvent le rire et la moquerie (56). Mais il faut insister plus encore sur le fait que l'emploi de telle langue, tel dialecte est fonction de telle situation de parole. C'est un point déterminant qu'on retrouvera ci-dessous.

(56) G. CALAME-GRIAULE, *Ethnologie et langage*, 257, 268.

Comment définir, sommairement, la « parlure nègre » ? (57).

Le phénomène central est sans doute qu'il s'agit, au sens propre et au sens strict, d'un *parler*. Ce qui est en jeu, c'est, exclusivement, la parole. Continent sans écriture, dit-on volontiers, non sans polémique. Les Africains s'empressent de répondre que des systèmes d'écriture existaient en Afrique noire dès avant la colonisation, indépendants des caractères arabes. La question n'est pas là. Il va de soi que les noirs étaient capables, comme toute communauté humaine, d'inventer, d'adopter ou d'adapter une écriture, pour peu qu'ils en aient éprouvé le besoin. Mais leur conception du langage et leurs conditions de vie politiques et culturelles excluaient très généralement l'écriture. Qu'on relise, dans le *Phèdre*, le mythe platonicien de Theuth. Le progrès que représente l'écriture ne va pas sans de lourdes contreparties et l'on comprend que des sociétés soucieuses de perpétuer leur essence ne puissent l'imaginer.

Avant d'être sens, la parole est son matériel porté par le souffle de l'individu qui l'exprime. C'est un souffle qui draine le corps entier. Il passe, selon les Bambara, par dix-sept organes et sécrétions avant d'être expulsé par la bouche (58). Certes, ce souffle sonore est le plus souvent invisible (sauf quand le parleur produit de la buée), il est cependant perçu matériellement. Les « synesthésies » littéraires, popularisées par les romantiques allemands, font partie (au moins chez les Dogon) du quotidien : la parole a non seulement des couleurs (une parole sincère est une parole blanche) mais surtout une odeur : la « mauvaise parole » sent mauvais, comme la chair putréfiée ; « la parole bénéfique au contraire sent bon [...] ; elle possède une odeur vivante, une odeur d'huile et de cuisine » (59). La parole est donc manifestation matérielle de la vie de l'individu et participe de son activité physiologique, d'où, par exemple (mais aussi pour d'autres raisons), l'assimilation fréquente de la parole avec le sperme (60) et, par voie de conséquence, de l'oreille avec le vagin (61).

(57) Le terme de parlure *nègre* est certainement abusif, une enquête menée dans une ethnie particulière ne pouvant pas être étendue à toute l'Afrique noire, mais *parlure*, emprunté à Jousse, ne doit pas choquer : Césaire l'emploie (*M.* 50 72 20).

(58) D. ZAHAN, *op. cit.*, 22 V. S. CAMARA, *Gens de la parole*, 237-243.

(59) G. CALAME-GRIAULE, *op. cit.*, 56. Cette codification stricte amène à penser que les synesthésies senghoriennes procèdent davantage de l'Occident que de l'Afrique.

(60) JAHN, *op. cit.*, 111, 116. Mais la parole participe également de la féminité : « Parler, c'est « accoucher » du verbe, c'est le mettre au monde à la manière d'un être vivant » (D. ZAHAN, *op. cit.*, 31).

(61) M. GRIAULE, *Dieu d'eau*, 98, « Philosophie et religion des noirs », 318.

Ces derniers exemples montrent que, si la parole manifeste le vivant, c'est qu'elle est porteuse de vie et fécondante, bref, créatrice. L'individu est créé, se crée et crée par l'acte de parole. En effet, dans certaines cosmogonies africaines, comme, au reste, dans beaucoup d'autres, « au commencement était le verbe, enfermé dans le sein de Dieu, qui, un jour se sentant solitaire, n'ayant personne à qui parler, éprouva le besoin de crier : de parler » (62). Mais, au contraire des mythes occidentaux du verbe originel qui visent à instaurer un ordre nouveau, les mythes africains signifient l'accord avec la nature, considérée « comme harmonie, c'est-à-dire comme un discours bien fait, le discours prononcé par les Dieux eux-mêmes une fois pour toutes » (63). En fait, cette dernière expression n'est pas, ici, une parole créatrice qui donne vie « une fois pour toutes », c'est une parole continûment créante. La création ne se détache pas du verbe ; le verbe lui est consubstantiel : le discours parfait ne cesse de se répéter et ce, dans tous les éléments de la nature. Utiliser les choses, les rendre efficaces, consiste donc à comprendre leur parole, à les faire parler, en quelque sorte (64).

On admettra, dans ces conditions, que la parole humaine ne consiste pas à signifier, à découvrir le sens du monde ; elle est là pour mimer la création du monde, pour mimer la parole divine, qui assigne à chaque élément sa place et sa fonction vivantes. En ce sens, elle mérite vraiment le nom de *poïésis*. Tous les africanistes ont souligné que la parole accompagne ordinairement l'activité créatrice de l'homme. *Accompagner* est une traduction bien imparfaite, car l'activité sans la parole est vouée à l'échec. L'incantation joue donc un rôle majeur :

> Semer ne suffit pas à faire germer et croître le maïs ; il faut qu'intervienne le dit ou le chant, car c'est le mot qui fait germer les graines, croître les moissons, mûrir les fruits, c'est la parole qui rend les vaches pleines, et leur fait donner du lait. Même dans les activités manuelles de l'artisan, le verbe est nécessaire pour les rendre efficaces (65).

---

(62) SEN., in GUIBERT, *L.S. Senghor* (P.A.), 152-153 (présentation passablement occidentalisée). Cf. *L. 1* (1962), 330, *Les Fondements de l'africanité...*, 73-74, etc.
(63) R. BASTIDE, « Religions africaines et structures de civilisation », 109.
(64) G. CALAME-GRIAULE, *op. cit.*, 423.
(65) J. JAHN, *op. cit.*, 140. On se reportera à la scène de la forge popularisée par Laye CAMARA (*L'Enfant noir*, 28-40). V. B. HAMA, *Essai d'analyse de l'éducation africaine*, 125-130, R. COLIN, *Littérature africaine d'hier et de demain*, « Fako ne peut pas, rituellement, sculpter en silence. Il lui est commandé, pour que ses statuettes prennent leur signification vitale,

(Suite p. 115)

L'incantation est un genre poétique, assez voisin, en fin de compte, de la prière. Jahn en tire, non sans raison, la conséquence déjà notée que la poésie négro-africaine est une poésie « profondément impérative dans son contenu implicite » (66). Même si les modes utilisés n'ont rien d'impératif, la parole ainsi conçue et la poésie qui en découle paraissent dépasser le conatif pour se fondre dans le performatif. Le conatif, ou l'exhortatif, évidemment fréquents, seraient une dégradation profane du performatif d'essence religieuse.

Une manifestation privilégiée de ce performatif fondamental se trouve dans la nomination, autre point sur lequel tous les commentateurs ont insisté. Nommer, c'est, par excellence, donner l'être, amener à l'existence, accorder à l'objet dénommé son statut de vivant. L'exemple le plus probant concerne le nouveau-né :

> Le nom est donné à l'enfant sept jours après sa naissance, c'est-à-dire le huitième jour de sa venue au monde. Dans celui-ci, pendant sept jours pleins, il n'a pas de nom. Pendant ce temps, donc, il n'existe pas [...]. C'est le nom qui procure à l'enfant son identité, qui le détermine par rapport à l'univers et ses forces, ses esprits et les autres hommes (67).

Le monde des objets n'échappe pas à la règle : « L'acte de dessiner [...] a sa pleine efficacité, croit-on, si celui qui dessine, énonce à haute voix ce qu'il entend représenter » (68). Non seulement la dénomination donne l'être à l'individu et le distingue de ses voisins, mais encore elle définit son essence :

> Le prénom en particulier qualifie la personne par une phrase qui est un condensé symbolique. D'origine concrète, il ne fait pas que nommer, il explique. C'est plus qu'un signe : il devient une figuration symbolique. Il illustre en résumant. En ce sens, il est vrai de dire qu'il révèle l'être (69).

de chanter sans aucune pause et tant que vole son herminette, toutes les paroles qui doivent donner le sens, la force. / Fako m'a dit, quand je l'interrogeais, qu'il parvenait par là à « incorporer » le rythme de sa sculpture, à la faire habiter par la parole » (cf. 38, 55, etc.).

(66) J. JAHN, *ibid.*, 153.
(67) B. HAMA, *op. cit.*, 154. Il s'agit des Songhay.
(68) M. LEIRIS, *La Langue secrète des Dogons de Sanga*, 271. JAHN (*ibid.*, 178-179) rappelle que deux sculptures identiques sont nettement différenciées par le sculpteur parce qu'il a décidé de nommer l'une Erinlé ou roi de Ondo. « La dénomination ne prolongera son effet qu'aussi longtemps qu'il plaira au propriétaire de l'image. Celui-ci n'aura qu'à dire : « Tu ne signifies plus rien pour moi ! », et l'image redevient aussitôt un objet, *Kintu*, un vulgaire morceau de bois tout juste bon à faire du feu. »

(Lire note 69 p. 116).

L'Afrique maintient ici une tradition assez générale qui s'est progressivement sclérosée et laïcisée en Occident, mais il faut dépasser le cas du « baptême » ou de son équivalent : cette conception impose un très vivant « cratylisme ». Le signifiant signifie si réellement le référent qu'on peut, à la limite, c'est-à-dire dans les emplois religieux ou poétiques de la langue (ce qui, souvent, revient au même), faire l'économie du signifié. Chez nous, l'étymologie populaire ou poétique informe certes la conscience du parleur, mais demeure habituellement un jeu, un jeu profane. Le jeu peut être beaucoup plus sérieux, chez les Africains. Pour les Dogon, par exemple, « le langage [...] étant un don divin, contient une intention symbolique qui demande à être déchiffrée », d'où une réflexion systématique sur leur langue pour interpréter les ressemblances entre les signifiants « à la lumière des rapports symboliques latents dans leur vision des choses » (70).

Plusieurs conséquences sont à tirer de ce phénomène important.

En premier lieu, confirmation de la matérialité du mot ou, plus précisément, de son signifiant, qui a pour effet d'établir une certaine distance entre lui et son, ou plus précisément, ses signifiés, car la matérialisation du signifiant déterminée à la fois par le système morphologique de la langue et sa fusion avec le référent, lui-même, comme on a vu, volontiers symbolique, entraîne l'autonomie relative, en tout cas le caractère pluriel, du signifié, du fait de son inutilité même. On en tire argument pour expliquer l'attitude du noir devant une langue étrangère, en particulier devant une langue très étrangère comme le français : certains mots de cette langue, à peu près vidés de toute signification, seront employés cependant « à cause de leur tonalité et de leur résonance ». Senghor, qui fait sienne cette proposition, y ajoute cette précision intéressante sur les intentions d'écriture de la négritude :

De ce qui est instinctif chez les illettrés, nous avons pu faire une *poïésis*, une méthode délibérée de créa-

(69) L.V. THOMAS, « Un Système philosophique sénégalais : la cosmologie des Diola », 68-69. V. S. CAMARA, *op. cit.*, 245.

(70) G. CALAME-GRIAULE, *op. cit.*, 29. Cf. SEN., *La Parole chez P. Claudel...*, 41 (L. 3, 375) : « Ce qui caractérise le vocabulaire des langues négro-africaines, c'est, d'abord, [...] que les racines des mots y gardent, avec leur sens étymologique, leur valeur d'image. Le Français moyen ne songe point à la " terre " quand il entend un mot comme " s'humilier ". *Sufeelu*, pour un Wolof, c'est toujours, peu ou prou, " se jeter à terre devant quelqu'un " et le -*u* garde bien sa valeur médio-passive. » Le « Français moyen » dira plus volontiers « s'aplatir »... Toujours ce besoin de définir l'Africain par rapport et contre l'Européen. V., ci-dessous, 4, 3.

tion. [...] Tous les mots français [...], par viol et retournement, peuvent allumer la flamme de la métaphore. Les mots les plus « intellectuels », il suffit de les déraciner, en creusant leur étymologie, pour les livrer au soleil du symbole (71).

Deuxièmement, la nomination implique réalisation et possession. Si la métaphore et la périphrase euphémique sont si fréquentes en Afrique, c'est qu'en nommant, simultanément, on fait voir (on *désigne*, comme nous dirons plus loin, 4, 3) :

> Selon la théorie dogon de la parole, le fait de dire le nom précis d'un être ou d'un objet équivaut à le « montrer » symboliquement, ou plus exactement à « lui donner vie », car c'est apporter de l'eau (celle de la parole) à ses « graines ». [...] Nommer [...] un organe sexuel est pour eux presque aussi suggestif que de l'exhiber (72).

Sans doute faut-il aller plus loin, comme le fait Jahn (73) : si l'objet nommé ne fait pas partie du monde réel, la dénomination le fait surgir et l'intègre dans la réalité effective : vertu magique à laquelle aboutit nécessairement la logique de ce type de parole. Logique et magique également son pouvoir de possession. Chez les Dogon, le mari appelle normalement sa femme par son nom, celle-ci, au contraire, s'abstient de nommer son mari, qu'il soit ou non présent :

> Dire le nom de son mari ou de sa femme prend une valeur de possession forte, de caractère sexuel ; c'est pourquoi la femme ne peut prononcer celui de son mari sans manquer aux convenances [...] ; cela équivaudrait pour elle à prendre l'initiative des rapports sexuels. Cette valeur du nom est confirmée par le fait que les enfants ne doivent pas appeler leur père et leur mère par leurs prénoms, ce qui comporterait une nuance incestueuse (74).

La possession dépasse le plan sexuel pour atteindre la totalité de l'individu : sa vie :

> A sa naissance, l'enfant reçoit un nom secret, bien différent du nom sous lequel il sera connu pendant sa

---

(71) SEN., *L. 1* (1962), 362-363. On conviendra que cette démarche n'est pas l'apanage des poètes *africains* mais des poètes en général, et, très lucidement, en France, au moins depuis Mallarmé. Qui Senghor convaincra-t-il qu'écrire : « Elle dort et repose sur la *candeur* du sable » (C. 9 17 1) révèle un usage « africain » du français ?

(72) G. CALAME-GRIAULE, *op. cit.*, 363-364. Confirmé par S. CAMARA, *op. cit.*, 246.

(73) J. JAHN, *op. cit.*, 166.

(74) G. CALAME-GRIAULE, *op. cit.*, 317. Mêmes pratiques chez les Songhay (B. HAMA, *op. cit.*, 158) et les Malinké.

vie. Ce nom est murmuré à l'oreille du mouton que l'on tue le huitième jour [...]. Ce secret est une sérieuse entrave aux œuvres de sorcellerie dont, plus tard, pourrait être victime l'enfant. Cacher son véritable nom est d'une très grande importance ; nul n'ignore que si le véritable nom de Dieu était prononcé dans le monde, le monde s'écroulerait (75).

On voit que la possession est fonction de la nature du sujet, de l'objet et du destinataire du message, ainsi que de leurs relations. La nomination peut être bénéfique, en particulier dans la louange. Puisque le nom fait corps avec l'être, vanter le nom c'est exalter l'individu qui le porte :

> Quand une personne devient puissante les Songhay disent de lui [sic] : « Atêma », « a ma houn », c'est-à-dire « il a fait le nom », « son nom est sorti », il est renommé (76).

Association banale, dira-t-on, puisque, précisément, des mots comme « renom », « renommée » existent en français. Ce qui l'est moins, c'est que « répéter le nom de quelqu'un, sans emphase ni épithète, c'est la façon la plus pure de l'exalter, de dire sa louange, de le glorifier » (77). Dans tous les cas, dire le nom accorde à l'objet nommé la plénitude de l'être. De même que la parole incantatoire débouche sur une forme « naturelle » de poésie, de même la nomination peut être considérée comme une source poétique, très voisine, et particulièrement efficace dans la société.

En troisième lieu, le nom est, en quelque sorte par définition, symbolique, non pas seulement du fait de l'intrication entre signifiant et référent mais parce que, tous les existants étant parole latente, il s'établit entre eux plus que des analogies, des correspondances essentielles. Les divers mythes de la genèse de la parole que nous connaissons mettent l'homme au centre de l'univers créé en tant qu'émetteur, transmetteur, écouteur de paroles et imposent donc à l'univers, lui aussi parlant, un anthropomorphisme généralisé (78). Dès lors le nom apparaît comme un signi-

---

(75) R. RANDAU, « Notes sur la magie et la sorcellerie à St-Louis du Sénégal », in A.A. DIM DELOBSON, *Les Secrets des sorciers noirs*, 279-280. Cf. B. HAMA *op. cit.*, 152.

(76) B. HAMA, *loc. cit.*

(77) SEN., in A. GUIBERT, « Avec L. S. Senghor sous les baobabs », 3. Cf. SOC., *Karim*, 19 : « appuyées sur le rebord de la fenêtre basse, elles dirent en chœur : « Guèye ! » (selon la coutume du pays qui consiste à prononcer seulement le nom de la personne qu'on veut saluer). »

(78) « Une graine est formée de parties distinctes que les Dogon nomment « cœur » [...], « bouche » [...], « nez » [...], etc. La graine possède même une parole symbolique, qui est sa germination » (G. CALAME-GRIAULE, *op. cit.*, 28).

fiant renvoyant à une chaîne d'interprétants référentiels, réels ou non réels (à nos yeux), qui sont, les uns avec les autres, en relation d'équivalence :

> Tout est symbolique en Afrique. Le langage est plus secret qu'on ne l'imagine. Le mot « tête » ne voudra pas toujours dire : extrémité supérieure du corps, le mot « terre » peut signifier notre corps, notre être, au lieu de signifier la planète sur laquelle nous vivons, etc. (79).

Le caractère concret et imagé des langues africaines dont parle volontiers Senghor, provient du sens foncièrement métaphorique du nom. La métaphore n'est pas, comme chez nous, une extension du sens du mot, c'est le nom qui, au départ, est donné comme métaphorique. Aussi bien, à force d'être concrètes, ces langues semblent-elles éminemment abstraites.

Il est sans doute excessif de créditer, ainsi que le fait Jahn (80), d'une valeur sacrée toute parole proférée par un Africain ; il est également excessif, répétons-le, d'étendre à l'Afrique entière ce qui a été observé chez les Dogon : peuple assez replié sur lui-même, structuré par des institutions stables, modelé par une culture rigoureuse et, par là-même, assez réfractaire aux influences extérieures, en particulier l'islam, les Dogon représentent une société animiste exemplaire, partant exceptionnelle. Au reste, eux-mêmes reconnaissent qu'on parle souvent pour ne rien dire, travers féminin (81). Si, chez eux, le symbolisme fait que le discours signifie à la fois sur les plans social, humain et cosmique, il faut préciser qu'il ne joue ce rôle que dans des conditions particulières, par exemple dans les formes codifiées de la littérature orale. Leur parole, dit-on, est en liaison étroite avec la nature (la brousse) et le monde des morts. C'est vrai, mais non de toute parole : d'un discours et d'une langue déterminés, ceux de la « société des hommes », langue secrète, donc, connue des seuls initiés et utilisée dans des circonstances précises (82). L'usage de la parole n'est pas uniformément réglé par des lois et des interdits : elle connaît aussi la liberté profane.

Toutefois, il demeure vrai que la ritualisation religieuse et sociale de la parole ou, plus exactement, de son emploi entraîne l'élaboration de ce qu'on appelle, à tort, une *littérature* orale, assez rigoureusement codifiée dans ses genres et le style qui en

---

(79) A. H. BA, « Culture peule », 85 (v. t. 1, 327).
(80) JAHN, *op. cit.*, 149.
(81) Les Dogon disent alors : « paroles sans graines », qu'on peut traduire aussi par « paroles sans enfants » (G. CALAME-GRIAULE, *op. cit.*, 51).
(82) M. LEIRIS, *op. cit.*, 22-23 et passim.

dépend. Ces « formes » sont non seulement l'émanation des valeurs fondamentales de la société, elles sont nécessaires à la permanence vivante de la société. C'est trop peu dire que l'expression « poétique » est, en quelque sorte, légale, elle est impérative. C'est à des manifestations de cet ordre que nous avons affaire lorsque les africanistes écrivent simplement « parole » ou « verbe » négro-africains. Avec l'oralité nous tenons le caractère le plus spécifiquement africain de la parole. Il y aura lieu d'y revenir. Ranaivo disait que c'est la vie des Malgaches qui est poétique (83). Avant lui, Frobenius l'affirmait des Soudanais (et, donc, dans son esprit, de tous les Africains) :

> La vie même est la poésie de ce peuple. [...] La vie, formée comme une œuvre d'art, n'engendre pas une poésie saisissable. La mystique a donné à la forme de vie même l'aspect d'une œuvre de poésie (84).

Enthousiasme lyrique dans les deux cas, qui projette sur la réalité socio-culturelle des notions occidentales et qui substitue l'appréciation valorisante à l'analyse des faits. La vie africaine n'est certainement pas composée comme une œuvre d'art ; au reste, ce concept est ici aberrant. Mais il est juste de dire que « la poésie ne s'est jamais évadée du peuple ; [qu']elle a toujours fait corps avec les temps forts de la vie sociale » (85), et familiale, et individuelle (86). Il n'existe pas de réelle solution de continuité entre ce qui nous paraît un usage « normal » du langage et ce que nous sommes tentés de nommer poésie. Ainsi la *kabary* malgache, plusieurs fois mentionnée, ne peut se confondre avec une simple palabre ; elle utilise toutes les ressources d'une rhétorique très concertée, elle vise autant à convaincre qu'à plaire et peut-être ne convainc-t-elle qu'autant qu'elle plaît. Mais le plaisir est dû essentiellement à la convenance des paroles au code et à la situation.

Cet exposé sommaire, ouvert sur l'oralité, se fermera sur elle, tant, répétons-le, elle est importante. D. Zahan note qu'à ne considérer que le texte des « poèmes » bambara, l'Occidental peut n'être sensible qu'à une certaine médiocrité, en particulier dans l'emploi des images et des comparaisons (que d'autres, au contraire, exalteront par principe).

> Cependant, ajoute-t-il, il ne faut pas oublier, car il s'agit là d'une réalité capitale pour l'intelligence de la

(83) V. 3, 1, 43.
(84) L. FROBENIUS, *Histoire de la civilisation*, 216.
(85) R. COLIN, *op. cit.*, 131.
(86) V. J. H. KWABENA NKETIA, « The Language Problem and the African Personality », 169.

littérature bambara (nous pourrions même dire : africaine) que leur esthétique littéraire repose sur trois éléments : le son, la parure et la danse[...]. La parure du verbe est chant, sa « danse » est le rythme. Le Bambara ne conçoit pas le « discours » autrement que chanté et rythmé (87).

Senghor a, plus qu'un autre, insisté sur ce point et davantage sur le rythme, celui-ci englobant, pour lui, le chant :

> Le poème n'est pas accompli, qui n'est pas « rythmé d'une voix juste ». Le *don du chant*, c'est la dernière grâce du Poète, je veux dire la grâce cardinale (88).

Mais si le rythme et le chant paraissent la *réalisation* naturelle de la parole « poétique », il faut bien voir que l'oralité dépasse ces manifestations, si tentés que nous soyons, avec Senghor, de les privilégier. En fin de compte, la raison d'être de la parole (ou de la non-parole) est peut-être plus importante que la parole même ; en d'autres termes, les conditions d'énonciation l'emporteraient sur l'énonciation, laquelle, à son tour, l'emporterait sur l'énoncé. C'est logique dans une société où la parole est à ce point codifiée, ritualisée que la « poésie » ne peut être que formulaire. Dans ces conditions, il faut prendre en charge toutes les manifestations énonciatives, en particulier la gestualité qui, dans certains cas, rend la parole inutile, et, plus encore, les situations énonciatives (89).

Nous sommes ainsi renvoyés à la problématique du sujet, celui-ci étant, dans l'Afrique traditionnelle, très différent de ce que nous entendons ordinairement sous ce terme : « Le texte de style oral est souvent inséparable de la personne qui le profère et qui est elle-même en situation de dialogue ; elle affirme son identité de locuteur » (90). Le même auteur précise ailleurs :

> Ce qui a été dit par un grand personnage mérite d'être retenu. Car la parole est véhicule de force, et a une force d'autant plus puissante que le personnage est plus important (91).

Nous savons que le lieu idéologique représenté par le parleur est partie prenante dans le procès de communication ; nous en

(87) D. ZAHAN, *op. cit.*, 60.
(88) SEN., *L. 1* (1954), 171. Cf. *ibid.* (1947), 78, (1956), 212, (1958), 239, etc. Si, comme le rappelait Ranaivo (p. précédente, n. 83), le mot « poésie » n'est pas exactement traduisible en malgache, une approximation peut être fournie par *teny-fiatsanana* : « paroles à chanter ».
(89) « Parler, étant assis ou levé, n'a pas la même signification » (D. ZAHAN, *op. cit.*, 28).
(90) M. HOUIS, *Anthropologie linguistique de l'Afrique noire*, 215.
(91) ID., « Préalables à un humanisme nègre », 579.

avons tenu compte précédemment (1, 3). Il ne s'agit donc pas d'un phénomène typiquement africain. Ce qui est africain, en revanche, c'est sa pertinence admise, sa légitimité, en quelque sorte, alors que nous sommes plutôt enclins à y voir un « bruit ». Que le parleur ait plus d'importance que ce qu'il dit, ou, si l'on préfère, que l'importance du dit soit fonction de l'importance du diseur, on n'en veut pour preuve que le statut privilégié dont jouit la parole des anciens, ou de certains hommes de caste, le griot, le dyâli au premier chef, mais aussi, dans des circonstances déterminées, le forgeron, ou, enfin, ce dont témoigne à l'évidence l'Afrique actuelle, celle du chef qui, seul ou entouré d'un parti unique, apparaît à son peuple et au monde comme le maître unique de la parole. Il est significatif que le chef déchu, alors que, exilé, il pourrait prendre la parole, se taise. Parle-t-il, sa parole a perdu son poids, « ses graines ».

Le phénomène s'explique aisément si l'on se souvient que la parole, souffle vivant, fait corps avec l'individu et l'exprime donc tout entier. En réalité, le terme d'individu est ici abusif et prête à confusion. La personne qui parle, essentiellement lorsqu'il s'agit de paroles ritualisées, en particulier (ce qui nous intéresse ici) de paroles « poétiques », n'exprime pas la singularité de son être, c'est la catégorie qu'il représente qui s'énonce par sa bouche. Si « tout est symbole en Afrique », l'individu, bien que reconnu distinct des autres, est cependant le symbole représentatif d'une catégorie, d'une classe, d'une caste, d'une espèce, d'un genre, etc. C'est un *représentant*. La formule chère à une psychanalyse actuelle : ça parle en moi, ou : on me parle, est adéquate au langage socialisé des Afriques traditionnelles. En conséquence, la poésie que nous nommons lyrique est assurément lyrique, au sens étymologique : elle est parole chantée, rythmée, accompagnée au besoin par des équivalents de la lyre, mais elle n'est pas poésie du moi. Complétons un propos de Jahn, rapporté par ailleur (t. 1, 365) :

> Le poète africain n'exprime pas *sa* position devant la nature, il met la nature en œuvre en l'éveillant à la vie, en la dirigeant, en la manifestant. Dans un poème d'amour, il n'exprime pas *son* amour mais *l*'amour qui est une force à laquelle il participe. [...] S'il lui arrive de dire *Je*, c'est toujours d'un *Nous* qu'il s'agit et ce *Je* prend alors la solennité impérieuse d'une voix prophétique, d'une voix qui prescrit, engage et ordonne (92).

La conséquence, apparemment contradictoire avec ce qui précède, est que l'énoncé se trouve fortement valorisé. La contra-

(92) J. JAHN, *op. cit.*, 168-169.

diction ne tient pas, car la mythologie de la parole entraîne logiquement que l'énonciateur *soit* son énoncé. L'énoncé est toujours déjà là. Il est, en quelque sorte, le lieu d'où l'énonciateur s'énonce. L'énoncé s'énonce lui-même. D'où l'importance de l'acte par lequel il se réalise.

Il va sans dire que cet acte de parole est un acte de dialogue. Toute l'analyse antérieure conduit nécessairement à un échange verbal entre un parleur et un ou plusieurs écoutants. L'incantation cérémonielle se fait, en général, devant témoins. A défaut de destinataires, le message est néanmoins produit en présence de récepteurs : message pour. Et si le destinataire est invisible, il n'en est pas moins présent : dieu, « génie », « esprit » des ancêtres, totem, etc. : message à. Mais la forme ordinaire est l'échange. Le vieux sage Ogotommêli disait :

> La parole est pour tous en ce monde ; il faut l'échanger, qu'elle aille et vienne, car il est bon de donner et de recevoir les forces de vie (93).

Les mêmes Dogon ne conçoivent pas qu'un mot soit proféré sans personne pour l'entendre : « Lorsque quelqu'un parle tout seul, on le considère comme fou et on lui demande ironiquement « où est son compagnon » (94). L'expression dialoguée est à ce point inhérente au langage qu'elle s'imposerait à l'Africain lorsqu'il est amené à utiliser l'écrit. Il est poussé à « transformer toute parole écrite en fragment de dialogue » (95). Nous aurions là un indice tendant à prouver que le texte écrit demeure proche de l'oralité, indice de plus de conséquence pour la négritude que ceux que nous allons à présent considérer.

*
**

Selon les auteurs qui l'ont étudiée, la « poésie » traditionnelle est caractérisée par un certain nombre d'indices stylistiques. Il faut remarquer préalablement que cette poésie n'est pas une mais prend des formes variables selon le genre pratiqué. La séparation des genres est, certes, moins rigoureuse que dans le classicisme européen et l'on passe sans véritable solution de continuité du genre le plus commun, de nature profane, au genre le plus élevé, réservé aux solennités les plus sacrées. Le

---

(93) M. GRIAULE, *Dieu d'eau,* 165.
(94) G. CALAME-GRIAULE, *op. cit.,* 69. Elle précise (184) que le parleur solitaire est assimilé à un mort.
(95) M. HOUIS, *Anthropologie linguistique...,* 215. Il se fonde sur une étude consacrée au français des élèves du lycée de Thiès.

conte, genre ouvert, même s'il recèle des significations ésotériques grâce au jeu subtil des correspondances symboliques, utilise la langue commune, mais la devise, genre plus noble, choisit parfois un dialecte particulier ou, à défaut, recourt à des termes dialectaux, archaïques, bref, marqués poétiquement dans la conscience culturelle des usagers. A la limite, la langue est totalement opacifiée pour la rendre incompréhensible au vulgaire, tel le *sigui*, langue secrète de la société des hommes étudiée par Leiris.

A ces réserves près, on peut dégager les éléments communs d'une rhétorique qui, comme dit Senghor, pour n'avoir jamais été formulée, n'en existe pas moins (96). Les faits suivants paraissent les plus significatifs.

La répétition se manifeste à tous les niveaux : répétition de phrases, de syntagmes, de mots, soit à des distances plus ou moins régulières, la répétition pouvant jouer, dans ce cas, le rôle d'un refrain, soit de proche en proche. Cela va de la duplication intensive à des séquences anaphoriques, chaque vers commençant par le même mot ou par la même proposition, ou, plus rarement, à des séquences épiphoriques, etc., en passant par les énumérations, le développement d'une cellule thématique, par exemple par enchaînement de comparaisons visant à définir la puissance d'un dieu, d'un roi, d'un objet... (97). A cette répétition du signifié correspond celle du signifiant. Tous les auteurs insistent sur la multiplication des assonances et des allitérations. Senghor dit d'elles qu' « elles renforcent l'image, le symbole, l'idée ; [qu']elles sont les détonateurs de l'émotion poétique » (98). Explication assez peu satisfaisante. Senghor, malgré sa réputation de linguiste, paraît incapable, comme on le verra, d'aborder le problème poétique autrement qu'en termes d'émotion. Sauf à considérer qu'assonances et allitérations n'ont qu'un rôle expressif, ce qui est difficilement soutenable, on est obligé d'admettre qu'elles sont le produit nécessaire de l'acte de parole et de la conception matérialisante de la « parlure africaine ». Que l'émotion utilise ce donné culturel, c'est possible, mais le tissu sonore en est indépendant. Il se manifeste d'ailleurs quelle que soit la charge d'émotivité qui anime le « poème ».

Beaucoup plus qu'avec le contenu du texte (ou du référent d'énonciation), les répétitions de phonèmes doivent être mises en relation avec le rythme de l'énonciation. La « poésie » africaine est d'abord affaire de débit. Celui-ci obéit, en général, à

(96) SEN., *L. 1* (1954), 165.
(97) V. LEIRIS, *op. cit.*, 60.
(98) SEN., *ibid.* (1962), 336.

un tempo plus rapide que dans l'usage courant et les pauses ordinaires du discours sont ou supprimées ou abrégées. D'où une impression de chant ou de psalmodie. Pour les Dogon, la parole poétique coule « comme de l'eau ou plutôt comme de l'huile. On dit que cette façon de déclamer sans s'arrêter est une reproduction de la rapidité avec laquelle Amma a créé le monde sans prendre de repos avant d'avoir terminé » (99). La poésie africaine est d'abord un mode d'énoncer. Senghor a certainement raison d'insister sur le rôle fondamental du rythme :

> Le poème n'est qu'une prose plus fortement et régulièrement rythmée [...]. La même phrase peut se faire poème en accentuant son rythme, exprimant par là la tension de l'être (100).

La fonction du rythme est évidemment capitale ; nous l'étudierons plus précisément en 4, 2. Notons simplement que s'il est, lui aussi, la conséquence nécessaire d'un usage strictement oral, il est culturellement justifié et prend une signification religieuse en accord avec la mythologie de la parole. La parole est rythme comme la vie sociale est rythme, et ce rythme est mimétique : il reproduit le rythme cosmique, ce que N'Daw exprime en inversant les termes de façon très rationaliste :

> Le suprême perfection [de la sagesse noire] consistait à adapter le rythme cosmique au rythme social (101).

Mais tout se passe, dans la pensée traditionnelle, comme si le rythme était antérieur à la parole, celle-ci n'étant qu'une actualisation parmi d'autres du rythme primordial. Les penseurs africains parlent volontiers de rythme visuel, ce qui est assez déconcertant pour l'Européen qui sera tenté de n'y voir qu'un emploi métaphorique. Or, dans la conscience traditionnelle, il n'y a là aucune métaphore :

(99) G. CALAME-GRIAULE, op. cit., 485. On signale également qu'au Rwanda la réussite littéraire implique « un débit rapide et ininterrompu sur un ton exalté, la recherche des assonances et du rythme » (P. SMITH, « Des Genres et des hommes », 299). Le phénomène paraît général.

(100) SEN., ibid. (1956), 213. Senghor revient inlassablement sur ce point. Cf. : « Cette force ordinatrice qui fait le style nègre est le rythme. [...] C'est l'élément vital par excellence. Il est la condition première et le signe de l'art, comme la respiration de la vie » (ibid. (1939), 35) ; « j'ai lâché le mot-clef de l'art nègre. Le rythme. C'est, au-delà du signe, la réalité essentielle de cette chose qui anime et explique l'univers et qui est la Vie » (ibid. (1947), 80, repris textuellement ibid. (1954), 171) ; « c'est le rythme qui donne, à l'art africain, sa forme et sa vie. [...] Car le rythme, c'est le squelette, l'architecture de l'être » (L. 3 (1970), 225) ; « vous savez que nos paysans ont inventé de danser le Plan de développement, et que notre musique accompagne nos concours de gymnastique ? Au bout du compte, par le rythme, tout art nègre est poésie » (in MALRAUX, Hôtes de passage, 523), etc.

(101) A. N'DAW, « Peut-on parler d'une pensée africaine ? », 36.

L'art africain, qu'il s'agisse des lignes, des couleurs, des formes, des gestes, de la parole, est soumis au rythme [...]. Il existe donc *un rythme verbal* ou mieux *oratoire* qui n'est pas essentiellement différent du rythme plastique. Ce dernier, selon les genres, sera graphique quand l'art est création linéaire, chromatique quand il emploie la couleur, simplement plastique dans le cas de la sculpture, chorégraphique enfin dans la danse qui est l'expression totale de l'âme africaine en tant que génie créateur (102).

Au début, donc, était le rythme. Celui-ci est, en effet, présenté non comme une émanation de la vie humaine ou de la nature, mais comme extérieur et antérieur à la nature et à l'homme. Le même auteur qui vient d'être cité refuse d'admettre que le rythme africain soit fondé sur le mouvement respiratoire : c'est, au contraire, « le mouvement respiratoire qui a besoin d'être assumé par le rythme pour s'humaniser ». Des considérations de cet ordre, sans dévaloriser la parole, lui ôtent cette vertu englobante que nous sommes prêts à lui reconnaître, faisant d'elle une manifestation analogique parmi d'autres, même si sa place est dominante. Au moins justifient-elles la supériorité du signifiant sur le signifié, de l'énonciation sur l'énoncé.

Les autres caractéristiques en découlent. Elles proviennent, plus particulièrement, du symbolisme généralisé dont nous avons déjà parlé et de l'analogie étroite instaurée entre les activités humaines, l'individu et la société, la société et la nature, ou le cosmos, etc.

Sur le plan syntaxique, nous l'avons vu, Senghor souligne la simplicité des phrases et la préférence accordée à la juxtaposition sur la subordination. Même pratique du syntagme où les mots-outils (Senghor dit les « mots-gonds ») (103) sont souvent supprimés (Senghor ajoute : « comme le font les surréalistes », ce qui paraît, pour des raisons envisagées au chapitre suivant, tout à fait abusif). Simplicité syntaxique, brachylogies, ellipses semblent la conséquence normale de la précellence du rythme et du signifiant. Le rythme propre à la syntaxe interférerait avec le « despotisme » du rythme sonore, à qui revient, fondamentalement, le rôle d'animer la pensée.

Senghor met presque sur le même pied que le rythme, l'image.

(102) E. MVENG, « Structures fondamentales de l'art négro-africain. II. Le Rythme », 109. On se rappellera, cependant, les mots de Fako rapportés par R. Colin (114-115, n. 65) : la statue est rythmée parce qu'elle a intégré le rythme de la voix et de la main.
(103) SEN., *L. 1* (1962), 362.

C'est même par elle que, dans les « Lamantins... », il commence son étude de l'art africain, ajoutant : « Mais le pouvoir de l'image analogique ne se libère que sous l'effet du *rythme* » (104). Il en arrive à conjoindre les deux termes dans un syntagme unique : « l'image rythmée » est l' « expression des forces cosmiques », elle en est le « symbole harmonique » (105). Selon des modalités propres à chaque technique, elle se manifeste avec la même prégnance dans tous les arts africains, de l'architecture à la danse, ceux-ci étant donc, les uns avec les autres, en étroite relation d'analogie : ils sont tous l'application particulière d'un principe unique. Cette homologie généralisée, pour séduisante qu'elle soit, néglige la spécificité de chacun des arts. Or, si l'on accepte la logique de la parole telle que nous avons essayé de la construire, l' « image », forme de contenu, paraît hiérarchiquement soumise à toutes les formes et substances de l'expression examinées jusqu'ici. Par ailleurs, l'image-analogie définie par Senghor (« non pas idée ni emblème, mais symbole, c'est-à-dire vivante analogie ») (106), quand elle n'est pas purement et simplement expulsée du langage, n'est nullement caractéristique de l'oralité : elle s'investit également, sinon mieux, dans l'écrit. Poète moins de voix que de plume, Senghor a-t-il voulu, inconsciemment, établir une balance égale entre les deux expressions pour se justifier et justifier son choix ?

Ces réserves ne visent pas à nier, ni même à minimiser le symbolisme de la parole, mais à lui attribuer une autre place, car nous avons affaire avec lui à une réalité moins caractéristique. Les auteurs auxquels nous nous sommes référé précédemment mentionnent tous l'image. Les textes poétiques bambara contiendraient, contradictoirement, des images conventionnelles ou originales, de sens clair ou simplement suggéré (107). Selon la thèse qu'ils entendent défendre, les chercheurs donnent « la »

(104) ID., *P.* 160 ou *L. 1*, 221.
(105) ID., « Négritude et civilisation gréco-latine... » (1966), 116. Cf. *L. 1* (1959), 281, « Négritude et civilisations méditerranéennes » (1976), 50 : « J'ai défini l'objet d'art nègre : *« une image symbolique et rythmée »*. Même définition chez A. MABONA, « Eléments de culture africaine », 150, etc.
(106) ID., *L. 3* (1971), 310. Les définitions senghoriennes de l' « image négro-africaine » sont presque aussi nombreuses que celles du rythme. Citons, pour y revenir plus loin : « L'image négro-africaine est image *surréaliste*, mieux peut-être, image *sous-réaliste* ; en ce sens qu'elle exprime la réalité qui *sous-tend* les apparences. Elle n'est pas équation rationnelle, mais lien *analogique*, participation de « deux objets de pensée », du signifiant et du signifié, à la même sous-réalité » (*L. 1* (1959), 280). « Signifiant » et « signifié » sont évidemment utilisés abusivement. De pensée ou non, nous sommes dans le domaine des objets, dont l'un est considéré comme signifiant l'autre.
(107) G. CALAME-GRIAULE, « L'Art de la parole dans la culture africaine », 82.

poésie africaine comme transparente ou comme opaque. Elle est l'un et l'autre à la fois. Cependant, si l'image paraît souvent énigmatique, cela répond à une pression de genre (la devinette est très répandue en Afrique) et à une nécessité culturelle au sein d'une société donnée. On a raison d'insister sur le fait que la poésie africaine est fondée sur la « communication verbale d'un signifié verbal à un auditoire collectif » et que, donc, elle exclut l'hermétisme. Les images ne semblent ésotériques que si l'on s'éloigne du groupe destinataire (108). Il faudra s'en souvenir. Même si l'image relève d'une invention individuelle, elle s'intègre dans un code collectif. Nous sommes une fois encore renvoyés à un locuteur pluriel.

Senghor ajoute un dernier trait caractéristique : la richesse du vocabulaire. La poésie orale recourrait à des lexiques variés et associerait dans ses réalisations mots concrets, abstraits, savants techniques, populaires, exotiques, etc. (109).

Ainsi se trouvent définies certaines formes prises par l'oralité dans certaines régions d'Afrique et non « *la* poésie nègre », comme le prétendent Senghor et quelques autres : vues objectivement non fondées, dont il faut cependant tenir compte puisqu'elles informent la conscience de la négritude.

(108) A. GERARD, « Littérature francophone d'Afrique : le temps de la relève » (1969), 200.
(109) SEN., *L. 1* (1962), 362.

Chapitre 4

PAROLE DE LA NEGRITUDE

La question qui se pose à nous maintenant est de savoir dans quelle mesure cette conception « africaine » de la parole fonde la poétique de la négritude.

Deux remarques préalables.

Dans l'exposé (succinct, schématique, incomplet) qu'on vient de lire, tous les traits, à la suite des quelques auteurs que nous avons suivis, ont été donnés comme « significatifs », comme « caractéristiques ». Sans doute peuvent-ils apparaître ainsi à l'intérieur de telle(s) culture(s). Vus de l'extérieur, ils perdent de leur originalité. Celle-ci réside dans leur association, qui forme un ensemble culturel homogène. Sinon, la plupart d'entre eux sont connus par ailleurs, non pas, il est vrai, dans notre civilisation (la restriction est importante) mais dans notre pratique du langage poétique. Si, dans notre versification traditionnelle, l'appréhension du rythme est autre, on n'en reconnaîtra pas moins le caractère « tyrannique » : il est premier, c'est lui qui engendre la phrase. Définir la poétique africaine, comme le fait Senghor, par un certain nombre de figures, comme l'ellipse, l'hypallage, la métonymie, comme les allitérations, les assonances, les paronomases, les (ép)anaphores, bref, les répétitions (1), c'est, en fait, définir n'importe quel langage poétique, ou peu s'en faut. La poésie africaine mise sur les mots concrets, les métonymies, bref, l'image, elle pratique abondamment le symbole ? Quel langage poétique ne le fait (ou ne l'a fait) ?

(1) SEN., *L. 1* (1954), 167.

La parole du poète, dit Senghor (2), a une vertu démiurgique : elle est *verbe*, elle est création, elle est *poïèsis*. Il lui suffit de nommer les choses pour les faire surgir du chaos primordial.

Mais ce pouvoir de la nomination est-il propre à la poésie africaine ?

Du plus fluide, le poète s'efforce de tirer l'immuable. Il ordonne sans l'appauvrir l'opulence du monde. [...] Pour s'acquitter de cette double mission, il énumère, il répartit l'innombrable ; *en les nommant*, en leur prêtant l'assistance du mot le plus exact, du discours le plus réglé, il stabilise [...] toute effervescence de l'être, etc.

Qui ces phrases concernent-elles ? un poète africain ? Senghor, par exemple, auquel elles conviennent parfaitement ? Non. Saint-John Perse (3). Et Perse lui-même n'écrit-il pas :

... Ton nom fait l'ombre d'un grand arbre. J'en parle aux hommes de poussière sur les routes ; et ils s'en trouvent rafraîchis (4) ?

Inutile de multiplier les exemples. Nous sommes ici au plein de l'interférence. Il est difficile de distinguer le typiquement africain du typiquement poétique. La question, en fin de compte, relève plus du lieu d'énonciation que de l'énoncé proprement dit. Il demeure une différence, cependant, déjà signalée : le langage poétique africain, même s'il est apparemment conforme à des « normes » poétiques françaises ou occidentales, n'est pas coupé de ses racines populaires et culturelles, comme l'est notre propre langage poétique. Le symbole africain est proche de celui de Hugo, mais celui-ci n'existe que pour Hugo et dans le seul langage poétique. Il n'a pas de référence dans la conscience culturelle vivante de la France du XIXᵉ siècle.

Cette réflexion nous amène à notre second préalable. Senghor se présente comme un moderne griot :

Je dis bien : je suis le Dyâli (*E.* 6 110 7).

Jahn adhère à une telle qualification : Senghor n'est pas *comme* le dyâli, il *est* le dyâli. Toute la thèse de Jahn repose sur la permanence de l'enracinement du poète africain moderne dans son peuple et dans sa culture. Senghor, on le sait, comme Chaka, dit : mon peuple. Il dit aussi :

---

(2) ID., *ibid.* (1962), 327.

(3) R. CAILLOIS, *Poétique de St-John Perse*, 131 (souligné par moi). Qu'on n'objecte pas que Perse, poète antillais, participe, comme tel, de la négritude. On a vu que l'argumentation montée par E. Yoyo dans ce but est rien moins que probante.

(4) PERSE, *La Gloire des rois*, « Amitié du prince », 3.

Servante fidèle de mon enfance, voici mes pieds où colle la boue de la Civilisation.

L'eau pure sur mes pieds, servante, et seules leurs blanches semelles sur les nattes de silence (*C*. 25 48 24-25).

Jahn tient l'affirmation et le désir pour réalisés. Le poète nègre, nègre et seulement nègre, gomme, par cela-même, tout le pan culturel qui fait de lui, non un nègre, mais un métis. La langue et la culture françaises sont neutralisées. Egalement neutralisé (ou plus exactement, comme elles mis entre parenthèses), ce qui est plus grave, le fait que le poète ne parle plus, mais qu'il écrit. Qu'on établisse entre ces deux moyens d'expression des réseaux d'analogies, soit : mais qu'on les confonde, c'est proposer des prémisses irrecevables, c'est s'enfoncer en pleine utopie. Qu'on en juge par le passage suivant qu'on nous excusera de citer intégralement, malgré sa longueur :

> Les termes du dictionnaire ne sont pas en tant que tels déjà chargés d'idées, ils ne sont pas reconnus par eux-mêmes, dans leur matérialité concrète, comme des porteurs de charge affective, ils ne font pas d'eux-mêmes sens ou image au sens européen. Les vocables d'une langue ne sont pour l'Africain qu'écriture acoustique, signes sonores d'un objet ou d'un autre dépourvus en soi de toute valeur de culture. Seul le *Muntu* [l'esprit humain] a pouvoir de leur conférer une signification culturelle en les transformant en mot-sperme, en image fécondante. Qu'il troque le contenu d'un lexique pour les mots d'un autre, cela n'a guère d'importance *aussi longtemps qu'il fait de ces nouveaux vocables le même usage que des anciens* ; si du nouveau matériau lexicologique il engendre des images conformes à celles de la langue d'autrefois, il conserve pleinement l'essentiel de celle-ci. *Kuntu* (les modalités de l'acte) est une force indépendante. C'est dans *Kuntu*, dans la manière et le style, que s'exprime le caractère de la culture africaine (5).

Chacune de ces affirmations, que n'étaie aucune preuve, va à l'encontre de toute pratique. On a souligné une proposition qui laisse entrevoir une faille, sur laquelle l'auteur glisse. Pour Jahn, on le voit, la liberté du sujet est totale ; rien ne peut entamer ni entraver son être. Il est pure innéité. L'expérience acquise, la réalité de sa situation, les contraintes de l'écriture, tout cela est inopérant. La seule concession qu'il soit possible d'accorder à Jahn est que le poète africain qui écrit en français a, *peut-être*,

(5) J. JAHN, *Muntu*, 222-223.

la possibilité de *faire comme* s'il était un Africain illettré, ne connaissant que la ou les langues de son terroir et n'ayant jamais entendu parler de la colonisation. Au mieux (si toutefois un tel dépouillement est possible), il ne fera que *mimer* un mode d'être, il ne pourra en aucune façon être cet être. De plus, sauf à accepter de nouveau la mémoire décapante du sang, on ne sera pas autorisé à confondre la mimésis de l'Antillais avec celle de l'Africain : empathie chez celui-ci (en schématisant), sympathie chez celui-là.

Ne revenons pas sur l'obstacle de la langue (française), ni sur d'autres difficultés, en particulier l'analphabétisme, abordé plusieurs fois de divers points de vue. Le problème initial et crucial concerne la relation parlure/écriture. La situation énonciative et le procès de communication de la parole proférée sont incompatibles avec ceux de la parole écrite. L'Afrique reçoit l'écriture en fonction de ses habitudes orales, c'est dire qu'à la limite elle ne reçoit pas l'écrit. Adotevi a bien montré la situation :

> L'Afrique n'a pas encore acquis l'âge de l'écriture sans parole. Elle ne connaît pas le terrorisme de l'écriture blanche. [...] Le livre [...] ne donnera sa mesure que s'il [...] cesse d'être une communication sans dialogue, une information sans réponse [...]. Le livre n'apportera son message à l'Afrique que si l'écrivain — européen ou africain — comprend enfin ce qu'est l'Afrique : un contiment où quelquefois la parole dit vraiment quelque chose (6).

Dans quelle mesure la négritude a-t-elle cherché à mimer les conditions d'oralité ? Nous possédons des éléments de réponse que l'on peut brièvement résumer. La tentative la plus évidente est celle de Keita, qui fait de tous ses poèmes un spectacle total. Les conditions d'énonciation sont précisées. La trame est musicale. Ce n'est pas, en effet, la musique qui accompagne les paroles, mais les paroles qui « commentent » la musique :

> Au lever du rideau, dans une case mandingue, jeunes gens et jeunes filles causent autour d'un feu de bois. Un griot guitariste joue « Minuit ». *Un autre commente l'air* (7).

Mais cette tentative est isolée, et l'on ne parle guère de Keita. On en tirera cependant deux avatars contaminés par les formes

(6) S. ADOTEVI, *Négritude et négrologues*, 278-279.
(7) KEI., *P.* 1 9 (souligné par moi). A noter que cette présentation disparaît dans *A.*, ce qui, à la lecture, réduit la musique au rôle d'intermède (v., ci-dessous, 4, 2).

européennes, d'une part les deux tragédies des *Chiens* et de
« Chaka », ainsi que l' « Elégie pour Aynina Fall » (SEN. *N.* 29
209-215), « poème dramatique à plusieurs voix », de l'autre
l'instrumentation que Senghor réclame pour certains de ses
« guimm » (anciennement « woï »). Cette dernière pratique ne se
rencontre que chez lui, encore n'est-elle systématisée que dans le
recueil ultime, les *Elégies*, et dans les médians (*Naëtt, Ethiopiques*) ; rare dans les deux premiers recueils, elle est aban-
donnée dans les *Lettres*. Les textes de la négritude, dans leur
grande majorité, sont des textes à lire, non à dire.

La communication orale africaine implique, on l'a vu, un
sujet fonctionnel et générique. C'est le lieu qu'il représente qui
se dit, en dépit d'une possible singularité d'expression. Bref, ce
n'est pas JE qui parle, c'est NOUS. On se reportera à notre
chapitre 1, 3 où l'opposition JE/NOUS a été étudiée et d'où il
ressort une importance certaine (quoique non générale) du sujet
pluriel. Remarquons toutefois que ce NOUS signifie surtout
« nous, les noirs » (par opposition aux blancs), catégorie évidemment ignorée de la poésie traditionnelle. Mais, on le sait, le NOUS
de Senghor, souvent, et celui de Ranaivo, presque toujours,
échappent à la catégorie raciale (pour ne pas dire raciste). Et
n'oublions pas la fréquence du JE, JE lyrique, au sens commun.
Lorsque Senghor s'écrie dans le poème liminaire d'*Hosties
noires* : « Ah ! ne suis-je pas assez divisé ? » (*H.* 1 56 17), on
peut supposer que ce déchirement se réfère à la double culture
du poète, qui agit en lui comme une double race (cf. *H.* 2 59 29) ;
un tel JE est, certes, un lieu collectif où se reconnaîtront tous
ceux qui partagent son métissage ; mais ce sème « racio-cultu-
rel » n'épuise certainement pas la signification de cette phrase,
car la « division » du poète, à l'évidence, provient également
d'autres sources, ontologiques, peut-on dire (8). Ce sème « ontologique » est constant chez Rabearivelo et, répétons-le, chez
Césaire, à propos duquel nous avons vu que la référence raciale
était dangereusement réductrice. Si l'on admet, avec Jahn, que
« dans la poésie lyrique africaine [...] il n[e ...] s'agit nulle part
de s'exprimer, mais bien d'exprimer quelque chose », que « nulle
part le poète néo-africain n'a affaire à son être intérieur, à *son*
individualité limitée à soi-même » (9), force est de reconnaître
qu'une bonne partie de la négritude ne relève pas de l'esthétique « néo-africaine ». Nous sommes cependant autorisés à une
conclusion plus nuancée. Le sujet écrivant de la négritude ne se

---

(8) Cf. *C.* 15 24-25, 17 26-27, *E.* 21 153 10-11, etc.
(9) J. JAHN, *op. cit.*, 168. L'affirmation paraît toutefois très excessive.
Le nègre de Jahn est passablement mythique.

confond pas avec le sujet occidental, bien que sa position soit comparable, car il tend fréquemment à la pluralisation, en particulier par l'emploi des « masques », déjà mentionné, surtout à propos de Césaire. Le JE de la négritude aurait donc une certaine spécificité, qui, curieusement, paraît avoir échappé à Sartre. Celui-ci le définit, en effet, en termes d'humanisme romantique (10). L'énonciation de la négritude n'est en aucune manière assimilable à une cérémonie vaudou.

Certes, de même que, selon Senghor, le parleur nègre, le griot par exemple, est toujours en proie à l'*émotion*, de même le poète de la négritude, singulièrement Césaire, composerait dans un état de tension tel qu'il risquerait de perdre la raison (11). C'est ainsi, du moins, qu'il aurait écrit le *Cahier*. Pour partie vraie (l'exaltation éclate dans certaines parties de l'œuvre et les années 1935-1939 furent probablement pour Césaire une période de crise) (12), cette affirmation est notoirement excessive. Elle ne vaudrait, à la rigueur, que pour la courte version initiale. Le texte définitif exigea plusieurs années d'un travail morcelé, obéissant à des intentions diverses. Rien dans l'énoncé final qui relève d'une composition « en transes ». Césaire dira lui-même que le *Cahier* a été « écrit comme un anti-poème ».

> Il s'agissait pour moi, précise-t-il, d'attaquer au niveau de la forme la poésie traditionnelle française, d'en bousculer les structures établies (13).

L'émotion qui anime le *Cahier* n'est donc pas seule en jeu. Le texte est en relation d'opposition avec une tradition littéraire française et l'aspect formel paraît majeur.

Ce que Césaire a confié de lui-même permet de donner quelques précisions sur sa méthode de travail. Il ne nie pas la réalité d'un choc émotif initial : « D'abord un sentiment intense, premier,

---

(10) SARTRE, « Orphée noir », 242-243 : « Ainsi, [...] c'est en s'abandonnant aux transes, en se roulant par terre comme un possédé en proie à soi-même, en chantant ses colères, ses regrets ou ses détestations, en exhibant ses plaies, sa vie déchirée entre la « civilisation » et le vieux fond noir, bref en se montrant le plus lyrique que le poète noir atteint le plus sûrement à la grande poésie collective : en ne parlant que de soi, il parle pour tous les nègres ; c'est quand il semble étouffé par les serpents de notre culture qu'il se montre le plus révolutionnaire, car il entreprend alors de ruiner systématiquement l'acquis européen. » Pour parler franc, un passage comme celui-ci me paraît un tissu enthousiaste de contrevérités. L'image du poète en transes qui se roule par terre comme un possédé, ne convient à aucun de nos poètes et à Césaire moins qu'à tout autre. On le verra ci-dessous. La dernière phrase, comme l'ont montré les chapitres précédents, est irrecevable.

(11) Lignes déjà citées (v. t. 1, 380).

(12) M. Steins en parle comme d'un « trou noir » (« Nabi nègre », 231).

(13) J. SIEGER, « Entretien avec Aimé Césaire », 65.

134

que je fixe le plus rapidement possible, le plus immédiatement possible » (14). L'important n'est pas, toutefois, ce sentiment brut, c'est le lent travail qu'il suscite dans les profondeurs :

> Je crois que la poésie naît d'une certaine *maturation*. En général, je porte les choses très longtemps en *moi* (je considère que ce moi n'est pas un gouffre, c'est un lieu de *maturation*). Je les porte longtemps en moi, et puis, elles sortent et je les profère. A ce moment-là, c'est de la poésie (15).

Une telle maturation garantit que le travail d'écriture, qui n'hésite pas à faire « un montage » à partir du premier jet (16), reste néanmoins l'expression fidèle du sentiment initial (17). On a donc affaire à une écriture en deux temps, laquelle ne paraît guère conforme à la composition du dyâli. Il est vrai que chez tous deux, Césaire et lui, l'émotion est première (ce qui ne peut passer pour spécifiquement africain) et que le contenu du discours poétique est tenu pour une image fidèle du sentiment qui veut se dire (ce qui implique une dichotomie entre contenu et expression : le griot est ici d'accord avec Port Royal). Mais si Césaire ignore, comme le prétend Senghor (18), ce qu'il va écrire sur sa feuille blanche, en déduira-t-on qu'il compose « à l'africaine » ?

Pour autant, s'agit-il (anticipons sur la suite de ce chapitre) d'une écriture automatique à la façon des surréalistes ? Assurément pas.

> J'ai [...] fait de l'écriture automatique sous l'influence de Breton, avoue Césaire, mais le résultat m'en semblait truqué. A quoi bon ? Ces poèmes ne reflétaient ni plus ni moins ma personnalité que ceux que je faisais normalement (19).

Il confirmera plus tard ces réserves :

> Je ne peux pas accueillir dans le creuset tout ce qui sort d'automatique. Ce n'est pas possible. Ne serait-ce que parce que c'est filtré par une certaine culture... Il y a un besoin interne de cohérence. [...] Donc l'écriture

(14) M. BENAMOU, « Entretien avec Aimé Césaire, Fort-de-France, le 14 février 1973 », 7. Ce sentiment peut être fixé par quelques mots, n'importe où, par exemple dans le métro, sur un ticket ou bien, si la situation l'autorise, par un premier jet écrit sans réfléchir (SEN., *L. 1* (1960), 301).
(15) J. LEINER, « Entretien avec Aimé Césaire », XVI.
(16) M. BENAMOU, *loc. cit.*
(17) CES., « L'Homme de culture et ses responsabilités », 117.
(18) SEN., *L. 1* (1960), 300. Senghor dit à peu près la même chose de lui-même (*ibid.* (1952), 144, « Lamantins... », *P.*, 161, *L. 1*, 222, etc.).
(19) J. SIEGER, *loc. cit.*

automatique est infiniment précieuse, c'est sûr, mais [...] il est bien rare que l'on puisse recueillir purement et simplement le produit brut (20).

Césaire est plus proche d'Eluard que de Breton, du moins du théoricien Breton. En tout cas, pour revenir à notre propos, c'est fausser les choses que de faire de Césaire un moderne griot antillais. Ce que dit Senghor du poète africain en général, et de lui-même, n'est pas plus convaincant. Il reprend à son compte la vision romantique de Sartre :

> Le voilà maintenant, le poète, au bout de son effort, amant-amante, baveux, glaireux, reposant sur le flanc, non pas triste ah ! non, mais triomphant : léger, détendu et caressant son fils, le poème, comme Dieu à la fin du sixième jour (21).

Parlant de lui-même, il met l'émotion et la sensibilité à la base de sa vocation (et de sa carrière) poétique :

> C'est parce que je suis un homme capable de souffrir, d'être dégoûté, d'être découragé, c'est parce que je suis un être extrêmement sensible que je reste poète (22).

Tel ne paraît pas le griot, tel paraît plutôt un poète français d'ascendance romantique, héritier de Baudelaire, voire de Musset. Il est difficile d'évoquer ici la théorie de l'interférence. De même, semble échapper à la tradition orale africaine ce que Senghor ajoute de son inspiration et de sa méthode de travail :

> Ce matin, en prenant mon bain, j'ai trouvé le début d'une élégie pour la Reine de Saba que je rumine depuis des mois et même des années. C'est ainsi que je vis mes poèmes au fil des semaines, prenant des notes de-ci, de-là. Il me suffit d'avoir alors un peu de temps. Généralement, j'écris pendant mes vacances. Autrement, je griffonne

(20) M. BENAMOU, loc. cit.

(21) SEN., « Lamantins... », P., 157, L. 1, 219. Voici les lignes qui précèdent, intéressantes parce qu'elles généralisent un référent d'énonciation particulier : « Le voilà donc, le poète d'aujourd'hui, gris par l'hiver dans une grise chambre d'hôtel. Comment ne songerait-il pas au Royaume d'enfance, à la Terre promise de l'avenir dans le néant du temps présent ? Comment ne chanterait-il pas la « Négritude debout » ? Et puisqu'on lui a confisqué ses instruments, que les remplacent tabac, café et papier blanc quadrillé ! Le voilà comme le griot, dans la même tension du ventre et de la gorge, la joie au fond de l'angoisse. Je dis : amour et parturition » (souligné par moi). Prise à la rigueur, cette image ne convient qu'à quelques poèmes de Senghor et de son émule Rabemananjara, à de rares textes de Damas ou de Socé. On pense surtout aux conditions dans lesquelles Laye Camara écrivit son Enfant noir, peut-être l'œuvre la plus exemplaire de la négritude senghorienne.

(22) J. WOLF, « Dialogue avec le Poète-Président L.S. Senghor », 20.

des notes que j'enfouis dans des dossiers jusqu'à ces vacances où je me trouve en état poétique (23).

Mais après ce « premier jet », « douloureux », « tissu d'images » (24), écrit si vite que l'auteur peine parfois à se relire, après ce « premier jet, le jet nègre », reparaît le professeur, « l'amoureux de la "langue des dieux" : du français » (25), qui se corrige dans le bonheur et dans la joie. Les poèmes qui nous sont donnés à lire représentent ainsi la quatrième ou la cinquième version (26). Ecriture en deux temps, par conséquent, comme celle de Césaire. Nous sommes loin de la seule « tension du ventre et de la gorge ». Senghor montre malgré lui le fossé qui sépare le poète francographe du griot, l'écrit de l'oral.

De son côté, Rabemananjara ne prétend pas dégager une quelconque théorie africaine de l'inspiration. Le poète noir prend simplement sa place dans la longue théorie des *vates* visités par les dieux (27).

Dans tous ces propos, on entend deux discours : un discours du désir, purement idéologique, et un discours plus objectif, qui reconnaît implicitement la pression culturelle de la langue d'écriture. La confusion ou même la simple assimilation du poète « néo-africain » avec le griot de la tradition est interdite par les faits. Il ne reste, répétons-le, qu'une possibilité de mimésis sur des points particuliers, ceux à propos desquels une relation d'analogie peut-être établie entre l'oral et l'écrit.

C'est ainsi que nous avons reconnu (1, 3) que la négritude présentait une écriture assez typiquement *discursive*. Nous avons pu établir la fréquence du JE-*discours* et l'importance de l'allocution qui, toutes deux, témoignent sans doute de la permanence d'une tradition orale. La pertinence du niveau énonciatif justifie une conclusion identique. L'humanisme du contenu, sa valeur d'éternité, si perceptible chez Senghor, mais non chez lui seul, ne sont pas incompatibles avec une « esthétique du cri » et une actualisation évidente du lieu-temps de l'écriture. Ce point est acquis. Soulignons seulement qu'il est à mettre à l'actif de la postulation de Senghor-Jahn : poésie à lire, certes, mais non à lire silencieusement. Le lire se transforme en dire et Fanon n'a pas tort de parler de « la gueulée vermiculaire de Césaire » (28). L'expression convient également à Damas, moins

(23) ID., *ibid.* Senghor dit ailleurs avoir « vécu » ce poème (*M.* 7) pendant quelque cinq ans » (*La Poésie de l'action*, 20).
(24) *La Poésie de l'action*, 29.
(25) In A. GUIBERT, *L.-S. Senghor* (P.A., 1962), 146.
(26) SEN., *La Poésie de l'action*, 28.
(27) RBM., « Le Poète noir et son peuple », 10.
(28) F. FANON, *Peau noire...*, 183.

à D. Diop, à Senghor, au Rabemananjara d'*Antsa*, de *Lamba* et de quelques poèmes d'*Antidote* : c'est seulement une question d'intensité : parole moins véhémente, parole cependant.

> C'est au cri que l'on reconnaît l'homme, écrivait Césaire (29). Au cri fils aîné de la vie, ou plutôt la vie elle-même qui [...] s'incarne dans l'immédiateté de la voix.

Non pas immédiateté au sens strict, mais mimésis efficace de la voix, qui renforce la matérialité du signifiant.

Cette réalité palpable du mot est exprimée maintes fois par Césaire. On connaît ce cri du *Cahier :*

> Des mots ? quand nous manions des
> quartiers de monde [...],
> des mots, ah oui, des mots ! mais
> des mots de sang frais, des mots qui sont
> des raz-de-marée et des érésipèles, etc. (*R.* 55 675-681).

Ailleurs, « les mots se transforment en cassave de poussière » (*F.* 18 33 21), ils sont vivants, « leurs pouls battent » (38 65 75), ils ont un « goût de pain et de piège » (*S.* 52 84 46). Ce dernier exemple est peut-être le plus caractéristique. En effet, les mots dont parle Césaire sont rarement des mots écrits (30), mais des mots que la bouche profère. Ils sont régulièrement associés à la langue (*S.* 47 74 55, 58 94 1-11), à la salive (*A.* 24 81 3), à la gorge (*S.* 53 86 2-4) : « avec un mot frais on peut traverser le désert » (*M.* 23 42 6), etc. Et lorsqu'ils sont qualifiés ou saisis dans un réseau métaphorique, la base est généralement sonore :

> dans ce temps où chaque inscription est une aventure
> dont chaque lettre saute en paquets de cartouches (*S.* 9
> 19 5-6).

> les assauts de vocables tous sabords fumants pour
> fêter la naissance de l'héritier mâle (*A.* 12 42 34-35), etc.

Lorsque Césaire mentionne les mots, c'est moins à leur pouvoir de signification qu'il s'attache qu'à la voix qui les lance : les mots sont la charge du cri, puissants, violents, crépitants, tonnants. Le Rebelle, on le sait, est surtout un crieur, un hurleur, plus tonitruant que Stentor :

> Et moi je veux crier et on m'entendra jusqu'au bout du
> monde (*il crie*) (*E.* 97 1042).
> et j'ai acquis la force de parler

---

(29) CES., « Introduction à la poésie nègre américaine », 37.

(30) Dans ce cas, ils sont, si l'on peut dire, liquéfiés dans l'encre qui les trace : « cependant que fait le gros dos et roucoule mon encre qui remonte encore en sève à la surface »... (*S.* 56 89 14-15).

> plus haut que les fleuves
> plus fort que les désastres (107 1153-1155).

et je pousserai d'une telle raideur le grand cri nègre que les assises du monde en seront ébranlées (81 848), etc.

Cette violence est propre à Césaire. Lorsqu'elle se trouve ailleurs, elle peut passer pour une citation (p. ex. TIR. 11 30 13-14, 21).

Les mots, le Verbe, tels que la négritude les envisage dans ses textes, sont moins, pour l'ordinaire, des signifiés que des signifiants portés et modulés par la voix. « L'encre du scribe est sans mémoire », affirme Senghor (*E*. 2 101 2), « je récuse l'écrit », décrète Tirolien (29 81 3) dans un poème-programme qui souligne la distance entre l'intention et la réalisation. Ce n'est pas par la vertu des mots que Dieu, selon Senghor, créa le ciel et la terre, mais par son « rire de saxophone » (*E*. 7 117 39). Etre vraiment nègre, pour un Antillais, « c'est laisser se dérouler la palabre [...] C'est chanter le poème à danser » (DAM. B. 4 75 47, 49). Parlant de ses poèmes, tout comme Senghor, Ranaivo dit : « mon chant » (*R*. 12 26 5). L'exemple le plus probant est sans doute fourni par Rabearivelo :

> Et les paroles deviennent de plus en plus vivantes,
> que tu croyais en quête du Chant [...].
> Elles deviennent davantage des chants [...].
> Et je voudrais changer, je voudrais rectifier
> et dire :
> chants en quête de paroles
> pour peupler le silence du livre (*P*. 2 30 21-32).

L'inversion d'une proposition somme toute banale (poème comme un livret en attente de musique) permet peut-être, dans la conscience du poète, de pallier la contrainte exercée par la langue d'écriture. « L'inspiration » est sentie comme une sorte de ligne mélodique et rythmique (ce qui rappelle les prémisses du *Cimetière marin*), forme vivante antérieure à tout langage, que le poète associe à la « langue de [s]es morts » (v. 36). Dès lors, la langue précise qui remplira cette forme-attente perd de son importance. Le double texte, français et malgache, de *Traduit de la nuit* paraît la conséquence de cette intuition, si illusoire qu'on la trouve dans la pratique.

Présence de l'oralité, donc, dans le signifiant et le signifié. Le caractère africain, qui ne s'impose pas nécessairement dans les exemples qui viennent d'être donnés, se manifeste plus nettement dans quelques titres, thèmes et genres dont il a été question au chapitre 3, 2. Keita, bien sûr, au premier chef, dont la « Chanson du Djoliba » (*P*. 6 51-55, *A*. 2 21-29) peut être considérée comme l'adaptation française du *ma-dyamu* bambara (31), mais aussi, souvent, Senghor ; ainsi dans le début de sa « Prière aux masques » (*C.* 13 23-24) qui transpose un genre poétique africain, ou dans *H.* 9 73-74 adressé au gouverneur Eboué, qui ressortit au genre de la devise, comme *H.* 13 79-80. Si la réalisation des « Chants pour Naëtt » est imprégnée de « francité », l'origine africaine est patente et il serait intéressant de les comparer de très près à la lyrique amoureuse des Sérères. On se souvient aussi combien la poésie de Ranaivo tient aux *hain-teny*, combien les poèmes de « Lueurs » doivent à la tradition orale, etc. Mais il ne suffit pas que Damas prononce à plusieurs reprises le mot « palabre » pour qu'on puisse en déduire une influence de ce « genre » sur son inspiration (32). Il ne suffit pas non plus que Césaire écrive des « tam-tams » (*A.* 21 68 et 22 69) pour renouer avec la tradition africaine (33).

La « mythologie africaine de la parole » se retrouve-t-elle dans la négritude ? Son caractère fonctionnel a été étudié précédemment. Il est clairement affirmé par Senghor :

> Le chant n'est pas que charme, il nourrit les têtes laineuses
> de mon troupeau (*N.* 26 202 34),

On a pu dire, citant *R.* 42 384-386, que Césaire se présentait comme « un guide spirituel qui a droit à la parole » (34), image, que nous connaissons, de l'informateur d'âme. On sait également que, pour lui, le verbe est une arme miraculeuse, arme de libération et, peut-être, d'organisation, la seule dont il dispose. En ce sens, le Lumumba d'*Une Saison* est un avatar du Rebelle. Arme efficace, peut-être, mais mortelle pour celui qui la manie. Une fonction analogue est accordée par Rabemananjara au Poète-Voyant (dont nous avons vu que l'origine est également occidentale) (35).

Cette arme miraculeuse est due, selon Césaire, à une sacralisation du poème. Citons à nouveau ces lignes importantes :

(31) D. ZAHAN, *La Dialectique du verbe chez les Bambara*, 136.

(32) I. KIMONI, *Destin de la littérature négro-africaine*, 91.

(33) A vrai dire, Césaire ne le cherche pas : « Si l'apriorisme d'une forme traditionnelle arbitrairement empruntée à l'Europe me semble grave, j'en dirai autant [...] de l'a priori d'une forme traditionnelle empruntée à l'Afrique. / Penser qu'il y a une forme africaine dans laquelle il faudrait faire [...] entrer par force notre expérience de poète nègre moderne, me semble le meilleur moyen de déboucher non pas cette fois dans l'assimilationnisme, mais ce qui n'est pas moins grave : dans l'exotisme » (CES., « Sur la Poésie nationale », 40). Quand on croit découvrir chez lui « la croyance primordiale, la croyance africaine en la poésie », il rectifie : « *primitive* tout court, pas précisément *africaine* ! » (J. LEINER, Entretien avec Aimé Césaire », XIX). A propos du « poème tam-tam », v., ci-dessous, n. 42.

(34) A. LUCRECE, « Le Mouvement martiniquais de la négritude », 114.

(35) RBM., *D.* 1 14 183-184.

Dans les conditions qui sont les nôtres, notre littérature, sa plus grande ambition doit être de tendre à devenir *littérature sacrée*, notre art, *art sacré* (36).

Mais il s'agit, si les termes ne jurent pas, d'une sacralisation historique et matérialiste : elle n'est pas à l'origine mais au terme du poème. On obtiendrait ainsi, non une imitation de l'objet nègre, mais une recréation moderne originale, sans doute plus probante et plus « authentique » que la mimésis senghorienne. Sacralisation latente également chez Rabearivelo dont le vœu, maintes fois affirmé, nous le savons, est de découvrir une parole en accord avec celle de ses morts. Rabemananjara se contente, dans ce domaine, d'une profession de foi nationaliste :

Quelle langue parlent-ils ? La nôtre
émane, parcelle de feu, du Verbe incandescent
qui rayonne
de pureté divine et d'innocence en fleur (*D.* 1 17 275-278).

C'est plus, en effet, la langue malgache qui est ici visée que le verbe poétique.

Nous nous contenterons, pour essayer de faire bref, d'envisager trois éléments donnés précédemment comme caractéristiques de la parole africaine : accessoirement la nomination, surtout le rythme et le mot-image.

*
**

En tant que telle, répétons-le, la nomination est connue de tout langage poétique. Cependant, l'usage qu'un Césaire, par exemple, entend en faire est assez proche de la conception « africaine » :

Si je *nomme* avec précision [...], c'est qu'en nommant avec précision, je crois que l'on restitue à l'objet sa valeur personnelle [...] ; on salue sa valeur de force, sa *valeur-force*. [...] En nommant des objets, c'est un monde enchanté, un monde de « *monstres* » que je fais surgir sur la grisaille mal différenciée du monde ; un monde de « *puissances* » que je somme, que j'invoque et que je convoque. [...] En les nommant, flore, faune, dans leur étrangeté, je participe à leur force, je participe de leur force (37).

---

(36) CES., « L'Homme de culture et ses responsabilités », 121.
(37) ID., « Lettre à Lilyan Kesteloot », in L. KESTELOOT, *Aimé Césaire*, 197-198.

Cette puissance de la nomination est expressément mentionnée par Césaire dans plusieurs textes. Il écrit, dès le *Cahier* (on prendra garde à l'étrange modalisateur que représente ici le « conditionnel ») :

> Je retrouverais le secret des grandes communications et des grandes combustions. Je dirais orage. Je dirais fleuve. Je dirais tornade. Je dirais feuille. Je dirais arbre. Je serais mouillé de toutes les pluies, humecté de toutes les rosées (*R.* 40 343-347).

On lit plus tard :

> En ce temps-là (38)
> le mot ondée
> et le mot sol meuble
> le mot aube
> et le mot copeaux
> conspirèrent pour la première fois (*C.* 22 36 19-24).

On retrouve ici le pouvoir évocateur, au sens strict, du mot qui fait surgir l'objet qu'il désigne. Le mot est à la fois plus réel et plus vrai que l'objet. Le Verbe devient, chez Césaire, donneur de vie :

> de sang il ne sinue que juste
> celui médian d'un verbe parturiant (*M.* 58 87 11-12).

Il est, inversement, capable de tuer : « J'ai peur de la balle de tes mots », dit la mère du Rebelle, qui ajoute : « Ce ne sont pas des mots humains » (*E.* 71 744). On serait presque tenté de soutenir qu'une telle conception, si elle va dans le sens de la tradition africaine, la dépasse néanmoins. En effet, la nomination africaine présentifie l'objet, qui demeure lui-même, celle de Césaire l'absorbe intégralement. Là, l'objet est confirmé par le langage, ici, le langage *vérifie* l'objet, c'est-à-dire le fait être et être vrai. D'où, peut-être, l'impossibilité où se trouve Césaire de se muer en homme d'action. Le seul acte dont il soit capable se situe dans le langage, comme on a déjà eu l'occasion de le signaler (1, 3, t. 1, 121). Mais, ce faisant, le poète rejoint l'historien.

Senghor est plus proche de la tradition lorsqu'il écrit :

> Vous aussi Eaux impures, pour que pures soyez sous ma nomination (*N.* 28 208 24) ;
> Donc je nommerai les choses futiles qui fleuriront de ma nomination — mais le nom de l'Absente est ineffable (*E.* 6 114 59),

(38) Sans doute en 1848.

où l'on remarque à la fois le pouvoir actualisant de la nomination et l'obligation de silence devant une réalité trop haute, ici l'Afrique. Senghor joue de même, dans plusieurs de ses poèmes, sur la vertu laudative que recèle l'énonciation du nom de l'allocutaire, salut emphatique où se résume l'essence vivante de l'individu :

> Et je redis ton nom : Dyallo ! (*H.* 3 62 1 ; cf. 63 23-24) ;
> Mbaye Dyôb ! je veux dire ton nom et ton honneur (13 79
> 1 ; cf. 80 25, *E.* 4 106 14, 5 108 1, *N.* 29 213 46, etc).

C'est surtout chez Senghor que se rencontrent les exemples les plus significatifs et les plus nombreux. On en lit quelques autres chez Dadié (*H.* 20 40 18, 42 89 30, 32), David Diop (5 23 1..., 16 37 3...), Roumain 1 231 45...), Socé (15 54 5...), Keita :

> Djoliba ! Pour le Malinké de Haute-Guinée, ton nom
> évoque tout (*P.* 6 51 1-2 ; 4 34 34).

Trouve-t-on chez Rabemananjara une nomination animiste ? On l'a soutenu. La démonstration n'est pas très convaincante (39). Si, donc la nomination est au cœur de la poétique de Césaire et joue un rôle important chez Senghor, elle est secondaire voire inexistante ailleurs.

Il n'en est pas de même du rythme, dont l'importance est partout soulignée. Socé, qui intitule son recueil *Rythmes du Khalam*, le donne, dans son poème liminaire, comme une transposition authentique de « la guitare africaine ». Tirolien veut « Haut proclamer / que la vie n'est que rythme / et rythme au sein du rythme » (22 61 52-54). Il s'est écrié précédemment :

> sachez que je suis rythme
> je suis rythme et je suis danse (60 21-22).

Dès les *Marches du soir* Rabemananjara dit sa quête d'une « eurythmie ardente » (*M.* 6 20 12). Lorsque Niger annonce l'éveil de l'Afrique à la parole universelle, il précise :

> Tout un rythme nouveau va térébrer le monde [...]
> L'Afrique va parler. [...]
> Quoi ?
> un rythme
> une onde dans la nuit à travers les forêts (2 18 198-208).

---

(39) J. ELIET, *Panorama...*, 107-111, à propos d'*Antsa*. L'impossibilité de rapprocher Rabemananjara de Césaire, p. ex., est fournie par les vers suivants où l'emploi de « comme » laisse au mot son statut commun de mot :
Un mot comme la lance,
un mot comme l'éclair,
vieux comme la génèse,
jeune comme le jour (38 338-341).

Pour Damas, être nègre,

> c'est bel et bien restituer
> le parfum fort du rythme des heures claires
> battu le rythme
> coupé le rythme
> et
> refoulé le rythme (*B.* 4 74 32-37).

Senghor se désigne, sous les traits de Chaka, comme la baguette qui laboure le tam-tam (*E.* 8 132 183). Il proclame à un haut dignitaire :

> Mais je te dis [...] les discours exacts rythmés dans les hautes assemblées circulaires ; [...]
> Je leur ai imprimé le rythme, je les ai nourris de la moelle du Maître-de-sciences-et-de-langue (*E.* 4 107 23-25).

Soulignant que le chant du tam-tam « chasse cette angoisse qui nous tient à la gorge », il définit en deux vers son art poétique :

> Ah! mourir à l'enfance, que meure le poème se désintègre la syntaxe, que s'abîment tous les mots qui ne sont pas essentiels.
> Le poids du rythme suffit, pas besoin de mots-ciment pour bâtir sur le roc la cité de demain (*N.* 26 201 16-17).

La présence du rythme est nettement affirmée, sa primauté, comme, plus tard, lorsqu'il se penche sur l'œuvre accomplie :

> Car des mots inouïs j'ai fait germer ainsi que des céréales nouvelles, et des timbres jamais subodorés
> Une nouvelle manière de danser les formes, de rythmer les rythmes (*L.* 26 251 10-11).

De telles citations pourraient être multipliées. Senghor est également de ceux qui utilisent, métaphoriquement à nos yeux, les mot « rythme », « rythmique », pour référer à des objets visuels (40) :

> Car je suis les deux battants de la porte, rythme binaire de l'espace (*E.* 3 105 32) ;
> Dans le basalte ils ont scellé leur cœur, la Vénus rythmique de Grimaldi (*L.* 10 237 14).

(Notons dès à présent que des emplois de ce genre sont tardifs). Césaire, enfin, selon qui les nègres sont « saisis par le mouvement de toute chose », « jouant le jeu du monde » (*R.* 72 1050-

---

(40) Nous serons amenés à considérer la question de plus près au début de 4,2.

1051), demande à Dieu : « lie ma noire vibration au nombril même du monde » (91 1476-1477) (41). La recherche rythmique est certainement au centre de l'écriture de Césaire, comme il le reconnaît lui-même :

> A mon sens, le mot, pour capital qu'il soit, n'a pas l'importance du rythme. Vous avez raison de parler de halètement ; j'ai voulu faire entrer dans le français un élément qui lui est étranger. Le rythme est une donnée essentielle de l'homme noir. Je crois, sans l'avoir prémédité, qu'il figure constamment dans mes poèmes (42).

*
* *

S'il n'est pas évident que la disposition typographique soit nécessaire à la manifestation rythmique, il n'en demeure pas moins que nos habitudes occidentales, généralement adoptées par la négritude, nous font voir dans le découpage linéaire un indice certain d'intention rythmique : Damas et Dadié en jouent avec une grande dextérité. Or, de nombreux textes sont écrits comme de la prose : tout Keita et Sissoko, et quelques-uns chez Niger et Césaire. Nous en reparlerons (4, 2). Mais d'ores et déjà nous pouvons augurer que, si l'intention rythmique n'est pas, en principe, absente, elle est, ici, secondaire. La recherche première est ailleurs et le rythme perd de son importance. D'autre part, à ne considérer encore que l'aspect visuel des textes, on reconnaît l'existence de deux types de vers radicalement différents (en négligeant les poèmes qui respectent la versification française traditionnelle) : un vers bref, voire très bref, constant chez Damas, presque autant chez Socé, fréquent chez Césaire et Roumain, et un vers long, voire très long, qui prend la forme du « verset », habituel à Senghor (v. tableau récapitulatif p. 237). Toutes les formes intermédiaires se rencontrent. S'il n'existe qu'un rythme africain, si la négritude se modèle sur lui, on comprend mal cette dualité. En fait, il semble, d'un point de vue culturel, que nous ayons affaire à des origines et à des significations différentes.

Selon une réduction commode et factice (à laquelle Senghor n'est pas étranger), l'opinion occidentale assimile volontiers

---

(41) Le Rebelle s'écrie de son côté : « et toi rythme, flux de toujours, reflux de toujours, / dans ma noire pierre ingrate daba du sang » (E. 115 1279-1280).

(42) J. SIEGER, op. cit., 65.

l'Afrique à la danse et au tam-tam. Sartre a été le premier, on le sait, à parler de « tam-tam » à propos de la négritude (43). Jahn, qui reconnaît deux types de rythme, se contente d'opposer une rythmique afro-américaine (Damas) à une rythmique « agisymbienne » (44). Sans doute a-t-il raison, mais c'est établir une dichotomie dans l'unité postulée de la négritude, c'est oublier que Senghor aime à se référer au jazz et aux rythmes d'Amérique latine et qu'il voit en Césaire et en Damas, par exemple, d'authentiques représentants de la rythmique nègre (45).

Si l'on prend comme référence le tam-tam (ce qui, au vrai, n'est qu'une approximation : il est assez étranger à nos Malgaches et ne peut rendre compte, à la rigueur, que d'un petit nombre de textes), tout se passe comme si la conception antillaise était profane et l'africaine (selon Senghor) religieuse et mystique. Pour Césaire, le halètement rythmique jaillit « des profondeurs ». Il commente : « Nuit du sang bondissant au jour et s'imposant ; le temps de la vie ; sa saccade » (46). Le rythme est donc la manifestation immédiate de l'individu comme être vivant. En tant qu'expression de la force vitale, il prend facilement une valeur érotique, que Brierre explicite par une association entre phallus et rythme : *N*. 10 39-42, où le rythme est condition nécessaire à l'émission du sperme. Tout cela, certes, est connu de l'Africain, exprimé par Senghor :

J'ai [...] choisi le rythme de sang de mon corps dépouillé
(*C*. 18 30 34 ; cf. 22 43 10, *E*. 7 117 31, etc.).

Mais on se rappelle une affirmation de Mveng, interprète reconnu de « l'âme africaine », selon lequel le rythme, en Afrique, n'a pas pour fondement le rythme physiologique, ni celui du souffle, ni non plus celui du sang (v. 3, 3, 126). Le rythme physiologique est bien réel, mais il n'est que la mimésis du rythme cosmique, d'où la spiritualisation de l'activité sensorielle, sur quoi Senghor insiste volontiers : le nègre

(43) « Beaucoup des poèmes ici réunis se nomment des tam-tams, parce qu'ils empruntent aux tambourinaires nocturnes un rythme de percussion tantôt sec et régulier, tantôt torrentueux et bondissant. L'acte poétique est alors une danse de l'âme ; le poète tourne comme un derviche jusqu'à l'évanouissement » (SARTRE, *op. cit.*, 253 ; v., ci-dessus, 3, 2, 83). Sartre reconnaît bien deux types de vers, qu'il conjoint assez gratuitement sous le signe du tam-tam, mais seul le second est pris en compte dans la signification qu'il en tire.
(44) J. JAHN, *Manuel...*, 232.
(45) SEN., « Lamantins ... », *P.*, 164-165, *L. 1*, 224-225.
(46) V. réf. p. 141, n. 36. Tirolien dit : « ma musique n'est que le rythme de mon sang / le cri rauque de ma chair » (13 39 56-57), et Niger : « Que l'on éloigne de moi ces instruments à percussion, ce rythme musculaire qui répond à trop de muscles chez moi, à trop de nerfs sans clarté » (4 28 72-75).

s'exprime par les moyens les plus matériels, les plus sensuels [...]. Mais, ce faisant, il ordonne tout ce concert vers la lumière de l'*Esprit* (47).

Au contraire, selon Senghor lui-même, conscient de la spécificité caraïbe (48), le rythme antillais, au moins celui qui se manifeste dans la poésie de Césaire, a une origine émotive et biologique individuelle et permet « de se perdre dans la danse verbale, au rythme du tam-tam, *pour se retrouver dans le Cosmos* » (49). Le rythme cosmique ne se rencontre pas à l'origine mais au terme du procès. Au rythme, matérialiste, si l'on peut dire, de Césaire, Senghor assigne une signification spiritualiste, acceptée par Césaire. Mais Senghor pourra-t-il l'affirmer de Roumain et, surtout, de Damas, qui miment, beaucoup plus que le tam-tam vaudou, le rythme des blues ?

La démarche de Jahn et de Senghor appelle des réserves. Elle repose sur l'intrication étroite entre les arts africains, réelle sans doute dans l'Afrique traditionnelle mais peu conforme à la situation d'écriture des poètes noirs. C'est au tam-tam, à la musique, à la danse que tous deux se réfèrent, mais ce parti pris les éloigne de la réalité textuelle. Une remarque de Senghor démonte le procédé. Il note que le rythme poétique repose sur l'alternance de syllabes accentuées et de syllabes atones et ajoute :

> Mais le rythme essentiel est non celui de la parole, mais des instruments à percussion qui accompagnent la voix humaine (50).

On raisonne donc en termes d'oralité et d'exécution musicale et l'on en infère, sans démonstration, la projection dans le texte même. Jahn écrit simplement :

> *Comme* l'orchestre de percussion, il [le poème] fait surgir des rythmes verbaux secondaires, consistant en allitérations, paronomases et anaphores (51).

(47) SEN., *L. 1* (1956), 212 ; cf. *ibid.* (1939), 35, etc.
(48) ID., *ibid.* (1952), 144.
(49) ID., « Lamantins... », *loc. cit.*
(50) ID., *L. 1* (1956), 212.
(51) J. JAHN, *Muntu*, 189 (souligné par moi). J'ai demandé à Jahn (Dakar, 1963) comment il pouvait mettre en parallèle un rythme linguistique, variable puisque non antérieur au texte qui le produit, et une musique improvisée librement sans indication de rythme ni de tempo. Il m'a répondu qu'il n'y avait ni homologie ni même analogie entre le rythme poétique et le rythme musical et que cela n'avait aucune importance. Si véritablement, comme il le répète à la suite de Senghor, « le poème [...] reste incomplet dans la mesure où il n'est pas soutenu par l'accompagnement rythmique d'au moins un instrument à percussion » (*ibid.*), le rythme proprement textuel est, sinon inutile, tout à fait secondaire.

Admettons l'existence de ces « rythmes verbaux secondaires », sur lesquels nous reviendrons (4, 1). Rien ne prouve une ressemblance de nature et de fonction avec les rythmes musicaux. Nous le savons, allitérations, paronomases, etc. peuvent être considérées, dans une large mesure, comme inhérentes à tout langage poétique. L'existence de ces figures dans les textes poétiques de la négritude n'est pas suffisante pour impliquer une relation avec le rythme musical. Césaire disait :

> La recherche de la musique est le crime contre la musique poétique qui ne peut être que le battement de la vague mentale contre le rocher du monde (52).

Réflexion valable, à ceci près qu'il manque un troisième terme : la langue. Notre réticence devant le postulat de Senghor-Jahn vient d'une assimilation, toute idéologique, entre éléments d'ordres divers. Pour montrer une analogie entre les rythmes textuels de la négritude et la rythmique africaine, ce n'est pas avec le tam-tam qu'il faut les mettre en parallèle, c'est avec les textes de la poésie orale. De ce point de vue, il est vrai que la répétition joue un rôle important, mais elle ne s'impose vraiment que chez Damas, nullement chez Senghor, sauf dans le détail. Il écrit :

> Boire toutes les mers d'un seul trait nègre sans césure non sans accents (*N*. 27 203 9) ;
> Ah ! vivre l'Eté sans jour et sans nuit, mais un long jour sans hiatus ni césure (*E*. 12 140 12).

Ce n'est pas tout à fait ainsi, nous le verrons (4, 2) qu'il énonce ses versets ni qu'il compose ses poèmes.

Ces brèves remarques autorisent quelques conclusions : l'importance du rythme est indéniable chez certains auteurs, non chez tous. Elle est plus affirmée chez les Antillais que chez les Africains et Malgaches. Il existe des rythmes (non pas un), peut-être spécifiques, mais dont l'appartenance à la rythmique africaine est postulée sans être jamais démontrée. Cette postulation, de nature idéologique, n'éclaire en rien le rapport de la poésie de la négritude avec la poésie orale traditionnelle : cette confrontation attend toujours d'être traitée rigoureusement.

*
**

Reste l'image-analogie. Ici encore, c'est le seul point de vue culturel qui nous retiendra. Il faut se rappeler ce qui a été dit précédemment (2, 3) du symbolisme « africain ». S'il est vrai

(52) CES., « Poésie et connaissance », 170.

que dans les sociétés traditionnelles, chaque ordre du vivant représente une correspondance moins analogique que mimétique d'un autre ordre, il va de soi que le mot mime l'objet comme l'objet mime sa signification culturalisée dans un ensemble ethnique donné. Dès lors, Senghor est fondé à soutenir que l'image négro-africaine « est dans la simple nomination des choses ». Puisque, dans les langues africaines, « presque tous les mots sont *descriptifs* », « il suffit de nommer la chose pour qu'apparaisse le *sens* sous le *signe* » (53). Nous sommes renvoyés à la nomination, dont nous avons vu qu'elle est réelle, mais non systématiquement exploitée. Mais ne parler que du mot, moins encore : du nom, est une limitation beaucoup trop réductrice. Ce sont, plus fréquemment, la phrase entière, ou même l'ensemble d'un énoncé, qui sont analogiques. L'énoncé métaphorique (on pourrait dire aussi : parabolique) est très répandu. G. Calame-Griaule en fournit de multiples exemples pour les Dogon.

A cette signification indirecte peut correspondre une communication indirecte originale. Hazoumé rapporte qu'au Dahomey le mari qui veut se venger de l'amant de sa femme ne s'adresse pas à lui, mais à un substitut analogique, un frère, par exemple le frère de l'amant, et formule un énoncé analogique : « Un homme passait, sa pipe à la bouche, devant la poudrière du roi pendant la saison sèche », etc (54).

Zadi a souligné ce type de communication dans son étude sur Césaire : « On ne parle plus à deux parce que cela est dangereux. On parle à trois » (55). Il le donne comme spécifiquement africain. Il faudrait néanmoins s'assurer s'il est connu de toute l'Afrique, et même des Antilles, ou, simplement, de quelques ethnies. Il est, d'autre part, abusif d'affirmer qu'il n'a pas d'existence en Europe. La différence est de degré : il est moins systématique, moins socialisé, moins ritualisé en France que sur la côte du Bénin. Mais le problème est surtout de savoir dans quelle mesure cette « communication analogique » rend compte de l'écriture de Césaire et de celle des autres poètes de la négritude. Zadi ne l'explique pas. Il laisse entendre que le lecteur africain, habitué à cette communication à trois, décodera le texte de manière particulière, de même que l'auteur africain l'a présente à l'esprit lorsqu'il écrit. C'est toujours s'en remettre au sujet, lisant ou écrivant. Nous avons déjà examiné ce phénomène « triadique » dans notre chapitre 1, 3. Il se manifeste sans doute avec plus d'évidence dans la négritude que dans les œuvres

(53) SEN., « Lamantins... », P., 158-159, *L. 1*, 220.
(54) P. HAZOUME, *Le Pacte du sang au Dahomey*, 9.
(55) Z. ZADI, *Césaire entre deux cultures...*, 200.

du domaine français, par un jeu de dialogues assez subtil et des interférences entre allocutaires et destinataires. Toutefois, non seulement l'image qui en résulte n'est pas conforme au modèle triadique de Zadi, mais encore, même en admettant une certaine ressemblance, cette image n'est pas nécessairement une projection du modèle africain puisque le processus est solidement implanté dans la communication littéraire occidentale (le roman par lettres n'en est qu'une manifestation exemplaire). L'intérêt du phénomène africain est qu'il prend sa place dans une conception généralisée de l'analogie, qu'il est, en quelque sorte, ce qu'il n'est pas en France, l'analogie d'une analogie. Voilà qui rend symptomatique l'énoncé analogique, autrement banal.

C'est dans cette voie, semble-t-il, qu'il aurait été souhaitable de s'engager pour montrer, dans le cadre de la parole, la spécificité de l'image africaine. Elle est négligée par Senghor, qui en est l'interprète le plus obstiné. Notons d'abord qu'après avoir adopté l'expression d'image analogique, il parlera, indifféremment, d'image analogique ou symbolique (56). Il importe, au contraire, de distinguer rigoureusement des mots qui ne sont pas synonymes. Remarquons ensuite que Senghor, une fois de plus, adopte une position équivoque, justifiée peut-être, à ses yeux, par sa théorie du métissage et de l'interférence, mais qui risque d'être source de confusion. Parmi toutes les définitions qu'il a données de l'image négro-africaine, on peut prendre pour canonique la formule citée au chapitre précédent (127, n. 106). Il la qualifie, quitte à rectifier aussitôt, de « *surréaliste* ». Quelques lignes plus bas, il paraphrase le Breton de *Signe ascendant* : « Je dirai qu'elle présuppose « à travers la trame du monde visible, un univers invisible qui tend à se manifester. » On lit ailleurs :

> Plus l'image est irréelle, surréelle, plus elle exprime, *pour parler comme Breton*, « l'interdépendance de deux objets de pensée situés sur des plans différents, entre lesquels le fonctionnement logique de l'esprit n'est apte à jeter aucun pont », et plus elle est forte (57).

La référence à Breton et aux surréalistes n'est pas isolée. L'image négro-africaine est donc présentée par rapport à l'image surréaliste, telle que l'envisage Breton. Il serait tendancieux de prétendre que Senghor donne l'image négro-africaine comme une variante de l'image surréaliste, bien qu'on en ait parfois l'impres-

---

(56) « L'image analogique — ou symbolique — [...] joue, doublement, sur les plans physique et métaphysique, charnel et spirituel » (SEN., *La Parole chez Paul Claudel...*, 44, *L. 3*, 377). Cf., ci-dessus, 3, 3, 127.

(57) ID., *L. 1* (1956), 210-211. Souligné par moi.

sion, mais on peut soutenir l'inverse : le surréalisme serait une variante de la poétique africaine. Parlant de la syntaxe des surréalistes qui fait sauter « tous les mots-gonds pour nous livrer des poèmes nus, haletant du rythme même de l'âme », Senghor n'ajoute-t-il pas : « ils avaient retrouvé la syntaxe nègre de juxtaposition, où les mots, télescopés, jaillissent en flammes de métaphores : de *symboles* » (58) ? Quel que soit le sens dans lequel elle joue, on assiste à une façon d'assimilation.

Elle est indéfendable.

Si l'Occidental, lisant *en traduction* le texte d'un poème bambara, est en droit de se dire : *formellement*, cela ressemble à un texte surréaliste, il faut bien voir que cette forme est soustendue par des réalités incompatibles et qu'elle est le terme concret de processus opposés. Rendons cette justice à Senghor qu'il le laisse entendre lorsqu'il corrige « *surréaliste* » en « *sousréaliste* », mais il ne tiendra guère compte de cette rectification (59). Qu'on prenne le surréalisme comme référence, soit, mais pour montrer l'originalité irréductible de l'image africaine. S'il n'est pas niable qu'existent des ressemblances formelles de cette image africaine et, plus généralement, de la parole africaine (telles qu'elles sont définies par Senghor et qu'elles se retrouvent, selon lui, dans la poésie de la négritude) avec l'image et le langage surréalistes, il importe donc, au premier chef, d'essayer de définir clairement d'où viennent ces formes et ce qu'elles entendent désigner, pour établir s'il y a entre elles identité, analogie ou incompatibilité.

Il est évidemment impossible, en cette fin de chapitre, d'étudier valablement les rapports de la négritude et du surréalisme, ni même de dresser un bilan. Sinon la négritude, le surréalisme est un mouvement évolutif et tous deux présentent de profondes contradictions. L'un et l'autre tendent à se réduire, dans l'esprit du public, à deux noms : Breton et Senghor. N'interroger que ces deux auteurs risque de ne donner de ces deux mouvements

---

(58) ID., *ibid.*, 362 (souligné par Senghor). Cf. sa lettre de 1960 in L. KESTELOOT, *Les Ecrivains noirs...*, 94. On a vu (3, 1) des assimilations analogues à propos de Hugo et de Claudel.

(59) Il a pourtant une claire conscience de la différence : « La distinction est à faire ici entre le surréalisme européen, qui est uniquement empirique, et le surréalisme négro-africain, qui est également métaphysique, qui est *surnaturisme* » (SEN., *L. 1* (1954), 164). Mais il ne suffit pas de dire « ici ». De toutes façons des expressions comme « surréalisme négroafricain », ou des substituts comme « sous-réaliste », « sous-réalité », « surnaturisme »... sont inadéquats. Le terme de « naturalisme », à condition d'être qualifé ou spécifié, conviendrait mieux. Senghor dit lui-même : « le surréalisme négro-africain est un naturalisme cosmologique » (préf. aux *Nouveaux Contes d'Amadou Koumba*, *ibid.*, 246), mais il ajoute : « *un surnaturalisme* ».

qu'une image partielle. Ces raisons, choisies parmi d'autres, obligent à une démarche lente, prudente, minutieuse. Les lignes qui suivent ne représentent qu'une esquisse de départ schématique et sujette à caution. On envisagera principalement les questions solidaires de la parole et on se bornera à quelques remarques générales qu'on espère significatives.

*
* *

Senghor met l'image au cœur du langage poétique de ses congénères : « Le premier don du poète négro-africain [est] le *don de l'image* » (60). Il se rencontre ici avec Breton, que seules intéressent la métaphore et la comparaison (61). Indépendamment de différences de nature que l'on pressent déjà, l'image occuperait, là comme ici, une place centrale. Mais il ne faut pas oublier que, pour Senghor, l'image ne joue son rôle que par la vertu du rythme (62), qu'il insiste sur la rhétorique très élaborée des poèmes traditionnels (rhétorique que lui-même, et la négritude en général, pratiquent abondamment), qu'il reproche, précisément, aux surréalistes de n'avoir pas saisi leurs images dans les filets du rythme et de l'harmonie (63). Différences fondamentales : l'image a une fonction tout autre.

Mais la différence réside également dans la nature et les sources de l'image. D'après les définitions bien connues du *Manifeste*, constamment reprises, en particulier dans *Signe ascendant* (que cite Senghor), l'image surréaliste consiste à rapprocher deux *objets* réels : elle est toujours, au sens strict, comparaison. Si « comme » est supprimé, il est remplacé par des prépositions, « de » ou « à », qui assurent la coprésence des deux objets. Tout au contraire, le principe de la nomination impose comme image privilégiée la métaphore. Il ne s'agit pas, ici, d'associer deux objets mais de les signifier l'un par l'autre, de les conjoindre dans une unité symbolique. L'aboutissement logique de l'image surréaliste est la constitution d'*objets* compo-

(60) SEN., *L. 1* (1954), 161.

(61) BRETON, « Signe ascendant », in *La Clé des champs*, 135.

(62) V. 3, 3, 127, n. 105. Il écrit ailleurs : « le pouvoir de l'image analogique ne se libère que sous l'effet du *rythme* » (« Lamantins... », *P.* 160, *L. 1*, 221).

(63) ID., *ibid.* (1962), 341. Les images de Saint-John Perse lui semblent « plus belles » que celles des surréalistes « parce qu'elles sont vêtues de la grâce du langage » (*ibid.*, 343 : cf., à propos d'Eluard, *ibid.* (1952), 131-132). Il s'agit non de la rudesse rythmique du tam-tam, mais d'une *eurythmie* (nous avons rencontré le mot (143) sous la plume de Rabemananjara) propre au langage poétique, qui se trouve, il est vrai, chez Eluard et Aragon.

sés d'éléments disparates, objets ou toiles peintes. Le but est d'assembler la réalité, une réalité fondamentalement visuelle. Est-ce trop dire que le surréalisme est, d'abord, un « donner à voir » ? Un recueil d'Eluard, bien sûr, mais on peut surtout penser au besoin qu'a Breton d'insérer dans ses textes en « prose » des photographies « réalistes » et à son rêve de « *composer un poème dans lequel des éléments visuels trouvent place entre les mots sans jamais faire double emploi avec eux* ». Voici ce qu'il en attend :

> Du jeu des mots avec ces éléments nommables ou non me paraît pouvoir résulter pour le lecteur-spectateur une sensation très nouvelle, d'une nature exceptionnellement inquiétante et complexe (64).

Cette citation semble importante non pas seulement pour la compréhension du surréalisme, mais pour les conséquences qu'on peut en tirer à propos de la présente comparaison. L'image surréaliste, prise à la rigueur, se situe strictement dans la réalité. Ce n'est pas un paradoxe, on le sait, d'affirmer le caractère réaliste du surréalisme. Réalisme également de la négritude, on l'a vu, fondé en partie sur la tradition africaine, mais réalisme transcendantal : la réalité, en tant que telle, est signifiante. La réalité surréaliste est auto-réflexive. Il est faux de dire qu'elle ne signifie rien : elle se signifie elle-même. Le propre de l'image à deux termes est de faire apparaître et donc exister une réalité non existante. Laissons pour l'instant de côté son caractère révélateur. Il s'agit de *produire* une étincelle, selon la comparaison du premier *Manifeste*, quelque chose de réel. Certes, Breton en est venu à parler de transcendance (65), il a défini le surréalisme comme « un certain " sacré " extra-religieux » (66), mais ce qu'il cherche, c'est à presser le citron de la réalité pour en tirer le suc *réel*. Tout ce qui précède montre que le naturalisme nègre est la projection visualisable d'une sur- ou sousnature, peu importe, qui est le monde vrai (67). Il n'existe aucune solution de continuité entre ce que nous appelons le surnaturel et le naturel : le naturalisme nègre est surnaturel.

(64) BRETON, *Position politique du surréalisme*, 115-116.

(65) ID., *Point du jour*, 69-70.

(66) ID., *Entretiens*, 288. Mais v. la réticence de F. ALQUIE dans *Philosophie du surréalisme*, 163-164.

(67) Dans « Signe ascendant », Breton distingue l' « analogie poétique » de l' « analogie mystique en ce qu'elle ne présuppose nullement, à travers la trame du monde visible, un univers invisible qui tend à se manifester » (*La Clé des champs*, 134-135). Senghor commente : « Elle est tout empirique dans sa démarche. Au contraire, l'analogie surréaliste nègre présuppose et manifeste l'univers hiérarchisé des forces vitales » (« L'Esprit de la civilisation... » (1956), 59. Passage modifié dans *L. 1*, 210).

Au contraire, Breton s'efforce d'introduire dans le réel une dimension non pas surnaturelle, ni même, à proprement parler, fantastique, mais merveilleuse. Le merveilleux ne se perd pas dans le réel, sa *réalisation* ne lui ôte pas sa nature merveilleuse. Le sujet garde la conscience de cette nature autre : il cultive, après Rimbaud, l'hallucination simple. Il veut voir et voit effectivement ce qu'il voit, tout en sachant qu'il projette au dehors de lui un désir de voir. « En fin de compte, dit Breton, tout dépend de notre pouvoir *d'hallucination volontaire* » (68). La vision est subjective, perçue comme telle. En revanche, la « vision » du nègre n'a aucun caractère hallucinatoire, elle est objective et perçue comme telle. Sissoko raconte :

> Une autre fois, au flanc de la falaise, près du vieux Galèna, nous étions allés, Nionson et moi cueillir des « téniés ». [...] Nous étions en pleine action lorsque nous vîmes un homme descendre de la falaise avec une aisance surprenante. Il était accoutré en chasseur, mais n'avait pas de fusil. Subitement, il s'arrêta devant nous et disparut. Un frisson passa sur notre corps et nous redescendîmes en toute hâte.
>
> Un vieillard nous expliqua au village que nous avions surpris un « gôté » en chasse (69).

Le surréaliste veut voir, et vivre, et dire l'insolite. D'où l'importance fondamentale du hasard objectif, qui, en tant qu'expérience, est au cœur du surréalisme. Il figure toujours en bonne place dans les définitions tardives qu'en a données Breton. Pour le nègre de la tradition, tout, ou presque, singulièrement la mort, est insolite et exige conjuration. Loin de le rechercher, il le craint.

> Chez le Malgache qui épie l'insolite (Lévy-Bruhl), ce qui naît de cette attente [...], c'est le néfaste. Pour l' « esprit » surréaliste, l'attente de l'insolite c'est au contraire l'attente d'une délivrance, l'aspiration vers une plénitude (70).

On touche ici, à nouveau, une opposition flagrante. Ce que le surréalisme escompte de l'insolite et, en particulier, de la rencontre extraordinaire des deux termes de l'image, c'est une émotion nouvelle, tension, convulsion de l'être, que ne gêne

---

(68) BRETON, *Point du jour,* 70.

(69) SIS., *Crayons et portraits,* 14-15. Il précise en note : « Le *gôté* qu'il ne faut pas confondre avec le *djinn* est un être plutôt méchant, toujours en chasse. Il est cependant plus accessible à l'homme que le *djinn.* Les chasseurs sont censés entretenir de cordiales relations avec lui. »

(70) J. MONNEROT, *La Poésie moderne et le sacré,* 127.

en rien, que stimulerait plutôt, son caractère « inquiétant et complexe ». Emotion, terme nègre, mot-clé de la négritude senghorienne. Apparemment, Breton la rejoint et la justifie :

> J'agis moi-même dans un monde où les sensations ont plus de part que les idées, de même que les idées procèdent, nous a-t-on appris, de sensations élémentaires. Je compte beaucoup plus sur la communication de ces sensations que sur la vertu persuasive des idées.

Senghor pourrait signer ces lignes (71). Peut-être lui suffit-il de constater cette exaltation de l'émotion pour se sentir autorisé à annexer le surréalisme à la négritude ou à miser sur une certaine interférence. C'est se leurrer cependant. Même si l'on admet une communauté de nature entre l'émotion nègre et l'émotion surréaliste, comme y invite du reste Breton (72), il faut reconnaître qu'elles sont différemment orientées, qu'elles n'occupent pas la même place dans le procès. L'émotion senghorienne est à la source de l'activité du nègre, l'émotion surréaliste figure au terme de la pratique créatrice ou, à tout le moins, intervient comme relais. Qu'on n'oppose pas un mot célèbre : « Je veux qu'on se taise, quand on cesse de ressentir » (73) : il s'agit là de sensibilité, mieux, de disponibilité à soi-même et à l'extérieur. L'écriture automatique implique une écoute ataraxique (74). L'émotion surréaliste peut être considérée comme la jouissance convulsive de l'objet, quel qu'il soit, suscité par le hasard. Aucun de ces termes ne convient à l'émotion senghorienne.

Un dernier mot à propos de l'image visible ou visualisable. Il semble que l'image surréaliste ait comme caractéristique de ne pouvoir être *vue*. On dira, par exemple, pour reprendre une formule cent fois citée, qu'on ne peut *voir* une « rosée à tête de chatte ». Mais le but est de *cerner*, comme en creux, l'invisible par le visible : la rosée, une tête de chatte sont visibles, ou visualisables. Il est difficile d'opposer à l'image surréaliste une quelconque image canonique négro-africaine. Il n'est pas certain qu'on puisse, comme y pousse Senghor, retenir la métaphore. Si tel est pourtant le cas, un type fréquent serait la

(71) BRETON, *Les Pas perdus*, 150.
(72) V. ID., *Entretiens*, 237. On sait que Breton et les surréalistes ont volontiers reconnu que leur mouvement renouait avec certaines manifestations de la pensée primitive : v. J. GRACQ, « Le Surréalisme et la littérature contemporaine », 194 et J.-L. BEDOUIN, *Vingt Ans de surréalisme*, 198. Rappelons toutefois que les arts amérindiens, océaniens ou simplement l'art gaulois ont davantage intéressé Breton que l'art africain.
(73) BRETON, *Premier Manifeste*, 20.
(74) BRETON souligne, dans *Position politique...*, 31-32, que l'émotion n'est pas directement créatrice en art.

« métaphore énigmatique ». Le décodage culturel en fait ordinairement une image visualisable. Ainsi, dans une prière, Ogotommêli déclare :

> Le coupeur de bois, il dit que si la hache les a blessés, [...] qu'Amma leur mette *la plaie du chien* (75),

c'est-à-dire une plaie facile à guérir. Si les termes de l'opposition sont recevables, on en tirera une incompatibilité de nature entre ces deux types d'image.

Par ailleurs, il semble que Senghor s'abuse quand il considère que Breton a limité le pouvoir du « stupéfiant image » en soutenant que les surréalistes ont, plus que tous les autres, « fait confiance à la valeur tonale des mots », en affirmant que « les grands poètes ont été des " auditifs ", non des " visionnaires " » (76). Il en déduit que, *d'accord avec Breton*, les poètes nègres, de la tradition comme les francophones, « sont, avant tout, des " auditifs " : des chantres ». Peut-être est-ce vrai de la poésie traditionnelle et en partie vrai, comme on l'a vu, de la négritude, mais la référence à Breton et au surréalisme est illusoire. Le pouvoir tonal des mots est, pour Breton, un ressort privilégié du visuel : le poète *voit* mieux par ce qu'il entend que par ce qu'il voit :

> Je tiens [...] les inspirations verbales pour infiniment plus riches de sens visuel, pour infiniment plus résistantes à l'œil que les images visuelles proprement dites. [...] Je continue à croire aveuglément [...] au triomphe, *par l'auditif*, du visuel invérifiable (77).

Dans ce domaine, donc, surréalisme et « africanité » (mais non, sans doute, surréalisme et négritude) semblent inconciliables.

L'image négro-africaine est, selon Senghor, éminemment signifiante :

> L'image dépasse naturellement les apparences pour pénétrer les idées. C'est, du moins, ce que fait presque toujours l'image négro-africaine, qui est analogie, *symbole*, expression du monde moral, du sens par le signe (78).

Ce vocabulaire platonicien n'est pas des mieux venus. De même, la définition suivante n'est qu'approximative parce que traduite en notions occidentales : « L'abstrait transparaît sous le concert

---

(75) In G. CALAME-GRIAULE, *Ethnologie et langage*, 554.

(76) BRETON, « Silence d'or », in *La Clé des champs*, 95-96. Senghor le cite dans les « Lamantins... » (*P.* 161, *L. 1*, 222).

(77) BRETON, *Point du jour*, 185-186.

(78) SEN., *L. 1* (1954), 161.

sans le supprimer » (79). C'est ainsi que, présentement, on lit le plus volontiers le langage poétique. Senghor en fait-il une règle lorsqu'il écrit que le poème purifie son objet, le rend transparent (*N.* 28 208 24-25, cité p. 142) ? Mais, rythme mis à part, avons-nous affaire à des objectifs très différents de ceux de Mallarmé, de Valéry ? Interférence encore, puisque ailleurs, et se fondant sur *Les Religions d'Afrique noire*, Senghor ajoute :

> A travers et par le moyen de l'image symbolique, la parole négro-africaine ne vise à rien d'autre, en définitive, qu'à retenir, dans les êtres-objets, leurs traits les plus généraux, leurs caractères permanents : leur structure. Sa fonction est de rendre intelligible en universalisant (80).

De telles définitions paraissent des approximations déformantes qui ne rendent pas exactement compte des faits, ni de ce que Senghor a en vue. Elles accordent trop d'importance au dit au détriment du dire. Elles négligent cet univers de forces défini par Tempels et auquel Senghor a proclamé son adhésion. Elles se contentent de faire des images un moyen de *connaissance*. Or, nous savons que les images et, plus généralement, la parole négro-africaine ne sont pas proférées pour *découvrir* la signification du monde, qui est une donnée toujours déjà là. Elles miment activement la structure active du monde. Non pas donc, à proprement parler, moyen de connaissance, mais moyen de transmettre la connaissance à l'auditoire ou moyen de communier rituellement dans la connaissance. Tels poèmes de Senghor relèvent de cette intention (*E.* 1 99-101, 3 103-105, *N.* 22 192-195, 26 200-202). Mais, en dépit de l'apparence, il n'y a rien là de véritablement surréaliste. Le surréalisme, en effet, se veut instrument de connaissance. On peut, certes, voir dans le surréalisme une épistémologie assez particulière, à base d'intuition et, surtout, d'expérimentation et considérer que, en tant que pratique, la démarche surréaliste n'est pas sans analogie avec « l'attitude africaine ». Cependant l'analogie est purement phénoménale. Le surréalisme entend provoquer une rupture dans un champ rationalisé : le système culturel de son époque. La pratique africaine est, au contraire, en plein accord avec son univers culturel. Différence de nature essentielle sur laquelle on reviendra brièvement ci-dessous. Elle hypothèque lourdement la comparaison et jusqu'au principe même de la comparaison. Certaines déclarations, tardives, de Breton semblent ressortir à une « attitude nègre » devant le monde. Il note, par exemple,

---

(79) ID., « Les Fondements de l'africanité... », 83.
(80) ID., *La Parole chez Paul Claudel...*, 37, *L. 3*, 372.

devant des toiles de Tanguy exposées à New York, que « l'esprit »
du peintre, son ami, « se tient en communication permanente
avec le magnétisme terrestre » (81). On suspecte le terme
« magnétisme » d'être une approximation qui masque plus qu'elle
ne révèle, il témoigne cependant de la phase « ésotériste » et
« primitiviste » atteinte par Breton après 1940 (et préparée
depuis longtemps). Phase de dépassement, ou de reniement
(aux historiens d'en décider), il n'empêche que Breton *croise*
ici une réaction significative du « nègre traditionnel ».

L'accord ou l'union avec les forces du cosmos n'est pas, toutefois, au cœur de la « recherche en connaissance » du surréalisme.
Le but premier est ici l'expérimentation du « ça » freudien. Cette
démarche, solidaire d'une véritable hantise narcissique, aboutit
à une descente dans le labyrinthe de la personnalité individuelle (82) et a, comme corollaire, l'incommunicabilité. L'écriture
automatique (récusée par Senghor (83) et rejetée, comme on
l'a vu, par Césaire lui-même), dans la définition qu'en donne
Breton, dans ses intentions et sa pratique, élude les constituants
culturels, pourtant fondamentaux. Dans l'écriture automatique,
c'est moins la psyché individuelle qui s'exprime que l'expérience
plus ou moins consciente que l'individu a du langage culturel.
En poussant les choses à la limite, on soutiendra que, dans et
par l'écriture automatique, c'est une culture qui s'énonce, subjectivement maquillée par le désir individuel du sujet écrivant. Si
l'on admet, non sans abus de langage, que la poésie traditionnelle africaine implique un certain automatisme culturel, il sera
loisible d'établir une analogie entre elle et le surréalisme, analogie objective, mais absurde dès qu'on fait intervenir conscience
et modalités.

Cependant, à l'individualisme forcené du surréalisme succède,
après 1930, une phase de « collectivisation ». Peu après avoir
réclamé l'occultation du surréalisme, Breton proclame son ouverture : la vertu primordiale du langage poétique est d'être universelle : « la poésie doit être faite par tous » (reprise du mot de
Lautréamont) et, donc, « entendue par tous » (84). On passe
de l'image-indice des phantasmes personnels à l'image-symbole
(mais non nécessairement à l'image analogique) qui révèle les

(81) BRETON, « Genèse et perspective artistique du surréalisme », in
Le Surréalisme et la peinture, 71.
(82) Ouverte cependant, dit Breton, sur « la conscience universelle »
(*Les Pas perdus*, 125) dont elle est l'expression particulière : congruence
possible avec la négritude senghorienne, mais sûrement pas la « négrité ».
(83) « L'écriture automatique qui est basée sur le hasard, cela ne corres-
pondait pas du tout à notre état d'esprit » (N. DORMOY-SAVAGE, « Entretien avec Senghor », 1070).
(84) BRETON, *Position politique...*, 114.

archétypes sociaux et humains. Breton en viendra à attester « *la vigueur éternelle des symboles* qui impose au comportement humain une constante référence harmonique à telle donnée irrationnelle, fabuleuse concernant les origines et les fins » (85).

Qu'il s'agisse d'évolution, d'hésitation ou d'incertitude, le surréalisme a regardé du côté de Freud et de son « familialisme » et du côté de Jung et de son « anthropologisme ». Dans la mesure où il s'écarte de Freud, difficilement applicable à l'Afrique (86), pour se rapprocher de Jung, l'interprétation symboliste et mythique préconisée par Breton se rapproche du domaine africain. Selon Senghor, informés qu'ils sont par les langues africaines qui expriment « les immensités abyssales de la Négritude », les poètes négro-africains (quelle que soit, semble-t-il, la langue qu'ils utilisent) continueront « d'y pêcher les *images-archétypes* : ces poissons des grandes profondeurs » (87). Il est difficile de s'accorder avec lui : il faudrait, au préalable, admettre l'existence de *langues*, en quelque sorte, archétypales. En première analyse, ce n'est pas la langue qui est ici en jeu, mais une certaine façon de considérer le *langage*. Césaire est plus convaincant lorsqu'il fonde le pouvoir de l'image sur les vertus du langage poétique, ou plutôt, en fin de compte, sur l'intention du poète énonçant (88). En ce sens, il est plus surréaliste qu'africain. Et c'est sans doute en lui que se concilient le plus heureusement la tentation freudienne et la tentation jungienne entre lesquelles les surréalistes oscillent :

> Une critique trop souvent faite est que l'emploi de l'image trop individuelle risque de supprimer la communicabilité et de refermer le poète en lui-même. C'est oublier le fond d'images qui sont dans l'inconscient collectif. C'est oublier singulièrement que toutes ou presque toutes les images se ramènent à des images primordiales, lesquelles — incrustées dans l'inconscient collectif — sont universelles comme le prouve le langage du rêve, identique chez tous les peuples par dessus la variété des langues et des modes de vie (89).

C'est, indubitablement, d'un lieu surréaliste que Césaire s'exprime ainsi, d'une orthodoxie discutable par rapport au schème domi-

(85) ID., *Entretiens*, 268.
(86) Mais non aux Antilles, selon Césaire, pour qui le Martiniquais « lui aussi, connaît le complexe d'Oedipe [...], le refoulement, et tout le reste ». « Le freudisme, dit-il, appartient à notre culture » (G.G. PIGEON, « Interview avec Aimé Césaire à Fort-de-France le 12 janvier 1977 », 3).
(87) SEN., *L. 1* (1962), 363.
(88) V. la lettre de Césaire à L. Kesteloot in L. KESTELOOT, *Aimé Césaire*, 198.
(89) CES., in ID., *Les Ecrivains noirs...*, 238.

nant de 1930, mais non à celui de 1945. On ne le suivra pas de bonne grâce, car il économise, non sans risques, le relais de la langue et de la culture. La transcendance humaniste qu'il affiche implique, peut-être, la négritude, mais ne l'exprime pas intrinsèquement, à moins qu'on ne considère comme résolu le problème du mode d'être africain des images-archétypes, qui reste entier. Concluons : le surréalisme, comme l' « africanité », en particulier par le biais de l'image, parvient à une pseudo-connaissance, mais l'universalisme auquel se haussent Senghor et Césaire, et qu'ils attribuent tous deux, mais selon des voies différentes, à la négritude, échappe au contrôle africain : chez Césaire, par le passage au travers de l'individualisme, qui est surréaliste, non africain, chez Senghor, par extrapolation : dans la conscience du Négro-africain traditionnel, le mythe est ethnique et non universel ou, ce qui revient au même, universel parce qu'ethnique. Faible convergence donc, et avec des moyens très divers.

Un dernier point, concernant, lui aussi, le seul langage. Césaire vient de dire que l'image n'est jamais arbitraire. De fait, pour un surréaliste, l'image apparemment la plus gratuite répond à une nécessité intérieure. Mais, dans sa forme, l'image négro-africaine, pour un Africain de l'ethnie concernée, n'est en aucune façon gratuite : elle est imposée par le code culturel, qu'elle signifie et auquel elle renvoie. Selon le niveau de langue utilisé, elle est identiquement décodée par les membres de la communauté, ou de la confrérie des initiés. Rien de tel dans le surréalisme. Même si Breton prétend connaître le sens de tous ses mots, ce n'est pas pour autant qu'il connaît le sens de ses images. Senghor tient pour un signe d' « africanité » que les images de Césaire soient « multivalentes » (90). Qu'elles soient plurivalentes, c'est un fait qu'on oublie trop souvent, comme on a eu l'occasion de le noter (91). Que ce soit un caractère africain, c'est beaucoup moins sûr, non que le symbole africain ne soit, comme tous les symboles, multivalent, mais il obéit à une hiérarchie codifiée des niveaux de signification (v. t. 1, 326 s.). La potentialité multiple de l'image surréaliste et de l'image césairienne est très différente. Cela ne veut pas dire que toutes les images de Césaire soient surréalistes : Breton s'avise, avec beaucoup de retard, d'une possibilité d'interprétation symbo-

(90) SEN., « Lamantins... », P., 162, L. 1, 222.
(91) Et comme le fait Césaire de son côté : il n'a pas « sciemment systé-matisé le symbolisme des éléments », « car, dit-il, cela deviendrait l'appli-cation d'une espèce de code [...] ; cela ne serait même plus intéressant si c'était un code, mon écriture serait devenue un procédé » (G.G. PIGEON, op. cit., 2).

lique. Presque d'entrée de jeu, Césaire marque symboliquement, non pas toutes, mais certaines de ses images. C'est, peut-être, le caractère le plus « africain » de son surréalisme.

L'incompatibilité entre surréalisme européen et naturalisme africain se manifeste surtout dans le travail des mots. Breton a prétendu que le surréalisme était « une opération de grande envergure portant sur le langage » (92). Affirmation peu convaincante. « *Par* le langage » serait sans doute plus exact. Certes, Breton a écrit, et on répète volontiers la formule : « Les mots [...] ont fini de jouer / Les mots font l'amour » (93). Mais, après la phase « exclamative » du surréalisme, il se montrera plus réservé (94).

Le surréalisme paraît surtout rêver un nouveau type d'affinités *sémantiques* et se méfie de la pression phonétique et phonologique des mots, qu'ils subissent cependant, à leur corps défendant, d'où, parfois, une complaisance ironique. Ces quelques remarques, pour souligner la complexité du problème linguistique tel qu'il a été posé par le surréalisme et appeler à la prudence dès qu'on veut s'en recommander. Le plaisir que Senghor éprouve à mâcher la saveur des mots n'est pas surréaliste, la recherche systématique des jeux de mots, des allitérations, etc., reconnue chez les Dogon et que Senghor généralise à l'Afrique, n'est pas l'apanage du surréalisme ni de tous les surréalistes. Inversement, lorsque Césaire écrit :

Le poète vrai souhaite abandonner le mot à ses libres associations, sûr que c'est en définitive s'abandonner à la volonté de l'univers (95),

il s'exprime en surréaliste, non pas en nègre. La poésie surréaliste, en particulier grâce à l'écriture automatique, jette des associations de mots, des images en attente de signification. Celle-ci se révèlera, ou non, au gré des circonstances. Signification aléatoire qu'il appartient à l'expérience et à la pratique du lecteur (qui peut être l'auteur lui-même) de réaliser. Ce processus est radicalement contraire à la sémiotique africaine, telle qu'on peut la connaître.

Le recours au surréalisme, singulièrement à la théorie surréaliste des images, pour rendre compte de la poétique africaine

---

(92) BRETON, « Du Surréalisme en ses œuvres vives », in *Manifestes du surréalisme*, 355 (v. *Les Pas perdus*, 66 ; *Second Manifeste, 183*, etc.).

(93) ID., *Les Pas perdus*, 141. Mais je partage l'opinion de G. FERDIERE (« Surréalisme et aliénation mentale », in F. ALQUIE, *Le Surréalisme*, 309) : « Oui, ils font l'amour, c'est entendu. Ils font l'amour parce qu'ils sont juxtaposés, comme notre bon vouloir le désire, mais ils le font bien mal, l'amour. »

(94) *Point du jour*, loc. cit. Les p. 42-44 sont à relire.

(95) CES., « Poésie et connaissance », 164.

semble donc abusif. L' « interférence » senghorienne risque ici de tromper plus que d'éclairer en donnant pour analogie, sinon convergence, ce qui n'est, en de rares occasions, pas même une rencontre : un simple croisement. On comprend que certains Africains, sans s'embarrasser de nuances, repoussent fermement toute contamination entre surréalisme et « africanité » :

> Certains poètes de la négritude ont cherché à dissimuler leur aliénation en essayant de démontrer que le nègre est avant tout surréaliste et que le surréalisme n'est qu'une sorte d'authenticité nègre. Il n'y a chez les nègres ni automatisme ni vertige du verbe. Chez nous la parole est avant tout communication (96).

Affirmation trop catégorique pour être totalement recevable (il n'est pas certain que les nègres échappent au vertige du verbe), mais néanmoins fondée. Devant telle formule insolite d'un texte africain ou malgache, le lecteur français peut s'imaginer, comme, précédemment, devant un texte initiatique, avoir affaire à une expression surréaliste. L'Africain, le Malgache, pour peu qu'il oublie son occidentalisation, ne s'y trompera pas.

Le cas du dernier Rabearivelo serait intéressant à étudier de près dans cette perspective pour cerner son originalité. Rien « ne permet de penser qu'il se soit intéressé au surréalisme », or « le lecteur [français] est frappé de retrouver parfois, dans les poèmes de la dernière manière, des associations d'images, des techniques poétiques qui évoquent comme naturellement les expériences surréalistes » (97). Ce n'est là qu'une apparence, dissipée par un peu d'attention. Qu'on relise, par exemple, des poèmes comme *T.* 14 103, 16 105, 21 110, 23 112, etc. : présences incertaines, paysages fantastiques, actions mythiques ou symboliques, onirisme peut-être, mais repensé à la lumière culturelle ; rien de surréaliste, malgré des yeux qui « sont des prismes de sommeil » (*T.* 14 103 2), des « mains rouillées », des « doigts de vent » (16 105 1, 8), etc. On opposera à ces textes l'un des rares poèmes réellement insolites de Senghor, *C.* 21 40-42, intitulé précisément « Chant d'ombre », poème très composite, et très composé, où, semble-t-il, l'auteur a essayé d'unir une certaine technique surréaliste à ce qu'il nomme le « sous-réalisme » africain. « L'aigle du Temps » (40 1), le « visage escarpé » (41 10) *peuvent* avoir, sinon une source, un répondant

---

(96) P. KAYO, « Situation de la poésie négro-africaine de langue française » (1974), 29. Il conclut : « Dans sa manière donc, U Tam' si est plus rimbaldien que nègre. » Il pourrait le dire de Césaire.

(97) J.L. JOUBERT, « Sur quelques poèmes de J.-J. Rabearivelo », 76 (confirmé par Rabemananjara dans son introduction aux *Poèmes*, 17-18). V., ci-dessus, 3,2, 82.

africain, la « ferveur immense de sauterelles » (41 14) semble un aménagement d'origine occidentale.

L'incompatibilité foncière entre surréalisme et « africanité » n'empêche en aucune façon le surréalisme d'avoir eu sur la négritude, par l'intermédiaire des Antilles, une influence déterminante. En tant que pratique, il informe indubitablement, pour une part considérable, l'écriture de Césaire. Lui-même l'a reconnu sans réserve (98). Comme il est impossible d'ignorer Césaire dans l'histoire du surréalisme, il est également impossible d'expliquer Césaire sans passer par le surréalisme. Pour autant : Césaire, pur surréaliste ? non (est-il de purs surréalistes ?). Il est certain qu'il occupe, dans le mouvement, une place originale, dont la localisation et les caractéristiques exigeraient une longue étude. Mais les essais de démonstration visant à faire de lui un « surréaliste nègre » ne sont pas très convaincants. En fait, la plupart des auteurs partent du principe que cela va de soi, « puisque Césaire est nègre ! ». Breton a donné le branle avec son article, « Un grand Poète noir ». On se contente d'affirmer une conviction, on recourt aux métaphores et comparaisons lyriques ou convenues (99), on ne prend en compte que l'attitude du sujet, procédé connu (100), ou on laisse entendre que Césaire, avec une sorte de « primitivisme » nègre forcené (qui, pourtant, ne saurait être qu'une mimésis), réalise les ambitions profondes du surréalisme et, par là, le détruit (101). On pourrait soutenir,

(98) « Oui, comme tout le monde, j'étais surréaliste sans le savoir, parce que c'était dans l'air [européen !] de l'époque, c'était la nourriture spirituelle des gens de ma génération. » Il raconte sa rencontre avec Breton à Fort-de-France en 1940 et conclut : « Je ne peux pas dire qu'il m'ait fait devenir surréaliste, mais disons qu'il m'a confirmé dans un certain nombre de directions que j'avais choisies plus ou moins à tâtons » (Le Nouvel Observateur, 329, 1-7 mars 1971). V. les entretiens avec J. Sieger et M. Benamou cités par ailleurs. Il dit, p. ex., à Benamou : « Bien sûr, je suis surréaliste. J'accepte absolument la tutelle surréaliste. Je pense que la tutelle surréaliste est pour moi une chose extrêmement précieuse. Mais je ne suis pas un surréaliste parisien ! » (5). On se souvient qu'il reconnaît avoir écrit les Chiens en pleine période surréaliste. Sa seule réserve concerne l'écriture automatique (v., ci-dessus, 135-136).

(99) On connaît surtout celles de Sartre qui oppose le surréalisme authentique, parce que personnel, de Césaire à celui, factice, de Léro : « Un poème de Césaire [...] éclate et tourne sur lui-même comme une fusée, des soleils en sortent qui tournent et explosent en nouveaux soleils », etc. (op. cit., 257) ; v. H. JUIN, Aimé Césaire, poète noir, 44, F. HOFFMANN, « French Negro Poetry », 67, etc.

(100) Ainsi M. TOWA, Poésie de la négritude, 305 : « L'auteur de " Pursang " [...] meurt successivement à la sensorialité, à la mémoire [...] et même à la vie biologique, puisque son cerveau s'éteint, et s'arrête de fonctionner. [...] Le moi s'abîme avec tous les êtres déterminés dans l'indifférenciation originale, dans le néant » : affirmations indécidables où le pathos tient lieu de démonstration.

(101) Le premier à l'avoir soutenu paraît, une fois encore, être Sartre

(Suite p. 164)

au contraire, qu'au moment où Césaire prend le flambeau, le surréalisme est éteint et qu'il connaît alors une dernière et brève flambée. La parole est, derechef, aux historiens. Procédé voisin : on définit restrictivement le surréalisme et on lui oppose une définition, également restrictive, de Césaire (102), etc. Plus sérieuses, parce que sans arrière-pensées idéologiques, les vues d'E. Sellin, selon qui Césaire, sans renier son surréalisme, a progressivement « purgé ce que Reverdy appelait " images montées en épingle " sans rapports justes ainsi que les textes réalisés en fonction d'un automatisme gratuit » (103). Il existe certainement des différences très sensibles entre l'écriture de Césaire et celle des surréalistes, en particulier dans la fascination qu'exercent sur lui le mot technique et le mot rare (v. 4, 3), qui impliquent un recours au dictionnaire plus qu'à un automatisme, apte, dit-on, à ramener à la surface les poissons des grandes profondeurs. Or on a signalé valablement que le surréalisme use « d'un vocabulaire normal et en soi peu poétique » (104). Il n'en reste pas moins que Césaire écrit d'un lieu surréaliste et, dans l'ensemble de la négritude, qu'*il est seul à le faire*, bien qu'on trouve ailleurs des traits surréalistes.

A défaut de la pratique, le surréalisme a joué un rôle décisif dans la naissance, les orientations et l'attitude de la négritude. Senghor, malgré les réserves que nous avons vues, le reconnaît lui-même :

Munis des « armes miraculeuses » de l'écriture auto-

(op. cit., 259-260) : « En Césaire la grande tradition surréaliste s'achève, prend son sens définitif et se détruit. » Idée reprise par H. JUIN (loc. cit.). et acceptée par JAHN (Muntu, 162, qui cite Juin mais non Sartre).

(102) SARTRE encore (op. cit., 257), qui affirme qu'on pourrait « parler d'une impassibilité, d'une impersonnalité du poème surréaliste ». Dès lors, Césaire présente l'exacte contrepartie du surréalisme officiel. Autres arguments : le surréalisme n'est pas didactique (?) alors que la poésie de Césaire l'est fortement (G. MOORE, « Surréalisme et négritude... », 248-249). Le surréalisme évacue l'histoire de ses poèmes (?) : « la présence de cette dimension historique est peut-être ce qui distingue le plus l'œuvre de Césaire de celle de ses anciens compagnons surréalistes » (P. MARTEAU « La Mort de l'impossible et le mot du printemps », 91), etc.

(103) E. SELLIN, « Aimé Césaire and the Legacy of Surrealism », 77. L'auteur émet, à juste titre, des doutes sur la théorie de L. KESTELOOT qui prétend qu'en élaguant S et P pour composer C, Césaire a dépouillé l'influence surréaliste : « disparues les réminiscences de la littérature occidentale » (Aimé Césaire, 63 ; v. aussi son article, sous le nom de L. Lagneau, « En Marge de Ferrements d'Aimé Césaire », 255). Pour ne prendre qu'une référence, dans le poème intitulé « A l'Afrique », il conserve « un pain d'herbe et de réclusion » (C. 24 39 8), « il naît au ciel des fenêtres qui sont mes yeux giclés » (40 23), etc. D'autre part, C. conserve de nombreuses réminiscences de Lautréamont (C. 9 17 5-8), de Rimabud (20 34 15), d'Eluard (ibid., 4-5), etc. (v., pour plus de détails, mon étude « Du Soleil au Cadastre »).

(104) A. KIBEDI-VARGA, Les Constantes du poème, 202.

matique, plus furieux que mitrailleuses, nous projetions sagaies empoisonnées et couteaux de jet à sept branches (105).

C'étaient alors les « années d'ivresse » de l'*Etudiant noir*, dans le proche avant-guerre. Mais il faut rappeler que l'adhésion au surréalisme n'est pas un phénomène africain, c'est un phénomène antillais, du moins en première approximation.

Aussi n'est-ce pas un « faux problème », comme le pense J. Corzani (106), que s'interroger sur « l'influence directe du surréalisme sur Damas ou Césaire ». Il est certain qu'on est « loin d'une pure influence littéraire, d'une puérile question d'école ». Il l'est moins qu' « un Antillais conscient ne pouvait, à ce moment de l'histoire, ignorer la vertu du surréalisme, les « armes miraculeuses » qu'il offrait à l'homme pour retrouver la vérité de l'être et du monde et par là recouvrer sa liberté ». Il est notable que, si le surréalisme touche les Antilles *françaises*, il se heurte au refus des intellectuels haïtiens, moins libres encore, cependant, et plus aliénés que ceux de la Caraïbe française. Certes, la « rupture » de *Légitime Défense*, qui consiste en un acte de ralliement au surréalisme (et, simultanément, au communisme), peut passer pour une réponse *antillaise*, que garantissent, en quelque sorte, une dizaine d'années plus tard, les livraisons de *Tropiques* :

> Le surréalisme nous a rendu une partie de nos chances. A nous de trouver les autres. A sa lumière,

écrivait Suzane Césaire (107). Qui, nous ? : nous, les Antillais (francophones, français ?), ou bien : nous autres, de *Tropiques* ? La seconde interprétation est sans doute la bonne. On se doit, en effet, de souligner qu'un Niger, un Tirolien, un Damas surtout, s'ils n' « ignorent » évidemment pas le surréalisme, semblent en méconnaître « la vertu » et, en tout cas, se dérobent à son emprise. *Ce* surréalisme apparaît donc comme un phénomène moins antillais que césairien, ce qui rend plus probable une

---

(105) SEN., *L. 1* (1949), 84 (cf. *ibid.* (1952), 142). Il précisera plus tard, dans une lettre mentionnée plus haut (151, n. 58) : « Nous acceptions le surréalisme comme moyen mais non comme fin, comme un allié et non comme un maître. Nous voulions bien nous inspirer du surréalisme, mais uniquement parce que l'écriture surréaliste retrouvait la parole négro-africaine. » La raison n'est pas probante, non parce que, ainsi qu'on l'a vu, la ressemblance entre ces deux « paroles » est toute formelle, mais parce qu'on s'expliquerait mal que Sengor n'ait pas pratiqué une écriture si commodément africaine.
(106) J. CORZANI, *La Littérature des Antilles-Guyane...*, t. 3, 118.
(107) S. CESAIRE, « Malaise d'une civilisation », 48. Cf. ID., « André Breton, poète », *Tropiques*, 3 (1941) et « 1943 : le surréalisme et nous », *ibid.*, 8-9 (1943) ; R. MENIL, « Orientation de la poésie », *ibid.*, 2 (1941), etc.

« influence directe » qu'une tendance, voire une nécessité historiques (108).

Le petit groupe que forment Césaire et les siens, trouve, semble-t-il, dans le surréalisme à la fois un moyen de faire parler l'inconscient martiniquais (du moins cet inconscient dont ils éprouvent le besoin), informé, selon eux, par « le sentiment éthiopien de la vie » défini par Frobenius et une justification à leur profond désir de révolte et de changement. Aucune évolution politique n'étant envisageable sous la tutelle de Vichy, qu'au moins se modifient les esprits et le sens qu'ils donnent à la vie. Comme l'a bien souligné Leiris, le surréalisme apportait aux Antillais, outre la possibilité de rompre avec l'académisme symboliste et parnassien sur le plan esthétique, un outil efficace pour « surmonter [leur] complexe d'infériorité » (109) et liquider le rationalisme occidental, peut-être plus lourd à supporter aux Caraïbes parce que non issu de la culture nationale mais imposé par la colonisation (110). Bref, le surréalisme ouvre à Césaire les portes de la révolte, confirmant ainsi les colères du *Cahier*. On tiendra compte, cependant, de la réserve de Bastide :

> Le surréalisme comme dessocialisation, désintellectualisation, devenait, sous la plume de ce brillant poète, désoccidentalisation. Mais la désoccidentalisation n'est pas nécessairement, chez un écrivain noir, redécouverte de l'Afrique (111),

et de celle de Leiris qui reconnaît que « s'est créé aujourd'hui, aux Antilles comme ailleurs, un poncif surréaliste » qui donne à penser qu'il joue aux Antilles « un rôle analogue à celui que le Parnasse a joué pour les générations plus anciennes » (112). Seuls sont visés « les derniers venus parmi les poètes de couleur ». Il n'est pas sacrilège de se demander si Césaire échappe totalement à cette critique, ni de répondre par la négative. L'origine européenne, et plus particulièrement française, du surréalisme, la situation historique et sociale précise qui a provoqué sa naissance, le public visé (au sens offensif) par Breton et ses amis, tout cela a peu à voir avec les conditions

(108) Aussi prendra-t-on pour une simple boutade l'affirmation selon laquelle « le Surréalisme n'eût-il pas existé, Césaire l'eût sans doute inventé » (B. CAILLER, *Proposition poétique : une lecture de l'œuvre d'A. Césaire*, 55).

(109) M. LEIRIS, *Contacts de civilisations...*, 108.

(110) ID., *ibid.* et ID., « Qui est Aimé Césaire ? », 8. Césaire a reconnu que la déclaration de guerre à la raison, si souvent citée, de *R.* 47 522-48 523 était « une profession de foi surréaliste, incontestablement » (M. BENAMOU, *loc. cit.* ; v., ci-dessus, 163, n. 98), surréaliste, non pas nègre.

(111) R. BASTIDE, « Variations sur la négritude », 16.

(112) M. LEIRIS, *Contacts de civilisations...*, 114.

faites aux Antilles et, à plus forte raison, à l'Afrique. Si l'on prend en considération ces réalités pour replacer dans l'Histoire l'action de la négritude, il est difficile de se débarrasser des objections vigoureuses d'Adotevi :

> Ce que Sartre appelle « chemin royal », c'est finalement chez Césaire la voie de la facilité. [...] Césaire croyait abasoudir le Blanc dans un cri de haine définitif et étroit. A la vérité, il n'inventait encore rien. [...] Césaire croyait mystifier les clercs de la colonisation par ses trouvailles, mais les fils de bourgeois que sont les surréalistes avaient déjà levé le lapin. [...] Les prêtres de la négritude étaient en retard sur les surréalistes. Et les surréalistes l'étaient sur la bourgeoisie (113).

Justifiable mais dangereuse aux Antilles, la profession de foi surréaliste est plus dangereuse et moins justifiable en Afrique. La cible est ici Senghor (et, au-delà, Tchicaya U Tam'si, qui sort de notre domaine). Il faut reconnaître que, si le surréalisme est souvent évoqué, voire invoqué, il est rarement présent dans les faits. Le nombre des références surréalistes, la méthode d'exposition laissent entendre que Senghor découvre les vertus de la parole africaine grâce aux surréalistes et non l'inverse :

> Une question se pose, demande Mezu (114) : le procédé poétique de Senghor est-il surréaliste grâce à son patrimoine sérère ou à cause de l'influence du milieu parisien ? En d'autres termes, qui a d'abord agi sur Senghor : Breton ou les griots ? Le surréalisme européen semble bien venir en premier lieu ; c'est lui qui a guidé Senghor vers les procédés analogues des griots du Sénégal. Ces procédés ne sont pas spécifiquement nègres.

Sans doute, en effet, Senghor est-il, une fois de plus, victime de sa théorie du métissage et de l'interférence. Il projette sur l'Afrique des théories européennes et pratique, dans son écriture, une contamination qui ne peut qu'hypothéquer l'authenticité à laquelle il prétend. Césaire semble nous dire : j'essaie d'être nègre en pratiquant franchement le surréalisme, c'est-à-dire en en faisant *mon* surréalisme. Dans ces conditions, il est loisible de le suivre, même si l'on s'assure qu'il se leurre. Il n'est pas

---

(113) S. ADOTEVI, *Négritude et négrologues*, 71-73. Tout n'est pas à retenir de cette diatribe. J'avoue ne pas comprendre le sens de la dernière phrase ; et quel est l'intérêt de reprocher aux surréalistes d'être des fils de bourgeois ? Mais Adotevi a raison d'insister sur le retard de Césaire. Lui-même reconnaissait n'être qu'un « compagnon attardé » des surréalistes (M. a M. NGAL, *Aimé Césaire, un homme à la recherche d'une patrie*, 201).

(114) S.O. MEZU, *L.-S. Senghor et la défense...*, 152.

possible de suivre Senghor lorsqu'il affirme que son écriture a l'apparence de l'écriture surréaliste (douteuse, on l'a vu), mais l'apparence seulement, car elle est, en fait, une adaptation fidèle des pratiques africaines : il s'abuse et nous abuse dans sa démarche même. Forçons les choses : le message de Césaire est véridique, celui de Senghor ne l'est pas. Au moins est-il foncièrement ambigu. Ce qui est dit du surréalisme peut et doit être généralisé, comme le suggère notre chapitre 3, 1, et non seulement pour Senghor mais pour ceux qui sont proches de lui, comme Rabemananjara. De Senghor, Mezu écrit qu'il « n'est pas le premier à s'élever contre le rationalisme européen ; sa réaction apparaît faible, comparée à celle de Lautréamont, Rimbaud et Mallarmé » (115). Il est difficile de ne pas être d'accord. La cible visée par la négritude a déjà beaucoup servi.

**<center>*
**</center>

On est en droit de conclure de cette troisième partie que la négritude, à l'exception de quelques *minores*, qui sont par là-même, de ce point de vue, les plus intéressants à étudier, n'émane pas du monde noir mais de la culture et des pratiques littéraires occidentales et surtout françaises. Ce n'est pas le monde noir qui est traduit ou adapté en français, mais le français, les *langages* français, qui sont, par certains choix plus que par des aménagements, utilisés plutôt qu'ajustés, pour exprimer vaille que vaille les réalités noires.

La négritude (ou para-négritude) haïtienne a, ici, le mérite de la franchise et de la lucidité. Conduite logiquement au créole qui lui est conjoncturellement interdit, et, par conséquent, contrainte au français, elle choisit un langage français, sinon transparent, du moins dont la marque ne trahisse pas la représentation qu'elle se fait du génie populaire haïtien et qui soit idéologiquement acceptable. Il est significatif qu'un Depestre se recommande de la prose de combat du XVIIIe siècle, c'est-à-dire d'un langage capable de faire pièce au français « démagogique » de l'ennemi de classe, associé qu'il est à une tradition d'émancipation (116). On ne peut en dire autant des autres

(115) ID., *ibid.*, 150-151. Il ajoute : « Il n'y a rien de spécifiquement africain ou noir dans le retour au royaume d'enfance, retour certainement moins radical que celui de l'enfant de Combray. »
(116) R. DEPESTRE, « Réponse à Aimé Césaire... », 47-48.

« modèles » français, en particulier du surréalisme, bien qu'il se veuille émancipateur (et le soit sans doute), parce qu'il n'a pas encore eu le temps de diluer ses singularités dans une tradition.

La négritude senghorienne (qui ne couvre pas toute la négritude africaine et moins encore la caraïbe), par aveuglement, mais aussi par nécessité idéologique, a sous-estimé, pour ne pas dire méconnu, la contrainte exercée par la langue qu'elle *devait* utiliser, contrainte d'autant plus puissante qu'elle acceptait les formes littéraires que cette langue lui proposait. D'un point de vue théorique, il apparaît incompatible de postuler d'un côté la transparence de la *langue* et d'utiliser de l'autre les *langages* littéraires, c'est-à-dire marqués, donc opacifiants, qu'a produits la langue en question. Seuls les choix de Keita et de Sissoko, de Ranaivo et du dernier Birago Diop, à un moindre titre de Dadié, Damas, Socé et, pour partie, du dernier Rabearivelo échappent à cette contradiction. Césaire y échappe parce qu'il accepte l'héritage français et qu'il s'exprime lucidement au sein de la culture française. Mphahlele a clairement vu qu'il était impossible de parler nègre dans une langue européenne. A propos du rythme, dont on a vu la place que lui accorde Senghor, il écrit :

> Chaque langue utilise les rythmes suivant ses propres ressources, suivant les rythmes propres qui lui sont inhérents ; pas plus les rythmes français que les rythmes anglais ne peuvent être imprégnés par les rythmes d'une langue africaine. On écrit en français et l'on utilise les rythmes français ; on écrit dans une langue africaine et l'on utilise les rythmes inhérents à cette langue (117).

Seul le recours, comme base d'écriture, à une prose aussi peu littéraire que possible permet de pallier cette objection dirimante. C'est ce qu'ont essayé de faire Sissoko et surtout Keita, ainsi que, de leur côté, bien des romanciers africains et antillais, plus nègres, si l'on peut dire, que les poètes. L'acceptation, même mitigée, des traditions littéraires françaises conduit nécessairement à un fonds académique, évident chez Rabearivelo, Senghor, etc., mais aussi chez Césaire : académisme surréaliste, plus moderne donc, académisme cependant, mais on a vu que ce risque, lucidement assumé par Césaire, ne nuit pas à sa « véridicité ». Dans ces conditions, l'apport de la négritude aux lettres

---

(117) E. MPHAHLELE à la conférence de Berlin de 1964, cité par JAHN (*Manuel...*, 246) d'après son propre enregistrement. Jahn a l'honnêteté de reproduire cette objection majeure à sa thèse, mais il la rejette en bloc sans chercher à la discuter.

françaises, que Rabemananjara imagine considérable, ne peut être que faible et non dans le sens où il l'entend. La suite de cette étude permettra de le confirmer.

La richesse et l'originalité de la « parole africaine », eu égard aux situations d'écriture et de communication, pouvaient atténuer le caractère foncièrement français de la négritude. Largement sollicitée dans la théorie, cette « parole » n'intervient qu'assez peu dans la pratique. C'est dans cette direction, pourtant, qu'il aurait été bon, semble-t-il, de faire porter l'effort. Senghor a beaucoup insisté sur la spécificité rythmique ; mais, en admettant qu'elle emprunte à la tradition orale, elle ne peut, en fin de compte, que se mouler, comme le dit Mphahlele, et ainsi qu'on le verra en 4, 2, sur les rythmes de la poésie française, assouplis et variés par les expériences poétiques tentées depuis plus de cent ans, et cesser d'être originale.

Dans ce domaine, une véritable innovation est difficile. Les procédés mis au jour par Senghor, connus et pratiqués depuis des centaines d'années, n'engagent guère dans cette voie. Si tout ce que dit Senghor et que répète Jahn de l'image analogique et/ou symbolique avait été systématiquement employé pour créer une poésie fondée sur la nomination et la métaphore culturelle, sans doute aurait-on abouti à une poésie violant les canons de la tradition française. Mais, dit avec prudence avant toute enquête un peu précise (v. 4, 3), il ne semble pas que ce soit le cas : la comparaison et la métaphore comparative (*in praesentia*) semblent l'emporter (118). Lorsque Jahn souligne que les images néo-africaines, malgré l'apparence, ne sont en aucune façon surréalistes (119), on ne peut que lui donner raison, mais le commentaire qu'il propose de quelques images césairiennes ne prouve ni leur caractère non surréaliste ni leur

(118) Senghor distingue l'image africaine de l'image française de manière commode mais peu convaincante : « Le Français [...] éprouve, toujours, le besoin de commentaire, et d'expliquer le sens des images par des mots abstraits. Rarement pareille chose chez le poète nègre : son public possède, naïvement, la double vue » (*L. 1* (1954), 162-163 ; cf. « Lamantins... », 220-221 ou *P.*, 159). L'image commentée, il y a beau temps que la poésie française y a renoncé. Comment suivre le même Senghor lorsqu'il déclare : « Ce qui m'est étranger, dans le français, c'est peut-être son style [qu'est-ce que le *style français* ?] : son architecture classique. Je suis naturellement porté à gonfler d'images son cadre étroit, sous la poussée de la chaleur émotionnelle » (in GUIBERT, *L.-S. Senghor* (P.A.), 145) ? Dans ses exposés, Senghor compare rarement des comparables. De plus, il suit un chemin périlleux, car, si l'on accepte ses définitions, dès qu'un poète nègre rejette la *métaphore fermée* (Senghor lui-même ne s'en fait pas faute), il recourt, malgré qu'il en ait, au commentaire et pactise donc avec la poésie française. Écrire une poésie « africaine » en français exigerait une vigilance de tous les instants.

(119) J. JAHN, *Muntu*, 174.

caractère africain. Si l'on interroge Césaire lui-même (120), rien dans ses définitions qui ne s'inscrive dans la tradition française et, plus précisément, surréaliste. Les essais d'annexion de Césaire à et par l'Afrique, idéologiquement justifiables, ne sont guère probants, car ils reposent, pour l'ordinaire, sur des pétitions de principe et esquivent la nécessaire contre-épreuve : les éléments donnés comme africains et qui appartiennent objectivement au texte figurent-ils, ou non, chez d'autres poètes français non nègres ? C'est davantage par rapport à la situation réelle d'écriture, à la conscience qu'en ont les poètes et aux formes prises par l'énonciation que la négritude accuse son originalité et manifeste des caractères, sinon nègres, au moins africains. Mais réalise-t-elle pleinement, peut-elle seulement réaliser, avec la somme de présupposés aliénants dont elle s'entoure, inhibée, de plus, par les contraintes propres à l'écrit, la « communication nègre » telle que Senghor la définit :

[...] nous avons le téléphone blanc
Non, téléphone rouge.
[...] A travers les espaces noirs fleuris d'étoiles
A travers les murs les chaînes le sang, à travers le masque
et la mort
Nous avons le téléphone de l'aorte : notre code est indé-
chiffrable (L. 14 240 3-7) ?

(120) « C'est par l'image, l'image révolutionnaire, l'image distante, l'image qui bouleverse toutes les lois de la pensée, que l'homme brise enfin la barrière [de la logique]. Dans l'image A n'est plus A [...]. Dans l'image A peut être non — A [...]. Dans l'image, tout objet de pensée n'est pas nécessairement A ou non — A » (CES., « Poésie et connaissance », 166). Ni la pensée ni l'expression ne révèlent le nègre. De plus, ces lignes suivent l'évocation de Baudelaire, Rimbaud, Mallarmé, Apollinaire, Breton et Lautréamont. Qu'on lise (169-170) ses huit propositions sur la poésie : attitude personnelle, mais non absolument originale, dans le surréalisme.

APPROCHES SEMIO- ET SEMANTIQUES

QUATRIÈME PARTIE

APPROCHES SÉMIO- ET SÉMANTIQUES

CHAPITRE 1

JEU PHONIQUE

Dans les parties précédentes, nous avons envisagé le désir de la négritude et sa volonté d'être et de se définir, de parler à, de parler de, et de parler dans : dans une littérature et dans un langage, l'un et l'autre complexes. Ce désir du sujet négritude a été localisé et déterminé par rapport au désir d'autres sujets, dont le présent travail : lieu d'un regard sur la négritude, sur la négritude se regardant, sur les autres regardant la négritude (et, nécessairement, lieu spéculaire de lui-même). Les trois derniers chapitres ont essayé, en outre, d'évaluer son désir de faire, autrement dit ses intentions d'écriture, par rapport à des références elles aussi extérieures (rhétorique africaine, surréalisme, etc.). C'est dans ce sens que les textes ont été sollicités. Il reste à étudier comment le *fait* textuel répond à ce désir de faire. Tel est objet de cette dernière partie.

On tire d'un faisceau d'observations convergentes mentionnées précédemment, en particulier au chapitre 3, 4, deux principes d'écriture fondamentaux, généralement donnés comme spécifiques : l'image et le rythme. Certes, il en est proposé d'autres (1). Mais il apparaît que ces autres principes ou bien ont trop d'extension pour être caractéristiques ou bien ne sont

(1) Senghor, p. ex., énumère sept critères qui, selon lui, caractérisent le style négro-africain : 1, économie des moyens (suppression des mots-gonds) ; 2, juxtaposition préférée à subordination ; 3, figures privilégiées (ellipses, hypallages, métonymies) ; 4, homophonies ; 5, onomatopées ; 6, image-analogie ; 7, rythme (*L. 1* (1954), 165-169).

que des manifestations singulières d'un phénomène plus général. L'un d'eux toutefois, bien qu'il ne soit pas autonome, mérite une mention et, partant, une analyse spéciales : la redondance phonique (assonances et allitérations). Outre qu'une telle redondance réalise, à son niveau, cette autre constante négro-africaine qu'est la répétition, elle représente, aux yeux de Senghor, beaucoup plus qu'un appoint, une trame rythmique :

> En poésie, [le rythme] se fonde bien sur les accents — de hauteur et d'intensité — des syllabes, mais aussi sur les mots, voire sur les phonèmes ou sons, dont les retours, à intervalles plus ou moins réguliers, donnent son caractère au rythme (2).

Il semble même qu'indépendamment de cette fonction rythmique, le jeu des homophonies soit inhérent, toujours selon Senghor, aux langues (mieux vaudrait dire : aux paroles) africaines, à tout le moins au sérère (mais Senghor n'hésiterait pas, sans doute, à généraliser), d'où sensibilité, délectation de l'oreille africaine.

C'est à ce jeu phonique qu'est consacré le présent chapitre. Le rythme et l'image seront abordés dans les deux suivants.

*
**

Comment procéder ?

P. Guiraud a proposé, il y a déjà longtemps (1953), une méthode intéressante (3), mais, fondée sur la notion d'écart, elle ne peut être utilisée telle quelle dans notre perspective. En déterminant les caractères phoniques de l'écriture d'un poète, par opposition à celle d'autres poètes et à celle de la prose, on aboutit sans doute à des résultats significatifs, mais ceux-ci n'offrent aucune conclusion pertinente : on s'en tient au plan distinctif. Même si nous admettons que [b] est « la lettre la plus caractéristique de l'alphabet poétique » (4), en saurons-nous davantage sur la fonction poétique de cette sonorité, saurons-nous seulement si elle existe ?

Plus prégnante, au contraire, la distinction établie par le même auteur entre *tonalité* (association de phonèmes identiques) et *modulation* (association de phonèmes différents). En nous en inspirant, nous proposons le schéma suivant :

(2) SEN., *L. 1* (1959), 275.
(3) P. GUIRAUD, *Langage et versification d'après l'œuvre de Paul Valéry*, ch. 3, « L'Harmonie ».
(4) ID., *ibid.*, 144.

		1 Phonèmes dominants ou constellation de phonèmes.	
TONALITE		2 Répétition de phonèmes : couplage de phonèmes identiques : alliérations, assonances, rimes (vocaliques, consonantiques).	
		3 Couplage de traits distinctifs (association de ces traits et opposition des phonèmes qui les actualisent : /v/ s'oppose à /f/ comme voisé à non voisé, mais l'un et l'autre sont des fricatives labio-dentales).	dans un contexte déterminé.
MODULATION		4 Hétérogénéité des phonèmes et des traits distinctifs.	

En simplifiant, on pourrait dire que la tonalité ressortit principalement au phonétique, la modulation au phonologique. Mais comme il est impossibles de se fonder sur d'effectives réalisations phonétiques (quelle interprétation choisir ? : Senghor lisant ses poèmes avec l'accent sérère ? Césaire lisant les siens avec l'accent martiniquais ? un diseur de France dénué d'accent régional ?), nous considérerons le poème comme « partition » avant tout *accomplissement* (parole, musique et chant, selon le Senghor des « Lamantins... », on le sait) et nous suivrons les indications de « l'oreille interne », comme le recommandait Perse (5). L'opposition entre phonétique et phonologie se trouve donc, ici, en grande partie neutralisée, au profit du phonologique (d'où la généralisation des barres obliques plutôt que des crochets dans la transcription). Ce qui paraît indispensable, c'est de ne pas séparer les phonèmes de la séquence où ils figurent. Ainsi le phonème sera-t-il envisagé en tant qu'entité fonctionnelle. Cette fonction, linguistes et poéticiens s'accordent pour la considérer comme double : structurante et signifiante (6).

Nous ne comptabiliserons pas des phonèmes, nous étudierons des séquences de phonèmes, telles qu'elles sont réalisées en texte. Le but est d'abord d'évaluer la redondance phonémique. On se rappelle, en effet, que, selon Senghor, le caractère fondamental « du » langage poétique négro-africain, et donc (selon lui) de la négritude, est l'emploi systématique d'assonances, d'alliérations, d'anaphores, d'homéotéleutes, etc. Il est possible de quantifier la duplication, la triplication, etc., d'un phonème à l'intérieur

(5) ST.-J. PERSE, « Lettre à la *Berkeley Review* » (1956), *O.C.*, Pléiade, 568 (cf. 1073).
(6) V. J. MOLINO et J. TAMINE, *Introduction à l'analyse linguistique de la poésie*, 76-77.

d'une séquence donnée. On conviendra, par exemple, de compter pour zéro l'occurrence unique d'un phonème, pour 1 l'apparition de deux items, pour 2 l'apparition de trois items et ainsi de suite. Pour que ressorte davantage le caractère redondant d'une séquence et pour les distinguer plus nettement les unes des autres, on pourra convenir en outre d'élever au carré le nombre obtenu. Ainsi chaque séquence sera-t-elle caractérisée par un nombre d'autant plus élevé qu'un ou plusieurs phonèmes seront plus répétés.

Une telle méthode, cependant, paraîtra grossière.

Elle confond des réitérations qualitativement différentes. Or on ne peut, par exemple, accorder la même valeur à la répétition de voyelles accentuées et non accentuées, on ne peut assimiler non plus la répétition de phonèmes proches et celle de phonèmes éloignés l'un de l'autre (7), etc. Il est donc indispensable de corriger le nombre brut par certains coefficients. Nous suggérons les aménagements suivants, qui tiennent compte de l'accentuation, de la distance, de la tonalité et de la modulation.

Le coefficient portant sur la tonalité (répétition de phonèmes identiques) est double de celui qui porte sur la modulation (répétition de phonèmes comparables, les phonèmes hétérogènes n'étant pas comptabilisés).

Le coefficient est *ajouté* au nombre brut avant l'élévation au carré.

Voyelles. La répétition de voyelles accentuées reçoit le coefficient 0,4 pour la tonalité (et donc 0,2 pour la modulation). Exceptionnellement, pour l'*e* atone (/ə/) et pour les semi-voyelles (/j, w, ɥ/), le carré sera divisé par deux, à condition toutefois que le résultat ne soit pas inférieur au nombre brut.

Consonnes. C'est essentiellement la distance qu'il faut prendre en charge. Pour ce faire, les séquences seront découpées syllabiquement. La contiguïté syllabique reçoit le coefficient 1 (0,5 en cas de modulation), puis 0,9, 0,8 (0,45, 0,4), etc., selon que les consonnes sont séparées par une, deux syllabes, etc. En outre, pour les consonnes occupant la même place dans leurs syllabes respectives, on ajoutera le coefficient 0,2 (ou 0,1). Il importe, en effet, de distinguer des consonnes qui, du fait de leur place dans la syllabe, prennent des caractères phonétiques très différents. Dans ce cas, la phonologie se révèle insuffisante. C'est particulièrement vrai de [R]. Il n'existe qu'un /R/ en français, mais ses réalisations très différentes selon qu'il ouvre ou ferme la syllabe (explosif ou implosif), selon qu'il est précédé

(7) A.-J. GREIMAS, « Linguistique statistique et linguistique structurale... », 251.

ou suivi d'une autre consonne, lui donnent dans le texte des fonctions structurantes et signifiantes très diverses. Qu'on écoute simplement deux titres de Césaire : *Les Armes miraculeuses* et *Corps perdu*. La phonostylistique connaît non pas un mais plusieurs [R] et il est aberrant de ne lui accorder qu'une valeur ou qu'un champ de valeur. A un moindre titre, les autres consonnes accusent des divergences du même ordre.

Modulations. Elles ne posent pas de problèmes insurmontables pour ce qui concerne les consonnes. L'opposition entre voisées et non voisées est très perceptible à un même point articulatoire (« *vent fondu* », CES., *A.* 23 71 8), presque autant l'opposition nasales/non nasales, en particulier [m/b], mais sensiblement moins la relation entre les diverses fricatives. Ces différences de degré n'ont pas paru justifier une variation de coefficient, l'échelle risquant d'être trop subjective. La modulation vocalique est plus délicate à établir car, à la limite, chaque voyelle peut entrer en relation d'opposition avec n'importe quelle autre. Non sans arbitraire, on convient de ne prendre en compte que quelques séries d'opposition : orales/nasales, nasales entre elles, ouvertes/fermées dans des cas comme [œ/ɸ], [ɛ/e], etc., antérieures/postérieures ([y/U], etc.), arrondies/non arrondies ([y/i]). On néglige, au contraire, les relations entre fermées entre elles, ouvertes entre elles... Là encore, en effet, un échelonnement du coefficient ne pourrait être que subjectif et compliquerait le calcul sans profit évident. La modulation est notée pour les voyelles comme pour les consonnes, en fonction de la distance syllabique. On décide, enfin, de ne doter du coefficient que le second phonème concerné (/f/ de « *fondu* » dans « *vent fondu* »).

Séquences. Quelle longueur choisir ? Si nous nous trouvions dans la versification traditionnelle, il faudrait sans doute opter pour le double ou le quadruple vers, selon la disposition des rimes. Une telle solution ne serait possible que pour un petit nombre de textes. Finalement, pour des raisons de commodité, on retient le principe de séquences comprenant un nombre strictement identique de phonèmes. Pour les mêmes raisons, ce nombre est fixé à 36 puisque le français comporte 36 phonèmes. On objectera peut-être que la réalité est plus complexe. Est-il opportun, par exemple, de considérer /ɲ/ comme un phonème alors que, très généralement, à l'heure actuelle, l'oreille ne distingue plus guère /ɲ/ d' « agneau » de /nj/ de « panier » ? De même faut-il vraiment distinguer /a/ et /ɑ/ ? L'opposition est constante entre « quatre » et « pâtre ». Mais, dans de nombreux cas, les variantes individuelles, les nécessités du rythme et du sens feront sonner /ɑ/ là où la langue impose /a/ : ainsi, très souvent, de l'adjectif ou du nom « noir » (avons-nous eu raison de noter par un *a* vélaire le dernier phonème vocalique de « mémoire » ?). Dans la pratique, l'opposition entre /a/ et /ɑ/ est plutôt de longueur que d'ouverture, comme, au reste, pour /ə/ et /œ/. Dès lors, pourquoi ne pas faire intervenir le trait de longueur et ne pas distinguer, par exemple, /o/ de /o:/ ? En toute rigueur, la réalisation de « fuyions » semble devoir notée /fɥij:ɔ̃/ plutôt que /fɥijjɔ̃/. En outre, considérer /a/ et /ɑ/, /ə/ et /œ/ comme phonèmes distincts amènera à compter leur apparition simultanée dans une séquence comme un trait de modulation et non de tonalité, ce qui altère sensiblement la conscience que l'on a du phénomène. Cette objection n'est pas esquivable : la relation entre les phonèmes de ces deux paires sera tenue pour tonalité et non modulation. Cette solution rend inutile l'introduction du trait de longueur.

Malgré la validité des premières objections on maintiendra l'existence des phonèmes /ɑ/, /ə/ et ɲ), en particulier pour ne pas écourter des séquences qui paraîtront peut-être bien brèves (*grosso modo* l'équivalent d'un alexandrin et demi), mais aussi pour ne pas perdre l'opposition entre /ə/ et /œ/ qui, contrairement aux couple /a, ɑ/ et /n, ɲ/ est poétiquement pertinente. Il serait même souhaitable d'introduire un signe spécial pour distinguer l'*e* atone de « je », de « que », etc. du -e(-) traditionnellement dit muet. Celui-ci, d'ailleurs, fait problème dès qu'on sort de la versification syllabique traditionnelle. Compter ou élider /ə/ est ici affaire d'appréciation personnelle. La subjectivité de l'enquêteur est inévitable. Chaque fois que la réalité du rythme et du sens n'impose pas une prononciation déterminée, on choisit la diction « naturelle », qui, donc, le plus souvent, élide /ə/. Les difficultés les plus épineuses se rencontrent surtout chez Birago Diop qui, comme nous le verrons plus tard, mise fréquemment sur l'incertitude syllabique : voir, par exemple, 17 30, « Morbidesse ». Il faut prendre son parti de cette incertitude et des choix insatisfaisants qui en résultent. A-t-on raison de lire /vɔlt/ et non pas /vɔltə/ dans :

> Les phalènes
> Sont folles
> Qui *voltent* et qui volent
> A perdre haleine (BDP. 27 45 1-4) ?

La méthode ici proposée, qui se veut aussi objective et systématique qu'il est possible, ne cache pas son caractère arbitraire. Peut-être n'acceptera-t-on pas sans réticence de voir prendre comme base de recherche des séquences dont la longueur conventionnelle ne tient aucun compte des unités de rythme et de sens offertes par un ou plusieurs vers : il va de soi que nombre de séquences se termineront au milieu d'un mot ou d'une syllabe, ce qui est choquant pour l'esprit, et qu'elles laisseront de côté des assonances et des allitérations voulues par l'auteur dans le cadre d'une unité constitutive de sens. Cette critique ne paraît pas pertinente eu égard au niveau où nous sommes placés : sémiotique et non sémantique. La redondance qui nous intéresse sur ce plan est non la redondance constituée dans le vers ou dans la phrase, mais la redondance, si l'on peut dire, constituante du vers ou de la phrase, bref, ce principe dynamique et créateur dont nous avons parlé. Elaborer la séquence indépendamment du sens est sans doute, ici, un avantage.

On rencontrera plus loin d'autres objections.

Si l'on accepte nos propositions, il sera possible de chiffrer chaque séquence. Ainsi la séquence de Césaire où figure le « vent fondu » mentionné ci-dessus :

> reine du vent fondu mais tenace mémoire
> c'est une épaule [...] (*A*. 23 71 8-9),

reçoit un total de 101,91, arrondi à 102, nombre qu'il est difficile d'apprécier sans points de comparaison. Soit la phrase absurde suivante, construite sur une séquence enfantine : « Ton thé au maté t'a-t-il ôté tout de bon, Théo, ta toux de tantôt » (8). On obtient le total de 705. La limite théorique inférieure, un message de 36 phonèmes tous différents est évidemment faible, sans pour autant se réduire à zéro du fait des inévitables coefficients de modulation, de proximité et de symétrie syllabique. On admettra qu'une séquence, à condition qu'elle soit grammaticale, ne peut guère descendre au-dessous de 20. Il faut se rendre compte que, s'il est facile d'imaginer des séquences hautement redondantes, l'inverse est très difficilement réalisable. A vrai dire, une séquence faiblement redondante exige un travail beaucoup plus considérable, est beaucoup plus nettement *marquée*, qu'une séquence fortement redondante. On devra s'en souvenir. La limite théorique supérieure, par exemple une séquence de 36 « ah ! » accentués serait de $[35 + (35 \times 0,4)]^2 = 2\,401$. Pratiquement, on admettra comme limite la séquence fournie par un poème absurde d'Aragon, le bien connu « Persienne ». On aboutit, en nombre rond, à 987. Posons donc que la limite est de

---

(8) On pourrait prendre également comme exemple de saturation phonémique certaines des « gloses » de Leiris, ainsi : « TAUROMACHIE — tuerie d'aurochs, mort retorse aux orages machinés ». etc. (*Mots sans mémoire*, 110).

1 000 et que le nombre obtenu pour chaque séquence est donné par rapport à 1 000. Appelons-le taux de redondance (TR).

Il va de soi que ce taux est insuffisant pour caractériser une séquence. Il laisse dans l'ombre d'autres facteurs importants, en particulier la composition phonémique. Chaque séquence comporte un nombre variable de phonèmes différents, indice de variété (i.v.). Ce nombre, tel quel, c'est-à-dire sur 36, ou transformé en pourcentage, donne ce qu'on peut appeler le taux de variété (TV) de la séquence. L'expérience montre cependant que la fourchette est assez étroite. Les pourcentages sont voisins et, donc, insuffisamment discriminateurs. Plus significatif est l'indice de diffusion (i.d.) obtenu à partir du nombre de phonèmes qui n'apparaissent qu'une fois dans chaque séquence. Pour rendre la comparaison possible, cet indice est calculé sur la base, à peu près moyenne, de 20 phonèmes différents par séquence, puis ramené à l'unité. L'i.d. définit, en quelque sorte, une force contraire à la redondance (le niveau 4 de notre schéma, qui délimite donc la modulation plus qu'il n'en participe) ; il permet d'obtenir un nouveau taux de redondance, inférieur ou égal au précédent. qu'on nommera taux de redondance corrigé (TRC). Celui-ci est obtenu en faisant correspondre à chaque indice de diffusion le terme d'une suite exponentielle par lequel sera divisé le taux de redondance. Le terme de départ est choisi empiriquement pour que le correctif soit négligeable en cas de diffusion faible et progresse à mesure que celle-ci croît. On pose la correspondance suivante :

i.d. = 0, coefficient = 1
i.d. = 1, coefficient = 1,0001
i.d. = 2, coefficient = $1,0001^2$ = 1,0002, etc.

Le résultat est, comme précédemment, amené ou ramené à l'unité. La différence entre TR et TRC, sur 100, donne l'entropie (E) de la séquence. Cette entropie est donc fonction et du taux de redondance et de l'indice de diffusion. Pour la séquence de Césaire prise comme exemple, on obtient les caractéristique suivantes :

i.v. (nombre de phonèmes différents) = 20 ;
TV = 20/36, soit 55,55 % ;
TR = 102 ;
i.d. = (nombre de phonèmes n'ayant qu'une occurrence) = 10 (pas de correctif puisqu'il y a précisément 20 phonèmes différents) ;
d'où un coefficient : $1,0001^{10}$ = 1,0525 ;
TRC = 102 : 1.0525 = 96,91, arrondi à 97 ;

$$E = TR - TRC = 102 - 97 = 5. \text{ D'où } 5 \times 100 : 102 = 4,9.$$

Entropie donc faible. Ce qui montre une redondance moyenne, mais constante, c'est-à-dire sans constellation bruyante de phonèmes. Les chiffres prouvent que la séquence est homogène et structurée.

A titre comparatif, notre séquence absurde, le thé de Théo, donne les résultats suivants :

i.v. $= 13$;
TV $= 36,11$ % ;
TR $= 705$;
i.d. $= 5$ sur 13, soit 7,69 sur 20, arrondi à 8. D'où coefficient :
i.d. $1,0001^8 = 1,0128$;
TRC $= 705 : 1,0128 = 696,09$, ramené à 696 ;
E $= 9 \times 100 : 705 = 1,3$ (extrêmement faible).

Ces chiffres, si l'on ignore la séquence qu'ils caractérisent, montrent qu'il s'agit d'une séquence profondément monotone, saturée par une redondance volontaire qui répète un très petit nombre de phonèmes, plus vraisemblablement un seul, unique moyen d'obtenir un TR aussi élevé puisqu'il existe, malgré tout, une certaine entropie.

Reste une question pratique. Pour étudier valablement le jeu phonique de la négritude, il est impératif de disposer d'un très grand nombre d'échantillons représentatifs. Un échantillonnage limité à 10 % de l'ensemble des textes de la négritude serait sans doute à peine suffisant. Un dépouillement de cet ordre consisterait à relever environ une ligne sur dix, travail considérable en l'absence de toute machine (plus de 50 fiches pour l'œuvre très mince de David Diop, près de 400 pour Senghor), car on ne peut se cacher que la « sophistication » de la méthode proposée hypothèque sensiblement son application : lente et laborieuse. Pour des raisons matérielles nous sommes donc contraint d'y renoncer, mais nous avons tenu à faire un sondage en retenant dix séquences pour chacun de nos seize auteurs (ce qui représente un décompte de $36 \times 10 \times 16 = 5\,760$ phonèmes). Afin de donner à ce travail un minimum de représentativité et d'autoriser quelques conclusions, uniquement sous forme d'hypothèses extrêmement prudentes, nous ne considérons, pour les quatre cinquièmes, que des séquences initiales de recueil (ou de poème, ou de subdivision de poème, cas de Keita et de Niger) et, pour un cinquième, des séquences terminales, posant que nous avons chance d'avoir là des séquences plus caractéristiques et significatives que d'autres.

Avant d'enregistrer et de commenter les résultats, ouvrons une parenthèse. Bien que ce ne soit nullement le propos de l'enquête, celle-ci met à notre disposition une image, lointainement et grossièrement approchée, de ce que pourrait être l'alphabet phonétique de la négritude. Nous n'avons rien à soustraire aux réserves émises précédemment sur la validité d'un alphabet de ce type. Mais, puisqu'il nous est offert, ne refusons pas de le considérer, au moins pour tester la pertinence des vues de Guiraud. Pour ce faire, un nombre égal de séquences a été relevé parallèlement, dans les mêmes conditions, séquences empruntées à cinq poètes français, qui figurent (v. 3, 1-2) parmi les modèles et les interprétants de la négritude : Rimbaud, Toulet, Valéry, Claudel et Eluard (9). A titre indicatif, nous reproduisons l'alphabet de Valdman établi à partir d'énoncés oraux (10). On trouvera ces trois alphabets, rangés par ordre dégressif des fréquences, à la page suivante (le nombre est donné par rapport à 360, nombre de phonèmes relevé pour chaque auteur, ce qui a paru plus lisible que par rapport à 100, surtout pour les basses fréquences, et d'un maniement plus commode).

Les deux premiers alphabets présentent une remarquable coïncidence. L'ordre des phonèmes est sensiblement le même. Il n'existe qu'un seul écart réellement significatif, vérifié par le test de Pearson. Il concerne /ə/ (11). L'excès est le fait de Valéry et, à un moindre titre, de Claudel, ce qui souligne la « duplicité » de ce phonème : chez Valéry il consiste surtout en -e dits muets, lesquels caractérisent assez bien sa versification, chez Claudel il se rencontre principalement sous forme l'-e- atones. Le total de Claudel (28) est, du reste, très proche de celui de Senghor (26). Parallèlement, le total de Césaire (18) avoisine celui de Rimbaud (17,6), le plus faible des cinq Français. Dans une large mesure, donc, cet écart est dû à des contraintes de versification et n'autorise aucune conclusion particulière. Le test de Pearson révèle un autre écart, moins significatif, /ʒ/, dont le χ^2 suit celui de /ə/ (7,843, soit une probabilité comprise entre 0,01 et 0,001). La différence paraît provenir de la plus ou moins grande fréquence de « je ». Les séquences retenues sont

(9) Il s'agit d'incipit des *Illuminations*, des *Nouvelles Contrerimes*, de *Charmes*, de *Tête d'or* et de *Capitale de la douleur*.
(10) A. VALDMAN, « Les Bases statistiques de l'antériorité articulatoire du français », 104-105. La compilation porte sur 26 896 items, tirés d'une discussion d'une demi-heure entre critiques dramatiques diffusée par l'O.R.T.F. durant l'été 1956. Les nombres sont donnés ici par rapport à 360.
(11) Par prudence, sont considérés comme significatifs les seuls écarts pour lesquels l'hypothèse nulle n'a qu'une probabilité inférieure ou égale à 0,001, c'est-à-dire dont le χ^2, pour un degré de liberté, est supérieur ou égal à 10,827. Concernant /ə/, le χ^2 atteint 12,018.

ALPHABET DE LA NEGRITUDE

Négritude		5 poètes français		Valdman	
R	29,7	l	26,9	e	29,6
l	28,0	R	26,8	R	27,4
a	24,8	ə	24,9	a	23,5
e	19,1	a	23,5	s	23,1
d	19,0	e	20,8	l	21,4
ə	18,6	s	19,6	i	21,2
i	18,3	d	17,3	t	18,9
s	18,0	i	16,4	k	17,5
ε	16,1	t	15,0	ε	16,1
t	16,0	ε	13,6	d	14,5
m	13,6	k	11,9	m	13,5
k	12,4	m	11,1	œ	13,2 (12)
ã	11,6	p	10,9	(ə)	
n	10,0	n	10,8	ã	12,5
p	10,0	ã	10,4	p	12,4
U	8,4	y	10,1	n	9,7
y	8,3	z	7,8	U	8,6
ɔ	7,5	U	7,6	ɔ̃	8,0
v	6,5	ʒ		v	7,5
j	6,2	v	7,2	ɔ	6,7
f	6,1	ɔ	6,8	j	6,4
z		ɔ̃	6,4	y	6,2
b	5,8	f		z	5,2
ɔ̃	5,6	o	6,3	ʒ	
ʒ	5,1	b	5,6	φ	4,7
w	4,7	j	4,1	ɛ̃	4,1
œ	4,6	w	4,0	o	3,9
o		ʃ	3,1	f	3,6
ɛ̃	3,1	œ	2,9	w	3,1
ʃ	2,4	ɛ̃		b	2,8
g	2,2	g	2,6	α	1,9
ɥ	2,0	φ		ʃ	1,7
φ	1,6	œ̃	1,8	œ̃	
œ̃	1,3	ɥ		g	1,5
α	0,7	α	1,6	ɥ	0,9
ɲ	0,3	ɲ	0,3	ɲ	0,2

(12) Valdman ne distingue pas /œ/ et /ə/.

trop peu nombreuses pour donner une image valable de la distribution de ce morphème de personne. De plus, le nombre des occurrences relevées est trop bas pour que le test de Pearson soit valide. Aucune conclusion ne s'impose là non plus, sinon que, selon toute vraisemblance, nous n'avons affaire qu'à un écart aléatoire. Tous les autres χ^2 donnent une probabilité supérieure à 0,01.

Est-il pertinent de comparer ce double alphabet « poétique » à un alphabet tiré d'une discussion improvisée ? Guiraud, Cohen répondent par l'affirmative. On peut se montrer sceptique. Les écarts phonétiques ont sans doute pour cause, dans une large mesure, des différences lexicales et n'ont donc rien en soi de significatif. Pour qui en accepte le principe, il apparaît surtout un grand décalage dans l'emploi de /e/, conséquence, peut-être, de la technicité du discours compilé. Le recul de /œ, ə/ doit être mis au compte de l'oralité qui escamote naturellement les -e « muets ». On notera également le recul de /l/, mais la cause est peut-être, là encore, lexicale : l'article y est vraisemblablement plus rare qu'en poésie. La surreprésentation de /i/ aurait plus de poids et, plus encore, celle des sourdes sur les sonores : l'ordre est très nettement /d/, /t/ en poésie ; il est inversé dans le classement de Valdman. On comparera de même les places et les fréquences de /k/, /g/, /p/, /b/, /s/. On remarquera, en revanche, l'assez remarquable stabilité des voyelles, /e/ et /i/ mis à part. Plus sensibles dans les basses fréquences, les différences sont par là-même dénuées de toute valeur.

Pour terminer rapidement avec cet aspect alphabétique, et secondaire, de la question, nous donnons, pages 188-189, la ventilation des phonèmes par auteur.

Eu égard à la très faible représentativité de notre échantillon, ce tableau, proposé surtout à titre indicatif, n'autorise guère de commentaire. Il paraît vain, en particulier, de s'interroger sur les phonèmes qui n'atteignent pas, au total, 150 occurrences. Pour le reste, on doit se souvenir que les réflexions qui vont être hasardées sont de simples hypothèses qui exigeraient une vérification minutieuse. Bornons-nous à quelques constats laconiques.

/a/ : nettement surreprésenté chez Socé. Faut-il y voir une expansion de son titre, *Rythmes du khalam* et des premiers vers du recueil :

> Voici quelques rythmes
> De la guitare africaine (1 15 1-2) ?

Reconnaissons cependant que les deux séquences qui contiennent le plus grand nombre de /a/ (6 et 7) le doivent soit à l'aléa d'un nom propre : « Grand'Mère Maram N'diaye » (11 46 1), soit à l'emploi d'une expression idiomatique arabe : « Amine Ya Rabi ! » (16 60 80). Il reste que le recueil s'ouvre et se ferme sur une tonalité /a/ très marquée, allant du Khalam, guitare africaine, à Allah. Signalons la sous-représentation accusée par B. Diop, compensée (?) par une surreprésentation de /y/. Mais qu'en dire ?

/e/ (ne revenons pas sur /ə/) : Prédominance affirmée chez Dadié. Y verra-t-on une preuve de facilité ? Elle se rencontre avec la même intensité dans la prose des Illuminations (29,6). A l'inverse, n'est-ce pas l'élégance de Niger qui la lui fait refuser ? La rareté de ce phonème chez Damas s'expliquerait peut-être davantage par son caractère neutre (?).

/ɛ/ : le même Dadié paraît jouer sur l'opposition modulante entre /e/ et /ɛ/, ce dernier fortement sous-représenté. Peut-on y lire comme un indice de cette poésie de la certitude un peu monolithique, dont nous avons déjà parlé ? Elle s'opposerait à la souplesse ouverte de celle de Ranaivo. Mais l'excédent de ce phonème chez D. Diop montre la précarité d'une telle suggestion.

/i/ : dira-t-on qu'il s'agit de la voyelle césairienne, correspondant à ce « grand cri nègre » qu'il lance dans toute son œuvre ? Dans notre échantillon, l'exemple le plus significatif est donné dans la séquence terminale du Cahier : « (mainten) ant la langue maléfique de la nuit en son immobile verrition ! » (91 1490-1491). Notons qu'Eluard, qui présente plus de /i/ que les quatre autres poètes français, n'atteint que l'équivalent de 20 occurrences.

/ɑ̃/ : on retrouve la même opposition entre Dadié et Ranaivo. Il est, en ce sens, significatif que DAD. H. 3 9 1-3 associe les redondances de /e/ et de /ɑ̃/ :

Entends-tu le vent souffler
dans les voiles
Et les cris de détresse [...] ?

/p/ révèle une opposition entre Dadié (sous-représentation) et Damas (surreprésentation). Bien que la fréquence de /p/ chez Damas soit due en grande partie à la triple occurrence de « poupées » dans P. 15 45 53-57, on est tenté d'admettre que ce phonème contribue à la violence d'un recueil comme Pigments ; n'apparaît-il pas, au reste, à l'initiale du titre ? On sait qu'en français et, sans doute, dans d'autres langues, les consonnes sourdes sont plus fréquentes que les sonores correspondantes. Il est donc normal de rencontrer plus de /p/ que de /b/, de /k/ que de /g/, etc., mais on s'aperçoit que le rapport est inversé pour le couple /t, d/, sauf pour un petit nombre d'auteurs, dont

	BRI	CES	DAD	DAM	BDP	DDP	KEI	NIG
a	19	25	21	31	14	25	26	28
α	1	0	1	1	1	0	0	0
ə	17	18	16	16	20	13	12	16
œ	6	5	4	7	4	5	4	6
φ	1	2	2	0	4	3	2	0
e	17	16	30	14	19	21	19	14
ε	18	13	6	13	18	25	9	17
i	18	28	19	14	14	18	24	22
o	6	4	3	5	3	4	10	4
ɔ	9	7	3	8	12	4	10	5
U	12	6	7	11	10	7	12	9
y	10	8	10	8	17	7	5	13
ã	14	11	18	12	11	9	13	16
œ̃	1	1	3	1	3	2	2	1
ɛ̃	3	5	4	4	3	1	4	0
ɔ̃	7	5	8	4	5	5	7	6
j	5	9	7	2	4	6	3	5
ɥ	0	4	2	4	1	1	2	0
w	2	5	9	12	3	6	3	5
p	11	6	4	18	10	7	12	16
b	5	7	2	7	4	5	8	4
k	16	11	12	12	13	16	17	12
g	5	4	2	0	2	2	4	0
t	11	19	19	18	11	11	19	21
d	24	16	26	15	15	19	15	20
f	0	5	11	4	9	12	3	8
v	8	8	7	5	5	10	5	7
ʃ	2	1	2	2	0	3	1	5
ʒ	8	5	4	3	7	3	4	5
s	19	17	17	16	19	18	16	17
z	5	9	5	1	6	10	7	6
l	28	27	27	24	36	23	28	23
R	27	25	30	34	39	37	26	26
m	16	19	12	17	11	12	15	14
n	9	9	7	17	7	10	12	9
ɲ	0	0	0	0	0	0	1	0
T	360	360	360	360	360	360	360	360

BR	RBM	RAN	ROU	SEN	SIS	SOC	TIR	Total
24	27	22	27	20	32	36	21	398
0	0	0	0	4	2	0	2	12
23	22	23	19	26	23	11	24	299
7	7	3	4	5	1	1	6	75
1	1	9	1	0	1	0	0	27
22	17	22	20	17	16	24	19	307
14	16	26	13	19	17	15	19	258
19	19	15	17	14	17	23	12	293
3	9	5	3	5	3	0	8	75
8	6	9	10	5	9	8	8	121
6	10	6	7	6	4	5	17	135
7	8	4	3	11	8	9	5	133
8	12	6	13	9	13	14	7	186
1	0	0	3	0	1	1	1	21
3	2	2	5	6	3	4	1	50
9	6	5	3	6	5	4	6	91
5	2	10	9	11	6	11	5	100
3	1	4	3	6	0	0	2	33
3	4	2	3	4	3	6	6	76
17	6	10	11	11	5	9	7	160
4	8	11	8	4	6	6	5	94
13	10	16	7	6	18	9	11	199
1	2	2	3	2	1	3	3	36
23	15	10	16	16	23	14	11	257
20	14	18	20	20	23	21	18	304
5	9	3	4	4	6	4	11	98
10	6	5	10	4	3	4	8	105
2	2	3	5	3	3	2	3	39
5	7	7	1	8	1	5	9	82
14	21	16	18	23	18	21	18	288
7	5	8	7	1	7	5	9	98
27	26	36	38	27	32	25	22	449
32	23	25	28	27	27	36	34	476
5	18	12	9	19	13	11	16	219
9	17	5	12	11	10	11	6	161
0	2	0	0	0	0	2	0	5
360	360	360	360	360	360	360	360	5 760

Damas et Césaire. On peut ainsi mettre en parallèle, chez Dadié, la sous-représentation de /p/ et la très nette surreprésentation de /d/. Mais ce serait sans doute beaucoup trop dire que de voir dans la préférence accordée à la sonore un témoignage de bienveillance, car, si Ranaivo inverse le rapport de /b/ à /p/, la même inversion se rencontre chez Césaire, où la valeur, si valeur il y a, ne peut être de cet ordre.

/k/ : net excédent chez Sissoko, rareté aussi nette chez Senghor. /k/ figure dans chacune des dix séquences de Sissoko avec une redondance très modérée (de 1 à 3 occurrences). Il prendrait donc, ici, l'aspect d'une constante, alors qu'il paraît ailleurs, chez D. Diop par exemple, comme une variable significative. Est-ce sa relative rudesse (?) qui le fait éviter par Senghor, bien qu'il participe de la substance sonore du mot « Afrique » ?

/t/ : nous rencontrons à nouveau le nom de Sissoko. /t/ jouerait également un rôle de constante, ce qui n'a rien que de banal, mais, contrairement à /k/, il polariserait la redondance. Citons, pour y revenir plus loin, cet exemple significatif où /t/ et /n/ se trouvent associés :

> L'Afrique, continent titanesque, isolé du reste du mon(de) (41 67 1).

On remarque un certain défaut de ce phonème chez Ranaivo, ce qui confirme l'impression de douceur souple déjà ressentie précédemment. Il est vrai, toutefois, que /t/ est presque aussi rare chez Brierre, les deux Diop et Tirolien, ce qui invite à la plus extrême prudence et ne peut qu'hypothéquer les conclusions antérieures.

/d/ : particulièrement fréquent, comme nous l'avons vu, dans les textes de Dadié, il pourrait figurer, aux yeux de certains, comme une anagramme de son nom (confirmée par l'abondance des /e/ ? ; mais /a/ et /j/ n'ont rien, ici, d'exceptionnel). La sous-représentation de /d/ dans les échantillons de Rabemananjara n'est pas assez marquée pour qu'on puisse en tenir compte.

/s/ : on notera simplement la remarquable stabilité de ce phonème.

/l/ et /R/ sont très naturellement fréquents : fait de langue et non de style. La fréquence de /l/ provient essentiellement (on l'a noté) de l'article. Les écarts n'ont guère de prégnance. Peut-être, comme pour /e/, une surreprésentation est-elle un indice de facilité, repérable chez Roumain et, surtout, B. Diop. La nette prédominance de /l/ sur /R/ manifestée par Ranaivo aurait une autre signification et renverrait à la souplesse et au « liant » de son écriture (?). On remarquera que le couple /l-R/

est fréquent dans les titres : *Dessalines parle*, *La Source*, *Les Armes miraculeuses*, *Lettres d'hivernage*, etc., mais jamais autant et de manière aussi significative que, précisément, dans *Leurres et lueurs*, de B. Diop, dont on a déjà signalé le caractère exemplaire.

/m/ : surreprésentation chez Césaire et Senghor qui se trouvent associés pour cet unique phonème. Comme, précédemment, pour /ʒ/, le jeu est faussé dans notre trop faible corpus par le fait que l'apparition de /m/ est largement fonction de « me », « moi », « mon »... Il est presque aussi rare dans les *Illuminations* que chez Rabearivelo. Les *Illuminations* relèvent de la non-personne, mais non pas l'œuvre de Rabearivelo ; la sous-représentation de /m/ y est donc, semble-t-il, occasionnelle. L'excès de Césaire est dû à des vers précis de notre échantillon :

> Par*m*i *m*oi
> de *m*oi-même
> à *m*oi-même, etc. (*C*. 44 71 1-3).

Si prédilection il y a, elle est le fait du seul Senghor, mais le phénomène est incertain.

/n/ ne permet pas non plus de conclusions claires. C'est la récurrence de mots comme « noir » (Damas), « nègre » (Roumain), « nous » (Rabemananjara), « nuit », de la négation (« ne », « non ») qui, dans une large mesure, entraîne l'excès ou le défaut.

Cette revue rapide apparaît donc comme un test passablement négatif. Les conclusions possibles, encore que vagues et hypothétiques, ne touchent, à la rigueur, que Dadié et Ranaivo. Une enquête mieux assise donnerait-elle des résultats plus probants ? On peut en douter. S'il est un parti à tirer de la fréquence de certains phonèmes, à condition qu'elle ne soit pas, en fait, neutralisée par la fréquence lexicale, beaucoup plus déterminante, il faut, selon nous, adopter un autre point de vue, comme on le verra plus loin.

*
**

Pour en revenir au propos de ce chapitre, on trouvera ci-dessous le tableau des redondances de chacun de nos auteurs, tel, du moins, que permettent de l'établir les 160 séquences que nous avons choisi d'étudier. La quatrième colonne, σ, désigne les écarts à la moyenne, ou écarts types, du taux de redondance (TR), ceci pour donner une idée de la dispersion ou de la cohésion du phénomène, régularité stylistique ici, là recherche contingente d'expressivité tournée vers le signifié. Rappelons que Senghor, d'accord avec Claudel qui en fait l'essence de toute poésie véritable, met la monotonie au cœur de la poésie négro-africaine et la revendique pour ce qui le concerne (13).

REDONDANCE

	VARIETE		REDONDANCE		DIFFUSION	
	i.v.	TV	TR	σ	i.d.	E
BRI	19,7	54,72	124	46,7	9,9	9,2
CES	20,5	56,94	145	50,5	11,1	22,8
DAD	18,6	51,66	142	35,3	8,3	4,5
DAM	17,4	48,33	205	77,1	8,3	3,9
BDP	17,3	48,05	178	30,6	8,8	5
DDP	19,0	52,77	167	48,0	10,5	8,7
KEI	20,4	56,66	128	23,8	10,3	8,2
NIG	19,6	54,44	156	38,8	9,8	13
RBR	19,4	53,88	128	13,8	9,4	4,9
RBM	19,1	53,05	149	33,4	9,2	4,6
RAN	19,4	53,88	140	43,6	9,8	12,2
ROU	19,5	54,16	147	30,7	10,2	10,3
SEN	19,6	54,44	129	31,9	9,3	6,9
SIS	18,3	50,83	148	20,5	9,3	12
SOC	18,2	50,55	171	39,1	9,5	6,5
TIR	19,7	54,72	124	27,6	9,5	9,5
Total	19,1	53,05	148,8	36,9	9,5	8,9

(13) « Mais la monotonie du ton, c'est ce qui distingue la poésie de la prose, c'est le sceau de la Négritude, l'incantation qui fait accéder à la vérité des choses essentielles : les Forces du Cosmos » (SEN., P. 166, L. 1, 225). Toutefois la monotonie n'est pas forcément incantatoire. On opposera surtout Senghor à Senghor. Il déclarait en 1976 : « Que de bêtises n'a-t-on pas dites, et écrites, sur le RYTHME NEGRE ? Les esprits distraits l'ont assimilé à la monotonie, à la mort, quand il est passion, mieux, expression de la vie. C'est le rythme albo-européen qui est monotone avec ses sempiternelles symétries, que l'on attend à lieux et moments fixes, quand le rythme nègre, même en Amérique, surtout là, devient, sous le coup de l'émotion, explosion dans la surprise : parallélismes asymétriques. Vous reconnaissez le SWING américain » (« La Négritude, comme culture des peuples noirs, ne saurait être dépassée », 12). La contradiction n'est pas insurmontable ; elle n'en est pas moins gênante.

Avec les mêmes précautions que ci-dessus, imposées par l'insuffisance du matériau, ce tableau appelle quelques commentaires.

Du fait de la redondance inhérente à la langue, à toute langue, on a déjà signalé que l'indice de variété (i.v.) avait un pouvoir peu discriminant. Les cinq poètes français offrent un total à peu près identique : 19,5 au lieu de 19,1, avec une dispersion très faible : de 19 chez Valéry à 19,7 chez Rimbaud. Les disparités beaucoup plus sensibles qu'accusent les auteurs de la négritude (de 17,3 chez B. Diop à 20,5 chez Césaire) sont certainement l'effet, pour la plus grande part, du petit nombre de séquences consultées : 10 pour chaque poète noir, 32 pour chacun des cinq poètes français. Aucune conclusion ne peut donc être assurée. Proposons simplement ceci, à titre d'hypothèse. L'indice de variété oppose deux couples d'auteurs : Césaire et Keita d'une part, nettement au-dessus de la moyenne, Damas et Birago Diop de l'autre, encore plus nettement au-dessous. Un i.v. faible va dans le sens de la langue et amplifie sa contrainte naturelle à la redondance. Il serait donc signe de facilité, voire d'automatisme. On aurait intérêt à tester le rendement, dans ce domaine, de séquences empruntées aux textes automatiques des surréalistes. Si le test s'avérait positif, nous disposerions d'une critère objectif pour distinguer et caractériser les textes de ce genre. Il faut se convaincre qu'une telle écriture et, plus généralement une écriture fortement redondante, loin de faire violence à la langue, exploite ses possibilités. Si forte que soit la marque redondante (tel est, peut-être, le cas de Damas et de B. Diop), il ne s'agit pas d'un idiolecte très singulier. Il relève d'une certaine banalité, ou (pour éviter toute impression péjorative) reprenons le terme de *facilité*.

A l'inverse, un assez fort i.v. indique sans doute un travail personnel contre la langue. Ce travail ne surprendra pas pour ce qui regarde Césaire. Nous aurions, en outre, confirmation de la réticence affichée par cet auteur devant l'automatisme surréaliste. Le cas de Keita est beaucoup plus remarquable. Nous l'avons précédemment associé, la chose semblant aller de soi, à Sissoko. Tous deux n'écrivent-ils pas des poèmes «en prose» et, assez souvent même, prosaïques ? Mais, au vu de ce tableau, l'écriture de Keita serait moins cursive, plus subtile que celle de Sissoko, plus recherchée qu'elle n'apparaît au premier regard. L'indice de diffusion relativement élevé (10,3) confirme cette possibilité.

De manière générale, on est tenté de poser que, dans notre héritage culturel, au niveau phonique où nous nous trouvons

(et qui n'est pas seul en cause), le départ entre ce qui est dit
« poésie » et « prose » se situe dans une plus ou moins grande
contrainte de la redondance (14). Ajoutons que la « prose »
maintient un certain équilibre entre les deux principes contraires
de redondance et de diffusion. La « poésie » est, elle, portée
à privilégier l'un des principes au détriment de l'autre. La solution la plus simple, aux effets les plus évidents (qui, donc, sera
préférée lorsqu'on vise l'efficacité sur un large public), consiste
à accentuer la redondance, choix évident d'un Damas. Retenir
le second principe implique une écriture beaucoup plus lente,
plus discrète, plus subtile. Selon ces critères, les écrivains
« faciles » seraient ceux qui affichent l'i.v. le plus faible, c'est-à-
dire, outre Damas et B. Diop, Socé, Sissoko et Dadié. Confirmation serait ainsi donnée de ce que nous avons appris par ailleurs.
Rappelons une fois encore qu'il ne s'agit là que d'une hypothèse.

L'étude du taux de redondance met en vedette, avant tout
autre, Damas : une moyenne de 205 est considérable. C'est
chez lui que nous trouvons le TR le plus élevé : 523, avec
comme corollaires obligés l'i.v. le plus bas : 8 et une entropie
nulle (celle-ci n'est pas exceptionnelle). Il s'agit donc d'une
séquence saturée par la redondance. Elle est bien connue (on
y a fait allusion plus haut) :

> (Rendez-les-moi) mes poupées noires
>   mes poupées noires
>   poupées noires
>   noires
>   noires (P. 15 45 53-57)

Cet exemple montre qu'un TR élevé associé à un i.v. faible et à
un i.d. nul ou voisin de zéro exprime normalement une répétition
lexicale proche de la saturation. Les principes de notre méthode
distinguent nettement ce type de saturation lexicale de la simple
réitération d'une suite de monèmes. C'est ainsi que cette
séquence de Sissoko (26 42 1-2) :

---

(14) Noté, entre autres, par A. KIBEDI VARGA, *Les Constantes du poème*,
106-107. Cf. la critique, sévère mais juste, de G. MOUNIN (« Quelques petits
faits probablement vrais... », 160) à l'encontre de la réitération systématique : « Une telle surestimation mécanique et mécaniste de la phonétique
en littérature aboutit à l'instauration d'une pseudo-prosodie artificielle et
superficielle, basée sur l'allitération non motivée facile à produire, que l'on
substitue aux vrais rapports organiques entre le sens et le rythme, prosodie
dont les chefs d'œuvre passe-partout sont les clapotis valértens du Narcisse
(« Mes molles mains dans l'or adorable se lient ») et ce véritable chromo
phonétique et poétique intitulé *la Fileuse*. » Il resterait cependant à définir
ces « vrais rapports organiques ».

> Si du dors, c'est que, tu es en paix. Si tu dors, c'est
> que, tu en as le (temps),

ne donne que les résultats suivants : i.v. = 17, i.d. = 7, TR = 137,
E = 0,7. Un TR moyen, accompagné d'un i.v. au-dessous de la
moyenne et d'un i.d. bas souligne la répétition régulière de plusieurs phonèmes assez éloignés les uns des autres et, vraisemblablement, d'une suite de monèmes. C'est l'utilisation simultanée des divers facteurs qui permet la caractérisation et l'interprétation des séquences.

L'exemple de Damas, au reste assez significatif d'une des
composantes de son style, permet de revenir sur une remarque
importante, encore que, peut-être, subjective. Tout se passe,
semble-t-il, comme si la saturation lexicale l'emportait sur la
saturation phonique : la répétition des mots masque la répétition des phonèmes et, du même coup, l'homogénéité phonique
de la séquence se désagrège : la substance de l'expression disparaît au profit de celle du contenu. Sur le plan de l'écriture,
on assiste à une sorte de délittérarisation. A tout le moins le vers
éclate et libère le mot qui devient tout puissant. C'est essentiellement ce procédé qui met Damas à part au sein de notre
corpus, dans la présente perspective.

Il s'y ajoute une autre caractéristique. Que l'i.d. soit l'un
des plus bas n'est pas surprenant, pas plus que l'entropie soit,
elle, la plus faible. L'étonnement vient de ce que ces résultats
soient compatibles avec le plus fort écart à la moyenne ($\sigma = 77,1$).
La faible entropie prouve la régularité du phénomène redondant. L'excessif écart type montre une pratique très diversifiée
de cette redondance. Voici la séquence qui fournit le TR le plus
bas :

> Tu ne sauras jamais combien
> depuis depuis
> je la sens
> sur (mon cœur) (N. 35 126 1-4).

Chiffres : i.v. = 22, i.d. = 11, TR = 65, E = 9,2. Ainsi cette
séquence très variée (15), régulièrement mais modérément
redondante, relève d'une esthétique autre que la précédente,
plus concertée, mais qui, par la duplication de « depuis », intègre le procédé qui vient d'être souligné. Il y a donc effort d'adaptation d'une constante d'écriture aux besoins contingents d'une
expression particulière. On retrouvera la même conclusion, avec
des données différentes, à propos de Césaire : un même personnage, mais deux faces, mais deux faces solidaires.

(15) Les indices de variété les plus hauts relevés dans notre échantillon
(français compris) ne dépassent pas 24.

On voit tout ce qui le sépare d'un Birago Diop, qui le suit, de loin, pour le taux de redondance. Son TR est, certes, supérieur à la moyenne, mais il n'offre qu'une dispersion étroite (de 129 à 265) : une écriture et une seule, assez monotone, qui semble plier le signifié à cette exigence presque constante (l'entropie est médiocre) : un principe redondant clairement affiché. Voici une séquence « moyenne » :

> Dans le bois obscurci
> Les trompes hurlent, hululent sans merc(i) (38 61 1-2).

Bon exemple de redondances nettes sur fond un peu disparate (l'entropie est de 18,6, donc forte). Le tableau montre que, de façon moins affirmée, il est possible de lui associer Socé qui, avec plus de variété, utilise la même parole.

A l'inverse, les moins redondants seraient deux Antillais, Brierre et Tirolien. Entropie presque identique et moyenne. Donc équilibre entre les deux tendances contraires de la redondance et de la diffusion, mais les σ n'ont pas de commune mesure. Brierre adapterait son style à l'expression du signifié, Tirolien le signifié à la recherche d'un style, recherche seulement car le σ se situe au-dessous de la moyenne.

C'est par le biais de la diffusion et non plus de la redondance que ce tableau permet de dégager d'autres écrivains. Au premier chef Césaire, qui, avec 11,1, fournit l'i.d. le plus élevé. On constate, en outre, que l'entropie est, de très loin, la plus considérable et que, pour le taux de redondance, l'écart type est le plus élevé après celui de Damas. On ne peut que conclure à sa singularité. A l'évidence, Césaire, selon ses besoins d'expression, mise tantôt sur la redondance et tantôt sur la diffusion, refusant de s'enfermer dans *un* style. Le style existe cependant, mais dans le principe même de l'écriture. Cela prouve une grande lucidité sur les fins et les moyens, de plus un certain refus de complaisance devant l'écriture. Il serait le seul, ici, à vouloir marquer son style par un travail sur l'hétérogénéité phonique, c'est-à-dire, comme on l'a vu, le marquer de façon peu remarquable. Voici, dans notre échantillon, la moins « remarquable » de ses séquences :

> Je suis un souvenir qui n'atteint pas le seuil
> et erre dans les l(imbes) (C. 7 15 1-2).

L'exemple révèle assez nettement la concomitance du travail de redondance et de diffusion. Parole, donc, qui témoigne à la fois maîtrise et souplesse, souplesse apte à faire surgir des signifiés variés et à se mouler sur les différentes situations d'écriture. David Diop paraît s'engager dans cette voie, ou pressentir que là est, peut-être, sa voie : i.d. et σ sont proches de ceux de Césaire, mais l'entropie est trop moyenne pour que le principe de redondance, dont il use modérément, ne l'emporte pas.

Et nous retrouvons Keita. Mais, contrairement à Césaire, il opte pour la non-redondance : son taux est l'un des quatre moins importants. L'exiguïté de l'écart à la moyenne confirme le principe d'écriture. Si ce constat pouvait être généralisé, il en résulterait que Keita entend écrire poétiquement une prose aérée. Voici un exemple moyen et, par là, représentatif :

> Amis ! Notre manding voile trop de douloureuses tragé-
> dies (*P.* 5 41 1-2).

(i.v. = 21, TR = 130, i.d. = 11, E = 9,2). On le comparera au moins redondant des exemples retenus :

> C'était dans mon enfance...
> A l'horizon bouffi de pourpre, de loin(tains contreforts)
> (7 59 1-2),

qui offre les résultats suivants : i.v. = 22, TR = 78, i.d. = 10, E = 5,1.

A l'autre extrémité de l'échelle, Damas et Dadié, avec un indice de diffusion de 8,3. Il est conforme au génie de Damas. N'y revenons pas. Le comportement de Dadié est autre, ne serait-ce que parce que la régularité de l'indice de variété ressemble à celle de B. Diop (de 16 à 21 au lieu de 16 à 20) et parce que le taux de redondance est, comme sa dispersion, moyen. Ces facteurs coïncident avec ce qu'on peut appeler la « norme » de la négritude. La faiblesse de l'i.d. et de l'entropie dénote la constance d'un style qui joue de façon privilégiée sur les possibilités de la redondance. Sa pratique le porte vers des allitérations moyennes sur fond fortement redondant, d'où l'impression de vers pleins et fermes. On en jugera par les deux séquences suivantes, toutes deux d'entropie nulle. Le résultat est atteint par des procédés différents :

> Aucun pays n'est loin
> Où murmure un ruisseau.
> Aucun pays n'est loin
> Où (volette un oisillon) (*R.* 3 229 1-4)

(i.v. = 17, TR = 76, i.d. = 2).

> Le Vent
> sur le miroir du fleuve
> ramasse
> les confidences d(es pêcheurs) (*H.* 26 53 1-4)

(i.v. = 17, TR = 142, i.d. = 6).

L'entropie permet d'attirer l'attention, d'une part, sur Rabearivelo et Rabemananjara, de l'autre, sur Niger (pour négliger Sissoko dont le cas nécessiterait un trop long développement théorique).

L'importante entropie de Niger semble aberrante au milieu des autres facteurs essentiellement moyens. Une réflexion théorique sur le tableau peut néanmoins l'expliquer. Elle suppose un petit nombre de séquences qui associent un i.v. important à un fort taux de redondance. En effet, si l'indice de variété est conforme à la moyenne attendue (19,6 contre 19,1), il accuse cependant une assez grande dispersion : de 16 à 23, autant que D. Diop par exemple, et s'oppose à la cohésion faible, c'est-à-dire peu variée, de B. Diop et de Dadié, ou forte, c'est-à-dire variée, de Keita (les séquences variées rendent possible sinon probable un indice de dispersion élevé). S'il s'y trouve simultanément une ou plusieurs répétitions importantes, qui augmentent notablement le taux de redondance, l'entropie croît, elle aussi. C'est bien à un tel phénomène qu'on assiste dans trois séquences. L'exemple le plus net est fourni par la séquence inaugurale du recueil :

> Petit oiseau qui m'enchantes
> Je t'écoute de ma fenêtre
> Tu as (construit ton nid) (1 7 1-3)

(i.v. = 22, TR = 184, i.d. = 14, E = 56). A elle seule la septuple allitération de /t/, associée aux correctifs, donne un TR de 146,41. Les deux autres sont du même ordre avec une forte assonance en /i/ (2 9 1-2) et en /ã/ (2 19 233-234). On reconnaît donc deux types d'écriture fondés l'un et l'autre sur la redondance mais qui en varient les modalités, soit par hésitation stylistique, soit à des fins de signification.

Les deux Malgaches ont un comportement très différent : entropie basse dans les deux cas, qui montre l'application régulière du principe de redondance. Rien de notable donc, au moins chez Rabemananjara, dont les chiffres sont, au fond, assez proches de ceux de Senghor, eux-mêmes assez conformes à la « norme » de la négritude, telle qu'elle est inférable de ce tableau. Le σ moyen prouve que le principe est adapté aux besoins de l'expression. Au contraire, l'attitude de Rabearivelo est plus spécifique. En effet, le TR est sensiblement inférieur à la moyenne : pas de puissantes constellations redondantes qui impressionnent le lecteur et stérilisent la diffusion. Voici la séquence la plus redondante que nous ayons relevée :

> Tu te leurres,
> toi qui as l'air d'un petit oiseau

égaré dans la (forêt) (*T.* 15 104 1-3 ; i.v. =19, TR = 174, i.d. = 11, E = 9,8) :

une assonance (/a/) et une allitération (/t/) sensibles, mais non, si l'on peut dire, agressives. L'essentiel est fourni par un écart type (σ) particulièrement bas. Il se détache presque autant à cette extrémité que celui de Damas à l'autre. Si l'échantillon était réellement représentatif, on en déduirait une remarquable constance stylistique. A l'opposé d'un Césaire qui modèle *son* style sur les exigences de la signification, Rabearivelo soumet la signification à un style unitaire. On trouverait ainsi confirmée dans les faits cette essence littéraire qui, aux dires de tous les témoins, anime la personnalité de ce « poète maudit ».

Le dernier trait notable que l'on peut tirer de ce tableau, et auquel il a été fait indirectement allusion, est la place neutre qu'y occupe Senghor, neutralité qu'il partage avec deux autres poètes : Ranaivo et Roumain. Cet équilibre les met, ici, au cœur de la négritude. Les disparités ne sont pas suffisamment marquées pour qu'on en tire des conclusions précises. On notera seulement que Senghor, qui a, plus que tout autre, insisté sur les vertus de la redondance dans le langage poétique négro-africain, n'en fait pas un usage immodéré ni systématique. Contrairement à l'attente que pouvaient susciter tant de déclarations, la plupart des chiffres qui le concernent sont en deçà de la moyenne. Mais répétons une fois encore que ce n'est là, comme les autres, qu'une proposition hypothétique.

*
**

La considération de ces résultats globaux nous a permis de dégager un certain nombre de possibles traits distinctifs, aptes à faire ressortir les singularités d'écriture de la plupart de nos poètes. Reste à voir, par une étude plus concrète, sémantique et inductive, les fonctions assumées par la redondance. Les 160 séquences dont nous disposons, si insuffisantes qu'elles soient, en particulier pour justifier des conclusions statistiquement pertinentes, permettent de déceler plusieurs fonctions caractéristiques et les jeux qui les associent les unes aux autres.

Pour une réflexion préalable, dont la pertinence n'est pas évidente, on adoptera en premier lieu une démarche partiellement déductive, fondée sur les phonèmes le plus évidemment fonctionnels, c'est-à-dire tels qu'ils sont fournis par chacune des séquences et non par la totalité, passablement abstraite, des résultats globaux, envisagés rapidement plus haut, en tant qu' « alphabet de la négritude». De façon tout empirique, on ne tient compte que des phonèmes qui, dans la séquence, obtiennent un TR supérieur ou égal à 20, autrement dit, *grosso modo*, des phonèmes qui, dans une séquence donnée, présentent de trois à quatre occurrences. On peut ainsi dresser le tableau des constellations de phonèmes qu'on trouvera ci-dessous (chaque poète est défini par deux colonnes. Dans la première : nombre de constellations ; dans la seconde : total arrondi du taux de redondance de ces constellations. V = voyelles ; C = consonnes).

CONSTELLATION

V/C	BRI		CES		DAD		DAM		BDP		DDP		KEI		NIC	
a	1	29	1	85	2	60	4	241	1	50	3	113	4	160	4	2
ə									1	23						
e	1	49	1	29	3	160	1	56	1	36	1	43	1	24	1	
ɛ	2	74	1	27					1	38	3	137			1	
i	1	31	3	144	1	38	1	77			2	40	1	59	3	1
o																
ɔ							1	35	1	32						
U									1	41	1	22				
y	1	28							3	107						
ã	2	67			2	70	1	40							1	1
% V		34		31		41		30		25		30		32		
w							1	69								
p	1	31					1	141							1	
b							1	53								
k	1	56							1	20	1	71	2	109	1	1
t	1	47	3	85	2	96	1	31	1	20			1	63	1	1
d	2	80			3	184			1	71	2	53	1	43		
f											2	77				
s	2	144	1	22	2	48			4	170	2	196	1	32	2	
z			1	41												
l	2	86	3	121	2	88	3	174	6	279	1	98	2	70	2	
R	3	92	3	145	3	92	5	252	4	353	7	302	3	125	4	1
m			1	210			3	106	1	49			1	80	1	
n			1	21			2	196			1	38				
% C		66		69		59		70		75		70		68		

On s'aperçoit que trois phonèmes seulement apparaissent, très différemment bien sûr, chez tous nos auteurs, soit, par ordre décroissant : /l/, /a/ et, beaucoup plus loin, /e/. /l/ joue un rôle majeur chez Birago Diop, Ranaivo et Roumain, /a/ chez Socé, Sissoko et Damas. Pour /e/, nous retrouvons Socé, devancé, ce qui ne surprendra pas, par Dadié. On mentionnera ensuite /R/, le plus souvent sollicité (56 fois contre 47 pour /l/), sauf par Ranaivo. C'est David Diop qui y recourt le plus (7 fois), mais B. Diop qui lui accorde le plus de poids (TR total de 353 contre

…E PHONEMES (TR > 20)

BR	RBM	RAN	ROU	SEN	SIS	SOC	TIR	Totaux
87	3 119	2 57	2 129	2 49	5 301	4 330	2 61	42 2 084
	1 83	1 25					1 23	4 154
23	3 77	2 84	3 109	2 94	1 42	2 153	2 60	26 1 076
25	1 23	3 166	1 20	2 69			1 38	17 644
83	1 30		1 41		1 31	3 113		21 863
							1 38	1 38
								2 67
							1 77	3 140
				1 29	1 36			6 200
	1 27		1 25					8 366
30	**41**	**43**	**35**	**32**	**41**	**55**	**43**	**33**
								1 69
42		1 44						5 295
								1 53
		1 37				1 35		7 328
149	1 87		1 23	1 20	4 155	1 28	1 27	22 977
51		1 73	2 64		2 52	1 40		17 711
								2 77
	1 41	1 58	1 21	2 57	2 56	2 86	1 62	24 1 034
							1 21	2 62
63	4 153	4 227	4 224	2 189	5 178	3 95	2 53	47 2 160
154	4 140		4 226	3 159	2 56	4 177	3 186	56 2 607
	2 68			1 27	1 36	1 37	1 43	13 678
	1 27		1 36		1 48			7 366
70	**59**	**57**	**65**	**68**	**59**	**45**	**57**	**67**

302 chez D. Diop). On est enclin à considérer que l'utilisation, en vue d'effets, des phonèmes les plus fréquents de la langue est un indice d'écriture « facile ». Ces phonèmes, on l'a vu, ont pourtant une haute fréquence. La surreprésentation de /l/ par rapport à la « prose » n'est pas, à première vue, aléatoire, mais on la négligera car elle n'est pas propre à la négritude et, comme il a été dit, l'écart semble plutôt d'origine lexicale que phonémique. L'importance de /R/ ressortit vraisemblablement à la langue. Encore qu'un fait de langue puisse parfaitement donner lieu à un fait de style, nous ne nous y arrêterons pas ici, dans cette première approche, parce que le fait textuel (donc fonctionnel) n'est pas assuré. Qu'il s'agisse avant tout d'un fait de langue, on en verrait volontiers un indice supplémentaire dans l'articulation africaine et antillaise de [R], qui aboutit souvent, pour une oreille indolente, à un quasi-amuissement. /R/ paraît un bon exemple de la virtualisation des phonèmes dont il a été question plus haut. On ne s'arrêtera pas davantage à la carence de Ranaivo qui n'est, sans doute, que fortuite.

En ce qui concerne les autres phonèmes, non, ou moins, imposés par la langue, le tableau, pour peu qu'on tienne compte à la fois du nombre de constellations (au moins trois) et du total des TR (supérieur à 100), permet d'associer quelques phonèmes à certains poètes : /ɛ/ à D. Diop et Ranaivo, /i/ à Césaire, Niger et Socé, /s/ à B. Diop et /m/ à Damas. Le but est ici de rechercher si la répétition, dans quelques séquences d'un même auteur (ou de plusieurs), d'une constellation donnée est, ou non, productrice de valeur(s). Une enquête sur la valeur ne peut, à l'évidence, être menée utilement à partir d'une réflexion sur les fréquences envisagées hors texte. Mais elle doit également, selon nous, s'appuyer sur un minimum de redondance, constatée dans *des* séquences précises. Si valeur il peut y avoir, et non pas seulement effet précis, fonctionnel, dirons-nous plus loin, c'est seulement cette double redondance qui la délivre : redondance dans la séquence et redondance entre séquences.

Dans ce vieux débat sur l' « expressivité », sur le « symbolisme » des phonèmes, nous adoptons une position extrêmement prudente. Les thèses de tous les tenants de l'expressivité, depuis Denys d'Halicarnasse, sont essentiellement projectives : elles sont d'abord, et parfois seulement, la projection d'une métaphysique ou d'un désir. La permanence du phénomène, malgré des périodes de récession, et son extension tendent à prouver qu'il s'agit d'une constante de l'esprit humain, qui relève sans doute du même démon que l'analogie : « C'est évidemment à la métaphore, écrit Barthes, qu'il faut rattacher les phénomènes de phonétisme symbolique, et il ne servirait à rien d'étudier l'un sans l'autre » (16). On assiste, en effet, symétriquement, à une mythisation de la métaphore (par exemple chez les surréalistes) et à une mythisation du symbolisme phonétique, la mythisation pouvant être individuelle (Mallarmé) ou collective, voire, à la limite, universelle. La plus intéressante, en ce qui nous concerne, serait la mythisation collective, qui, dans un ensemble culturel, fixe très précisément la valeur des phonèmes. On l'a rapportée des Bambara :

> Les cinq sons de base du langage se relient aux trois aspects fondamentaux de la personnalité : au potentiel inconscient de l'homme (le *ni*), à l'acte (représenté par la main), aux facultés conscientes (le *dya*) représentées par la numération. [...] Les cinq voyelles traduisent également ment trois sentiments considérés comme gouvernant toute la vie émotive de l'homme : la douleur (par le *e* et le *o*), le rire et la satisfaction (par le *i* et le *a*), la révolte (par le *u*) (17).

L'auteur ajoute que de telles idées n'ont rien de spéculatif mais qu'elles interviennent concrètement « dans la façon d'exécuter certains chants, dans les sociétés d'initiation » (18). Dans la mesure où la « symbolisation » se manifesterait chez les poètes de la négritude, une voie de recherche s'ouvrirait pour vérifier si la « table » ainsi construite coïncide avec ce que nous pouvons savoir de telles ethnies.

Si l'exemple qui vient d'être donné confirme la *fonction* symbolisante, il exclut toute généralisation sur son contenu précis, étroitement solidaire d'une histoire et d'une structure culturelles déterminées. Les expériences qui ont été tentées pour prouver l'existence de valeurs universelles sont certes probantes dans leur domaine, mais celui-ci est limité et, surtout, elles se heurtent à des objections de principe.

Bien des chercheurs, à la suite de Jespersen (19), ont montré que, dans un grand nombre de langues, /i/ était assez régulière-

---

(16) R. BARTHES, « Proust et les noms », 155.
(17) D. ZAHAN, *La Dialectique du verbe chez les Bambara*, 53.
(18) ID., *ibid*. Le privilège accordé aux voyelles vient de ce que, d'après le mythe, elles font partie du fonds primitif donné aux hommes par Dieu. Les consonnes apparaîtraient plus tard dans la genèse de la parole : « L'homme les a découvertes, disent les Bambara, en voulant reproduire les bruits ou « les voix » qu'il entendait autour de lui, dans la nature » (*ibid.*, 56).

(Lire note 19 p. 204).

ment associé aux notions de petitesse, de ténuité, de finesse, etc., et s'opposait ainsi à d'autres voyelles, /a/, /o/ et /U/ en particulier. On l'admet volontiers. Comme le remarque valablement Jakobson,

> si, faisant porter un test, par exemple sur l'opposition phonématique grave/aigu, on demande lequel des deux sons /i/ et /u/ est le plus sombre, certains sujets pourront répondre que cette question n'a pas de sens pour eux, mais on en trouvera difficilement un seul pour affirmer qu'/i/ est le plus sombre des deux (20).

Jakobson paraît attendre de riches résultats d'expériences de ce type. On se montre plus réservé. Dès qu'on sort, en effet, du domaine privilégié des voyelles privilégiées, les réponses sont moins assurées, moins convaincantes, moins *nécessaires*. Rappelons, sans insister, que la valeur « naturelle » des phonèmes étudiés souffre dans chaque langue de nombreuses exceptions et, plus important, que les conditions des tests ont un caractère artificiel assez gênant. Souvent l'expérience porte moins sur des phonèmes que sur des sons. Or, comme le remarquait S. Etienne, « l'*a* a bien quelque chose d'ouvert, de libre, de franc, oui, à condition qu'il ne soit pas dans un mot ; mais dès qu'il est dans un mot, il n'a plus de sonorité significative » (21). Si un mot, dont la signification est fixée par le dictionnaire, peut prendre en texte un sens différent (par exemple métaphorique) ou même opposé, à plus forte raison un phonème, dont la signifiance (?), le plus souvent vague et diffuse, n'est, au mieux, qu'intuitive et précaire. Pour que cette valeur, ou une autre, se dégage, il est impératif que le sens et le contexte y invitent. C'est la position de P. Delbouille à laquelle, malgré un rationalisme assez froid et peu accessible à la fantaisie, on a intérêt à se reporter pour tout ce qui concerne le problème évoqué sommairement ici (22).

S'il est difficile de nier l'existence d'une fonction symbolisante, qui est, peut-être, un universel, mais un universel latent, qui nécessite certaines conditions pour se manifester, il n'en faut pas moins reconnaître que la thèse d'une valeur *a priori*

(19) O. JESPERSEN, « Symbolic Value of Vowell I ». V. 15-16. Cf. J. ORR, « On Some Sound Values in English », 3-5 ; E. SAPIR, *Linguistique*, 187-203, etc.

(20) R. JAKOBSON, *Essais...*, 241.

(21) S. ETIENNE, « La Formation littéraire », 108.

(22) P. DELBOUILLE, *Poésie et sonorités* : « Si la valeur suggestive des sonorités existe, elle est nécessairement secondaire, soumise au sens ; elle ne peut exister sans lui et l'on ne peut pas oublier que l'essentiel de l'œuvre, le noyau d'où partent et où reviennent tous les effets, reste toujours le sens et ses suggestions » (228), etc.

des phonèmes est insuffisamment étayée. La thèse adverse qui a pour elle (ou contre elle) d'être plus raisonnable, est plus solide, car elle repose sur l'observation de faits concordants irréfutables (23). En fait, les deux thèses ne semblent inconciliables que parce qu'elles ont été radicalisées. Les fonctions analogique et symbolisante sont bien des *a priori*. *A priori* également, sinon la valeur, du moins les limites imposées par la nature et/ou la culture, entre lesquelles la valeur, le cas échéant, donc *a posteriori*, sera perçue. Rappelons également que, dans de nombreuses pratiques ésotériques, il existe un code *a priori* indéniable, conventionnel autant qu'on voudra, même si l'on prétend le justifier naturellement. Il est non moins indéniable que, à titre individuel, un code, si partiel qu'il soit le plus souvent, puisse être posé *a priori*. La chose n'est pas douteuse pour Mallarmé : il existe un /i/ mallarméen, encore que tous les items de ce phonème ne reçoivent pas nécessairement la valeur fondamentale (elle reste à préciser) dont l'a doté le poète.

En conclusion, nous dirons que le phonétisme expressif, ou symbolique, relève d'une intention *a priori*, celle de l'auteur, ou celle du lecteur. Mais, sauf en des cas exceptionnels (les onomatopées, par exemple), à vrai dire de peu de portée et d'intérêt, il nous semble impossible de refuser que c'est *a posteriori* que se dégage la valeur, ou une valeur, ou la possibilité d'une valeur ; impossible également de nier que, dans la majorité des cas, il s'agit d'une valeur hypothétique, en fait, sémantiquement nulle. On remarquera enfin que les tenants de l'expressivité, d'une part, reconnaissent parfois qu'un phonème a généralement plusieurs « sens » (24), ce qui rend nécessaire une étude du phénomène en texte, et, d'autre part, supposent, même s'ils ne l'avouent pas, le préalable de la répétition : répétition dans le lexique (niveau sémiotique) ou dans le texte (niveau sémantique). Certes, les expressivistes tiennent que la répétition dans le lexique garantit le principe. Pratiquement toutefois, c'est bien de cette répétition que l'on part. Tel est, nettement, le procédé de Khlebnikov (25). Et dans l'étude en texte, ce

(23) Ils sont biens connus. On les retrouvera, clairement analysés, dans l'étude de Delbouille qui vient d'être citée. Une précision supplémentaire : un test proposé à des centaines de lycéens africains et européens a montré que si « rose » était considéré, à la quasi-unanimité, comme éminemment « agréable », « dose » était jugé plutôt « désagréable ». « Grâce » a reçu la plupart des suffrages, « grasse » à peu près aucun.

(24) Ainsi A. SPIRE, *Plaisir poétique...*, 319, 448, etc.

(25) « Si l'on prend un mot, disons, la coupe [*chaska*], nous ne savons pas quel sens chaque son particulier revêt pour l'ensemble du mot. Mais si l'on réunit tous les mots commençant par le son ch : *chaska* [coupe] *cherep* [crâne], *chan* [cuve], *chulok* [bas], etc., tous les autres sons se détruisent

(Suite p. 206)

n'est pas le phonème qui est sollicité mais sa répétition, et non la répétition seule mais la répétition dans un ensemble signifiant donné : c'est reprendre, qu'on (se) le cache ou non, la théorie du « mot générateur d'harmonie » formulée, voilà cent ans, par Becq de Fouquières (26) : les sonorités d'un mot-clé essaiment dans les mots voisins. S'il existe une sonorité majeure (par exemple consonne initiale, voyelle accentuée), elle recevra la ou les valeurs que lui imposent le mot générateur et les ajustements du contexte. Il n'est plus possible de parler de valeur *a priori*, sauf si le sens contextuel la retrouve.

On est conduit, dans ces conditions, à faire l'économie de la thèse « a-prioriste », non pas seulement parce qu'elle n'est guère ou pas prouvée (ce n'est, au fond, qu'un postulat), mais parce qu'elle est inutile et décevante : les valeurs conférées initialement à tels phonèmes, /i/ en particulier, sont descriptives et pauvres. En outre, cette conception entraîne presque nécessairement la pratique, passablement puérile, de l'expressivité, qui, d'un côté, stérilise la symbolisation et, de l'autre, impose la notion très réductrice (et mal nommée) d'isomorphisme (27).

Pour une recherche systématique dans ce donaime (exclue dans le cadre de cette étude), nous proposerions donc une analyse comparative de séquences comprenant, avec un TR relativement élevé, une constellation de phonèmes identiques, ceux-ci attestant l'intentionnalité de l'auteur ou justifiant celle du lecteur (avec toutes les réserves attachées à ce mot d'intentionnalité). Si la répétition d'une même constellation d'une séquence à l'autre s'accompagne de la répétition fréquente sinon cons-

réciproquement et la signification générale que possèdent ces mots sera la signification *ch*. En comparant ces mots en *ch*, nous voyons qu'ils signifient tous un corps dans l'enveloppe d'un second ; *ch* signifie enveloppe » (V. KHLEBNIKOV, « Livre des préceptes », 248-249). On note que seul le « son » initial cristallise la signification et que celle-ci n'est pas universelle mais propre à une langue donnée. Cf. H. MARCHAND, « L'Etude des onomatopées », 134.

(26) L. BECQ de FOUQUIERES, *Traité général de versification française* (1879), 200. On s'en convaincra facilement en lisant M. CHASTAING, « Le Symbolisme des voyelles : les i », 409-410, N.I. HERESCU, « Le Sortilège des sons », 154-157, etc.

(27) Le responsable actuel est sans doute Mallarmé avec ses exégèses bien connues de « jour » et de « nuit », considérés comme mots hérétiques. Il semble, tout au contraire, bénéfique au travail d'écriture de disposer, en français, d'un adverbe « isomorphe » (ou, dans ce cas, « diagrammatique ») comme « vite » et d'un synonyme « allomorphe » comme « rapidement ». S'il peut être intéressant de dire deux fois la même chose, et simultanément (au niveau de la première articulation et à celui de la seconde), on voit mal la raison d'ériger cette possibilité en principe poétique exclusif. Le principe inverse, celui de la disparité entre les deux niveaux, est vraisemblablement plus productif, en tant que facteur ambiguïsant.

tante d'un même champ ou, de préférence, d'un même axe sémantique, on pourra envisager la possibilité d'un rapport (ou de plusieurs) entre son et sens, qu'il faudra évidemment vérifier avec rigueur et prudence pour en tirer une valeur, qui restera hypothétique.

Les critères définis plus haut ont isolé une quarantaine de séquences (soit le quart de notre corpus, total assez considérable), portant sur sept phonèmes. L'examen de ces séquences conduit à la remarque banale, que la réflexion théorique a déjà fait pressentir : la répétition phonémique n'est souvent que la conséquence d'une répétition lexicale :

> Toi qui marchais comme un vieux *rêve* brisé
> Un *rêve* foudroy(é) (DDP. 17 38 1-2),

et seule cette dernière répétition permet de retenir la séquence. Dans ce cas, la répétition phonémique, nécessairement seconde, a peu de chance de jouer un rôle comme telle. D'autre part, comme il est naturel, la répétition lexicale porte ordinairement sur des « mots-outils » :

> C'est le temps *des* rois *du* farniente,
> Le temps *des* flics et *des* mouch(ards) (DAD. *A.* 9 21 1-2),

ou bien, même s'il n'est pas répété, c'est un mot-outil qui entraîne un TR suffisant :

> Vaines, *toutes* ces anticipations
> qui veulent nous donner des ailes
> et (qui promettent...) (RBR. *T.* 30 119 1-3).

Il n'est certes pas impossible qu'un mot-outil serve de générateur de valeur (ainsi /t/, produit par « tu » ou « toi », pourrait-il revêtir une valeur allocutoire), mais on nous accordera qu'une telle rencontre est exceptionnelle. Ces deux raisons surtout rendent les quatre consonnes de notre (trop) étroit corpus inopérantes. La troisième raison d'exclusion porte évidemment sur les significations disparates des séquences.

Il ne reste donc que les voyelles dont il ne soit pas impossible de proposer une valeur, mais dans trois cas seulement (alors que six auteurs sont concernés), et pour deux voyelles : /i/ et /ɛ/. Voici, pour ce dernier phonème, les trois séquences de Ranaivo :

> Dites, ô *h*erbes, ô fourgères, / la-bien-*ai*mée-aux-yeux-de-
> *jais* (C. 1 11 1-2) ;
> Quelle est c*e*lle-qui- f*ai*t-claquer-ses-pas-sur-la-t*e*rre-ferme ?
> / — C'est la (fille...) (R. 20 37 1-2) ;

(l'immense) b*ai*ser d'*ai*rain, / le b*ai*ser-bleu-d'adieu / de la Terre d'Imerina (28) (*C.* 11 30 27-29).

On voit assez nettement que se tresse ici un réseau associatif : sol, terre natale, végétation, femme, amour sensuel. Il se crée ainsi une sorte de mot poétique virtuel (impression renforcée par l'usage systématique du tiret) dont le sème générique serait /« terre »/, mais entraînant nécessairement autour de lui une série de sèmes contextuels. /ɛ/ recevrait donc chez Ranaivo une valeur « terrienne » spécifique, si toutefois cette hypothèse était vérifiée. Elle serait confirmée par :

Poussière du vallon creux,
le moindre vent la soulève ;
quant au peu qu'il en r*e*ste
les eaux de pluie l'emportent (*R.* 1 11 9-12),

mais infirmée par :

Lettres ?
Des mots.
Poème ?
Soit, mais sans thème
comme rêve l'enfant de Bohème (*R.* 18 34 1-5),

sauf à considérer le poème, tel que le conçoit Ranaivo, comme une variante particulière de *sa* terre.

/i/ est représenté par trois séquences de Césaire et de Socé :

Au bout du pet*i*t matin... / Va-t-en, lu*i* d*i*sais-je, gueule de fl*i*c, gueu(le de vache) (CES. *R.* 25 1-2) ;
(mainten)ant la langue maléf*i*que de la nu*i*t en son *i*mmo-b*i*le verr*i*tion (fin de *R*, déjà citée) ;
Bien sûr qu'*i*l va mour*i*r le Rebelle. Oh, *i*l n'*y* aura pas de d(rapeau même noir) (*E.* 7 1-2) ;
Voic*i* quelques r*y*thmes / De la gu*i*tare afr*i*caine / Je ne sais (s'il*s* procèdent...) (SOC. 1 15 1-3, déjà cité) ;
Sur une branche printanière / Le gai pinson a r*i*. /*I*l d*i*sait : / Il (n'*y* a de Dieu que Dieu) (13 50 1-4) ;
Prosper Mér*i*mée a déjà chanté / Ta d*i*gn*i*té *i*nébran(lable) (15 54 1-2).

Exemples intéressants parce que clairement significatifs. On constate en effet que cinq de ces séquences sur six ont trait à la parole : la parole proférée, et que, entre Césaire et Socé, s'instaure un axe sémantique avec sèmes opposés : Socé : parole bénéfique, diurne, de vie ; Césaire : parole maléfique, nocturne, de mort. La séquence des *Chiens*, qui échappe au champ de la

(28) On rappelle que ce dernier mot se prononce /imɛRn/.

parole, maintient cependant le sème /« mort »/ : manifestation plus complexe que chez Socé. Césaire paraît, en réalité, disposer de deux champs, dont il faudrait savoir s'ils sont hiérarchisés. Si l'on vérifiait l'autonomie relative du champ de la mort, on pourrait adjoindre trois nouvelles séquences, empruntées, cette fois, à Niger :

> J'aime ce pays, disait-il ; on y trouve : / « Nourriture, obéissance [...] » (2 9 1-2) ;
>
> Contemplatrices stériles de richesses profondes, vous qui (murmurez...) (4 26 1-2) ;
>
> L'esprit précis du juriste est mort avec l'arrêt du mot(eur) (6 35 1).

On tire à l'évidence de ces trois exemples le sème /« mort »/ et celui, voisin, de /« stérilité »/. La « nourriture » de 2 9 2 est une nourriture stérilisante, voire mortelle ; en tout cas la parole, présente dans la première séquence (et peut-être latente dans les deux dernières), est une parole maléfique : c'est le colon colonialiste qui s'exprime avec cynisme. Là encore des vérifications minutieuses s'imposent. On en tirera simplement la conclusion que /i/, à un moindre titre /ɛ/, possèdent, sans doute plus que les autres phonèmes, un potentiel de valeur. De façon générale, mais hypothétique, il est possible que les voyelles soient plus aptes que les consonnes à jouer ce rôle. Le tableau des « constellations » montre que nos auteurs recourent davantage, en cas de redondance, aux consonnes qu'aux voyelle (67 % contre 33), ce qui tendrait à prouver qu'à leurs yeux, les valeurs virtuelles des phonèmes n'ont que peu, sinon pas d'intérêt. On notera toutefois que deux poètes inversent le rapport consonnes/voyelles : Socé et Niger, dont il vient, précisément, d'être question. Est-ce chez eux qu'une enquête aurait chance d'être moins infructueuse ? ce n'est pas certain, les voyelles pouvant avoir un autre rôle que « valorisant ».

Brève enquête décevante. Il ne pouvait en être autrement du fait d'un corpus trop ténu et de la précarité du phénomène. De façon plus évidente et probante, la redondance est fonctionnelle (ou peut l'être) à l'intérieur de chaque séquence. C'est ce qu'il nous faut examiner pour finir.

***
****

Si la valeur symbolisante est rare (et difficile à attester), l'expressivité, dont on a souligné le caractère ludique (29), et la banalité, apparaît plus fréquemment sans être d'un emploi

(Lire note 29 p. 210).

ordinaire. On trouve dans la négritude, comme ailleurs, deux types d'expressivité : l'expressivité proprement dite, qu'on pourrait appeler *figuration* (30) : elle évoque le référent dénoté par la séquence (figuration du référent), et une forme indirecte d'expressivité, intralinguistique, qui, selon la théorie de Becq de Fouquières, rappelle, en tout ou en partie, un ou plusieurs mots-clés du vers ou de la phrase (figuration du signifiant) ; on pourrait nommer ce second type *expansion*.

Un expressiviste tirerait sans doute de notre corpus un assez grand nombre de figurations. Si l'on partage les réserves exposées ci-dessus, on n'en relèvera guère qu'une douzaine, encore sont-elles, ainsi qu'on va voir, passablement discutables. Citons-en quatre qui paraissent plus significatives que les autres (l'une est déjà connue) :

> Dans le bois obscurci / Les trompes hurlent, hululent sans merc(i) (BDP. 38 61 1-2) ;
>
> Le fouet siffle / Siffle sur ton dos de sueur et de sang / Souffr(e pauvre Nègre) (DDP. 20 46 1-3) ;
>
> Clarté indécise. / La nuit / entre dans la chambre, sombre v(oile) (ROU. 18 279 1-3) ;
>
> (Les) mouches sont toujours lourdes de vesou, / et l'air chargé de sueur (TIR. 8 24 26-27).

Les deux premières séquences semblent ressortir à l'harmonie imitative, disons : figurative. On « croit entendre » hurler les trompes, siffler le fouet. En réalité, ce sont moins les phonèmes que les mots qui délivrent la figuration : « hurler », « hululer » (qui sont des doublets), « siffler » ont conservé la valeur onomatopéique des originaux latins et il est *admis* depuis longtemps que « fouet », avec sa fricative initiale et sa brièveté « sèche », a une « sonorité suggestive » (31) ; il fait partie des mots donnés comme expressifs par la plupart des auteurs. On notera également la duplication de « siffle » chez David Diop (32) et la reprise de « hurlent » en « hululent » chez Birago (33). L'exem-

(29) Objectivement ludique. En fait, l'emploi qu'en fait la négritude n'est qu'exceptionnellement ironique ou parodique (v., p. ex. BDP 21 37 13-14 : « Peureux l'*Ibis* se tient sur une patte / Puis frénétiquement réclame : *Bis*. » Prendra-t-on au sérieux la cacophonie : « ces saisons insaisissables ce ciel sans cil et sans instance ce sang » (CES. *M*. 34 53 15-16) ?).

(30) Le mot est tiré d'une proposition terminologique de L. FLYDAL (« Les Instruments de l'artiste en langage, 164).

(31) C'est l'expression de SAUSSURE, qui prend, précisément, cet exemple pour son étude critique des onomatopées (*C.L.G.*, 102). « Fouet », démotivé par la perte de la conscience étymologique, est remotivé par la « figuration ».

(32) Même procédé en 8 26 7-8 : « (les vagues furi)euses de la liberté / Qui claquent claquent sur la Bête affolée ».

(33) Senghor écrit dans l'un de ses derniers poèmes : « Pour ne pas hululer huhurler au ciel panique » (*M*. 6 313 7).

ple de Roumain est plus nettement figuratif du fait des phonèmes, ici vocaliques : compatibilité _admise_ entre auditif et visuel, valeurs traditionnelles de /i/, aigu _donc_ clair et des nasales /ã/, /ɔ̃/, graves et longues _donc_ obscures. Les vers se prêtent à cette interprétation. Ils opèrent heureusement cette « rémunération » qu'exigeait Mallarmé, à propos de « nuit » justement : n'est-elle pas, ici, source de clarté ? On peut également considérer que, dans les deux vers de Tirolien, /U/ prend une valeur figurative en plein accord avec le signifié. Mais, répétons-le, ces exemples, faciles, ne sont pas fréquents, sauf, sous bénéfice d'inventaire, chez Tirolien, qui écrit par exemple (au dehors de notre corpus limité) :

> six fois le pipirit a fait siffler sa flèche (3 12 18) ;
> [...] quand les grêles grillons d'une voix de crécelle
> aiguisent leur refrain (5 15 9-10) ;
> [...] tandis que sous mes pas
> crissait le sable du désert (8 23 11-12).

Tels exemples de Senghor, ainsi _H_. 18 88 3 (« le hennissement chevrotant de vos chevaux de fer »), sont isolés, tel autre de Césaire, auquel un exégète fait un sort (34), peu probant, etc.

On constate même parfois un refus de la figuration là où le sens la rend possible. Si l'on admet que, dans :

> Nous voici de nouveau face au lac de nos rêves.
> Au silence s'u(nit un crépuscule pur) (RBM. _O_ 31 62 1-2),

Rabemananjara suggère, par la répétition des fricatives labiales et dentales, un chuchotement, qui suggère à son tour le silence ambiant, Rabearivelo, en revanche, rejette tout effet d'expressivité dans _P_. 1 28 1-2 :

> Ne faites pas de bruit, ne parlez pas :
> vont explorer une (forêt les yeux, le cœur).

Ces exemples auront suffi à prouver combien la frontière entre les deux types d'expressivité est incertaine. Dans les vers de D. Diop et de Tirolien, « siffle » et « mouches » engendrent, dans une certaines mesure, quelques-uns des phonèmes de la phrase, en tonalité dans le premier cas, en modulation dans le second au moins pour /mUʃ(ə)/ → / vəzU/. L'expérience a mon-

---

(34) Z. ZADI (_Césaire entre deux cultures..._, 161-162), à propos de _R_. 86 1373-1374 : « et voici parmi les déchirements de nuages la fulgurance d'un signe. » Selon lui, le choix du néologisme « fulgurance » au détriment de « fulguration » attendu, serait, grâce au suffixe /ãs/, signe d'harmonie imitative : Césaire aurait « voulu produire un effet qui soit en rapport, au plan accoustique, avec le surgissement menaçant de l'acte révolutionnaire ». Appréciation gratuite (et terminologie discutable : en tout état de cause, « harmonie imitative » ne convient pas ici).

tré que de tels vers, sentis comme figuratifs à première lecture, étaient, en fait, expansifs. Ainsi :

> (Un soleil tout nu et t) out rouge
> Verse des flots de sang rouge
> Sur le fleuve tout rouge (BDP 49 83 10-12) :

impression de déferlement due aux phonèmes /fl/, /R/ et /s/, mais on constate comme un engendrement autour de /flœvRUʒ/. Il se confirme que la figuration est ou bien conventionnelle, ou bien illusoire. Ce second type d'expressivité (en fait, de pseudo-expressivité) nous semble, poétiquement, plus pertinent que le premier. Son intérêt est non seulement de demeurer dans la langue, mais d'obéir aux contraintes linguistiques ou, plus justement, de s'accorder avec la pratique langagière, consciente ou non. Contrairement aux anagrammes saussuriennes qui, si elles étaient prouvées, relèveraient d'une intention cryptographique, l'expansion paraît, dans la mesure où elle est volontaire (ce qui est difficile à établir), l'application d'un principe d'expression parfaitement naturel, c'est-à-dire spontané. Freud en témoigne dans sa *Traumdeutung*. Ces considérations expliquent sans doute, pour partie, que l'expansion soit notablement plus fréquente que la figuration. Quelques exemples révélateurs (certains déjà cités) pour étudier le phénomène :

(1) la *pierre* qui s'émiette en mottes / le désert qui se blute en bl(é) (CES. *F.* 48 89 1-2) ;

(2) Le *salut* du jeune soleil / Sur mon lit, la lumière de ta l(ettre) (SEN. *L.* 30 255 1-2) ;

(3) Toute la peine / au poids de l'eau que portent / les femmes *frêles* / (de l'Issa-Ber) (DAM *N.* 27 115 1-3) ;

(4) pourquoi m'enfermerais-je / dans cette image de *moi* / qu'ils voud(raient pétrifier ?) (TIR. 26 73 1-3) ;

(5) Tes surgeons refleurissent, *Afrique* / dans la chair labourée de m(on peuple) (TIR. 16 45 1-2) ;

(6) L'Afrique, continent *titanesque*, isolé du reste du mon(de) (SIS. 41 67 1).

Ces quelques séquences révèlent trois type d'expansion, mais également contestent son principe même.

La théorie pose l'existence d'un *mot* polaire, générateur, sinon, pour ce qui nous concerne, d'harmonie, du moins de phonèmes. Ce mot a été chaque fois souligné. Mais on se rend compte que, si, dans certains cas : (1), (2) et (5), le mot s'impose avec une certaine évidence, dans d'autres l'hésitation est à ce point légitime qu'on peut se demander si ce mot existe et si, donc, sa quête se justifie. N'a-t-on pas dès lors affaire à une fonction phonémique d'un autre ordre ? La séquence (3) est peut-être, à ce propos, la plus révélatrice de celles qui viennent d'être citées. Ce qui permet, objectivement, de privilégier /fRɛl/, c'est que tous les phonèmes qui composent cet adjectif ont été exprimés auparavant. Mais cette objectivité implique un choix, celui de la tonalité aux dépens de la modulation. Or, rien ne s'oppose en théorie à prendre la modulation comme structure dynamique de base (puisque la probabilité d'une redondance modulante est beaucoup plus forte que celle d'une redondance tonale) et de considérer la tonalité comme une simplification du système fondamental, qui n'a pour elle que son caractère plus évident. Dans ces conditions, pourquoi ne pas partir de /pɛn/, dont /fam/ serait la transformation modulante ? « Peine » et « femme » entreraient donc ici en relation d'équivalence, ce qui donne plus de sens que la focalisation sur « frêles », trop strictement descriptif. On pressent également que le jeu redondant n'est pas épuisé par une recherche de valeur.

Si, malgré ces réserves, dont on ne peut minimiser l'importance, on accepte, provisoirement, la validité du mot polaire générateur, on tirera des exemples ci-dessus deux types d'expansion : l'expansion qu'on peut dire *ouvrante* lorsque le mot polaire est exprimé en tête de séquence : ex. (1) et (2), et l'expansion *fermante* lorsque le mot polaire réunit en lui, de manière en quelque sorte conclusive, les (ou des) phonèmes apparus avant lui en ordre dispersé : (3) et (4). Il existe donc un troisième type, *mixte*, où le mot polaire occupe une position centrale : (5) et (6).

L'expansion ouvrante, comme il est naturel, est la plus fréquente. Elle implique une écriture progressive et, si l'on peut dire en simplifiant beaucoup, la présence du thème dans la conscience du sujet écrivant. C'est revenir à l'intentionnalité, et, de fait, elle paraît acquise en bien des cas. Mais il est vrai qu'elle n'est pas nécessaire et qu'un certain automatisme ne procède pas autrement : le mot lancé initialement produit les mots suivants par éclatement du signifié et du signifiant. Le travail intentionnel, quand il existe, opère en conformité avec la pratique langagière. Consciente ou non, il faut insister sur la *présence réelle* du mot initial. (1) démonte assez clairement le procédé et peut servir de référence canonique à cette écriture de la métamorphose assez caractéristique de Césaire. Les trois premiers phonèmes de /pjɛR/ engendrent « émiette » par maintien de /jɛ/ et nasalisation de la bilabiale, les deux derniers se retrouvent au début du vers suivant : « le désert », l'initiale de « blute » et de « blé » reprenant, avec modulation, les bilabiales du premier vers. On s'aperçoit, cependant, que l'expansion n'a pas sa source dans le seul mot focal. Il se produit, le processus étant enclenché, une sorte de réaction en chaîne : /emjɛt/ → /mɔt/, /blyt/ → /ble/. (2) souligne l'incertitude de la base dont on vient de parler : si tous les phonèmes de « salut » se répètent dans le reste de la séquence (base phonémique), la base sémantique est davantage assumée par « soleil ». Nous aurions là un subtil et intéressant décalage entre le dynamisme du signifiant et celui du signifié.

On serait tenté, en revanche, de voir dans l'expansion fermante une forme aléatoire, significative néanmoins, comme dans le cas précédent, du fait de la distorsion qui a chance d'apparaître entre expression et contenu : c'est ce que, d'un autre point de vue, nous avons mentionné à propos de l'adjectif « frêle » de Damas : circonstant descriptif secondaire pour le sens, mais promu au premier rang par la structure phonique. Forme incertaine, donc, qui tend à ambiguïser l'énoncé, mais qui, si notre hypothèse est recevable, témoignerait d'un double travail, celui de l'auteur qui vise à produire un sens et celui du langage qui cherche à se reproduire, c'est-à-dire qui impose son exigence de redondance.

Dans cette même perspective, on pourra considérer que l'expansion mixte réalise l'équilibre entre ces deux tendances et peut donner (dans le champ où nous nous trouvons) une image de ce qu'on appellera, très précautionneusement, une écriture « naturelle », soit une écriture qui ne se contraint ni à l'idiolecte ni à la singularisation du référent. La séquence (6) est, en ce sens, assez probante, en premier lieu parce que ce type se rencontre, dans notre corpus, plus évidemment chez un Sissoko dont l'écriture nous est apparue plus cursive que celle des autres, en second lieu parce que l'expansion s'organise autour d'un mot relativement rare, « titanesque », et en justifie donc la présence, enfin parce que l'un des éléments dynamiques, précisément le premier de la séquence, et du poème, est le nom « Afrique », lexème crucial, cela s'entend, dans la théorie et la pratique de la négritude. On peut d'ores et déjà se demander si ce mot ne joue pas, au niveau phonémique, un rôle générateur. Il se lit deux fois dans les exemples retenus. Ajoutons une troisième séquence, qui donne comme une image, faible, de l'expansion ouvrante :

Afrique des tam-tams

Afrique des jeunes filles rieuses sur le (sentier des rivières) (DAD. *A.* 2 12 1-2) :

/a/ est exloité dans « tam-tams », exploitation sémantiquement naturelle, /f/, /R/ /i/, au second vers, dans « jeunes filles rieuses ». L'expansion tend à faire de ce dernier syntagme moins un complément d' « Afrique » qu'un prédicat définitionnel : nous avons déjà vu l'étroite association que la négritude établit entre l'Afrique et la femme. C'est une autre image, au sens propre, que montre Sissoko au début d' « Harmakhis » (où se retrouvent, à une modification près, tous les phonèmes d' « Afrique »), celle d'un titan. Mais, si l'on tient compte de l'orientation phonémique, qui, dans ce cas, n'est pas conforme au sens syntaxique, ce n'est pas le titan qui est opposé à « Afrique », mais l'inverse : le titan se fait continent et ce continent se nomme l'Afrique. C'est, du moins, la conclusion qu'impose notre mode de lecture et qui ne peut convaincre qu'à condition que celui-ci soit accepté.

L'important est sans doute moins l'interprétation que la saisie du procédé. Il faut souligner d'abord sa fréquence, en particulier chez Senghor et surtout chez Césaire. Tous deux l'utilisent avec tant d'évidence qu'il peut, à la limite, passer pour un jeu rhétorique. On trouve des centaines d'exemples comme ceux-ci, pris un peu au hasard :

Bon collègue poli élégant — et les gants ? — souriant riant rarement (SEN. *C.* 18 31 45) ;

Des choses mortes sous l'aigre érosion de la raison (*E.* 6 112 31) ;

Qu'il donne à tes ponts la courbe des croupes et la souplesse des lianes (*E.* 7 117 34) ;

[...] et c'est la montagne volcan qui tangue, cambre les lombes (*M.* 7 328 78) ;

le paysage déchu [...] de voies

privées, de dieux pluvieux, voirie et hoirie de roses brouillées (CES. *A.* 2 15 115-116) ;

ah donnez-moi l'œil immortel de l'ambre

et des ombres et des tombes en granit équarri (10 38 11-12) ;

cependant que les masses compactes des icebergs pirates tendent vers Ostende (*S.* 21 34 24-25) ;

des fromages de crachat le carat de l'insulte

et trois rois mages (27 42 25-26) ;

de tout paysage garder intense la transe

du passage (*M.* 60 89 11-12), etc.

Le procédé se retrouve presque partout ailleurs, mais avec, en général, une fréquence sensiblement moindre, ainsi DAM *P.* 6

23 10-12, cité précédemment (2, 4, t. 1, 363) (35). C'est un indice très net d'écriture dynamique, témoignant de la créativité du signifiant. Il va de soi, néanmoins, que son usage, ou même, si l'on veut, son abus, est plus caractéristique d'*un* langage poétique que de la négritude proprement dite (36).

Par ailleurs, la figuration nous est apparue comme un cas particulier de l'expansion, employé à des fins sémantiques et visant, pour l'ordinaire, à l'isomorphisme, c'est-à-dire à la réitération du sens sur le plan phonique. L'expansion ne semble pas obéir à cette contrainte. C'est davantage un facteur ambiguïsant qui superpose une orientation relativement autonome à l'orientation syntaxique. Ce facteur est, selon les types, plus ou moins aléatoire. La conséquence est que l'interprétation n'est pas certaine, non pas seulement dans son contenu, mais dans son existence même. Autrement dit, l'expansion peut être comprise comme un cas particulier d'un processus plus général, structurant, et non plus signifiant. Nous l'avons repéré antérieurement. Nous allons l'envisager pour clore ce chapitre.

$$* \atop **$$

Il est manifeste, ici encore, qu'il n'existe aucune frontière nette entre structuration et expansion. Dans une séquence telle que :

Si je ne sais sourire comme tous les hommes
c'est que,
les dents serrées s(ur des paroles ésotériques) (BRI *S*. 13
119-121),

on tiendra valablement « serrées » pour une expansion de « sourire » mais l'essentiel paraît la structuration réalisée par les deux phonèmes les plus redondantes, /s/ et /e/ (TR, respectivement : 108 et 49).

Arrêtons-nous un instant sur cet exemple assez révélateur d'un certain travail de structuration et qui nous permettra d'entrevoir plusieurs modes d'apparition du phénomène. On

---

(35) Cf., entre beaucoup d'autres, BRI *D*. 9 71-72, 10 93 ; BDP. 21 37 13-14 (cité ci-dessus), 27 45 5-13 ; DDP 9 27 6 ; NIG. 2 9 11, 3 24 109-110, 4 29 88-89 ; RBR. *P*. 26 74 33 ; RBM. *L*. 17 20-22, 43 134, 47 148-149 ; RAN. *C*. 9 27 1-2, *R*. 8 22 25-34, 19 36 7-11 ; SIS. 5 16 38 ; SOC. 6 32 13-14, 8 38 62 ; TIR. 1 6 28-29, 5 16 20, 10 28 24-25, etc.

(36) On a déjà signalé les jeux de mots surréalistes (qui ont, semble-t-il, une autre source) ; on pourrait ajouter Saint-John Perse : « Le vin nouveau n'est pas plus vrai, le lin nouveau n'est pas plus frais » (*Vents*, IV, 5), etc., et combien d'autres... : les interprétants culturels français ne manquent pas.

peut figurer ainsi ces deux phonèmes polaires dans le déroulement des 17 syllabes de la séquence, en leur associant les modulations qui les consernent :

1	2	3	4	5	6	7	8	9	10	11	12	13	14	15	16	17
s	(ʒ)		s	s					(z)	s				s		s
	(ə)	(ə)	(ɛ)					e		e	(œ)	e		(ɛ)	e	
			R(R)	ɔm					ɔm						R	

On constate une distribution très différente : régularité relative des occurrences de /s/ tout au long de la séquence avec modulations rares, soulignées cependant par leur proximité avec le phonème matriciel, qu'elles renforcent donc. Cette régularité assure l'unité de la séquence. On voit également qu'il est vain d'essayer d'en tirer une valeur quelconque. /e/ ne s'impose que dans la deuxième moitié de la séquence mais avec moins d'évidence du fait du jeu important des modulations (dont on constate qu'elles sont moins sensibles que celles qui touchent les consonnes de la première ligne). Tout se passe comme si une tonalité se cherchait dans la première moitié pour se trouver, en partie, dans la seconde. La reprise de modulations identiques ou très voisines : /ɛ/ et /ə/, /œ/, renforce l'unité de la séquence, mais en ajoutant à la première ligne, statique en quelque sorte, un certain dynamisme. Deux structurations, donc, l'une totale, continue, statique, l'autre partielle, discontinue, dynamique. Il existe une troisième ligne structurante, plus discontinue encore et plus limitée, les deux cellules /R-/ et /-ɔm/ qui figurent une fois chacune dans les deux demi-séquences. Ces trois lignes de redondance saturent presque complètement la séquence, ne laissant de côté que les syllabes 8 et 14. On s'aperçoit cependant que ces deux dernières font intervenir une modulation /t/ → /d/, évidemment beaucoup moins sensible que les autres redondances. On pourrait la reporter sur une quatrième ligne, chacune figurant donc la puissance décroissante du phénomène.

Cette analyse met au jour trois types de structuration : totale, partielle (matrices) et fragmentaire (cellule). Elle invite en outre à considérer les deux manifestations complémentaires de la tonalité et de la modulation. Si l'on tient compte de ces deux dernières dimensions, nous pourrons dire que la séquence de Brierre est structurée par deux matrices totales parallèles, l'une tonale, /s/, l'autre modulante, /ə, ɛ, e/. Elle est, par ailleurs, saturée par une matrice tonale partielle, /e/, et trois cellules fragmentaires d'importance inégale. Nous avons donc affaire à une séquence très redondante, ce que confirment les chiffres : i.v. = 18, i.d. = 8, TR = 195, E = 1,5.

Si ces vers peuvent être dits « matriciels », sans la réaliser eux-mêmes ils laissent attendre la possibilité d'une autre structure qu'on nous permettra d'appeler « cellulaire ». Elle sera composée de la succession de cellules différentes, chacune comprenant, en règle générale, deux phonèmes (ou groupes de phonèmes) identiques. Une telle séquence sera caractérisée par un TR relativement bas obtenu par l'addition d'un certain nombre de taux de redondance partiels (taux d'un phonème de la séquence), tous moyens ou faibles (condition nécessaire mais non suffisante). Pas plus que dans les cas « matriciels » analysés ci-dessus, notre corpus ne nous offre de réalisations pures du type « cellulaire ». La contamination est donc la règle. Toutefois, la prédominance d'un type sur l'autre est généralement sensible. Soit la séquence suivante :

> Cinq siècles
> de voyages et d'enrichissement
> de mort et de ré(surrection) (DAD. *H.* 44 95 1-3).

Il nous semble que, même en négligeant totalement la dimension rythmique, il est perceptible que ces vers révèlent une organisation phonémique très différente de celle de la séquence précédente. En pratiquant le même étalement linéaire, on obtient ce schéma :

1	2	3	4	5	6	7	8	9	10	11	12	13	14	15
		d				d				d			d	
				e								e		e
s	s		(v)	(ʒ)					(ʃ)	(s)				
			a	a		(ã)			(ã)					
						m		m						

Malgré la quadruple apparition de /d/ en première ligne, il est difficile d'admettre que ce phonème ait une fonction matricielle. Nous avons déjà vu qu'il convient, le plus souvent, de distinguer le phonème en mot faible du phonème en mot fort. /d/ est, ici, beaucoup moins palpable que le /s/ de la séquence de Brierre. Les trois /e/ de la seconde ligne ne peuvent être, du fait de l'isolement du premier, considérés comme une matrice partielle discontinue. Il s'agit plutôt d'une cellule terminale vaguement préparée. Le statut de /s/, /a/ et /ã/ est assez clairement celui d'une cellule, en tant que couples juxtaposés et non pas intriqués. On s'aperçoit cependant que les deux cellules en /s/ et en /a/ engendrent, par modulation, les cellules suivantes. Cette action est évidente pour /a/ → /ã/, moins assurée pour la ligne des /s/ qu'on pourrait, à la rigueur, tenir pour une matrice partielle, en particulier parce que les phonèmes des autres couples : /v-ʒ/ et /ʃ-s/ n'occupent pas une position parallèle dans la syllabe (37). Mais, en tout état de cause, il s'agirait d'une matrice secondaire, engendrée par la cellule initiale et, donc, d'une pseudo-matrice (le terme de matrice convenant ici fort mal).

Cet exemple, comme, au reste, le précédent, est évidemment complexe, mais ce qui, à nos yeux, lui donne un caractère « cellulaire », c'est que, quelles que soient les retombées (ou les rebondissements) d'une cellule déterminée, nous percevons la succession de groupes binaires, qui rend compte (*à ce niveau phonémique*) du caractère dynamique de la séquence de Dadié, que l'on opposera à l'apparence statique de celle de Brierre. S'il n'est pas impossible d'opter ici pour une structure plutôt que pour l'autre, on se doit néanmoins de conclure à l'absence, entre elles, de toute frontière tranchée : on passe insensiblement de la matrice partielle à la cellule.

Du point de vue structural, les séquences que nous avons relevées réalisent (de façon, certes, très variée) ces deux catégories de structure profonde, la première (matricielle) étant *unifiante*, la seconde (cellulaire) étant *progressive*. Par ailleurs, se superpose à cette structure profonde, mais sous-jacente à la réalisation de surface, une nouvelle structure optionnelle : *tonale* ou *modulante*. Si l'on accepte cette analyse, on dispose donc de quatre modèles de base : unifiant-tonal, unifiant-modulant, etc. On peut imaginer des réalisations strictes de ces quatre modèles. Dans la pratique, comme l'ont montré nos deux exemples, on assiste à des contaminations très diverses, qui tantôt justifient sans doute une étiquette plutôt qu'une autre, ainsi la séquence de Brierre serait classée comme unifiante-tonale, celle de Dadié comme progressive-tonale), tantôt devront être considérées comme mixtes, si deux modèles, ou plus, s'équilibrent. La rime, comme telle, établit un intéressant compromis entre les deux catégories, progressive lors de la première apparition qui contraint la suivante, unifiante, parce que conclusive, au moment de la seconde. Les vers rimés devraient faire l'objet d'une étude particulière.

Ces deux fois deux modèles suffisent-ils à rendre compte de toutes les structurations phonémiques opérées par la négritude ? Ils justifient les séquences de notre corpus, mais celui-ci est trop peu représentatif pour qu'on puisse garantir que

---

(37) C'est la raison pour laquelle, dans le schéma, la troisième occurrence de /s/ est mise entre parenthèses : celle-ci est implosive alors que les deux premières sont explosives. Même symbole pour le second /R/ de la séquence de Brierre.

d'autres modèles ne se rencontrent pas. Il faut également reconnaître que ces modèles de base échappent à la négritude. Ils ont chance de sous-tendre un très grand nombre d'énoncés français, voire de toute autre langue, pour peu qu'ils accusent une certaine redondance. Allons plus loin : le vers traditionnel français, syllabique et rimé, applique, dans des conditions propres, les deux modèles de base : la rime (avec l'ambiguïté qui vient d'être signalée) et les pauses d'hémistiche donnant une image de la structure unifiante, les accents secondaires et variables, les rejets et les enjambements, une image de la structure progressive. Cette dernière y semble donc hiérarchiquement soumise à la première. L'un de ces modèles peut-il caractériser la négritude ? Si l'on garde en mémoire ce qui a été dit précédemment de la « parlure africaine », de la tendance à l'oralité que manifeste une certaine négritude, de l' « esthétique du cri », de la tyrannie du rythme, etc., il pourrait sembler logique de voir la négritude préférer sensiblement la structure *progressive* et, plus précisément, eu égard au souci d'efficacité que témoignent ses positions théoriques, la structure progressive *tonale*. Mais si l'on prend en considération la monotonie revendiquée, à l'occasion, par Senghor, on conclura que la structure progressive (dynamique et variée) se manifeste sur (ou dans) une structure unifiante (répétitive et monotone), ce qui reproduit, avec des modalités propres, le modèle vraisemblable du vers français classique.

Il faut, en tout état de cause, se montrer prudent. Accorder une valeur à une structure suppose une double pétition de principe : le postulat d'isomorphisme (plutôt besoin culturel que réalité objective, on vient de le voir) et celui de la « bijectivité » (38) de cet isomorphisme (lourdement hypothéqué par les faits). On ne doit pas oublier, en outre, que, à ce niveau phonémique, la contrainte de la langue est particulièrement topique et forte. Or cette pression conduit à la structure unifiante. La structuration progressive exige plus de travail et, donc, semblera moins « naturelle », de même que, précédemment, l'écriture « diffusante » nous est apparue plus élaborée que l'écriture redondante. La recherche d'un modèle de la négritude, problématique au demeurant, devrait être menée sans idée préconçue. Elle implique surtout un long et minutieux travail comparatif auquel il est impossible de se livrer ici. Du moins peut-on, au vu de nos quelques séquences, hasarder l'hypothèse

(38) Voir sous ce terme la démarche suivante : si l'on a déduit de l'association entre un sens donné et une forme le sens de cette forme (isomophisme) on en induit que cette forme a ce sens et celui-là seul.

que certains poètes sollicitent plus volontiers un modèle précis. Dans ce rapide bilan conclusif, nous intégrons évidemment les deux autres modèles, signifiants, eux, par définition : l'expressif et l'expansif.

*
**

Comme on peut s'y attendre, l'expressivité stricte n'est qu'une variable occasionnelle : fonction du sens, elle n'est utilisée que si la réalité sensorielle du thème y convie. La négritude paraît s'accorder à la théorie de l'expressivité *seconde*. Encore n'est-elle pas mise en œuvre, ainsi qu'on l'a vu, chaque fois que l'occasion se présente. Tels poètes (Brierre, Césaire, Keita, Niger, Rabearivelo, Sissoko) n'y ont, semble-t-il, que peu recours. Les autres, en particulier B. Diop, Senghor, Rabemananjara et, avant tout, on le sait, Tirolien, hésitent moins à employer ce procédé voyant. Citons, pour confirmation, ces vers pris au dehors de notre corpus :

> L'ouragan arrache tout autour de moi
> Et l'ouragan arrache en moi feuilles et paroles futiles
> (SEN. C. 3 11 1-2) ;
> Tam-tam sculpté, tam-tam tendu qui grondes sous les doigts du vainqueur (8 17 9).

Evidente expressivité, mais non expressivité stricte : elle est, en fait, articulée sur un mot-thème : « ouragan », « tam-tam ». C'est le cas général. L'expressivité n'est guère que l'exploitation sporadique de l'expansion.

A une exception toutefois, dont Senghor témoigne assez fréquemment : l'expressivité liée à des termes étrangers, souvent des noms propres, non référenciables pour un lecteur français (qui, donc, n'a plus à sa disposition qu'un signifiant), mots, surtout, qui intègrent des phonèmes ou des successions de phonèmes qu'ignore le français. Les phonèmes inconnus sont nécessairement rares : l'usage des caractères latins provoque une inévitable francisation des phonèmes indigènes. A la rigueur, passera peut-être pour étranger /ŋ/ après /a/, /o/ et /U/ : « aigrette de Sat*ang* » (SEN. N. 13 181 1), « résonner haut comme un sor*ong* » (E. 17 149 17), « je proférai le mot explosif ted*dung*al / » (5 109 19). Mais il est vraisemblable que le lecteur français réduise l' « étrangement » (pour traduire la *Verfremdung* de Brecht) et prononce simplement /sata̱/, /sɔRɔ̃/, etc. ou, tout au plus, fasse sonner le /g/ après la voyelle nasale. L'expressivité par « étrangement » est davantage fournie par des suites phonémiques. Plus qu'un autre, Senghor s'y livre avec complaisance, au point qu'on peut parler de procédé-signature. Citons, un peu au hasard :

> Puits de pierre, *Ngas-o-bil* ! (*C.* 18 29 16) ;
> *Mbaye Dyôb* ! je veux dire ton nom et ton honneur (*H.* 13 79 1) ;
> Les *Guélowârs* ont pleuré à *Dyakhâw* (*E* 16 148 5) ;
> Nous revenions de *Dyônewâr* [...] (*N.* 10 178 3), etc.

Quelle que soit la réaction du lecteur (qu'agacera peut-être un recours si fréquent à un exotisme jugé facile, ou qui prendra plaisir à rêver sur ces portes verbales lesquelles, pour lui, n'ouvrent sur rien de précis), nous avons là, indubitablement, une marque d'écriture. Elle ne joue pas au seul niveau phonique. Nous en reparlerons (4, 3).

L'expansivité semble plus fréquente et peut être considérée comme l'indice d'une écriture orientée vers le sens et la communication de ce sens. On ne s'étonnera pas, dans ces conditions, de voir Brierre utiliser davantage la redondance expansive que la redondance structurante, ce qui se laissait augurer d'un taux de redondance notablement bas. La séquence inaugurale de *La Source* serait assez représentative :

> Les choses que j'ai à vous dire
> sont des lambeaux de moi-même
> abando(nnés sur la route du temps) (9 1-3) ;

i.v. et i.d. forts (22 et 11), TR faible (81), expansion de « lambeaux », la modulation « moi-même » insérée entre les deux cellules tonales /ãbod/ → /bãdɔ/. Comptons également parmi les « expansifs » les deux Diop, Roumain, Senghor et Tirolien.

Le phénomène atteint parfois une évidence rigoureuse et révèle son pouvoir générateur : non plus production quasi mécanique de signifiants, qui peut passer en bien des occasions, nous l'avons vu de Césaire et de Senghor, pour un jeu rhétorique, non plus seulement élaboration d'une ou de plusieurs valeurs, en général difficiles à délimiter et à interpréter, mais engendrement d'un lexème précis qui relance et multiplie la signification. L'expansivité dans ce cas, est, nettement dynamique et créatrice. Rabearivelo note que le signifiant « lambe » « rime bien avec *jambes* » (*P.* 25 71 7), ce qui représente, selon lui, un avantage du français. La suite du poème montre l'expansion à la fois du signifiant et du signifié :

> Ton apparition rime avec les rochers,
> en Imerina (17-18),

« Imerina » pouvant être langue ou région. Empruntons surtout à Senghor deux exemples significatifs :

Vous êtes belles jeunes filles, et vos gorges d'or jeunes feuilles par la voix du Poète (E. 6 115 76).

Vers intéressant qui, tout à la fois, réalise et signifie le procédé : « jeunes filles » engendre, sans discussion possible, « jeunes feuilles » par modulation vocalique /i/ → /œ/. En outre, le double vocalisme du premier syntagme /œ - i/ est réduit, dans le second, à la réitération d'un phonème unique, /œ/, entraînant la fusion de deux notions en une seule. Dans une certaine mesure, en effet, /fij/ peut être tenu pour une image modulée de /ʒœn/ : même nombre de phonèmes, même schéma syllabique, « fricativité » des deux consonnes explosives, avec opposition de voisement, mais l'image est incomplète : une relation de sens s'établit entre « jeune » et « fille », les deux notions restent toutefois séparées. La transformation de « filles » en « feuilles » réduit l'écart et dote le signifié /« filles »/ de son sème essentiel, la jeunesse. Cette transmutation d'essence est bien réalisée « par la voix du Poète ». Le procès de cette métamorphose se trouve ainsi explicité et « voix » est à prendre au sens strict et non au sens métaphorique. On rapprochera de ce vers une proposition de peu antérieure :

Donc je nommerai les choses futiles qui *fleuriront* de ma nomination — mais le nom de l'Absente est ineffable (114 59) :

le pouvoir de transmutation est exprimé, métaphoriquement, par le verbe « fleurir ». L'intention (le verbe est au futur) se réalise dans le vers qui vient d'être analysé, « feuille » pouvant être pris pour une image du signifiant et du signifié de « fleurir » : le poète annonce son pouvoir, le confirme par un exemple réel et explique le procédé.

Le second exemple n'a pas besoin d'être commenté : il vérifiera la validité de ce travail d'écriture. H. 12 78 0 est intitulé « Femmes de France ». Le titre, avec ses deux /f/ explosifs, figure une cellule tonale, reprise et amplifiée dès le premier vers :

Femmes de France, et *v*ous *f*illes de France.

Et voici le dernier :

Flammes de France et fleurs de France, soyez bénies !

Un tel principe d'écriture est, à nos yeux, très important. Nous serons amené à en reparler (4, 3), dans une perspective sémantique.

Il n'est pas impossible d'opposer un groupe « modulant » à

un groupe « tonal ». Tonal, un Dadié, Damas surtout, au moins dans *Pigments*. Les « verlainiennes » (par moments) *Névralgies* demandent davantage à la modulation, plus apte sans doute à exprimer la nuance et la fugacité du sentiment. On comparera, par exemple, une séquence assez violemment tonale comme :

> Passe pour chaque coin recoin de France
> d'être
> un Monument aux M(orts) (*P.* 31 77 1-3),

à celle-ci (hors corpus) :

> Comme un rosaire
> s'égrène
> pour le repos
> d'une âme
> mes nuits
> s'en (vont par cinq) (*N.* 10 93 1-6) :

la redondance tonale /p - R/ → /R - p/ est encadrée de modulations vocaliques et consonantiques. Tonal également D. Diop, tonal sans doute Ranaivo, friand de duplication lexicale (39), et, assurément, Sissoko et Tirolien. En revanche, Césaire est assez clairement « modulateur ». Il suffit de relire la première séquence du *Cahier* (v. p. 208). Certes, elle accuse deux redondances tonales, /i/ et /t/ (structurations unifiantes totale et partielle), mais on suit par ailleurs le travail de cellules modulantes, à la fois vocaliques : /o-U/ → /y-i/, etc. et consonantiques : /b/ → /p/ → /m/, /d/ → /t/, /v/ → /f/, etc. L'exemple est à retenir puisque à une signification véhémente, qui laisse attendre le martèlement de la redondance tonale, correspond surtout une progression modulante, ce qui confirme l'inanité de toute attribution univoque de sens à une forme donnée. Paraissent également accorder la préférence à la modulation, outre Keita, Rabearivelo et Senghor, mais aussi Niger :

> Lune de franchise, voici venu le temps des confessions.
> Il m(e plairait...) (NIG. 3 23 99-100).

L'opposition n'est pas aussi évidente pour ce qui est des structures unifiantes (matricielles) et progressives (cellulaires). Il va de soi que les poètes qui pratiquent volontiers la réitération lexicale emploieront *ipso facto* des structures progressives. C'est le cas de Damas et de Dadié (très différent de la duplication signalée pour Ranaivo). Les choses, toutefois, ne sont pas si simples. En effet, comme on l'a constaté dans l'exemple de Dadié analysé plus haut et comme on s'en rend mieux compte

---

(39) « Trébuchent, trébuchent les eaux de Farahantsana » (O. 3 15 7; cf. 16 37, 5 20 41-42, 7 26 24, etc.).

encore en étudiant Damas, les structures progressives qui animent suffisamment une séquence pour la caractériser, n'en sont pas moins associées, avec une assez grande régularité, à une structure unifiante. Des exemples antérieurs l'ont montré sans qu'il soit besoin d'y revenir : les cellules progressives se greffent sur une ou plusieurs structures unifiantes qui jouent volontiers comme un battement : rôle fréquent du /R/. En fin de compte, ce qui caractériserait le mieux Damas serait la contamination indécidable entre cellules et matrices partielles, les unes et les autres essaimant de manière aléatoire dans le contexte immédiat. Qu'on relise la séquence inaugurale de son œuvre poétique : « Ils sont venus ce soir... » C'est également à une association entre les deux types de structures que l'on assiste chez Keita :

> MINUIT ! Pour le cœur sensible qui écoute et qui comprend, tout ch(ante minuit) (*P*. 1 9 1-2).

Sur le battement de /k/ et de /i/, la progression cellulaire est assez perceptible : /m - n/, /-R - R/, /ə - œ/, /s - s/, etc. Roumain appartiendrait à cette même catégorie. Les autres, sans l'ignorer, y recourraient moins volontiers, ainsi les Malgaches. Mais la progressivité, avec une subtile discrétion, pourrait se fonder davantage sur la modulation que sur la tonalité. Cela se sent, par exemple, dans une séquence de Rabearivelo reproduite plus haut (*T*. 30 119 1-3 ; v. p. 207). Les structures unifiantes seraient surtout le fait de Césaire, D. Diop (qui suit peut-être Césaire), Niger, Senghor et Tirolien, peut-être Socé.

*
* *

Il ressort de ce chapitre que le niveau phonémique sera tenu pour pertinent, mais de façon limitative. Il paraît licite d'analyser un texte ou un fragment de texte par rapport à quelques principes généraux de structuration, dont le premier est sans doute la fonction redondante. Celle-ci, cependant, est moins influente que la théorie ne le laissait attendre. Dans de nombreux cas où elle semble déterminante, elle n'est en réalité que la conséquence de la répétition lexicale (Damas). Nous avons donc affaire à un autre procédé d'écriture. Malgré des différences individuelles considérables, on admettra que la négritude s'exprime ici en accord avec la langue et la tradition littéraire françaises et, plus généralement, la tradition occidentale (40).

---

(40) Les allitérations wagnériennes, p. ex., sont bien connues : « Garstig glatter / glitschriger Glimmer ! (*Rheingold*, I).

S'il existe, de sa part, un effort de singularisation, ce n'est pas à ce niveau qu'il se manifeste. Les exceptions sont rares. On n'accordera pas une importance excessive à l' « exotisme phonémique » auquel s'adonnent à l'occasion Senghor et quelques autres. On insistera davantage sur le fait que, Césaire mis à part et, dans une plus faible mesure, Keita, la négritude pratique, *ici*, une écriture « facile », c'est-à-dire en accord avec les contraintes de la langue. Cet accord est sans doute ce qu'on peut tirer de plus significatif de cette étude. Rappelons une dernière fois que toutes les conclusions plus précises que nous avons été amené à proposer sont sujettes à caution et devraient être vérifiées par une enquête comparative scrupuleuse.

Le jeu des phonèmes et, plus particulièrement, les structures progressives conduisent naturellement au rythme. C'est lui que nous allons examiner à présent.

Chapitre 2

RYTHMES

La prégnance du rythme, ses motivations et ses valeurs ont été sommairement envisagées plus haut (3, 4) : simple amorce, le sujet méritant une enquête approfondie qui excède les limites de ce travail. Rappelons et précisons seulement quelques points. Si l'on assiste à des réalisations rythmiques très différentes, comme on le verra ci-après, si, par là-même, le rythme revêt des fonctions variées, on ne peut que constater l'unanimité des poètes et des exégètes sur son rôle informateur et intégrateur :

> C'est l'architecture de l'être, le dynamisme interne qui lui donne forme, le système d'ondes qu'il émet à l'adresse des *Autres*, l'expression pure de la Force vitale. Le rythme, c'est le choc vibratoire, la force qui, à travers les sens, nous saisit à la racine de l'*être*. [...] Il ordonne tout ce concret vers la lumière de l'*Esprit* (1).

Le rythme du cosmos inspirant toute réalisation rythmique (laquelle est une figure), il est indispensable d'étudier non seulement le micro-rythme du vers mais aussi le macro-rythme du poème, de l'œuvre, et l'on est en droit d'attendre que chaque niveau représente un diagramme du niveau supérieur, *comme* le pas du danseur est intégré au pas des autres danseurs, inté-

---

(1) SEN., *L. 1* (1956), 211-212. Le rythme est en même temps source et fin de l'écriture : v. *ibid.*, 224 : « Nombril même du poème, le rythme, qui naît de l'émotion, engendre à son tour l'émotion. »

grés eux-mêmes à la fête des semailles, qui mime le déclin apparent du soleil, qui n'est lui-même qu'un moment du cycle annuel (2).

La vision senghorienne entraîne une définition foncièrement *temporelle* du rythme. Parler de cosmos, de force, de *flux* vital, d'*é-motion*, etc., tous termes que nous avons rencontrés dès qu'il était question de rythme, implique le temps comme sème nucléaire. Or nous avons vu Senghor ne pas faire le départ entre les manifestations spatiales et les manifestations temporelles (3, 4, 144). Nous notions que, à nos yeux d'Occidentaux (depuis Héraclite !), cette confusion paraissait surtout métaphorique. Il est bon d'y regarder d'un peu près.

Le « rythme » de la Vénus de Grimaldi (*L.* 10 237 14, cité p. 144) est d'essence spatiale. Il en va de même du vers d'*Ethiopiques* reproduit à la même page (*E.* 3 105 32). Les vers suivants n'ont pas la même netteté :

> Car je ne pense pas, mes yeux boivent le bleu, rythmiques
> Sinon à toi (SEN., *L.* 3 229 11-12) ;
> Et leurs muscles longs sont rythmés, et beaux comme des
> statues de basalte (27 252 6. Il s'agit de pêcheurs).

Sont-ce les yeux qui sont rythmiques ou est-ce l'action de boire ? De même, si les muscles des pêcheurs sont *rythmés*, n'est-ce pas, *aussi*, parce qu'ils halent leurs filets ? Au reste, le même adjectif figure au v. 2 de ce poème, doté sans ambiguïté d'un sème temporel :

> Les pêcheurs qui chantent ensemble, et qui marchent *rythmés*.

Sans ambiguïté, mais non sans un transfert significatif, car le poète n'écrit pas « en rythme », ni même « rythmiques », mais « rythmés » : le rythme est passé du mouvement du marcheur à son être : l'accident est devenu essence. Peut-être n'y a-t-il pas là métaphore au sens rhétorique ordinaire, comme c'est le cas de « visage mélodique » (*C.* 18 37 143) ou d' « œil monocorde » (9 18 11), mais le rythme spatial est bien donné comme la conséquence du rythme temporel. A tout le moins, on aura remarqué que les pêcheurs et la Vénus de Grimaldi sont appréhendés dans des micro-contextes comparables : le nom « basalte » apparaît dans les deux vers, la Vénus est une « statue » et on en tire aisément le sème « beau ». Il n'est pas jusqu'au « cœur » qui ne soit un « muscle » (non pas long, bien sûr). Bref, la notion de rythme est associée à (sinon dépendante de) la vie : net pour

(2) « En mon enfance, j'ai connu des terres sereines de transparence, où chaque geste essentiel est rythme, où les hommes travaillent trois mois, dansent et chantent neuf mois. Et le travail même est chant et danse, au rythme des forces telluriques » (ID., « Louis Guillaume, le Celte », 5).

les pêcheurs, moins évident pour la Vénus, et associé à la beauté : tentation de comprendre, comme, précédemment : noire donc belle : beau donc rythmé ou rythmique.

En tout état de cause, si l'on pense que toutes les autres occurrences du sémème (qu'il soit nom, adjectif ou verbe) impliquent la seule dimension temporelle, on est en droit de conclure que le rythme spatial a chance d'être une application poétique (mais non uniquement poétique) du rythme temporel. Un tel emploi est l'apanage de Senghor (3). On arrive à la même conclusion si l'on interroge ses textes théoriques. Enumérant les réalisations rythmiques, il mentionne en premier lieu le mouvement :

> Ce sens charnel du *rythme* — celui du mouvement, des formes, des couleurs — est l'un de ses caractères spécifiques [du Nègre] (4),

ou bien l'espace sert simplement de comparaison :

> Le rôle primordial de la musique, en Afrique noire, n'est pas d'être concert, enchantement des oreilles, mais d'accompagner le poème ou la danse, *cette sculpture dynamique* (5).

Voici plus net encore :

> Grâce aux *syncopes* et *contretemps*, DONT LES EQUIVALENTS SE RETROUVENT DANS LES ARTS PLASTIQUES, ce rythme exprime, plus que tout autre, la vie (6).

Il semble donc que le rythme soit senti *d'abord* comme temporel et implique *à la base* durée et mouvement.

On retrouve ainsi des remarques antérieures dont il convient de souligner l'importance. Intéressé à montrer l'omnipotence du rythme dans l'essence, l'existence et la pratique du Négro-africain (7), Senghor n'hésite pas à accorder à la *langue* ce qui appartient à la *parole* (v. 4, 1, 176). Certes, une langue dans laquelle la longueur et/ou l'intensité des voyelles sont phonologiquement pertinentes, entraîne (si elle ne l'emprunte pas à ses voisines) une métrique de type accentuel, mais on ne dira pas, pour autant, qu'elle *est* rythmique. Par ailleurs, ce qui, dans la pratique négro-africaine traditionnelle, assume le rythme, c'est,

(3) Rabemananjara parle des « cimes des *monts rythmiques* » (M. 6 20 10), mais peut-être faut-il y voir un hommage, précoce, à Senghor.
(4) SEN., « De la Négritude : Psychologie du Négro-africain », 6.
(5) ID., *L. 1* (1956), 211 (souligné par moi). Qu'on garde en mémoire cette citation qui sera nuancée plus bas.
(6) ID., *ibid.* (1959), 281 (les majuscules sont de mon fait).
(7) « C'est dans le domaine du *rythme* que la contribution du Nègre a été la plus importante, la plus incontestée. [...] Le Nègre [est] un être rythmique. C'est le rythme incarné » (SEN., *L. 1* (1939), 37).

non le discours poétique, mais la voix qui le produit. Là également, Senghor paraît s'abuser quand il transfère à la poésie ce qui revient à la diction et à l'interprétation (v. 3, 4, 147-148). La poésie africaine est foncièrement rythmique non parce qu'elle est africaine mais parce qu'elle est orale. Identiquement, on a vu Senghor considérer le poème comme une partition qui n'est véritablement accomplie que lorsque la voix la profère avec accompagnement musical (v. 3, 2, p. 52). En fait, on a déjà posé la question : le rythme est-il dans le poème ou dans la musique censée l'accompagner ? On est en droit de penser qu'il réside d'abord dans la musique. C'est l'opinion de Z. Zadi pour qui l' « accompagnement » musical du poème est si fondamental que le terme d' « accompagnement » fausse la réalité du phénomène (8). On admettra que si le rythme, en Afrique, est « impérieux » (9), « tyrannique » (10), c'est au tam-tam qu'il le doit. Au reste, Senghor reconnaît lui-même la primauté de la musique, dans laquelle « le rythme prime la mélodie » (11).

Incontestablement, le rythme est d'abord dans le temps et se manifeste d'abord dans les sons, instruments ou voix.

Dans ces conditions, est-il paradoxal que le rythme linguistique joue un rôle secondaire et, à la limite, négligeable ? : plus le poème est soutenu, de l'extérieur, par un rythme puissant, moins il a besoin d'endosser lui-même une structure rythmique vigoureuse. Le rythme des instruments à percussion suscite la profération verbale, anime son souffle, mais ne l'informe pas nécessairement dans la tradition orale. Si la poésie écrite de la négritude essaie de mimer les conditions de l'oralité, le résultat est sans doute original, mais aussi quelque peu équivoque. On sait que Keita présente ses poèmes avec des indications musicales précises. Elles suffisent à l'auteur, semble-t-il, pour doter le poème des structures rythmiques dont il a besoin, car il s'en remet, pour son texte, au rythme aléatoire et peu marqué de la prose. Nul doute que le lecteur malinké ne *réalise* ce programme sonore plus aisément que le lecteur occidental. Il n'est pas aberrant de soutenir que Senghor, en demandant à son lecteur d'imaginer l' « accompagnement » orchestral nécessaire à l'accomplissement poétique, émousse quelque peu sa perception du rythme linguistique (qui existe indéniablement dans son vers). D'autres poètes, aussi soucieux que lui de rythme, Damas en particulier et souvent Césaire, qui assument le caractère

(8) Z. ZADI, *Césaire entre deux cultures...*, 248 (cf. les lignes de Keita citées 3, 4, 132).
(9) SEN., *L. 3* (1970), 230.
(10) ID., « Lamantins... », *P.* 161, *L. 1*, 222.
(11) ID., *ibid.* (1956), 214 ; v. *ibid.* cité 3, 4, 147, appel de n. 50.

écrit de leur production et refusent de jouer la carte ambiguë de l'oralité, accusent de façon plus évidente les arêtes rythmiques de leurs vers.

Ces rappels succincts n'entendent que montrer la variété et la complexité des conditions dans lesquelles la négritude se place pour assouvir par l'écriture son évident besoin de rythme et souligner l'inconfort de l'analyste occidental devant des montages culturels dont il n'a pas la pratique, même s'il peut les comprendre, ou le croire. On nous met en garde : « Pour " saisir " le rythme d'un poème de Senghor [et, sans doute, de tout poète de la négritude], il faut nous débarrasser de la manière française d'accentuer les mots » (12). Ce n'est pas là, pourtant, que se situe la difficulté. De gré ou de force (mais nous savons que c'est de gré), Senghor, et tous les autres, ne peuvent esquiver les contraintes majeures du français (13). Ce n'est pas sur les principes linguistiques, donc pas sur les accents (de phrase ou de mot), que le poète de la négritude peut agir, mais sur leurs applications. En outre, nous savons qu'à quelques exceptions près, nos poètes n'ignorent pas « la manière française » et écrivent par rapport à elle. Le Français n'est donc pas, ici, en position d'infériorité. L'infériorité, en revanche, est réelle, dès qu'il s'agit de « saisir » l'origine, la fonction, la valeur du rythme observé.

*
**

Cet embarras n'est qu'un aspect d'un embarras plus général, antérieur à toute analyse : la réponse à la question : qu'est-ce que le rythme ? Chacun répond d'après ses besoins. La confusion est grande en Occident. Mais la constatation que le rythme n'a de définition, et donc d'existence, que culturelle ou, si l'on veut, idéologique produit un effet libératoire. Pour travailler sur cette notion il suffit de s'en tenir à une définition heuristique : le problème insoluble de sa vérité s'en trouvera escamoté.

On a sans doute intérêt à partir d'une corrélation lexicale classique depuis Aristote (14) : l'opposition du *rythme* et du

---

(12) L. KESTELOOT, *Les Ecrivains noirs...*, 196.
(13) V. les propos de Mphahlele rapportés 3, 4, 169. Cf. L. NYEKI, « Le Rythme linguistique en français et en hongrois », 121 n. : « Même un fait aussi rudimentaire que le tic-tac de l'horloge est perçu différemment suivant l'appartenance du sujet à tel ou tel groupe linguistique : un Tchèque, un Hongrois entendront une succession de trochées, un Français une succession d'iambes. »
(14) ARISTOTE, *Poétique*, ch. 4, 1448 b.

mètre. L'histoire montre que les significations de ces deux termes sont souvent gauchies, parfois interverties. A la suite de plusieurs auteurs (15) mais sans nous inféoder à aucun, nous prendrons le *rythme* comme terme générique (dont la définition peut être laissée en blanc : cela pourrait être quelque chose comme « temporalisation ») qui se réalise en deux espèces opposées : le *mètre*, rythme *régulier*, et la *cadence* (16), rythme *non régulier*.

Le rythme est posé comme à la fois antérieur et postérieur au texte : dynamisme qui motive une certaine organisation textuelle et dont le siège est dans le sujet (lequel ne se confond pas nécessairement, on le sait, avec l'être de l'auteur), mais aussi dynamisme produit par le texte et dont le siège est dans le lecteur.

Il est tentant de chercher l'origine de ce mouvement dynamique dans le corps même du sujet. Pour les uns la base est la respiration (17), pour d'autres les battements du cœur (18), ou bien les deux (19), ou encore la marche associée au rythme cardiaque (20), etc. Peu importe qu'elle soit physiologique ou spirituelle, comme le veut Claudel (21), ou logique (22) ou cosmique, selon la tradition africaine, ce qui compte, c'est que le rythme se conçoive comme « mouvement du sujet dans son langage » (23), qu'il se situe donc, au moins comme impulsion, dans le sujet, quel qu'il soit. Ce rythme originel (géno-rythme, si l'on veut) se réalise en rythme textuels (ou musicaux, ou visuels...), phéno-rythmes pour le parallélisme, mais incomplètement. Les phéno-rythmes engendrent à leur tour, ou plutôt contribuent à engendrer un nouveau rythme par composition avec le désir rythmique du lecteur (auditeur, spectateur), siège donc, lui aussi, d'une sorte de géno-rythme, qui n'est pas néces-

(15) Principalement : E. LEVY, « Métrique et rythmique » (1926), M. GHYKA, *Essai sur le rythme* (1938), E. BENVENISTE, « La Notion de rythme dans son expression lïnguistique » (1951), in *P.L.G.*, 1966, P. FRAISSE, *Les Structures rythmiques* (1956), A. KIBEDI-VARGA, *Les Constantes du poème* (1963), H. MESCHONNIC, *Critique du rythme* (1982).

(16) Je tire le terme d'un de ses usages en musique (la cadence des concertos classiques) mais j'ai d'autres garants, p. ex. B. de CORNULIER qui oppose au rythme métrique des poèmes versifiés celui de la prose « qu'on peut justement dire *nombreuse* ou *cadencée*» (*Théorie du vers*, 74).

(17) Repris, p. ex., par E. LEVY, *op. cit.*, 80 (mais rappelons que, pour Cicéron (*De Oratore*, III, 175), c'est l'ignorant qui « mesure les phrases sur sa respiration, non sur les principes »).

(18) C. CUENOT, « Technique et valeur expressive... », 305, etc.

(19) M. GHYKA, *op. cit.*, 84, etc.

(20) P. FRAISSE, *op. cit.*, 113-114.

(21) CLAUDEL, *Positions et propositions*, I, 80.

(22) P. LUSSON, « Sur Une Théorie générale du rythme », 227 et J. ROUBAUD, *La Vieillesse d'Alexandre*, 69-70.

(23) H. MESCHONNIC, *Les Etats de la poétique*, 128.

sairement analogue à celui du sujet premier. Comme le sens, le rythme est à la fois producteur et produit. Du moins est-il ici posé heuristiquement comme tel, dans les termes suivants : pulsion organisatrice d'un espace vectorisé (la réalisation la plus « naturelle » de l'espace vectorisé est évidemment la dimension temporelle).

Il est relativement facile de postuler une définition fondée librement sur quelques travaux antérieurs, plus délicat de proposer les termes d'une méthode d'analyse. Si même la codification du vers français traditionnel échappe à une prise unique, qu'en sera-t-il du vers dit libre qui prédomine dans notre corpus ? En outre, ayant à traiter un corpus dont le sujet producteur ne peut être pensé comme unitaire qu'à un haut niveau d'abstraction, il nous faut déterminer moins des facteurs immédiatement opératifs que des catégories de facteurs différemment médiatisées au moment de la réalisation. Au reste, toute théorie du rythme poétique, à l'heure actuelle, c'est-à-dire après un siècle de pratique presque constante de « vers libres », ne peut plus se permettre d'étudier séparément la rythmique traditionnelle, régulière, et la rythmique dominante contemporaine, apparemment anomale. Une telle théorie fait encore défaut. Prétendre en jeter les bases serait présomptueux. Quelques facteurs peuvent néanmoins être dégagés de manière empirique et intuitive. Sans doute sont-ils nécessaires. Rien ne garantit qu'ils soient suffisants. De plus, il faudrait les ordonner pour qu'ils constituent un modèle cohérent. Enfin, qu'on n'attache pas trop d'importance à la terminologie adoptée pour étiqueter ces divers « catégorèmes » : approximative et précaire.

1 *Mode.* Recouvre des oppositions comme unique/multiple et, avec application dans le temps, successivité/simultanéité. Les « poèmes orchestrés » de Senghor auraient donc un mode multiple simultané et l'œuvre poétique de Keita un mode multiple successif du fait que les indications instrumentales interrompent le récit sans l'accompagner. La meilleure image est celle de la musique, à une ou à plusieurs voix. Réponse : oui ou non.

2 *Interprétation.* Recoupe les oppositions certain/incertain, univoque/équivoque et, par là-même, contraint/libre. Dans l'alexandrin classique, la scansion syllabique est contrainte et certaine, mais la scansion accentuelle interne des hémistiches obéit à une contrainte relâchée et nécessite une interprétation. L'un des plus évidents facteurs d'incertitude est le *e* dit caduc Réponse : oui ou non.

3 *Jonction* : conjonction/disjonction. Manifestation type : *legato* ou *staccato* en musique. En poésie, ce facteur est surtout sensible dans les césures et les coupes : la coupe « enjambante » est conjonctive, la coupe « lyrique » ou « épique » disjonctive. De même la synérèse accuse la conjonction, la diérèse la disjonction. Ajoutons la ponctuation et les blancs. Réponse : oui ou non (ou peut-être, si on doit répondre oui au facteur 2).

4 *Balance* : régulier/ irrégulier (par conséquent : mètre/ cadence), équilibre/déséquilibre. Suppose évidemment le mode et varie selon les niveaux de l'analyse. Une tirade d'alexandrins classiques a une balance syllabique régulière, de même les accents de vers (balance régulière contrainte). En revanche, la disposition des accents secondaires suit, en général, une balance irrégulière. L'irrégularité produit, par exemple, ce qu'on appelle, traditionnellement, les cadences majeures ou mineures. C'est, semble-t-il, le facteur le plus ordinairement en jeu. La réponse est ici, tantôt : oui ou non, tantôt : plus ou moins.

5 *Tempo* : rapide *vs* lent. Réponse : plus ou moins.

Isolons un sixième élément, qui n'est plus un facteur mais le terrain d'application des facteurs, non plus forme, mais substance de l'expression. Nommons-le *base*. Dans la rythmique française, la base peut être limitée au choix non exclusif entre deux catégories : syllabique et accentuelle. La nature de l'accent est ici secondaire.

Ces cinq facteurs contribuent à définir le rythme temporel, mais on constate que, mis à part le dernier, ils s'appliquent aussi à l'organisation spatiale. Le tempo peut intervenir, mais comme facteur de déchiffrement. L'espace est donc, dans une certaine mesure, temporalisable, mais comme il ne possède pas l'un des facteurs énumérés (le tempo) il ne peut, d'après nos prémisses, être considéré comme rythmique. On a parlé de la « spatialisation rythmée des vers libres » (24). C'est prendre une figuration pour la réalité. Que le poème organise typographiquement l'espace de la page, on l'admet volontiers, comme on admet le caractère significatif de cette organisation spatiale : un poème de Césaire, un poème de Damas, de D. Diop, de Senghor ont des apparences très différentes et ces différences sont pertinentes (on en tiendra compte). Il est non moins vrai qu'un vers typographiquement bref (Damas) et un vers typographiquement long (Senghor) laissent attendre des *tempi* opposés, vif ou lent, ou, du moins, y incitent par convention ou par analogie. Dans

(24) J. FILLIOLET, « Problématique du vers libre », 65.

ces conditions, ce qui est dit du vers libre peut l'être du mètre traditionnel : le poème en alexandrins se distingue au premier coup d'œil d'un poème en octosyllabes, la ballade d'un sonnet, etc. L'important demeure que l'espace n'est ici qu'une figure, et non pas une figure du temps, mais d'une temporalisation. Encore n'est-il qu'une figure approximative. On sait depuis les expériences de Rousselot que l'isochronie apparente des vers syllabiques réguliers n'est qu'une illusion, on sait aussi que le blanc terminal du vers peut être à peu près néantisé en cas de rejet ou d'enjambement. Comme le conçoit Senghor, le texte écrit du poème ressemble à une partition : attente, désir de réalisation rythmique, mais non pas rythme lui-même.

Certains des facteurs isolés ci-dessus, en particulier 2, 3 et surtout 4, soulignent l'insuffisance d'une définition qu'on trouve très souvent et à laquelle il vient d'être fait indirectement allusion : l'isochronie. L'isochronisme, par exemple celui du pendule, est, pour Fraisse, la forme rythmique élémentaire (25). Telle est la base de la recherche de Pius Servien qui pose le rythme comme « périodicité perçue » (26). « Isochronie », «périodicité», les termes reviennent chez la plupart des théoriciens déjà cités. Presque tous sont tentés de confondre rythme et mètre. La notion de *balance* entend montrer que la périodicité, pour importante qu'elle soit dans l'histoire du vers français (et peut-être du vers tout court), n'offre qu'une réalisation du rythme parmi d'autres.

Les propositions ci-dessus permettent, en outre, de fonder l'analyse non plus sur les *bases* (arithmétiques, toniques, quantitatives...) mais sur les *facteurs,* plus déterminants selon nous. Elles soulignent enfin l'impossibilité de définir et d'analyser objectivement le rythme. Une analyse prétendument objective manquerait son but puisque le rythme, que nous définissons (subjectivement) comme forme abstraite, n'est pas dans le texte mais dans le sujet tel que le fait exister le texte. Ramené au texte, le rythme est sans doute moins forme que relations de formes. Kibedi-Varga notait, voilà vingt-cinq ans, que le rythme n'est pas seulement affaire de technique mais aussi d' *esthétique* (27). Bien sûr, mais aussi, comme le souligne fortement Meschonnic, affaire de sens (28). Bref, étudiant le rythme, nous sommes en pleine idéologie. On ne l'oubliera pas en lisant ce qui suit.

(25) P. FRAISSE, *op. cit.*, 113, 117.
(26) P. SERVIEN, *Les Rythmes...*, 21-22.
(27) A. KIBEDI-VARGA, *op. cit.*, 17.
(28) H. MESCHONNIC, p. ex. dans *Les Etats de la poétique*, 160-161.

Essayons de fixer, en premier lieu, les cadres généraux de la rythmique de la négritude : les éléments du macro-rythme entre lesquels, ou sur lesquels, fonctionne le micro-rythme, de la séquence et du vers. Pour ce faire, il convient de considérer l'*espace* textuel comme figure du macro-rythme et de dresser un tableau de ses divers constituants : bases et fonctions pertinentes à ce niveau.

De manière illogique, mais pour faciliter la lisibilité, les réponses oui ou non sont notées par + ou —, les réponses plus ou moins par +, O ou —, selon des critères définis pour chaque colonne. Lorsque deux réponses sont possibles, elles sont indiquées toutes les deux, la plus importante la première (à gauche). Une seconde réponse, voire une troisième ne sont transcrites que si elles recouvrent plus de 15 % de l'ensemble. En cas de réponses approximativement équivalentes, on adopte le signe =. Une question est parfois sans objet eu égard aux réponses portées dans une colonne précédente ; aucun signe n'est alors inscrit. On a souligné l'importance du facteur *balance*. Il n'apparaît pas explicitement ; mais dans chaque colonne, à chaque ligne, tout caractère est analysable en termes de balance : un signe unique témoigne la régularité ou, du moins, une large dominante régulière, deux signes la multiplicité et l'irrégularité, = la multiplicité et l'équilibre, etc. La balance à l'échelle de la négritude se lit verticalement. Le facteur *interprétation* n'est pas pertiment à ce niveau très général. Les résultats, qu'on trouvera page suivante, seront explicités et commentés colonne par colonne.

La première remarque qui s'impose est que le sujet négritude exclut toute unité. Les facteurs *mode* et *balance* sont marqués dans tous les domaines : du côté de la multiplicité et de l'irrégularité. On ne peut que constater, une fois encore, combien il est difficile de suivre Senghor et Jahn lorsqu'ils affirment que la négritude (ou l'agisymbisme) se manifeste par le style et qu'il suffit de savoir lire ou écouter pour en percevoir l'unité. Il n'est pas deux poètes dont l'ensemble des réponses soit identique. Certes, les niveaux définis par chaque colonne sont très inégalement distinctifs. Sans doute l'emploi (ou non) du syllabisme paraîtra-t-il, intuitivement, de plus de conséquences que le regroupement (ou non) dans un recueil de plusieurs poèmes sous une rubrique collective. Mais comment transformer cette impression en critères objectifs ? Roumain et D. Diop paraissent proches : ils suivent une même tendance, puisque seuls la *ponctuation* et le *tempo* les séparent. Mais est-ce si négligeable ? Si l'on veut réunir Socé et Tirolien qui ne diffèrent

BASES ET FONCTIONS GENERALES

| | ARTICULATION DU | | | PONCTUATION | VERSIFICATION | TEMPO DUREE DU | | SYLLABISME | RIMES |
| | RECUEIL EN | | POEME | | | POEME | VERS | | |
	P	GRP							
	(1)	(2)	(3)	(4)	(5)	(6)	(7)	(8)	(9)
BRI	− +	−	+	+	+	+	0	+ −	− +
CES	+ −	−	+ −	− +	+ −	+ =	− =	−	−
DAD	+	−	+	=	+	−	−	−	−
DAM	+ −	−	+ −	−	+	− +	−	−	−
BDP	+	+	+	+ −	+	−	− 0	+ −	+
DDP	+	−	−	−	+	−	0	−	−
KEI	+	−	+	+	−	+			
NIG	+	−	+	+ −	+ −	+	+ =	−	−
RBR	+	+ −	+	+	+	−	− 0	+ −	+ −
RBM	+ −	=	+	+	+	0 +	0 +	=	− +
RAN	+	− +	+ −	+	+	− 0	−	−	−
ROU	+	−	−	=	+	+ −	−	−	−
SEN	+	+ −	+	+	+	+ 0 −	+	−	−
SIS	+	+	−	+	−	−			
SOC	+	−	+	+	+	0 =	−	−	−
TIR	+	−	+	− +	+	0 − +	−	− +	−

Abréviations. Col. (1) : P = Poèmes ; (2) : GPR = Groupements de poèmes.

qu'à deux niveaux, on répondra que, pour appartenir à une même catégorie, par exemple vers bref, il n'en existe pas moins une différence assez sensible dans la brièveté même, le vers de Socé étant notablement plus court que celui de Tirolien. De telles nuances ne peuvent apparaître dans ce tableau général, au risque de le rendre illisible. Autrement dit, des regroupements possibles entre nos poètes ne doivent pas masquer une forte idiosyncrasie.

Si la régularité n'est guère sensible en ce qui concerne les individus (déchiffrement horizontal), certains facteurs, certaines bases (lecture verticale) présentent, à défaut de constantes, des dominantes : 12 réponses identiques (sur 16) dans les colonnes (1) et (5). La négritude préfère, ce qui est banal dans l'Occident contemporain, la composition en poèmes séparés. En l'absence d'autres paramètres, toute conclusion serait hasardeuse. Il faut seulement noter la remarquable exception constituée par Brierre. Il donne à son écriture, le plus souvent, la forme d'un discours, sinon d'un traité. On peut se demander si ce choix, qui risque de conduire à une sorte de pathos discursif, n'est pas la cause majeure du peu de crédit accordé à cet auteur. Car ce qui, chez lui, passera pour défauts aux yeux d'un large public : éloquence rhétorique, néo-classicisme, archaïsme, préciosité..., se trouve abondamment chez ses confrères en négritude.

On objectera que l'œuvre la plus connue de Césaire et sans doute la plus appréciée, le *Cahier*, est un long poème, apparemment d'une seule volée, plus long que le plus long texte de Brierre. C'est que Césaire a su aménager (mode multiple et balance irrégulière à tous les niveaux) son espace textuel. Il est intéressant de remarquer que la démarche de Césaire est contraire à celle de Damas. La carrière poétique de Césaire s'ouvre sur le *Cahier*, poème apparemment un, mais tout se passe comme si Césaire, ayant évalué les possibilités et les limites de ce type d'écriture, y renonçait au profit du poème restreint et du recueil articulé. Les *Chiens* ne font pas objection, non seulement parce qu'ils appartiennent à un genre spécifique, la « tragédie », exploité ultérieurement par Césaire dramaturge, mais encore parce que le texte comprend une série de « tiroirs » et qu'il paraît, dans sa première version, comme un poème parmi d'autres dans le cadre des *Armes miraculeuses*.

Damas, en revanche, s'exerce d'abord aux poèmes isolés qui constitueront ses deux premiers recueils et se lance ensuite, avec *Black-Label*, dans l'élaboration d'un long poème unitaire. Mais, comme on le verra, le texte est très fortement articulé, et la composition d'ensemble exploite une technique mise au point dans les poèmes isolés. Rabemananjara offre un troisième schéma d'évolution : ses textes non articulés : *La Lyre*..., *Antsa* et *Lamba* (qui représentent à peu près le tiers de son œuvre poétique) se situent au milieu de sa production et sont solidaires d'une période précise, les années 1946-1950. Ce sont donc des essais conjoncturels répondant à une inspiration homogène : éblouissement amoureux pour *La Lyre*, nationalisme ardent pour les deux autres. Rabemananjara reviendra par la suite au recueil articulé qui correspond sans doute mieux à son tempérament.

On tiendra l'articulation des recueils comme une caractéristique de la négritude.

*
**

La seconde dominante concerne l'emploi du vers. Le vers est considéré, ici, simplement comme une séquence dont le blanc terminal ne coïncide pas avec la marge normale de la page où elle figure. Définition sommaire, dont il n'est pas certain, toutefois, qu'elle ne soit pas aujourd'hui suffisante (29). Strictement formelle, et d'abord visuelle (est vers ce qui est *vu* comme tel : on pourrait parler d'*espace versifié*), elle permet de rendre compte des manières très variées dont se réalise le vers de la négritude et elle justifiera, ci-dessous, une remarque localisée mais importante.

Les trois quarts de nos poètes utilisent donc exclusivement l'espace versifié. Deux exceptions ont déjà été signalées : Sissoko et Keita. Singularité remarquable et dans la négritude et dans le cadre occidental, car les textes de ces deux auteurs, apparemment prosaïques, ne ressemblent guère à ce que nous recevons volontiers comme poème en prose :

> Au Félou, par malheur et malchance, au cours de leur pêche, les somonos (30) ont capturé un petit lamantin qui tête encore (SIS. 27 43 1-3).

> Assise sur un escabeau au pied du grenier à mil, Sona, la fille du bijoutier Lansaye, sanglote depuis l'aube. A chaudes larmes elle pleure de n'avoir pas eu les lourds colliers d'ambre promis par Bomadi, le colporteur (KEI. *P.* 2 17 1-4 ou *A.* 5 57 1-6).

Il faut cependant reconnaître que la recherche poétique, au sens usé du terme, apparaît par moments :

> C'était l'aube. Combat du jour et de la nuit. Mais celle-ci exténuée, n'en pouvait plus, et lentement, expirait. Quelques rayons du soleil en signe avant-coureur de cette victoire du jour, traînaient, encore timides et pâles, à l'horizon. Les dernières étoiles, doucement glissaient sous des tas de nuages, pareils aux flamboyants en fleurs (*P.* 3 25 9-14).

> Dès le départ de sa course, tout droit, devant lui, le soleil grimpe, ardent, inondant le ciel de globules de feu dansant la sarabande sous les yeux éblouis (SIS. 55 82 1-3).

On perçoit, discrète, l'intention rhétorique et rythmique. Ces effets, si désuets qu'on les trouve peut-être, ne doivent pas être pris à la légère. Mais l'essentiel, sans doute, est ailleurs. Ces écrits sont présentés par leurs auteurs comme des poèmes africains ou de l'Afrique noire et l'on peut regretter que Keita n'ait pas cru devoir conserver son titre dans la version définitive,

---

(29) Cf. J. ROUBAUD, « La Destruction de l'alexandrin », 90 : « Le trait fondamental unique qui définit le vers libre est d'aller à la ligne. »

(30) Les *somonos* forment une caste de pêcheurs en pays bambara.

remaniée et allégée, de ses poèmes : *Aube africaine*, titre non plus formel mais idéologique. De tels textes émanent, pour une conscience occidentale, d'un univers poétique totalement étranger, dont les principes et les contours lui demeurent inconnus. Nous sommes conduits à lire ces textes non comme des originaux mais comme des traductions, traductions d'un modèle inconnu, qui, peut-être, n'existe pas. Cette façon de désigner une poétique sans la définir, nous paraît un procédé, involontaire sans doute, profondément original.

Moins excentriques que Keita et Sissoko, deux autres poètes se dégagent de la colonne (5) : Césaire et Niger. Celui-ci n'appelle pas de commentaire particulier. Il suffit de noter qu'un des six textes d'*Initiation* (« Lune », 3 20-25) est un poème en prose qui s'intègre sans distorsion dans ce « genre » et qu'un autre (« Au Rendez-vous des palmeraies », 4 26-30) mêle les deux espaces, « versifié » et « prosifié » (si l'on accepte ce jargon), ce qui peut passer pour un césairisme. En effet, dans toute son œuvre poétique, Césaire utilise le vers et la « prose » tantôt d'un poème à l'autre, tantôt à l'intérieur d'un même poème. Une seule exception, *Corps perdu*, son recueil le plus bref, écrit strictement en vers. Cette technique a des conséquences importantes sur le rythme : Césaire choisit le mode multiple et valorise, à tous les niveaux la disjonction. Cette nouvelle option singularise (une fois de plus) Césaire : il joue très fortement sur l'incertitude et l'équivoque (facteur *interprétation*) : la terminaison du vers n'est pas toujours nette et, à la limite, on ne sait s'il s'agit de prose ou de vers.

L'espace versifié, pour l'ordinaire, est déterminé par des artifices typographiques sans ambiguïté : majuscules (Senghor, B. et D. Diop...), retrait ou crochet lorsque le vers excède la ligne, etc. Le vers a donc, très généralement, des limites claires. Sauf chez Césaire. Si le vers remplit la largeur de la page, on est incertain s'il se poursuit à la ligne suivante ou si c'est un nouveau vers qui commence. Certes, il arrive que la comparaison de deux éditions d'un même texte, typographiquement différentes, permette de lever l'ambiguïté. Mais la question se pose de savoir si on a le droit de réduire cette ambiguïté rythmique. Pourquoi l'auteur n'aurait-il pas éprouvé, d'une édition à l'autre, le besoin de modifier le rythme de ses vers ? Le cas n'est pas rare : cf. :

> alors rien ne me sert de serrer mon cœur
> contre le tien (*P.* 4 44 42-43) et :
> alors rien ne me sert de serrer mon cœur contre le tien
>   (*C.* 46 76 23).

On a l'impression que Césaire joue sur les deux pôles du facteur *interprétation* : les limites du vers sont tantôt assurées, tantôt non. On est parfois enclin à penser que le poète s'en remet au hasard (typographique) du soin de terminer certains de ses vers : ironie, insouciance, désinvolture, goût (surréaliste) du hasard objectif ? Il est délicat de trancher. On est perplexe, en tout cas, devant certaines des dispositions qu'adopte le *Cahier* :

> c'est un homme qui fascine l'éper-
> vier blanc de la mort blanche
> c'est un homme seul dans la mer infé-
> conde de sable blanc, etc. (46 476-479).

Texte sérieux : il s'agit de Toussaint Louverture. L'ironie de Césaire est souvent cinglante, mais contre ses ennemis. Devant Toussaint, Toussaint mourant de froid en prison, le jeu n'est pas de mise et Césaire ne joue pas. Rien de commun avec les rejets d'humour ou de fantaisie. Si l'on croit à la désinvolture, on dira que Césaire, écrivant ce passage sur une feuille de format plus réduit que les précédentes (et les suivantes), s'est contenté d'aller à la ligne lorsqu'il arrivait au bord de la feuille. Les lignes 476-493 représenteraient, dans ce cas, non pas 18 vers alternativement moyens et brefs mais 9 vers assez uniformes de 10 à 14 syllabes environ :

> C'est un homme qui fascine l'épervier blanc de la mort
>   blanche
> c'est un homme seul dans la mer inféconde de sable
>   blanc, etc.

Une telle diction s'impose, au risque, sinon, d'être ridicule. Un tempo régulier convient à la construction litanique, chacun des vers ainsi dégagés commençant, les trois premiers par « c'est », les six autres, et la suite, par « la mort ». Nous sommes donc confrontés à des vers à peu près certains auxquels l'auteur donne un aspect incertain, que ce résultat soit le fait du désir ou du hasard.

La facture de ces vers exige l'interprétation et, comme presque toujours chez Césaire, la défie. Le passage fonctionne simultanément (*mode*) à deux niveaux non isomorphes (*balance*), l'un, sonore, relativement régulier, continu (*conjonction*) et conditionné par la syntaxe, l'autre, visuel, irrégulier, discontinu (*disjonction*) et aléatoire. Nous percevons donc, ensemble, deux discours contradictoires. Comme fondement d'une interprétation possible, il n'est pas impertinent de poser que l'un de ces discours figure visuellement le désir (énonciation), l'autre auditivement le dit (énoncé) notionnel et affectif. Ayant à parler de

Toussaint Louverture, héros-héraut de la négritude, au moment peut-être le plus significatif de son existence, sa mort, perçue contradictoirement par les uns, les Français, comme une défaite, par les autres, les noirs, comme une victoire, une promesse, un espoir, le sujet écrivant éclate et ne peut produire qu'un discours éclaté. Nous avons déjà noté cet éclatement du JE césairien, exceptionnel dans la négritude (1, 3). Nous en découvrons ici une manifestation clairement lisible et stylistiquement pertinente.

A la limite, disions-nous, la fusion entre prose et poésie paraît complète. Force nous est de prendre comme exemple un court passage. Isolons, un peu au hasard tant le cas est fréquent, au moins dans les premières œuvres de Césaire, ces quelques lignes des *Chiens* :

> Laissez-le dormir,
> dans son sommeil il y a des îles, des îles comme le soleil, des îles comme un pain long sur l'eau, des îles comme un sein de femme, des îles comme un lit bien fait, des îles tièdes comme la main, des îles à doublure de champagne et de femme... Ah, laissez-le dormir... dormir... (*A.* 27 146 570-147 571 ou *E.* 49 475-50 476).

Ce « couplet » de la récitante offre une organisation syntaxique élémentaire : deux phrases illocutives identiques à une légère amplification près : « (Ah,) laissez-le dormir (... dormir...) », encadrent une énumération anaphorique : « des îles comme » introduite par le présentatif « il y a ». La mise en place de la suite énumérative se fait par une conjonction sémantique (« dormir » → « sommeil ») ou lexicale par simple répétition (« il y a des îles » → « des îles comme »). La matrice anaphorique, dont le rôle rythmique est important dans la négritude et que nous retrouverons plus loin, figurait déjà dans le court extrait du *Cahier* reproduit ci-dessus. Césaire, dans ce cas, l'utilisait comme base initiale de son vers. Rien de tel ici. L'auteur refuse la base commode que lui offre la répétition. Au facteur disjonctif qui l'emportait précédemment, il préfère le facteur conjonctif. Ce choix est d'autant plus intéressant que le rythme continu ainsi obtenu nie un sème objectif du nom « île », fréquemment actualisé par Césaire et les Antillais, Tirolien en particulier : /« isolement »/, /« séparation »/ (31). L'île, indice ordinaire de discontinuité, d'écartèlement, est prise dans un courant continu et se transforme en signe de réunion, l'unification s'opérant

(31) Cf. CES. *F.* 2 8 1-2, 8 et TIR. 13 37 15-16 (pris comme épigraphe pour le recueil, mais avec un autre espace : césairisme ?).

non seulement au niveau rythmique mais aussi au niveau phonique par des reprises qui sont autant de conjonctions : « sommeil » → « soleil », « pain » → « sein » → « main », « long » → « l'eau », « îles (/il/) → « lit » (/li/), « femme » → « champagne » → « femme » (32). L'isomorphisme, comme on voit, n'appartient guère à l'écriture césairienne. Il implique une unicité que le poète refuse. Le facteur de multiplicité (ou de duplicité) est presque toujours à l'œuvre.

La tradition impose au poète sinon de recourir à tel type de vers, du moins d'utiliser le vers. Le gros de la négritude se soumet à cette contrainte. Césaire s'y dérobe. Il ne se donne pas à choisir entre la prose et le vers. Il les sollicite tous deux alternativement et, fait plus caractéristique, simultanément, versifiant sa prose, prosifiant son vers. Du même coup, la base du rythme n'est pas chez lui, formellement, le vers. Il n'existe pas même, à proprement parler, de base textuelle, mais des principes informateurs, dont le principal est sans doute la dualité, pour ne pas dire la contradiction. La conséquence est nécessairement l'incertitude et l'équivoque. Bref, chez lui, le rythme n'est pas fait mais à faire. On est rejeté vers un en deçà ou un au-delà du texte. Au moins, telle paraît la genèse de l'écriture césairienne, moins systématiquement à l'œuvre dans les poèmes les plus récents.

*
**

Les autres dominantes sont sensiblement moins marquées : colonnes (2), (3) et (9) : 10 réponses identiques.

Pour la clarté de l'exposé, observons successivement, avec l'éclairage de la première, les colonnes (2), (3) et (4), qui réalisent à deux niveaux différents (recueil et poème) le facteur *jonction*, la disjonction étant préférée dans les deux cas. Nous aurons à tenir compte, épisodiquement, de certains résultats de (9), rimes, mais comme celles-ci participent surtout à l'élaboration du vers, on en traitera, de façon plus générale, en fin de chapitre. Nous passons donc, successivement, du recueil au poème et du poème au vers.

La comparaison des deux premières colonnes permet de s'interroger sur l'espace étalon : sans conteste, pour Brierre, le poème-recueil. Tous les autres utilisent ordinairement un

_____

(32) On retrouve la structure cellulaire progressive définie au ch. précédent, qui assure en outre l'unité sémantique du passage.

espace plus réduit. La convergence des réponses de (1)-(2) semble indiquer que l'étalon spatial est le poème. Mais les distorsions assez nombreuses de (2) invitent à y regarder de plus près.

Notons d'abord que la réponse négative de Césaire peut être discutée. L'auteur a réuni, on le sait, en un seul ouvrage, *Cadastre*, deux recueils antérieurs, *Soleil cou coupé* et *Corps perdu*. Ce travail d'élagage et de recomposition a constitué, jusqu'à *Noria*, le plus clair de l'activité poétique de Césaire. Or la couture, dans *Cadastre*, entre les deux recueils primitifs est nettement accusée : les titres anciens sont conservés comme sous-titres. Au poète de dire si cette œuvre composite est le fruit d'une opération contingente de librairie, si l'auto-censure a joué de façon si rigoureuse que chaque recueil se trouvait réduit à une plaquette trop mince pour être publiée, ou si le montage que nous lisons, réalisé avec la colle et les ciseaux, est dû à un désir profond. Mais peu importe la genèse : ce qui nous importe, c'est de constater un besoin de composition et d'organisation par delà le poème, qui tend à faire de ce dernier une unité secondaire. Or Césaire y sacrifie, semble-t-il, de plus en plus consciemment au long de sa carrière. Il est possible de le vérifier dès le *Cahier*, ce qui relève de (3), mais nous devons nous contenter ici de dégager des lignes de force et nous fonder en premier lieu sur des indices formels.

Bornons-nous à deux exemples. Si l'on compare *Soleil cou coupé* et *Cadastre*, on ne peut que constater qu'à la disparate apparente du premier recueil succède un principe d'organisation, circonflexe pourrait-on dire : poèmes brefs ou moyens en début et en fin de recueil (C. 1-23 et 29-43) encadrant des poèmes notablement plus longs où domine l'espace prosifié. Les principes de composition de *Ferrements* sont plus complexes mais aussi nets. On retrouve, au centre, l'espace prosifié (F. 27-30) qui sert, en quelque sorte, de pivot. La première partie est faiblement circonflexe : rétrécissement relatif dans F. 22-26, F. 26 pouvant figurer un poème clausule. La deuxième l'est plus clairement : les poèmes longs occupent les places F. 38-44 (F. 37 jouant le rôle de clausule), les poèmes brefs les deux extrémités (F. 31-33 et 45-48). En gros, le recueil est deux fois circonflexe. A ce schéma s'en ajoute un autre, légèrement décalé : F. 1 est intitulé « Ferrements » et fournit son titre au recueil, F. 31 transforme « Ferrements » en « Ferment ». Ces deux poèmes instituent donc deux parties analogues, chacune exploitant deux sèmes polaires, haussés pour la circonstance au niveau du classème : / « ferrements »/ *vs* /« ferment »/ : unité du signifiant, /fɛRmã/, dualité du signifié. On peut, ici, parler de composition spéculaire. Il ressort en tout cas que, si le poème est sans doute une unité de base (d'inspiration ?), il devient progressivement la projection fragmentée d'une unité plus large. La disjonction formelle qui isole chaque poème des autres est contestée par une conjonction formelle et/ou sémiotique entre le poème et l'ensemble du recueil.

La conjonction spéculaire peut même atteindre un niveau plus élémentaire. Que l'on compare deux poèmes contigus, *F*. 31 et 32 : « Ferment » et « Me centuplant Persée ». Formellement (spatialement) les deux textes diffèrent. La simple lecture montre pourtant qu'ils sont assez étroitement conjoints au point que le second peut passer pour une transformation du premier. Quelques indices significatifs de cette projection :

> Séduisant du festin de mon *foie* (31 1) → Va, autour de moi, de mon *flanc* (32 1) ;
>
> ta réticence d'*oiseau, écorché* (2) → Que perce, transperce l'*écorce* résistante / le *bec* (5-6) ;
>
> nos *ruses* (3) → la *clandestine trame* (6) ;
>
> l'*arbre* de nos épaules (6) → mon *noueux* cœur noir (2), l'*écorce* résistante (5), l'orage outre *aubier* (11), en anneau d'*arbre* (12).

« Ecorché » → « écorce » montrait une projection du signifiant. On la retrouve dans « soubresaut d'*aube* » → « orage outre *aubier* ». De même en plus de « ruses » → « clandestine », projection du signifié avec « pétrissant le sol » (4) → « séisme » (13). La victime du festin de *F*. 31 est la *proie* de l'oiseau-soleil, « proie » figure dans *F*. 32 (7). Cette victime dont un oiseau (« démêlé d'aigles », 8) dévore le foie évoque évidemment Prométhée, le vaincu, le prisonnier ; il se transforme en Persée, vainqueur et libérateur. Il n'est pas jusqu'à l'utilisation marquée du gérondif qui ne se trouve dans ces deux textes. Chacun d'eux est, en quelque sorte la métonymie de l'autre.

Ces brèves remarques prouvent une fois encore l'opération simultanée de facteurs contradictoires, voire la conciliation des contraires : la disjonction est (peut être) une image de la conjonction. A tout le moins la clôture du poème est remise en question, comme, du reste, est précaire la clôture du recueil, ainsi que le montre l'éclatement de *Soleil...* et de *Corps perdu* pour former *Cadastre*. Ce qu'il nous importe surtout de noter, c'est que le poème est, chez Césaire, un étalon incertain. Le recueil finit par désigner un étalon plus efficient. Mais on a surtout l'impression d'avoir affaire à des étalons mouvants. Césaire, figure de nuages.

Arrive-t-on, ailleurs, aux mêmes résultats ? Interrogeons d'abord les auteurs qui, indépendamment de Césaire dont le (—) est, comme on vient de voir, ambigu, répondent non dans la seconde colonne. Une lecture dans cette perspective n'impose aucune évidence, ce qui paraît prouver une organisation complexe. On doit cependant se montrer prudent : une irrégularité de surface peut être sous-tendue par un modèle simple et produite par des règles élémentaires. Pour les découvrir, il faudrait se livrer à une combinatoire attentive et systématique, impossible à mener ici. Force nous est de nous contenter de quelques hypothèses qui, toutes, sont à contrôler.

L'œuvre de Tirolien, qui offre un véritable panorama de la négritude et dont l'éclectisme nous est connu, adopte une présentation aléatoire. On le dira également de Socé et de D. Diop qui prospectent un champ plus limité. Damas et Dadié (Damas surtout) présentent des recueils unitaires, assez bien définis par leur titre. Dadié adopte parfois des regroupements thématiques, ainsi la séquence américaine d'*Hommes...*, pour partie raciale, pour partie chrétienne (*H.* 27-32). La seule évidence, chez Niger, concerne le poème inaugural, très bref et régulier, qui se distingue de tous les autres. « Lune » (3 20-25), totalement écrit en prose et donc singulier dans l'œuvre, n'occupe pas la place centrale que Césaire lui aurait sans doute attribuée. Passons sur Roumain qui ne paraît pas avoir constitué lui-même son recueil. Les éditeurs ont placé en tête les poèmes militants, les plus longs, et réuni à la fin les poèmes sentimentaux, les plus brefs.

Reste Keita. Les *Poèmes africains* révèlent un équilibre thématique et idéologique. En position centrale, le seul conte de l'ensemble (*P.* 4 : « Sini-Mory »). *P.* 2 et 6 se correspondent : deux poèmes « paysans ». *P.* 3 et 5 s'équilibrent idéologiquement, de même que, avec d'autres modalités, *P.* 1 et 7. Que cet ordre ne soit aucunement aléatoire, on n'en veut pour preuve que la complète réorganisation opérée par *Aube africaine* dont la valeur idéologique est considérablement modifiée. L'équilibre est rompu du fait qu'on lit non plus sept mais six poèmes : il n'existe plus de poème pivotal. Le centre est double et disparate : le conte « Sini-Mory » (*A.* 3) et une scène de genre, passablement burlesque, « Le Maître d'école » (*A.* 4). La symétrie est, au contraire, conservée entre *A.* 2 et 5, qui se correspondent comme dans *P.*, et accusée entre *A.* 1 et 6 qui, cette fois, ne s'opposent plus mais se confortent. Ce sont, les deux fois, les exactions du colonialisme qui sont stigmatisées. Mais on passe de « *Minuit* » (*A.* 1) à « *Aube* africaine » (*A.* 6). Si les sèmes

idéologiques sont à peu près analogues, à une anecdote individuelle, significative certes d'une situation historique, succède
un double événement historique : l'entrée de l'Afrique sur la
scène internationale par sa participation à la Seconde Guerre
mondiale et le massacre de Tiaroye qui disqualifie le colonisateur et sonne le glas de la colonisation. Indubitablement, le
poème n'est pas ici une unité suffisante. On ne peut l'affirmer
des autres poètes qui viennent d'être mentionnés.

Cette organisation de l'espace, qui ne peut figurer le rythme
qu'à un assez haut niveau d'abstraction, est explicite (et désam-
biguïsante) chez ceux des auteurs qui recourent au sous-titre à
l'intérieur de leur(s) recueil(s). Deux réponses positives :
B. Diop et Sissoko, auteurs d'un seul recueil. Les trois parties
des *Poèmes de l'Afrique noire* paraissent moins les « mouvements » d'un ensemble que trois compositions de facture et
d'inspiration comparables. L'impression est celle de trois collec-
tions dont chacune est l'image de chacune des autres et, donc,
d'une troisième représentant la totalité des poèmes, comme
si elle préexistait aux découpages. Organisation répétitive à
fonction « atemporalisante ». Ce n'est pas, évidemment, que des
différences ne soient perceptibles. Ainsi la troisième partie,
« Fleurs et chardons » est-elle à la fois plus morale et plus
personnelle, mais ces bases se trouvent dans les deux premières.
Si la règle semble la sélection aléatoire, on remarque parfois,
comme chez Césaire mais plus simplement, des poèmes spé-
culaires (33) et, fait plus original, des séquences diégétiques
disjointes (34). Le plus important demeure l'aménagement d'un
espace *comme* préexistant.

C'est, au contraire, à un aménagement temporel qu'on assiste
dans les *Leurres et lueurs* de B. Diop. Nous avons déjà eu
l'occasion de constater l'intérêt de ce recueil (v. 3, 2, 88-89).
Confirmation en est donnée par la mise en forme de l'ensemble :
cinq parties établissant une symétrie de masse entre la première
et la dernière, les plus développées, les trois parties médianes
nettement plus courtes et symétriques. La cinquième est la seule
à offrir une certaine variété formelle. On a donc affaire à une
architecture aussi équilibrée que celle de Keita, dont la valeur
est sans doute également idéologique. Mais il y a plus ici. C'est
un destin littéraire que nous lisons, mieux : le destin d'une
littérature, qui part d'un travail aveugle, totalement inconscient

----

(33) P. ex. 25 41 0 : « Si tu manges », 26 42 0 : « Si tu dors » ; 35 54 0 :
« Pourquoi pleurer ? », 36 55 0 : « Pourquoi ne pas pleurer ? ». Cf. 65 95 0 et
66 96 0 ; 94 140 0, 95 141 0 et 96 142 0, etc.
(34) P. ex. 71 107-108, 81 119, 98 144-145, 99 146-147, etc.

de sa situation (« Leurres »), passe successivement par la lucidité de l'imitation (« Décalques »), la vision d'un but accessible (« Presque... ») :

Pour que la quête fût un peu plus fructueuse
Il nous fallait aller loin, encore plus loin (31 50 1-2),

un retour sur son propre passé (« Réminiscences ») pour s'engager enfin vers les « Lueurs » d'une vérité, moins claire et simple qu'on n'est tenté de la voir. Il est facile d'affirmer, au nom d'une orthodoxie, qui ressemble fort à un pont aux ânes, que Diop, après avoir dénoncé le leurre du décalque occidental, retrouve enfin sa personnalité par le retour aux sources et l'adhésion à la culture traditionnelle. En fait, la dialectique énoncée par l'organisation du recueil fait de la tradition une voie de passage nécessaire et, sans doute, libératoire, mais non une fin. Qu'on n'oublie pas qu'on aperçoit non la lumière mais des lueurs et que l'œuvre poétique s'achève sur un « Présage » peu rassurant :

Un soleil tout nu et tout rouge
Verse des flots de sang rouge
Sur le fleuve tout rouge (49 83 10-12).

Aucun autre poète de la négritude n'organise l'espace du recueil avec autant de rigueur et de sens que B. Diop. Chez nul autre le poème n'est aussi clairement dépendant de l'ensemble. Beaucoup de ses poèmes sont banals et académiques. Il ne sont tels que si on les isole, abusivement, de l'espace signifiant duquel ils participent.

On trouvera donc moins de pertinence, à ce niveau, dans l'œuvre des quatre poètes qui, de façon non systématique, utilisent les sous-titres intérieurs. Il y a peu à dire de Ranaivo et surtout de Rabemananjara qui paraissent découper, à fin de pause, une pâte unique. Les trois premiers recueils de Rabearivelo montrent des regroupements ayant chacun son unité, formelle et thématique. Ils ordonnent l'espace mais ne le saturent pas. C'est ce qui se trouve chez Senghor, à ceci près que la scansion y est plus manifeste : les deux poèmes-clés de *Chants d'ombre* (C. 18 et 25) isolent deux séries de poèmes, la première, sans titre, assez disparate, la seconde unifiée thématiquement : « Par delà Eros ». La saturation ne se réalise que pour *Hosties noires*, encore que les sous-titres aient quelque arbitraire eu égard au contenu. La progression est, en fait, chronologique. *Nocturnes* et *Ethiopiques* accusent volontairement leur disparate. On sait que *Nocturnes* est un montage à partir des *Chants pour Naëtt*, mais qui ne cherche pas, contrairement au *Cadastre* de Césaire, une unification conjonctive. *Ethiopiques* est fait de trois parties autonomes, dont on peut résumer comme suit l'organisation : 1 : disjonction, 2 : conjonction, 3 : conjonction-disjonction. 2 (« Epîtres à la princesse ») est fortement conjonctif puisqu'il se fonde sur une sorte de diégèse. La composition du recueil est sans conteste pertinente. Il paraît bien que Senghor y voit une figure rythmique d'un niveau supérieur ; cependant, il ne remet pas en cause, sauf l'exception des « Epitres », l'autonomie du poème, qui demeure l'étalon privilégié. On en aura une preuve supplémentaire en observant l'articulation des poèmes (colonne 3).

*
**

La disjonction domine puisque trois auteurs seulement la refusent : Sissoko, Roumain et D. Diop. Pour les deux derniers, la base de travail est le poème et chaque poème se suffit à lui-même. Si l'on néglige quelques textes relais mentionnés ci-dessus et si l'on se rappelle la transparence de l'écriture et du signifié, on avancera que chaque poème de Sissoko est une image de l'ensemble. On voit que chaque auteur ou, parfois, un groupe d'auteurs (ici D. Diop et Roumain) orientent diversement la lecture et imposent des bases de signification différentes.

Envisagée dans l'unité poème, la disjonction est réglée en théorie par une pluralité de facteurs : régulier *vs* irrégulier, codé *vs* libre, sémantique *vs* rythmique. Les termes du premier couple sont exclusifs l'un de l'autre, de même ceux du second à condition de prendre « codé » au sens de culturellement contraint. Au contraire, ceux du troisième couple peuvent être conjoints en cas de coïncidence entre un blanc sémantique et un blanc rythmique (application du facteur *simultanéité*). Pour ne pas compliquer artificiellement l'analyse, on associe les deux premiers couples, ce qui détermine trois facteurs : régulier codé, régulier libre, irrégulier.

Le troisième facteur fonctionne à un autre niveau. Il suffit de le mentionner, car il déplace le rythme de l'expression vers le contenu. Secondaire et non primaire comme les deux formes de régularité, il est davantage la conséquence que la cause du contenu ; ou bien il relève davantage du dit que du dire : c'est notoirement le cas de Brierre et des alinéas de Sissoko où la disjonction joue surtout le rôle de pause logique, mais aussi de certains textes de Niger et de Tirolien : pause affective, et de

Ranaivo : pause dramatique, ou bien (on pense à nombre de poèmes de Césaire, surtout aux premiers) il peut correspondre, dans le dire, à un arrêt de l'élan automatique. Avec des modalités différentes, la disjonction est, dans tous ces exemples, produite plutôt que produisante : engendrée par le poème plus qu'elle ne l'engendre. Le résultat est une sorte de pseudo-rythme qui assure la structuration du texte... en le déconstruisant. En d'autres termes, s'il y a rythme, il se manifeste non pas au niveau du poème mais à celui du vers.

Relèvent de la régularité codée tous les poèmes à forme fixe hérités de la tradition française ou écrits en strophes régulières, ainsi que les poèmes régulièrement rimés : on concédera que, même en l'absence de blancs, un système de rimes articule le texte. Tels *Dessaline nous parle* de Brierre (154 alexandrins à rimes croisées, sauf les deux derniers, à rimes plates), les dizains de *Sylves* et les quatrains de *Volumes*. Il existe évidemment, là, une corrélation historique étroite entre articulation, syllabisme et rimes. Parmi ces poèmes réguliers le sonnet domine dans l'œuvre des trois poètes qui se soumettent à ces contraintes culturelles : Rabearivelo, B. Diop et Rabemananjara. On trouve, par ailleurs, quelques assemblages strophiques rigoureux, comme RBR, C. 9 20-23 : deux septains parallèles encadrant six quatrains à rimes croisées. L'auteur, dans le même recueil, adapte les *Contrerimes* de Toulet (C. 4 11 et 5 12-13). On lit un pantoum chez B. Diop (12 23, dédié à R. Florio), etc. La régularité codée informe le tiers des textes de Rabemananjara, plus de la moitié de ceux de Rabearivelo, plus des trois quarts de B. Diop, soit approximativement 10 % de la négritude, ce qui n'est pas négligeable. Il s'agit là, non plus d'interprétants littéraires, mais d'emprunts à des modèles français. Rappelons (cela vaut également pour le syllabisme et les rimes) que le modèle n'est ni classique ni romantique mais symboliste, post-verlainien, si l'on préfère.

La tentation est grande, dans la critique africaine et européenne, d'évacuer de la négritude ces 10 % de « déchets » sous le prétexte qu' « on ne saurait rien [y] déceler de véritablement africain » (35). Ils témoigneraient de l'état d'aliénation qui a, précisément, motivé, quelques années plus tard, la nais-

(35) Reprise d'une citation de M. Kane (v. 3, 2, 88) à propos de B. Diop. On se rappelle le mépris de Césaire (3, 2, 52, n. 13). Il écrit ailleurs : « Car enfin, qu'est-ce que le sonnet, l'épître et autres formes fixes ont à voir avec une poésie nationale africaine ou antillaise [...] ? S'il y a un genre qui relève du cosmopolitisme européen c'est bien celui-là [le sonnet]... Quel triomphe : obtenir du poète nègre de revêtir son inspiration de la défroque prosodique internationale ! » (CES., « Sur la Poésie nationale » (1955), 40).

sance de la négritude. Ils serviraient à dater une prénégritude. On peut l'admettre du premier Rabearivelo et du premier Birago Diop, du Brierre de *Chansons secrètes* (exclues du corpus), mais comment, alors, expliquer qu'un Rabemananjara, dont l'appartenance à la négritude ne peut être mise en doute, publie en 1972 un recueil intégralement composé de sonnets ? Cheminement individuel d'un poète sentimental fourvoyé, un temps, dans la politique et déçu par son échec, qui trouve une compensation en cédant aux démons de sa jeunesse ? Peut-être. Ecrivant des sonnets, Rabemananjara serait sorti de la négritude comme n'y étaient pas encore entrés Rabearivelo et B. Diop (et lui-même) quand ils s'appliquaient à versifier. On sent où boite l'argumentation : elle suppose une négritude unanime, impliquant un et un seul type de sujet (collectif), *une* thématique (africaine), *un* style (africanisé, désoccidentalisé). Tout ce qui précède a montré qu'il n'en est rien. Que la palinodie de Rabemananjara signifie la décadence sinon la mort de la négritude, c'est possible, mais cela ne veut pas dire qu'une telle écriture en soit la négation. Tiendra-t-on que les quelques vers que voici sont fondamentalement incompatibles ? :

> Une lune onirique étend ses talismans
> sur la terre en travail des œuvres du Tropique.
> Nos destins envoûtés rêvent d'astres mythiques
> le long des bleus parcours fleuris du firmament. [...]
> L'oasis entrevue au terme de la quête,
> c'est toi qui m'en as fait goûter l'ombrage vert
> et la fraîcheur de puits pour la soif de l'athlète.

> Tu m'as demandé des après-midi en fleurs,
>   des soirées d'écarlate et d'or
>   vibrant au galop des koras
>   Des aubes transparentes,
> et que la nuit jamais ne voilât ton bonheur :
>   — Fais que toujours tu me sois joie,
>   mon Prince mon Athlète et mon ébène.
>   — Point n'ai pris habitude des promesses ;
>   je sais oui mon amour de toi.

Les premiers sont de Rabemananjara (*O.* 7 23 1-4, 12-14), les seconds de Senghor (*L.* 18 243 7-10). Bien sûr, c'est tricherie. On aura reconnu que la disposition n'est pas celle de Senghor (on se rappellera cependant cette « naturelle » syllabisation). C'est également tricherie d'isoler quelques lignes de leur contexte et de choisir des séquences comparables parmi d'autres qui ne le sont pas. Il est vain de chercher à déguiser les différences profondes qui séparent ces deux écritures. Mais il paraît non moins vain de nier qu'une certaine veine, une certaine inclination thématique et stylistique dont on fait reproche à Rabemananjara pour l'exclure de la négritude, se manifestent également chez Senghor.

Bref, on est en droit de conclure que les poèmes obéissant à la régularité codée font indubitablement partie de la négritude : comme on l'a vu maintes fois, elle ne peut être réduite à ses composantes africaines. Simplement, ils révèlent, dans leur quasi-nudité, et donc de manière idéologiquement gênante, leur contrepartie : les composantes occidentales.

En théorie, si l'on se souvient des déclarations de Senghor concernant le rythme africain, on peut s'attendre que la régularité libre en soit, dans les textes, la projection la plus naturelle. Elle assurerait un macro-rythme de base à l'intérieur duquel joueraient contre-rythmes, rythmes secondaires, syncopes, etc. Pour être lancinante, « despotique », la scansion de base n'en est pas moins soumise à variations. C'est ce qu'implique l'expression « régularité libre ». Elle signifie non seulement que l'auteur invente l'organisation rythmique fondamentale, mais encore que la régularité n'a rien de métronomique : elle est, presque nécessairement, approximative. Telle est la réalisation de Keita où des laisses plus ou moins régulières sont disjointes par des motifs musicaux variés à la fois dans les thèmes et dans l'instrumentation. Ce principe d'écriture se retrouve dans tous ses poèmes à l'exception du « Maître d'école », introduit tardivement dans le second recueil dont il rompt l'unité : pochade bouffonne, il ignore cette structure rythmique et, *par là*, tout rythme. Néanmoins, Keita est certainement le meilleur exemple de ce macro-rythme qui scande l'ensemble d'un texte et se subordonne les rythmes phrastiques au point de les rendre négligeables, macro-rythme, au demeurant, « régulièrement irrégulier ». Ces disjonctions musicales sont difficilement « réalisables » pour qui n'est pas malinké (comment se représenter la musique « niki-mo » ou « n'koro-maramani » ?) (*P.* 6 51-52) ; elles indiquent la présence d'une signification plus qu'elles ne signifient. Mais par cette béance, que le lecteur est invité à meubler par son imagination, se réalise une pause rythmique très forte.

Bien que Dadié n'ait jamais recours à cette convention, sa pratique est comparable, à ceci près qu'il va plus loin en misant simultanément sur le micro-rythme du et des vers. C'est dans les deux premiers recueils que le procédé apparaît dans sa pureté. Soit un poème quelconque : « Feuille au vent » (*R.* 9

236-237) : poème de 27 vers composé de cinq laisses *à peu près* régulières : les trois premières de 4 vers, les deux dernières de 5, disjointes par un vers refrain : « Feuille au vent, je vais au gré de mes rêves », annoncé tel quel au v. 2. Deux autres phénomènes soulignent cette régularité variée : le nombre moyen des syllabes de chaque laisse évolue comme suit : 10,5 ; 7,5 ; 6 ; 6,6 ; 10,5 : diminution, puis progression *à peu près* symétriques. D'autre part, chaque laisse commence *à peu près* de la même façon, à une exception près, la quatrième. D'autres reprises se manifestent dans le poème :

Je suis l'homme (1) → Je suis l'arbre (3) ;
Je suis l'homme dont on se plaint (6) → l'homme dont on se rit (8), etc.

Ces quelques remarques sont importantes, car elles prouvent le niveau où fonctionnent poétiquement les textes de Dadié. Il est facile d'ironiser sur la pauvreté de l'inspiration, la banalité des syntagmes, la platitude des images, le néo-classicisme fréquent du lexique, le prosaïsme général (36), etc. Poésie « facile », elle parle peu à l'Occident et ne l'informe guère, par sa transparence même : on en voit immédiatement ce « fond » qui importe tellement à Dadié (v. t. 1, 202, n. 29). Cette poésie informe cependant : sur elle-même et sur la conception de la littérature qui la sous-tend. Elle indique une *autre* littérature, ou, mieux, la littérature d'un *Autre*, dans laquelle le mot, le syntagme n'ont ni la même nature, ni la même fonction que dans notre pratique. Le mot trivial, le syntagme usé ont précisément l'intérêt d'être des lieux *communs* qui neutralisent le sujet individuel au profit d'un lieu collectif, et leur valeur n'est pas sémantique mais fonctionnelle. Les termes valent parce qu'ils se répètent et que, se répétant à des places déterminées, ils articulent le poème, c'est-à-dire, dans le cas présent, lui insufflent sa vie, son âme et sa force. Ecrire (oser écrire !) :

Feuille au vent, je vais au gré de mes rêves,

peut sembler naïvement dérisoire. La phrase est, dans la langue, d'une extrême platitude. Mais elle ne travaille pas dans la langue, elle travaille dans le texte, dont elle fait un poème en organisant, temporalisant son espace. Elle devient (presque) pure parole ; non plus affirmation syntaxique de ce qu'elle signifie objectivement : affirmation d'une nature et d'un mode d'acti-

(36) V. la critique sévère d'U. BEIER, « *La Ronde des jours* by Bernard B. Dadié », 58 : « It is difficult to believe an African poet when he speaks of « murmuring brooks » [3 229 2], and « the roses of love » [3 229 8]. Such conventional expressions betray a complete lack of vision » (v. 3, 2, 69). Attitude significative du critique occidental sur laquelle on reviendra dans la conclusion de cet essai.

vité, elle signifie le dire et l'être se faisant du poème. Au sens ordinaire du verbe, elle ne signifie plus.

Dadié utilise donc avec constance et rigueur la répétition, dont on sait que la théorie fait un des facteurs les plus évidents de la rythmique et de la rhétorique africaines. Il n'est pas le seul. Keita, lui aussi, assoit volontiers ses laisses sur une phrase simple : « C'était l'aube » (P. 3, A. 6), « il défricha... défricha... défricha » (P. 4, A. 3), « C'était dans mon enfance... » (P. 7). Le procédé se retrouve, affaibli, chez Socé : « Le fleuve était sombre ce soir » → « Le fleuve restait invisible dans un ciel fermé » (2 17 11, 18 21, etc.), « Tomango » (15 54-56), « Alahouma / » (16 57-60), affaibli car le procédé n'est pas fréquent et seuls les deux derniers poèmes cités associent la répétition à la régularité libre. C'est dans les mêmes conditions qu'il se rencontre chez Rabemananjara (L. 13 1...), Niger (1 7 1..., 2 9 5..., 10 23...), Tirolien (7 19-21, 11 29-30...), Roumain (3 241-247), Césaire (A. 24 81-90, C. 9 17, les premières pages du *Cahier* : « Au bout du petit matin »...), etc. La répétition : un mot, une phrase, ne disjoint plus qu'exceptionnellement des laisses *à l'échelle du poème*. Son rôle se réduit à rythmer un fragment de poème, voire quelques vers consécutifs. Césaire en use régulièrement (E. 107 1150-1155, F. 18 32 10-13...). Le cas est général : l'anaphore rhétorique est indubitablement une constante d'écriture. Mais elle ne paraît qu'un abâtardissement de la structure fondamentale qui se lit en abondance dans la seule œuvre de Dadié : la répétition y est disjonctive et contribue à articuler l'espace versifié.

Deux applications de ce modèle méritent d'être mentionnées à part, celles qu'en font Senghor et Damas.

La règle de Senghor est l'articulation libre du poème. Seuls quelques poèmes de *Chants d'ombre* (moins de la moitié) ne sont pas visuellement articulés. Encore sont-ils brefs. Dans les autres recueils de tels poèmes sont exceptionnels. Leur brièveté excuse cette « licence ». Le rythme se manifeste donc sans ambiguïté au niveau du poème, qui est à peu près toujours *composé*. Ce rythme se caractérisait chez Dadié par le refrain disjonctif et une approximative régularité, d'où équilibre et symétrie. Un tel schéma se trouve rarement dans l'œuvre de Senghor. On citera cependant la célèbre « Femme noire » (C. 8 16-17). Le refrain, lui aussi, est plutôt rare (7 15-16), mais non sa forme abrégée : base anaphorique (37). Seulement, Senghor

---

(37) V. C. 6 14-15 : « Femme, pose sur mon front » (1), « Femme, allume la lampe » (15) ; 12 21 1... : « Seigneur » ; H. 8 72 1 : « *Guélowâr !* » ; E. 7 115 1 : « New York ! », etc. On voit que l'anaphore est volontiers un vocatif.

profite beaucoup plus que Dadié de sa liberté. Il ne demande pas, par exemple, à une seule anaphore (ou refrain) de scander le poème : *C.* 25 47-52 en présente deux : « Et mon cœur de nouveau... » (47 1) et « Eléphant de Mbissel... » (49 27) ; de plus, trois laisses ignorent un début anaphorique. Et il est fréquent que n'apparaisse aucun refrain, aucune anaphore.

Plus grande encore est la liberté dans la disposition des masses rythmiques, c'est-à-dire, ici, des laisses. Si l'on remarque quelques régularités (*C.* 8), quelques symétries (6 14-15), Senghor refuse le plus souvent l'équilibre et l'uniformité. Dadié dynamise son vers, non son poème, Senghor procède inversement. En outre, il ne semble pas vouloir s'enfermer dans un système : il modèle chaque poème en fonction du désir précis qui le (et qu'il) fait naître. A n'envisager que les quelques poèmes assez longs dont l'auteur a pris soin de numéroter les laisses, ce qui accuse la disjonction, on constate une prédilection pour l'impair : 3, 5, 7 ou 9 laisses. Font exception « Chaka » et l' « Elégie pour Aynina Fall », deux compositions spécifiques parce que dramatisées. Quelles que soient les raisons de cette préférence, on note que l'impair met en relief une laisse pivotale, plus apte, semble-t-il, à faire sentir, le cas échéant, une organisation symétrique : circonflexe ou circonflexe inversée, par exemple. Peut-on admettre qu'elle pousse plus à la symétrie qu'à la régularité absolue, qu'elle est donc plus dynamique que la structure paire, laquelle engendrerait l'équilibre et la régularité, le centre de gravité se trouvant ici dans l'hiatus entre deux laisses ? Si elle permet d'attendre un type de résolution, la structure impaire fait ressortir plus nettement le parti pris de déséquilibre adopté par Senghor : il dynamise une organisation dynamique. Sur les treize poèmes à laisses numérotées (38), quatre seulement offrent une certaine symétrie : une circonflexe (*M.* 3) et trois en dents de scie (*H.* 7, 20, *M.* 7). Dans les autres il est impossible de découvrir un centre de gravité, impossible de déterminer un modèle, par exemple progressif ou régressif. Tout est affaire d'opportunité. Il semble vain, par ailleurs, de chercher une valeur au rythme choisi, ainsi quelque chose comme victoire *vs* résignation. Dans les poèmes moins longs dont les laisses ne sont pas numérotées, rythmes pairs et impairs s'équilibrent. On retiendra surtout l'organisation tendue et variée du poème par opposition à la plus grande régularité du vers, ainsi que la prégnance du rythme à ce niveau.

(38) *C.* 18, 25, *H.* 2, 7, 16, 20, *E.* 6, 7, *M.* 3, 4, 5, 6, 7.

Le poème de Damas n'adopte pas systématiquement, contrairement à Senghor, la pause disjonctive qui freine le débit et peut passer, à l'occasion, pour un indice de recueillement. Ce qui est systématique et caractérise fortement son style, c'est la répétition. En l'absence de pause (de blanc), la répétition est ici, contrairement à Dadié, conjonctive. Certes, la répétition disjonctive n'est pas rare (*P.* 6 23, 14 41-42...), de même le refrain (12 35-38, 22 59-60...) : typique d'une certaine négritude, peut-être, mais non de Damas. Son originalité réside dans la manière dont il traite la répétition. La forme canonique peut être figurée ainsi : (A + b) !, où A est une base anaphorique et b un ou plusieurs termes isochrones :

J'ai l'impression d'être ridicule

dans leurs souliers

dans leur smoking

dans leur plastron, etc. (*P.* 14 41 1-4).

Sur ce gabarit, toutes les variations sont possibles : b inclus dans A (*N.* 20 106 11-12), b non isochrone (20 107 29-33), b plus ou moins isophone (*B.* 2 50 367-372), inversion de A et b (*N.* 53 147 26-28), (A + ϕ) + (A + b) (56 151 1-3), b progressif (38 129 5-10), b régressif (34 124 38-40), b progressif-régressif (*B.* 1 28 528-29 547), etc. Les séquences isochrones plus ou moins prolongées constituent souvent un battement rythmique à un point précis du poème, comme si le déroulement textuel avait besoin de (re) prendre appui et souffle sur une sorte de trémolo. Elles ont également, lorsqu'elles se répètent, une fonction structurante à l'échelle du poème (*P.* 30 75, *B.* 1 9-33). Mais celle-ci est surtout assurée, en particulier quand le poème a une certaine étendue, par des séquences progressives : l'exemple le plus significatif est fourni par *B.* 2-3, construit sur une base de 9 vers qui s'accroît, plus ou moins régulièrement, d'un nouveau vers pour doubler sa longueur dans la dernière partie de 4 (80 195-212). De plus, en 4, le vers additionnel sert lui-même de base anaphorique à la laisse suivante (4 73 16-17). Damas parvient ainsi à une étonnante partition rythmique, qui, tout à la fois, unifie et dynamise le poème. A cette structure progressive ouverte qui anime peu ou prou nombre de poèmes moyens ou longs, s'oppose une structure d'ensemble fermée, qui donne au poème une allure circulaire. *N.* 1 83 en fournit l'exemple le plus net : court poème de 19 vers, dont les v 1-6 sont repris à la fin dans l'ordre 2-6, 1 et dont le cœur, 7 vers, utilise la base anaphorique « voici ». La conclusion s'impose : le rythme de Damas est d'abord le fait du poème avant d'être celui du vers. S'il existe, dans la négritude, un rythme générateur et « despotique », c'est chez lui, avant tout autre, qu'il se manifeste. Et si le rythme occupe dans la création poétique d'Afrique et des Antilles la place que lui accorde la théorie, on peut s'étonner que l'influence de Damas soit si faible dans le champ de la négritude. Ce système rythmique original et efficace se rencontre peu ailleurs : accessoirement chez D. Diop (4 22, 5 23, 6 24, 10 29), épisodiquement chez Roumain (1 229 1-9, 3 241-247), davantage chez le premier Césaire, celui du *Cahier* et des *Armes*, mais sans excéder la laisse sauf dans « Batouque » (*A.* 24 81-90) : Césaire est moins marqué par Damas que celui-ci ne le croit (v. 3, 2, 62, n. 37).

Le dernier Rabearivelo, singulièrement celui de *Presque-Songes*, utilise, avant la lettre, ce que nous appellerons, pour simplifer, les modèles de Dadié, Senghor et Damas, mais sans esprit de système. Citons, dans l'ordre, Dadié : *P.* 8 39-40 ; Senghor : la régularité libre de la disjonction, encore que les exercices antérieurs de Rabearivelo le conduisent à plus de régularité que Senghor (*P.* 4 33, 6 36-37, 17 53-55), mais l'hypothèse d'une opposition pair-impair n'a pas ici de pertinence ; Damas : *P.* 3 31 1-6. Ces quelques remarques ne sont peut-être pas sans conséquence. Il est exclu que Rabearivelo ait eu la moindre influence sur Damas et Dadié. Senghor l'a connu assez tard, à une époque où son « système » était déjà constitué. Or on constate, dans le traitement du facteur *jonction*, une certaine convergence entre le Rabearivelo de la dernière période, partiellement désoccidentalisé, et un grand nombre de ses successeurs. Il n'est pas impossible qu'on tienne ici l'un des rares indices textuels qui permettent de parler *du* style de la négritude. Celui-ci serait fondé sur la répétition et la disjonction. Rappelons que la disjonction sépare en unissant. Elle apparaît comme un facteur rythmique plus marqué que la conjonction, plus mélodique que rythmique, pour reprendre des termes de Senghor.

*
**

Que la négritude se fonde sur la disjonction, on en veut pour preuve supplémentaire la préférence accordée au poème bref, caractère qui nous paraît ressortir au *tempo* (6). Certes, il s'agit davantage d'une tendance que d'une dominante, comme le prouve l'hétérogénéité des réponses, tendance sensible cependant. On considère comme poèmes moyens (O) ceux qui comportent de 200 à 400 mots (soit l'équivalent approximatif de 25 à 50 alexandrins), brefs (—) ceux qui ont moins de 200 mots, longs (+) ceux qui en ont plus de 400. La moyenne de la négritude se situe aux environs de 260 mots. Trois auteurs seulement optent résolument pour le poème long : Brierre évidemment, avec plus de 4 000 mots en moyenne (si l'on ne prend pas en compte les 22 poèmes de *G*), Niger avec plus de 1 000 et Keita plus de 700. A ne considérer que les moyennes, Césaire vient loin derrière avec à peine plus de 400 mots, malgré les deux poèmes du *Cahier* et des *Chiens* (respectivement plus de 11 000 et de 14 500 mots). La longueur moyenne de ses poèmes tend à s'abréger d'un recueil à l'autre. Toujours en nombre moyen, le poète le plus bref est Rabearivelo (avec 125 mots), suivi de D. et B. Diop, Ranaivo et Sissoko. Le cas le plus significatif est celui de Damas. Sa double réponse est due au long poème de *Black-Label*, mais *Pigments* et, plus encore, *Névralgies* comportent des textes très courts : autour de 100 mots pour *P* et de 90 pour *N*.

Une telle brièveté n'est pas sans effet sur le rythme, en relation toutefois avec le tempo du vers envisagé ci-dessous. On admettra d'ores et déjà qu'un texte court tend à accélérer le rythme. Mais c'est surtout comme image prérythmique ou comme condition du rythme qu'il semble intéressant. Environné de blanc, c'est-à-dire de silence, il apparaît comme produit par le silence et le produisant. Nous avons rêvé, à l'occasion, sur un titre de Rabearivelo : *Traduit de la nuit*. Il se trouve que ce recueil présente, en moyenne, les textes les plus courts : moins de 100 mots. Tout se passe comme si, paradoxalement, la nuit était figurée par le blanc de la page. Le texte, poème après poème, peut être lu comme une fragile cristallisation du non-espace et du non-temps, bref, du néant. On en trouvera l'explicitation dans un poème étrange, « Mesures du temps » (*P*. 14 47-48).

> Et cette aiguille sans chas,
> que fait-elle ? Rassemble-t-elle les morceaux du temps
> pour en vêtir l'Eternité ?

Le poème bref, brève émergence d'espace et de temps, réalise par ailleurs, singulièrement chez Damas, une image de l'île : isolée, disjointe. Le texte se constitue, comme elle, en forme et substance autonomes. La parole éclatée, « en archipel », se trouve figurée dans *Pigments* et *Névralgies*. Témoignage identique dans les deux longs poèmes que Rabemananjara consacre à son île : *Antsa* et *Lamba* (entre 2 500 et 3 000 mots). La disjonction s'opère non seulement par des blancs qui isolent les vers ou les laisses, mais par le fait que chaque page est à peine noircie par le texte : deux vers parfois, dix en moyenne.

Une telle présentation donne, formellement, chaque page comme poème autonome. Ajoutons que cette écriture en archipel dynamise et rythme concrètement le texte en obligeant le lecteur à tourner rapidement les pages : l'espace devient temps.

La brièveté, par quoi se réalise aussi cette esthétique du cri découverte par ailleurs, n'est cependant, rappelons-le, qu'une tendance à laquelle sacrifient irrégulièrement les divers poètes. C'est qu'ils sont soumis à une contrainte opposée, celle du *sermon*, pourrait-on dire en empruntant le mot à Roumain (2 237 0). Le sermon, dont le contenu n'est pas nécessairement moral, encore qu'il le soit fréqemment, invite à une certaine expansion, tant dans l'espace du poème que dans celui du vers. Son expression la plus évidente est fournie par Brierre. A l'autre extrémité, la brusquerie lyrique du Damas de *Pigments* et de *Névralgies*, mais *Black-Label* ressortit également au sermon. Il va de soi que la véhémence du cri peut animer un long poème (les *Chiens*) ou rompre la monotonie du sermon (le *Cahier*), et que le sermon peut être laconique (D. Diop). Il semble surtout que l'équilibre soit atteint dans l'œuvre de Dadié, dont les poèmes sont plutôt brefs (entre 195 et 200 mots en moyenne), mais donnent l'impression, pour reprendre une formule célèbre, qu'ils « pourraient être continués ». Ses poèmes apparaissent comme la réalisation momentanée d'un rythme qui leur préexiste et qui leur survit. Rien de tel avec le « pur » poème bref, celui de Rabearivelo ou de Césaire, dont le modèle, le « génorythme », coïncide avec le poème, commençant avec lui, s'achevant avec lui.

*
**

Après le recueil et le poème, reste le vers, à quoi se limite ordinairement toute réflexion sur le rythme. On craint, dans la perspective de cette étude d'en dire trop ou trop peu. Prenons le risque d'en dire trop peu.

La dominante annoncée concerne le refus de la rime et du syllabisme (col. 8 et 9), mais les deux autres critères retenus (col. 4 (39) et 7) accusent une forte disparate.

On l'a vu, 10 % des textes de la négritude recourent à la rime. Un chapitre entier pourrait lui être consacré (comme, du reste, à tous les points qui vont suivre). Il n'y a pas lieu, cependant, de s'y étendre ici, la rime nous intéressant surtout comme

---

(39) La ponctuation, l'une des bases de la disjonction, s'exerce aussi bien à l'échelle du poème que du vers. Mais son effet majeur se fait sentir dans le vers. La présence ou non d'un point en fin de laisse ne modifie pas l'appréhension de la disjonction.

marque de fin de vers. On se borne à quelques remarques très générales. Le système est celui de la rime assouplie héritée de Verlaine et d'Apollinaire, encore que les rimes classiques soient les plus nombreuses. La contrainte d'alternance est habituellement respectée selon l'opposition traditionnelle masculin/féminin, mais les exceptions sont fréquentes et volontaires. Par exemple, dans les sonnets des arbres de Rabearivelo (*V*. 37 65--47 75), deux seulement respectent l'alternance. L'auteur préfère le schéma tout féminin sauf la dernière rime. L'un de ces sonnets est même entièrement féminin (45 73). On constate également des exceptions dans l'alternance de strophe à strophe (40). La rime proprement dite ne paraît pas le fruit d'un travail exigeant. Aucune soumission aux « gênes délicieuses » peaufinées par la tradition. Seul B. Diop hasarde parfois, non sans ironie, des rimes rares (41) et bâtit volontiers ses sonnets sur quatre rimes seulement. Au contraire, dans les *Ordalies,* Rabemananjara utilise le plus souvent quatre rimes pour les deux quatrains. Aucun ne respecte l'interdiction classique de faire rimer singulier et pluriel, on voit de même rimer masculin et féminin (42). La rime pauvre suffit pour l'ordinaire, sinon la simple assonance, ou l'assonance approximative, sinon très lointaine (43). A la limite, on rencontre (rarement) la contre-assonance (44).

Quelques poèmes se déterminent en partie par un certain jeu, structurant, des rimes, le tout premier Rabearivelo en particulier, mais, somme toute, les rimeurs semblent accepter un usage sans s'y astreindre à la rigueur. Rabemananjara l'abandonnera un temps, Rabearivelo y renoncera. B. Diop fait exception. Il ne cherchera jamais à s'en délivrer. Ceux de ses poèmes qu'on a dit « libérés » le sont du syllabisme. Le rejet (partiel) du syllabisme entraîne un relâchement mais non l'abandon de la rime (45). Elle se manifeste alors par un réseau d'assonances

(40) BDP. 5 14, etc., RBM. *O.* 17 39 etc.

(41) « Syringe », « Sphynge », « linge », « méninges » (22 38 1-8), etc.

(42) Du moins chez Rabearivelo (C. 8 17-19, S. 4 15) ou, exceptionnellement, Birago Diop : « destinée/fanés » (8 18 19-20), « piquée/cassé » (48 81 14-16).

(43) V., pour le premier cas, « symbole/rôle » (BRI. *P.* 8 145-147), « regret/inexploré » (RBR. *S.* 30 53 8-9), « fantôme/homme » (RBM *M.* 18 71 30-32), « os/mot » (BDP 22 38 9-11), etc., pour le second, RBR *S.* 1 9-10 où le procédé est systématisé, « dôme/d'ombre » (RBM. *M.* 5 19 9-11), « basse/entend » (BDP 8 18 14-15), etc.

(44) Dans les poèmes libérés de B. Diop : « Terre/pleurent/(demeure)/morts » (39 65 32-37). V. RBR. *S.* 17 32.

(45) B. Diop reconnaît que c'est chez lui « une sorte de tare, de vice, d'intoxication que cet esclavage de la rime » [unique, répétons-le, dans la négritude] (M. KANE, *Birago Diop*, 207-208). Il est significatif que les poèmes de B. Diop reçus comme spécifiquement africains (ainsi par Senghor), respectent assez scrupuleusement, à l'insu du lecteur indiligent, les canons de la poésie française traditionnelle.

souvent très approximatives, mais assez subtil. C'est la technique utilisée dans « Kassak », déjà signalé comme appartenant à un « genre » africain (48 81-82) : « rouge » (81 5) et « pleure » (81 7) restent objectivement « en l'air », mais le son /U/ est exprimé quatre fois dans les deux vers qui précèdent ; on lit « sourd » au-dessus de « pleure » (contre-assonance) et le mot est répété au vers suivant.

Ces remarques laissent attendre que chez ceux des poètes qui négligent la rime (ou dans les recueils où ils le font), la rime (même approximative) ou l'assonance (même faible) seront sollicitées. On ne peut se livrer ici à une enquête systématique. Quelques exemples devraient suffire. Un poète comme Césaire, résolument opposé à toute versification traditionnelle, sans esprit de suite évidemment, marque volontiers la fin de ses vers par des jeux phoniques plus ou moins appuyés. Un long texte, « Les Pur-Sang » (A. 2 10-22), compte à peu près la moitié de ses vers irrégulièrement assonancés. Encore s'est-on borné à ne relever que les assonances les plus évidentes. En tenant compte des assonances possibles et des contre-assonances, on atteint près des deux tiers du texte.

Un rapide sondage montre que ce n'est pas un cas isolé. On ne doit pas perdre de vue cependant que la rime et ses succédanés restent un phénomène secondaire, hérité de la tradition française, auquel sacrifient certains « vieux » de la négritude, mais sans fanatisme ni dévotion : la rime est acceptée, mais minimisée et, sauf par Brierre et Rabemananjara, elle ne paraît pas maniée sans ironie.

Par ailleurs, c'est, en partie, la force de l'habitude qui induit le lecteur occidental à prendre pour des traces de rimes des homophonies aléatoires. Le chapitre précédent qui a montré dans la redondance phonique un facteur d'écriture, suggérait la probabilité d'un certain nombre de rimes, ou plutôt de pseudo-rimes. Mais les phonèmes terminaux de vers, même s'ils peuvent être couplables avec des phonèmes terminaux voisins, le sont d'abord avec les phonèmes intérieurs. C'est donc, peut-être, abusivement que l'on privilégie la rime ou ce qui en tient lieu.

En outre, force est de reconnaître l'abondance des enjambements et des rejets. Si ceux de Brierre demeurent classiques :

> En accostant aux archipels, les négriers
> Sentaient à leurs mâts noirs l'accrochage tragique
> D'un lambeau d'étendard détaché du couchant (P. 3 12-14),

ceux de Rabemananjara (plus enjambements que rejets) font éclater le vers :

> Des bruits de sabots d'or se font, là-haut, complices
> du grand souffle d'amour dont frémit le vieux toit (*O*. 1 15
>   3-4 ; cf. 7-8, 9-10, 13-14).

Effets voisins chez Rabearivelo (*V*. 4 13, etc), mais plus ambigus du fait de son ironie et de sa connivence avec les Fantaisistes :

> Dans cette coupe, nul vain
> alcool — chypre ou simple vin —
> ne fume. La Mélancolie,
> si elle compte sur le vin pour qu'on oublie,
> a tort ! (*C*. 2 9 1-5).

B. Diop rejoint apparemment Brierre, en ce sens qu'enjambements et rejets conservent au vers son intégrité, mais autant ils sont rares chez Brierre, autant il sont fréquents chez lui (17 30 5-8, etc.).

Enfin, chez les non-rimeurs, le découpage des vers accuse fréquemment le refus de la rime, de l'assonance ou, à la rigueur, de la répétition terminales, inhibant ainsi la reconstitution d'un espace versifié plus ou moins traditionnel. C'est ainsi que Césaire, dans *A*. 2 18 182-196, ayant la possibilité de maintenir le système de marques terminales de vers amorcé en 183-185 (« Fructueuses/vaisseaux/écluses »), rejette « fienteuses » (187) en début de vers, évitant la rime avec « torrentueuses » (188). On confirmera ce refus en comparant, dans le même passage, la disposition de deux distiques analogues :

> Où, où, où vrombissent les hyènes
>   fienteuses du désespoir ? (18 186-187) ;
> Où, où, où
> vrombissent les hyènes fienteuses du désespoir ? (19 207-
>   208).

Cette incertitude dans la clôture du vers est propre à Césaire, encore qu'elle se rencontre ailleurs (46). Elle témoigne, à sa façon, du principe établi ci-dessus, que le vers n'est pas nécessairement une unité de base. En outre, les modalités confirment que ce qui délimite le vers, ce n'est pas tant, à son terme, la rime ou ses substituts qu'à sa tête, le ou les mots qui l'introduisent. Même si la marque terminale existe, elle paraît souvent secondaire en comparaison de la marque inaugurale. Qu'on lise, pour s'en convaincre, par exemple, SEN. *C*. 25 47 1-48 12 : aucun système dans les fins de vers, amorce de système dans les attaques. Statistiquement parlant, le vers de la négritude peut être dit *inaugural* et non *terminal* comme le vers français traditionnel.

---

(46) Cf. DAD. *H*. 13 26 6-7 et 27 33-34, RAN. *C*. 11 30, etc.

Cette définition n'est pas hypothéquée par ce qu'on envisage à présent : le *tempo* du vers (colonne 7). En dépit de la disparate, une tendance se manifeste ici, parallèle au *tempo* du poème : la brièveté. Or tout vers bref est clairement délimité et, à première vue, il n'y a pas de raison pour valoriser l'origine aux dépens du terme. En fait, il ne s'agit pas de forme, ni de longueur, mais d'accent.

Comme pour le poème, l'unité de comptage sera le mot, la syllabe, trop souvent approximative, n'étant pas ici pertinente et le signe typographique, bien qu'objectif, ne pouvant servir d'unité de temps : deux vers qui comportent le même nombre de signes sont rarement isochrones. Le mot non plus ne peut passer pour un critère satisfaisant : il est rebelle à toute définition précise et, partant, à tout découpage rigoureux, sa longueur est variable, etc. On admettra cependant qu'il représente, dans la pratique (non linguistiquement), une unité de perception et que le grand nombre neutralise les disparités, bref qu'il constitue une approximation suffisante eu égard au présent propos. On définit comme long (+) un vers comprenant 9 mots ou davantage, comme bref (—) un vers de moins de 7 mots, comme moyen (O) un vers de 7 à 9 mots. On s'est fondé sur le fait qu'on trouve, en moyenne, 8,5 mots dans un alexandrin et 6 dans un octosyllabe. En réduisant chaque auteur à une moyenne, c'est-à-dire sans considérer les variations intérieures qui, pour certains, sont importantes, on obtient le classement progressif suivant :

—		O		+		
DAM	4,5	DDP	7	NIG	(9,7)	(47)
SOC	4,5	RBM	7	SEN	13	
DAD	5	BRI	7,3			
RAN	5,3	CES	(7,6)			
ROU	5,4					
TIR	6					
BDP	6,4					
RBR	6,7					

La tendance à la brièveté saute aux yeux ainsi que la position isolée de Senghor. Le fait mérite d'autant plus d'être souligné que Senghor précise, on s'en souvient (3, 1, 36), que c'est un travail de traduction sur des poèmes « africains » qui lui fait prendre conscience de l'inadéquation de l'alexandrin et le pousse à adopter, pour sa part, un vers notablement plus long,

(47) Les moyennes de Césaire et de Niger sont mises entre parenthèses car elles ne tiennent compte que des espaces versifiés.

parce que plus « authentique » (48). Voulant « faire africain », Senghor se retrouve dans une position excentrique. Si l'on néglige Sissoko et Keita, exclus de la liste comme « prosateurs », les moins occidentalisés de nos poètes sont, d'après de nombreuses investigations antérieures, Socé, Ranaivo et Dadié. Tous trois adoptent *régulièrement* le vers bref, sinon très bref. On sait, par exemple, que la brièveté de Ranaivo lui est en grande partie dictée par les haïnteny. Senghor lui en fait gloire. La brièveté est ici, assez curieusement, garant d'authenticité, non seulement madécasse, mais, plus généralement, négro-africaine :

> Chez nous aussi, les griots et chanteurs populaires suppriment les mots outils, tous les mots inutiles en général, et font un usage constant de l' « expéditif », mode de l'économie. De sorte que nous avons une « poésie de temps forts », des comprimés de poésie (49).

On objectera qu'il n'y a pas contradiction puisque Senghor envisage la brièveté de la syntaxe et non celle du vers. Soit. Mais sans faire de l'homologie (ou du diagrammatisme) une règle, trop souvent démentie par les faits, on sent intuitivement (et on constate empiriquement) une incompatibilité entre la concision de la syntaxe et l'expansion du vers :

> De la sagesse faites un lamba :
> vous vous en couvrez si vivez,
> si mourez, un linceul (RAN. *C.* 3 16 87-89).

Nouvelle objection : Senghor, lui aussi, pratique l'économie syntaxique, sans pour autant abréger son vers. On répond que cette économie n'est pas, comme chez Ranaivo, une constante et que sa pratique est différente. L'ellipse de Ranaivo est marquée strictement comme telle : marque négative en quelque sorte, celle de Senghor est positive : l'omission est maquillée, *compensée* par l'introduction d'une figure, le zeugma par exemple :

> Elles se casquent pour l'union libre et éclaircir la race (*C.* 10 19 26 ; cf. 6 15 17, etc.).

Chez Ranaivo, le raccourcissement du signifiant entraîne celui du signifié, chez Senghor l'abrègement est moins perceptible et ne provoque pas celui du signifié : les tendances sont opposées.

---

(48) Nouvelle généralisation « synecdochique » : si la métrique wolof connaît des vers très longs (C.A. DIOP, *Nations nègres...*, 468), d'autres ethnies, d'autres genres utilisent des vers très courts. Au reste, les traductions proposées par Senghor de poèmes bantou et bambara (*P.*, 385-387) adoptent des vers moyens ou brefs.

(49) SEN., « F(l)avien Ranaivo, poète malgache », 334-335 ; cf. *L. 1*, 183.

On n'en déduira pas que Ranaivo est plus « africain » que Senghor, mais que la négritude ne se définit pas, sauf idéologiquement, comme adaptation française d'un modèle, ou pseudomodèle africain. Ce qui nous importe ici, est de souligner que l'une de ses caractéristiques est certainement la brièveté, en particulier celle du vers, et que cette brièveté est en accord avec certains principes d'écriture isolés précédemment : énonciation expressive (cri), all- ou illocutivité, efficacité (d'où formules mémorisables), transparence, etc. Il est vraisemblable que des causes culturelles entrent en jeu (50). Elles ont peu de chance d'être les mêmes pour tous les partisans de la brièveté. Socé ratifierait-il cette justification de Damas fondée sur le refus du vers français traditionnel, confondu avec l'alexandrin ? :

DIEU SOIT LOUE
Il me suffit
d'avoir deux pieds

J'en aurais beaucoup
beaucoup trop de douze
douze pieds comptés pesés [...]
Laissez-m'en deux
ou même un seul
pour les bons coups
dont tant se perdent
non sans regret (*B.* 4 79 172-80 194).

Citation intéressante, surtout pour ses conséquences pratiques sur le rythme. « Pied » offre une trop belle occasion de jouer sur le mot pour que Damas ne la saisisse pas. Ce faisant, il utilise un terme auquel la négritude accorde une valeur quelque peu mythique (51), mais, plus important, il effectue un transfert dans le signifié métrique du mot. Les « douze pieds comptés » renvoient sans ambages aux douze *syllabes* de l'alexandrin. Mais lorsqu'il parle de *ses* deux pieds, voire d'un seul (et pour quel usage !), s'agit-il bien de syllabes au sens propre ? Les vers d'une ou deux syllabes se rencontrent à l'occasion, à l'occasion

(50) P. Zumthor remarquait qu'en français les vers les plus courts sont les plus anciens, «et je crois, ajoutait-il, que ce n'est pas par hasard [...] : il est normal que les *formes longues* [...] soient *postérieures* aux *formes brèves* » (in J. ROUBAUD, « Poétique comme exploration des changements de forme », discussion, 84). On n'est pas autorisé, sans enquête, à en faire une règle universelle. On peut toutefois se demander si la préférence accordée au vers court n'est pas, inconsciemment, un désir de retour aux sources : « La poésie négro-africaine reste près des sources divines. C'est ce qui en fait la valeur, la force expressive » (SEN., *L. 1,* 172).

(51) « Nous frapperons le sol du pied nu de nos voix » (CES. *A.* 9 35 3), vers canonique dont on reparlera au chapitre suivant. Cf. SEN. C. 13 24 22.

seulement. Beaucoup plus fréquemment les vers d'un ou deux *mots*, plus fréquemment encore d'un ou deux mots *forts*, ou les vers d'un ou deux syntagmes :

KETTY belle
KETTY blonde
KETTY nue
s'en fut crayonner au grand tableau vert
AVAIS-JE EU RAISON DE DIRE
JAMAIS
AVEC
VOUS (2 47 273-280).

C'est signifier, semble-t-il, que l'unité métrique, le pied comme on disait, est non pas la syllabe (non signifiante), mais le mot (signifiant). L'unité métrique serait une unité morphologique de sens. Cela justifie, *a posteriori*, notre mode de comptage et permet peut-être, en théorie, une nouvelle appréhension du rythme élémentaire.

Du vers très bref découle d'une part un rythme simple, unique (mode de l'unicité et de la successivité), d'autre part une base rythmique supérieure au vers : à proprement parler, le vers n'a pas de rythme en lui-même. Un second vers au moins est nécessaire pour provoquer le rythme, sinon la laisse, voire le poème. Un tel vers construit plus qu'il n'est construit. Centrifuge, si l'on peut dire, il s'oppose au vers moyen ou long, plus ou moins centripète. Le vers de Senghor tend à se suffire à lui-même ; vivant dans sa propre clôture, il spatialise le temps, d'où le sentiment d'atemporalité, d'éternité, notion chère à l'auteur (C. 9 18 6, 13 23 7, etc.). Au contraire, le vers de Damas, souvent celui de Césaire, non seulement lorsqu'il est court mais aussi lorsque, fortement disjonctif, il juxtapose en un vers des cellules équivalentes chacune à un vers (CES. C. 28 48 51-55), semblent jetés dans le présent ou, mieux, scander le présent. Vers court (Damas) ou mode de vers court (Césaire), peu importe, ce qui compte, c'est le truisme suivant : le tempo vif (vers bref) se fonde sur la disjonction et l'accuse, le tempo lent (vers long) intègre la disjonction et lui assigne un rôle conjonctif. Il est tentant, dès lors, de donner une valeur à une opposition aussi marquée et de dire, par exemple, que le style de Césaire est celui du non frénétique, le style de Senghor celui de l'acquiescement profond (52). C'est oublier que le vers bref, rigoureusement disjonctif, de Socé n'est pas moins signe d'acquiescement que le vers long et conjonctif de Senghor, c'est

(52) A. PATRI, « Deux Poètes noirs en langue française », 379.

oublier que la poésie de Damas, « directe, brute, parfois brutale » (53) exprime dans les mêmes conditions, tristesse, mélancolie, nostalgie, tendresse... Dadié, lui aussi, est un conciliateur. On ne passe pas sans mécomptes d'une forme à une valeur. Le risque est grand lorsqu'on le fait prématurément.

Si la dominance du vers court, produit de la disjonction, souligne l'efficacité de ce facteur dans la négritude, il n'en faut pas moins reconnaître l'influence du facteur contraire, étant donné le nombre des « exceptions » et des variations propres à certains auteurs : cinq utilisent plusieurs « modèles » dont deux seulement sont comparables (B. Diop et Rabearivelo). On peut, ici, introduire la base de la ponctuation, du moins de la ponctuation en fin de vers.

*
**

Remarque préjudicielle : concernant la négritude, c'est un domaine mouvant, difficilement exploitable. En mainte circonstance il est impossible de décider si la présence ou l'absence d'un signe de ponctuation est ou non une coquille. Sissoko et Socé, par exemple, ponctuent régulièrement et « normalement » leurs textes. Mais, à l'occasion, le signe attendu fait défaut (SOC. 1 15) ; inversement, le signe apparaît où l'usage l'exclut (SIS. 26 42 1-2, cité 4, 1, 195). Faut-il y voir une erreur typographique ou un signal invitant le lecteur à sonoriser sa lecture et à la rythmer ? On est souvent porté à choisir le second terme de l'alternative, mais sur quels critères ? et peut-on généraliser ? De son côté, Césaire, comme on peut s'y attendre, n'adopte pas devant la ponctuation une attitude unique. Certains poèmes sont ponctués (A. 28 192-193), d'autres non (1 7-9), d'autres le sont (20 66-67) de façon lacunaire. L'absence et la présence sont donc indubitablement des signaux dont on doit tenir compte. Mais peut-on s'y fier aveuglément ? Lorsque Césaire remanie le texte original des « Pur-Sang » pour les *Armes*, il allège considérablement la ponctuation, mais de manière irrégulière : le point d'interrogation est maintenu dans « (Mais) Dieu ? comment ai-je pu oublier Dieu ? » (A. 2 15 118), il est supprimé dans « Entendez-vous parmi le vétiver le cri fort de la sueur » (15 110). Combien d'autres disparités du même ordre ! Faut-il y accorder de l'importance ? L'intention ne paraît pas constamment avérée. Incertitude aléatoire. Un tel constat oblige à un examen auteur par auteur (54), ce qu'il est impossible de faire ici.

(53) SEN., *Anthologie*, 5.
(54) Sont concernés : Césaire, Dadié, B. Diop, Niger, Roumain, Sissoko, Socé, Tirolien.

La ponctuation, dans son emploi « normal », souligne les articulations et les *hiérarchies* syntaxiques. Elle fonctionne donc comme indice de contrainte. Elle fait attendre une suite et, dans des mesures variées, la nature de cette suite : elle est conjonctive ; cela, dans la seule perspective syntaxique. Le blanc (ou silence) de fin de vers peut être considéré comme un signe de ponctuation poétique, qui souligne les articulations et la *non-hiérarchie* des vers, chaque vers équivalant, en théorie (v. amendement ci-dessous), à celui qui le précède ou le suit. La ponctuation syntaxique *dans* le vers, tout en étant l'expression d'une conjonction syntaxique, produit une disjonction poétique, mais, *à la fin* du vers, elle meuble la pause et reçoit de ce fait, poétiquement, une fonction conjonctive. D'où la nécessité de distinguer la ponctuation intra- et inter-vers. Parmi les auteurs brefs on opposera Rabearivelo, Ranaivo, B. Diop et Socé, qui ponctuent, à Roumain, Tirolien et surtout Damas qui ne ponctuent guère ou pas. On classe à part Dadié qui, dans un même poème, pratique souvent les deux procédés, donnant ainsi des rôles différents à ses vers. Césaire n'agit pas autrement.

Disjonction simple, disjonction comblée : on attend une troisième catégorie, la disjonction renforcée. Elle se manifeste en effet. Le signe élémentaire est le blanc entre deux vers consécutifs. On en a parlé plus haut. Il est un autre procédé qui mérite d'être souligné brièvement : le décalage du vers. Césaire y recourt peu (règle du vers incertain), Damas, Roumain et Tirolien irrégulièrement, Dadié abondamment. Dans ces conditions, le principe d'équivalence cher à Jakobson est battu en brèche : le vers n'est plus échangeable avec ses voisins. Le même est donné comme autre et apporte à l'ensemble sa contribution autonome, vers plus rythmant encore que le vers bref aligné (par opposition aux vers moyen et long qui sont surtout rythmés). Le poème prend ainsi une apparence singulière. On voit tout ce qui sépare un tel poème (par exemple DAD. A. 2 12-13) des poèmes à forme fixe qui sont, eux, interchangeables. Le vers décalé, qui, parfois, se réduit à un syntagme ou à un mot, reçoit une autre valeur (en général problématique) que celle assignée par la sémantique, la morphologie et la syntaxe :

Si

depuis

peu

je trouve à ta larme en détresse

le goût âcre de l'eau de sang-mêlé [...] (DAM. *N*. 33 122

1-5).

A la limite, le décalage atteint (Damas encore) la syllabe. Césaire s'était amusé (on l'a vu) à écrire, lettre à lettre, verticalement, les mots « fume » et « fumée », simple calligramme, trop peu sérieux pour être conservé : il n'apporte pas de sens. Il semble, au contraire, que, lorsque Damas écrit :

> et mon rêve qui se nourrit du bruit de leur
> dé-
>   gé-
>   né-
>   rescence
> est plus fort que leurs gourdins d'immondices (P. 25 66
> 25-30),

il infuse une valeur (quelle ?) à chaque syllabe ainsi détachée. Certes, il est également loisible d'y voir une sorte de calligramme, non plus seulement figure *du* mais *de* sens : la disposition « en marches d'escalier » figurant, au sens étymologique, la *dégradation*. C'est admissible pour l'exemple qui vient d'être cité, comme pour 28 71 13-19 où « la Réalité » donne l'impression de se dissoudre dans ses éléments constitutifs et de disparaître peu à peu. Mais peut-on généraliser ? Ce serait sans doute aller au devant des mécomptes signalés ci-dessus. Dira-t-on que le décalage de *P.* 1 13 (cité 4, 1, 225), « signifie » l'illusion désarmante de la frénésie rythmée par le tam-tam ainsi que le désespoir de la dépossession ? Rien n'est moins sûr. Le décalage est impulsion rythmique avant d'être sens, s'il en a un. Et cette impulsion est elle-même ambiguë. Comment rendre par la parole une telle disposition : en ralentissant, en accélérant, en amplifiant, en diminuant ? Il se passe quelque chose, mais quoi ?

Retenons surtout la dynamisation opérée par le vers bref et augmentée par la non-ponctuation : ce sont ces deux procédés qui imposent avec le plus d'évidence la « tyrannie du rythme » à laquelle la négritude se soumettrait avec jubilation. On n'en veut pour preuve supplémentaire que deux poèmes de Tirolien. L'un, intitulé « Rythme » précisément (22 59-61, plusieurs fois mentionné), est écrit en vers très brefs de un à sept mots (moyenne : 4,5), ou, si l'on préfère, de une à douze syllabes. L'autre, « Satchmo » (i. e. L. Armstrong, 22 63-66), est articulé en laisses inégales de vers très brefs : nombreux blancs, décalages, pas de ponctuation, sinon des points d'exclamation et des tirets qui, loin de combler la disjonction, la renforcent (55).

---

(55) L'articulation et le décalage adoptés systématiquement dans ce poème semblent montrer qu'ils ont pour l'auteur une fonction mimétique : ils représenteraient le rythme du jazz. Dans ces conditions. le décalage pourrait également figurer la syncope.

Vers rythmants, vers rythmés. En quoi consistent-ils ? C'est ce qu'il nous faut examiner dans les grandes lignes pour achever ce long survol, hâtif cependant.

Eu égard au poids de la tradition française et à la réalité textuelle de la négritude, il a paru pertinent de poser comme dichotomie fondamentale l'opposition syllabisme/non syllabisme. On reconnaît volontiers que le syllabisme, pas plus que la rime, ne suffit à caractériser notre vers traditionnel. Il est difficile, néanmoins, de ne pas voir en lui une condition nécessaire. Sur cette base s'appliquent certains des facteurs que nous connaissons, en particulier l'*interprétation* (certain/incertain) et la *balance* (régulier/irrégulier). En outre, l'un des principes généraux qui informent cette étude impose de définir le vers, d'une part, en lui-même, par corrélation avec les autres vers isolés (paradigmatique, sémiotique), de l'autre, en texte, par relation avec les vers qui le précèdent et/ou le suivent (syntactique, sémantique). D'où les deux grilles théoriques suivantes :

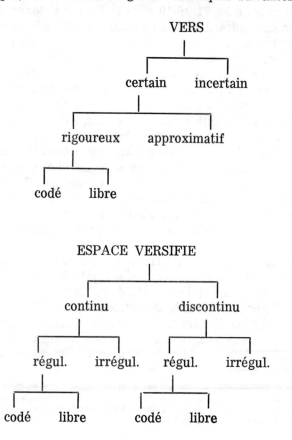

L'espace versifié est envisageable à toute une série de niveaux, le plus haut et le plus général étant, pour ce qui nous concerne, l'ensemble de la négritude (le syllabisme y est discontinu). On trouve, en descendant, les diverses bases déjà déterminées : chaque auteur (dont rend compte la colonne 8, p. 237), puis chaque recueil, les poèmes regroupés d'un même recueil, chaque poème enfin, voire chaque laisse s'il y a lieu.

Les deux grilles laissent attendre que le syllabisme déborde largement les 10 % de la négritude dégagés à propos de la rime et des poèmes à forme fixe, puisqu'ils ne sont appréhendés que par les facteurs certain et rigoureux, d'une part, continu et régulier, de l'autre.

Par rigoureux-codé il faut entendre les vers culturellement constitués, au premier rang desquels, évidemment, l'alexandrin, également le déca-, l'octo- et, sans doute, l'hexa-syllabe. N'entre en effet sous cette rubrique, en toute rigueur, qu'une séquence immédiatement perçue comme mètre, quel que soit le contexte, essentiellement donc l'alexandrin :

> le plus beau des soleils est le soleil nocturne (CES. C. 53 91 55).

La perception des autres n'est pas si évidente :

> 10 : Ne troublez point, laissez telle la nuit (BDP. 3 12 5) ;
> 8 : Fils de la terre et des vivants (RBR. V. 26 45 1) ;
> 6 : ? Prince des camarades (SEN. N. 29 214 65).

Si l'on peut hésiter sur la nature codée de l'hexasyllabe, à plus forte raison des vers impairs dont l'appréhension n'est ordinairement fournie que par la répétition, donc par référence à l'espace versifié :

> Ton corps est le piment noir
> Qui fait chanter le désir (DDP. 16 37 4-5).

De tels vers ressortissent d'un côté au discontinu-régulier-libre, de l'autre au rigoureux-libre. Mais c'est affaire de pratique et de culture.

On n'a pas la place de se demander si les vers codés de la négritude présentent une quelconque spécificité. Notons seulement (ou rappelons) qu'ils présentent des traits néo-classiques : inversions, imposées par la rime (avec, au besoin, des archaïsmes, pour la même raison) :

> Ronde macabre offerte à la mouvante arène (BRI. P. 6 87 : « arène » rime avec « chaînes »),

ou par le rythme :

> Une étreinte et nos corps, par un jeu d'alchimie,

prennent de tes cheveux la divine pâleur (RBM. *O.* 14 32 3-4 ; cf. RBR. *S.* 38 64 23-24, BRI. *P.* 4 34, etc.),

licences orthographiques :

> Je songe à ces yeux d'un bleu tendre
> Dont j'ignore encor le secret (BDP. 16 29 17-18),

diérèses (celles-ci très nombreuses) :

> ne proclame-t-il pas le vi/ol des roseaux (RBM. *O.* 9 25 3 ; cf. RBR. *S.* 40 68 3, BDP. 18 31 12, etc.),

liaisons redondantes :

> Tout est propice et l'ombre et l'herbe et la forêt (RBM. *O.* 10. 26 9 ; cf. v. 5, 4 18 13, 7 23 11, etc.) ;

que les césures profitent des latitudes acquises depuis longtemps :
rejets :

> l'amante au front de cuivre ancien est venue (RBR *V.* 29 51 2),

contre-rejets :

> Et, virginal parmi les vols immaculés,
> Un grand héron, penché sur les mois écoulés,
> Attend le vain retour des belles lunes mortes (RBM. *M.* 7 21 12-14),

etc., mais aussi des libertés conquises par le symbolisme :

> Elles dansaient de puanteurs enveloppées (BRI. *P.* 6 81) ;
> Arrête Jazz, tu scandes des sanglots, des larmes
> Que les cœurs jaloux veulent garder seuls pour eux (BDP. 11 22 9-10),

etc. Héritage symboliste encore qu'un certain goût pour l'impair (qu'on peut donc, à l'occasion, tenir pour codé), du moins chez Rabearivelo (*C.* 4 11, *S.* 5 16, 6 17...) et B. Diop (3 12, 9 20, 10 21...), etc.

Les poèmes versifiés de Brierre, Rabearivelo et Rabemananjara ressortissent tous à la rigueur codée (ou libre, selon le lecteur, pour les vers impairs). Tel n'est pas le cas de B. Diop dont l'originalité, dans ce domaine, est évidente. On trouve en effet chez lui irrégularité, approximation et incertitude. Par exemple, 5 14 est composé de quatre quatrains de vers de 4, 5, 6 et 7 syllabes répartis apparemment de manière aléatoire, de même le suivant avec des alternances (régulières à un niveau, irrégulières à un autre) de vers de 11-12 et de 7-8 syllabes. Il se crée ainsi une approximation syllabique et donc des vers incertains, rythmiquement ambigus. Voici le premier quatrain d'un sonnet d'octosyllabes :

Des rythmes attardés se lovent
Sur les branches que berce le soir.
Dans l'eau calme comme un miroir
Se réfracte une lueur mauve (15 27 1-4).

Le second vers comprend neuf syllabes. Que faire ? Tenir compte d'assez nombreux exemples antérieurs et admettre cette irrégularité syllabique ? ou régulariser le poème en élidant —*e*(*s*) de « branches » (césure dite épique) ? On sent, en outre, l'incertitude rythmique du fait de la césure fluctuante. Par là, les diérèses de Diop sont, elles aussi, incertaines. Dans 9 20, sonnet d'heptasyllabes, faut-il scander : (1) « Vers un arri/ère-monde », (12) « Le cœur se sent vi/eillir », ou admettre deux hexasyllabes, voire pour le premier, un pentasyllabe en élidant l'—*e* d' « arrièr(e) » ? Verlainisme ? Pas exactement. L'indécision de Verlaine est située dans un cadre syllabique strict, non celle de B. Diop, qui aboutit à ces poèmes « libérés » évoqués plus haut (56), desquels on peut se demander s'ils sont ou non syllabiques. Donnons-les pour incertains. On sait de longue date que l'*e* dit caduc est un facteur fondamental d'incertitude. Sa pertinence poétique est évidente chez B. Diop, elle l'est aussi, comme on va le voir, dans toute la négritude.

Parmi les vers certains-libres figurent non seulement les vers impairs de moins de douze syllabes, mais également les vers supérieurs à l'alexandrin. Rabearivelo offre, dans *Sylves*, trois poèmes en vers de 14 syllabes (57) dans un espace continu régulier (codé ou libre), ce qui, très rapidement, les transforme en vers codés. Plus intéressants, ceux qu'on trouve, chez Rabemananjara et Brierre, dans des espaces versifiés presque continus mais irréguliers. *Rites* et *La Lyre* rappellent la métrique de Perse, car le syllabisme y est, en général, rigoureux. Avec Brierre, au contraire, il devient approximatif et l'espace cesse d'être perçu comme syllabique.

Mais le phénomène important, sur lequel il faudrait insister davantage, concerne l'espace versifié discontinu. Dans deux vers assez parallèles Senghor utilise comme métaphores trois termes de versification (*E*. 12 140 12 et *N*. 27 203 9, cités 3, 4, 148). C'est laisser entendre que sont bannis du véritable vers africain la disjonction et le nombre (en particulier le syllabisme). Du moins se croit-on autorisé à cette interprétation. Le rythme

(56) 7 16-17, 8 18-19, 27 45-46, 38 61-63, etc. Il est significatif que de tels poèmes se rencontrent aussi dans « Leurres ».

(57) *S*. 18 34-35 coupé 7/7, 42 72-73 (8/6) et le « Finale », 54 95-96 (6/8), dont les deux derniers vers retrouvent les deux hémistiches égaux assez rares 7/7. Des vers de ce type relèvent davantage, semble-t-il, de l'exercice d'école que d'un besoin profond d'expression.

d'un vers authentiquement africain serait donc continu et accentuel et s'opposerait au vers français discontinu et syllabique. Peu importe qu'un tel principe soit ou non avéré. Il impose au poète de la négritude (et à son public) un certain type d'écriture (et de lecture), dans la mesure, évidemment, où la négritude se veut africaine. Elle le veut, on le sait, malgré obstacles, contradictions, et impose volontiers, au moins par la bouche de Senghor, une véritable homologie entre ses propres traits et ceux de *la* poésie africaine traditionnelle. On reproche à Césaire d'être monotone (l'est-il?), à Senghor également,

> mais la monotonie du ton, c'est ce qui distingue la poésie de la prose [dans la littérature africaine traditionnelle], c'est le sceau de la Négritude (58).

Si l'on objecte qu'un poète français, Claudel, fait de la monotonie la base de toute poésie vraie, de toute « mesure » (59), Senghor répond par la théorie de l'interférence (v. 3, 1, 24 s.) : il y a du nègre chez Claudel. Nous nous sommes constamment élevé contre cette assimilation de principe entre poésie *néo*-africaine et poésie africaine traditionnelle qui fonde la doctrine de Jahn, quitte à l'accepter si les structures textuelles la confirment. Dans le cas présent, le postulat de Senghor-Jahn conduit à considérer le syllabisme (et la disjonction) comme une exception, trace de l'aliénation culturelle des premiers de la négritude (Rabearivelo, B. Diop, Brierre) ou de leurs épigones (tout un pan de Rabemananjara). L'incertitude, l'approximation, la liberté syllabiques seraient un pas vers l'affranchissement et le syllabisme apparaîtrait surtout dans un espace discontinu (mieux vaudrait dire ici *occasionnel*), la base fondamentale étant accentuelle, pour confondre commodément vers non syllabique et vers accentuel. Autrement dit, à 85 % environ (si l'on exclut les textes en « prose ») l'espace versifié de la négritude aurait un fondement accentuel (continu), le syllabisme n'y serait qu'occasionnel (discontinu).

Il est difficile de trancher. Une oreille française, généralement encore, formée aux rythmes syllabiques (quoique aussi généralement ignorante des règles élémentaires de la métrique

---

(58) SEN., « Lamantins... », *P.*, 166, *L. 1*, 225, déjà cité au ch. précédent, 192, n. 13.

(59) « Qui sait si ce que vous appelez la monotonie dans le travail n'est pas un des besoins essentiels de l'âme humaine ? Ce n'est qu'au fond de la monotonie que l'on trouve la mesure » (CLAUDEL, *Entretiens dans le Loir-et-Cher*, 223-224). G. ANTOINE, qui cite cette formule, la rapproche de Baudelaire : « Le rythme et la rime répondent dans l'homme aux immortels besoins de monotonie, de symétrie et de surprise » (*Les Cinq grandes Odes de Claudel...*, 11-12).

traditionnelle) est « naturellement » portée à chercher, et à découvrir, le syllabisme là où, peut-être, il ne se trouve pas. Quelques alexandrins apparemment bien formés permettent-ils, lorsqu'on les aperçoit dans une séquence textuelle, de décider qu'ils constituent la « norme » (le « *pattern* » de Riffaterre), rompue par les vers qui ne se plient pas au même découpage métrique ? On en est aisément tenté. Ce n'est, cependant, qu'un postulat de lecture. L'alexandrin, pour en rester à ce vers-clé, a tellement été « désarticulé » depuis plus d'un siècle qu'on est prêt à déclarer alexandrin toute suite de douze syllabes. On accepte si bien, à présent, les élisions non classiques du *e* caduc qu'on passe vite de l'approximation au fait : alexandrin libéré, très libéré, alexandrin pourtant. Même attitude devant les autres vers plus ou moins codés. On lit donc, par exemple :

(1) C'est cette mince pellicul (e) / sur le remous du vin (8/6)

(2) mal déposé d(e) la mer (? 6)

(3) c'est ce grand cabrement / des chevaux de la terre (alex.)

(4) arrêtés à la dernière second(e) / sur un sursaut du gouffre (10/6)

(5) c'est ce sable noir / qui se saboule au hoquet de l'abîme (? 5 +/10)

(6) c'est du serpent têtu / le ramp(e) ment hors naufrage (= alex.)

(7) cett(e) gorgée d'astres revomie / en gâteau de lucioles (= 8/6)

(8) cette pierre sur l'océan / élochant de sa bave (8/6)

(9) une main tremblante / pour oiseaux de passage (= alex.) (CES. *F.* 2 8).

Une scansion « naturelle » suffit à satisfaire le besoin de syllabisme. On passe sur ce qu'il y a de forcé (de vulgaire ?) (60) dans l'élision du —*e* de « de » en (2), de peu cohérent dans le traitement de ce même *e* atone dans les vers (7) et (8) (aboutissant en (8) à une prononciation fort peu naturelle ; mais on peut évidemment lire « cett(e) pierr(e) » pour retrouver un alexandrin : n'a-t-on pas souligné l'incertitude du vers césairien ?), de gênant à traiter (9) comme un alexandrin. Reste (5). On ne peut vraiment pas dire : « c'est c(e) sable noir », qui accuse pourtant la diction possible de (2). On prend acte de

---

(60) Le verbe « sabouler » (houspiller, tirailler), qui est sorti de l'usage, est donné par Littré et Bescherelle comme *populaire*. Est-ce suffisant pour autoriser une prononciation elle aussi « populaire » ? On retrouvera ce mot au chapitre suivant.

l' « écart » et on conclut : c'est un « *presque* vers » de seize syllabes, symétrique du précédent (10/6), le sixième pied manquant du premier hémistiche étant remplacé par une pause ou occupé par l'allongement de la voyelle précédente : / nwɑ : R /, et de gloser, au besoin, sur l'emphase ainsi accordée à l'un des mots importants de la négritude. On sent tout ce qu'il y a d'insatisfaisant dans une telle lecture, qui traite le poème comme Procuste ses victimes. Mais pour être caricaturale et peu recevable, elle n'en témoigne pas moins d'une certaine réalité : objectivement, (3) fait figure d'alexandrin, comme, plus bas (11) et, plus haut (p. 271), tel vers de *Cadastre*, et, si l'on adopte une diction sans apprêt (il faudrait alors la généraliser ou justifier son abandon), (6) en donne une approximation suffisante ; il n'est pas jusqu'à l'inversion (« du serpent têtu ») qui, par son archaïsme, ne pousse à « classiciser » le vers. Objectivement encore, tous les vers cités, sauf (2), mais (5) compris, se terminent par une séquence de six syllabes et, bien que le système se dérègle par la suite, il n'est pas totalement abandonné. Le syllabisme ne peut être établi dans les mêmes conditions pour la première partie des vers. Quelle est donc la nature de la *base* ? syllabique, ou accentuelle ?

Il paraît prudent de voir dans ce texte un espace syllabique discontinu. Mais comment déterminer si cet espace est syllabisé, par l'auteur, ou syllabisable, par le lecteur ? (La fréquence statistique consitue, certes, un indice, mais il n'est pas nécessairement probant). Des textes comme celui-ci sont nombreux chez Césaire et tous les poètes de la négritude. On a le sentiment que le vers ne se fait pas contre mais avec le syllabisme, dont la fonction structurelle et rythmique peut être tenue pour acquise, mais avec une importance et des modalités diverses. Assez forte chez un Césaire, elle est beaucoup moins évidente chez un Dadié. Irrégulière chez D. Diop, elle est presque constante chez Tirolien.

Le syllabisme discontinu plus ou moins régulier occupe dans la négritude une place majeure ; elle n'apparaît pas dans le tableau de la p. 237 où seul le syllabisme continu a été pris en compte. Il n'y a donc pas incompatibilité entre syllabisme et « accentualité ». Tirolien, que nous avons plusieurs fois considéré comme une sorte de baromètre de la négritude en fournit un témoignage sans ambiguïté. Il intitule un de ses poèmes « Négritude » (25 71 0) et le dédie à Césaire. On attend qu'il soit, dans sa composition, son rythme, son inspiration, son contenu, exemplaire. Il comprend quatre laisses irrégulières mais néanmoins structurées à la façon de Senghor (3, 5, 3 et

8 vers), des bases anaphoriques, des rimes, des assonances, des contre-assonances, etc. et il est écrit tout entier en alexandrins, la plupart rigoureux, six ayant la césure épique au sixième pied :

> (3) mais ta jeunesse mêm(e) leur était une offense.

Le modèle ainsi constitué n'est rompu qu'à deux reprises dans des micro-contextes analogues :

> (14) Ta flûte leur est tam-tam, ton tam-tam vacarme.

La contrainte du contexte entraîne « naturellement » l'élision du —e de « flûte » (anormale ici, cependant, puisque ailleurs qu'à la césure médiane), mais le second hémistiche ne contient plus que cinq syllabes. Si l'on maintient l'—e, le vers a ses douze pieds mais cesse d'être un alexandrin rigoureux, sinon un alexandrin. La deuxième exception est plus simple et peut, à la rigueur, ne pas être sentie comme telle, le déplacement de l'élision ayant, somme toute, été annoncé par (14) :

> (18) Tir(e) de ton balafong la chanson de ton sang.

Seule, semble-t-il, l'apparition d'instruments de musique typiquement africains provoque le rejet momentané du modèle. Si l'on accepte de comprendre ces deux vers, en tant qu'anormaux, comme une métaphore de valeur, on avancera qu'ils font de la négritude un surgeon enté sur l'arbre littéraire français, dont il fait donc partie, qui le nourrit, mais auquel il apporte un caractère original. Pour ce qui nous retient ici, le vers « accentuel » représente un espace discontinu (plus encore : occasionnel) intégré dans le continuum du syllabisme. Malgré tant de déclarations de principe, il n'y a pas lieu de s'en montrer surpris. L'influence culturelle de la langue support (et qui, par là, ne peut être limitée à ce rôle) est si lourde qu'il paraît impossible d'y échapper, sauf à s'en garder par une vigilance de tous les instants, laquelle contredit le principe de spontanéité. On en verra la vérification ci-après.

Que le syllabisme ne soit pas simplement une tentation gratuite du lecteur français, mais qu'il participe (ou puisse participer) à l'écriture du poème, un de nos auteurs le confirme, apportant la garantie que la statistique ne pouvait fournir :

> En général, écrit-il, mon vers est binaire et consiste en groupes de syllabes paires. Il arrive cependant, assez fréquemment, que j'utilise un groupe de syllabes impaires, ordinairement pour obtenir un effet inhabituel ou caractéristique.

Il ajoute ces renseignements utiles sur l'évolution de son écriture :

Dans mes deux premiers recueils poétiques [...], je me suis laissé guider presque uniquement par l'inspiration, découpant le verset selon une espèce d'inspiration ou d'impulsion naturelle. Dans *Ethiopiques*, j'ai commencé à organiser ce qui était naturel. Je voulais prendre comme fondement la prosodie française en respectant ses principes naturels, c'est-à-dire l'esprit de la langue française.

L'auteur s'est dévoilé peu à peu : il s'agit évidemment de Senghor (61). Y a-t-il contradiction entre le théoricien et le poète ? Sans doute pas. On a quelque peu forcé les choses pour la clarté de l'exposé en présentant une préférence pour une exclusion. Senghor laisse entendre qu'on ne peut confondre sa rhétorique personnelle avec « la » rhétorique africaine traditionnelle ; il reconnaît qu'il entend œuvrer *dans* la littérature française et que ce désir croît avec les années. Mais que les premiers recueils soient plus « impulsifs » que les suivants ne signifie pas que cette impulsion n'ait pas été, pour partie, informée par sa pratique de la littérature française. « Accent » senghorien « dans les lettres françaises », c'est indubitable ; *donc* africain ? c'est vite dit. Notre interprétation de Tirolien se trouve en tout cas pleinement justifiée.

Ce qui nous intéresse le plus ici, c'est que Senghor nous propose une approche du vers accentuel, du moins du vers accentuel long, car si la transposition peut se faire sur le vers moyen, elle est beaucoup moins licite sur le vers bref. Senghor admet qu'il prend le syllabisme pour base d'écriture. Le syllabisme est nécessairement impliqué par « prosodie française » et « esprit de la langue française ». On le confirme par un complément de citation qui sera donné dans quelques lignes. Mais ce syllabisme ne peut être assimilé à celui dont il a été question jusqu'ici. Celui-ci est *engendré* par le vers, ou plutôt par le

(61) Retraduction d'une lettre de Senghor (sept. 1967) à Sylvia W. Bâ (in S.W. BA, *The Concept of Negritude in the Poetry of L.S. Senghor*, 133 et 131). Le poète écrira de même, ou peu s'en faut, à Renée Tillot (déc. 1971) : « Avant " Ethiopiques ", je ne comptais pas le nombre de syllabes contenues dans chaque verset ou dans chaque groupe de mots. [...] Il est important, dans l'étude du rythme, de distinguer la période d'avant les *Ethiopiques* et la période d'après les *Ethiopiques*. Dans " In memoriam ", par exemple [C. 1 ; ci-dessous, 4, 4], vous trouverez des groupes de mots ayant un nombre pair de syllabes, et d'autres ayant un nombre impair. Après " Ethiopiques ", j'emploie, régulièrement, un nombre pair de syllabes, mais, pour obtenir un certain effet j'emploie, plus rarement, un nombre impair » (in R. TILLOT, *Le Rythme dans la poésie de L.S. Senghor*, 116). Ce découpage de l'œuvre laisse incertaine la place des *Chants pour Naëtt* dont la publication s'intercale entre *Hosties noires* et *Ethiopiques* mais qui ne se lisent plus depuis longtemps que dans la version de *Nocturnes* (« Chants pour Signare »).

sentiment du vers qui lui préexiste ou bien chez l'auteur ou bien chez le lecteur ; un tel vers est orienté de la fin vers le début puisque le terme est préfix. Le syllabisme dont il s'agit à présent est *engendrant* ; il constitue une cellule dynamique primaire qui crée un besoin d'espace, dont le terme dépend d'elle et non de l'autorité culturelle ; le vers accentuel, tel qu'il est ici défini (et quelle que soit la nature de l'accent), est orienté du début vers la fin. Le rythme ainsi produit ressemble à celui que Pius Servien accorde à la prose et, donc, sa méthode d'analyse numérique peut être utilisée. Le rythme d'une séquence résulte, selon lui, de cinq rythmes particuliers : arithmétique (nombre des syllabes des groupes sémantico-syntaxiques), quantitatif ou prosodique (fondé sur l'alternance des longues et des brèves), tonique (fondé sur l'alternance des intensités faibles ou fortes), enfin de timbre et de hauteur « Il n'y a qu'une rythmique vraiment indépendante et qui commande les autres, c'est la rythmique tonique. Une autre est presque indépendante, c'est l'arithmétique » (62). Servien met en évidence les points qui nous retiennent le plus : le syllabisme (arithmétique) et l'accent (tonique). Il transcrit ces deux rythmes fondamentaux par une suite de chiffres, séparés par les signes de ponctuation. Les manipulations sont ensuite aisées et peuvent chiffrer les divers ensembles séquentiels, de la « cellule tonique » élémentaire, à la phrase, au paragraphe, au chapitre, etc. La méthode est évidemment applicable aux textes poétiques. Chaque vers, chaque laisse, chaque poème seraient donc caractérisés par un nombre. On s'interroge cependant sur l'exploitation qu'on peut en faire, surtout lorsqu'on embrasse un nombre important de séquences. Servien en reste à des caractérisations générales d'intérêt médiocre. Peut-on faire mieux (63) ?

Mais d'entrée de jeu, il suppose résolues deux difficultés majeures qui conditionnent l'application de la méthode : le compte des syllabes et le placement des syllabes toniques (qui a pour conséquence la délimitation des cellules). Senghor apporte, à son propre sujet, des éléments de réponse intéressants. Il précise que les —*e* muets ne doivent pas être comptés « à la fin d'un groupe de mots après lequel il y a une pause », que celle-ci soit forte ou faible (ainsi scande-t-il *C*. 1 9 3 :

> De ma tour de verr(e) qu'habit*e*nt les migrain(es), les
> Ancêtr*e*s impatients).

(62) P. SERVIEN, *Les Rythmes*..., 85-86.
(63) J'avoue un scepticisme plus grand encore devant la « métrique générative » de P. Lusson et J. Roubaud. Malgré son ancienneté (plus d'un demi-siècle !) la recherche de Servien me paraît offrir une base plus solide.

Partout ailleurs ils « doivent être prononcés comme ils l'étaient autrefois à la Comédie française » (64). Il reconnaît, en outre, pratiquer à sa guise la diérèse ou la synérèse, usant en cela « des licences de la poésie classique » (65). Pour ce qui est de la délimitation des séquences, elles est assurée par l'emploi d'une « ponctuation *expressive* » (66). « Rythmique » serait plus exact. De manière générale, les autres poètes, ainsi qu'on l'a vu, ou négligent toute ponctuation, ou respectent les règles grammaticales. Senghor est seul à utiliser *systématiquement*, à l'intérieur du vers, une ponctuation (ou non-ponctuation) spécifique. En fin de vers, là où la norme impose virgule ou point-virgule, le blanc suffit ; le point n'apparaît que pour marquer la fin de la phrase ou renforcer une pause grammaticale secondaire :

> O ma Lionne ma Beauté noire, ma Nuit noire ma Noire ma Nue ! (*C.* 18 37 144).
>
> Ma tête n'est pas d'or, elle ne vêt pas de hauts desseins
> Sans bracelets pesants sont mes bras que voilà, mes mains si nues ! (*E.* 6 110 3-4).

Le procédé se retrouve ailleurs, par exemple chez Dadié, mais n'affiche pas la même netteté. Le problème qui nous arrête paraît donc résolu dans l'œuvre de Senghor : la ponctuation interne et la fin de vers, ponctuée ou non, délimitent rigoureusement les cellules, et, à l'intérieur de chacune d'elles, le décompte des syllabes est presque certain. La méthode de Servien pourrait donc s'appliquer facilement. Assurance optimiste. Car, même si elle conserve son « autonomie », la syllabe contenant /ə/ est nettement plus faible que ses voisines non accentuées et cette « autonomie » est plus ou moins accusée selon le contexte. Les /ə/ sont-ils équivalents dans :

> Mon Prince noir, retiens donc ce messag(e) comm*e* j'ai fait le tien (14 145 16) ?

Et d'abord, combien sont-ils, deux ou trois ? En dépit des affirmations de Senghor, la présence de /ə/ rend la scansion délicate. De plus, si la ponctuation articule les grandes cellules du vers, faut-il les considérer comme unitaires et ne leur accorder

---

(64) R. TILLOT, *loc. cit.* On voit que l'*interprétation* n'est pas supprimée : comment apprécier la pause faible ? Senghor en place une après « verr(e) » puisqu'il élide —e ; pourquoi pas, dans une diction « expressive », après « Ancêtr(es) » ?

(65) Senghor n'écrit pas *diérèse* (ni *synérèse*) mais « diphtongue », comme il le faisait déjà dans sa lettre à S.W. Bâ (à laquelle, du reste, il disait adopter le langage courant, donc préférer, en cas d'hésitation, l'émission en une seule syllabe).

(66) SEN., « Lamantins... », *P.*, 167, *L. 1*, 226.

qu'un accent ou les articuler en sous-unités, dotées, chacune, d'un accent secondaire ?

Enfin, et surtout, reste entier le problème essentiel : où placer l'accent ? Il est convenu qu'en français l'accent tonique tombe sur la dernière syllabe d'un groupe de mots sémantiquement et syntaxiquement homogène. Ce sont les seuls accents que Servien prenne en charge, les seuls également que la prosodie classique considère comme fonctionnels. Les autres, sous des appellations diverses, sont tenus pour accessoires. Ils contribuent à l' « expressivité » du vers ; leur origine, leur existence sont subjectives. Mais ce qui est accessoire dans un mètre culturellement fondé sur un placement précis de la tonique ou dans une prose qui se soumet à la prosodie « naturelle » de la langue, l'est-il dans une poésie qui engendre ses propres accents, accents, de plus, dont la nature n'est pas précisée ?

Soit le premier vers, tout simple apparemment, d'un des poèmes les plus célèbres de Senghor et déjà plusieurs fois évoqué :

Femme nue, femme noire (*C.* 8 16 1).

Que fait l'exégète ? Il isole deux cellules de trois syllabes chacune et adopte la scansion anapestique. Il code, à la façon de Servien : 3, 3 : vers binaire syllabiquement équilibré. Et il continue, en appliquant rigoureusement le même principe : (2) 9, 8 !, (3) 6 ; 10, etc. Mais qu'est-ce qui opère initialement, sinon notre habitude apprise et constamment reprise par les théoriciens de considérer que le rythme « naturel » de la parole française est iambique ou anapestique (67) ? Pour Ghyka, le rythme trochaïque ou dactylique intervient comme rupture lorsque « la passion » ou « une crise affective » amène le poète à « renverser la vapeur » (68). Mais un tel rythme est-il si exceptionnel ? De toute façon, si le mètre syllabique implique plus facilement le rythme « iambique », il n'y a aucune raison pour que la cadence accentuelle s'y soumette aussi « naturellement ». Et puisqu'il nous est apparu, théoriquement et empiriquement, que l'attaque du vers jouait un rôle fondamental, pourquoi ne pas préférer résolument le rythme « trochaïque » (69) ? En outre, comme dit

(67) V. L. NYEKI, cité ci-dessus, 231, n. 13. C'est également l'opinion de Senghor (*L.* 3 (1973), 459).

(68) M. GHYKA, *op. cit.*, 136.

(69) C'est rejoindre une intuition de JAHN, mais qu'il paraît impossible d'accepter ni dans sa formulation ni dans ses conséquences. Prenant comme exemple le début de SEN. *N.* 25 198 1-3, il note que « chaque vers pour ainsi dire commence par un ton aigu très élevé, puis retombe d'une manière onduleuse » (*Manuel...*, 234). On le suit très mal dans son étude du jeu vocalique et consonantique. On revient ci-après sur l'inacceptable retombée onduleuse.

ci-dessus des accents, si quantité, timbre et hauteur ont, dans la prose courante, un rôle secondaire, voire négligeable, en est-il de même dans les cadences qui nous occupent ? Meschonnic rappelle que « dans l'attaque consonantique la consonne s'accroît en durée et intensité, mais non la voyelle » (70). Nous avons constaté au chapitre précédent l'importance accordée à la consonne. Peut-on s'en débarrasser dans la cadence pour n'accorder de pertinence qu'à la voyelle ? Enfin, y a-t-il équivalence arithmétique entre les diverses syllabes atones (comptées souvent comme brèves) ? Bref, on le voit, c'est la validité même du syllabisme qui peut être remise en question.

Pour revenir à notre exemple, rien ne permet, *a priori*, de tenir pour seule valable la scansion anapestique et de privilégier les deux épithètes (« nue » et « noire »). Certes, elles sont symétriques et allitèrent. Mais les deux noms qui se répètent sont également symétriques et l'on ne peut décider aisément, ici, du poids sémantique du nom et de l'adjectif. Si une scansion « dactylique » peut sembler forcée, le « crétique » est parfaitement « naturel », sinon plus que l' « anapeste ». N'a-t-on pas intérêt à valoriser le /f/ initial de « femme », repris à l'initiale du vers suivant sous sa forme sonore (« *v*êtue », puis « *v*ie ») et tel quel dans la seconde cellule (« *f*orme »), sans parler de l'écho plus lointain de « *b*eauté » ? :

(2) Vêtue de ta couleur qui est vie, de ta forme qui est beauté !

Sémantiquement, la première cellule de (2) explicite « noire » ; la deuxième n'explicite pas « nue », mais « *femme* nue », la nudité n'ayant qu'un caractère révélateur de la femme. Finalement l'objet visé (ici allocuté) est, pour ainsi dire, deux fois femme, par sa couleur (= vie) et par sa nudité (= nature = beauté). En conséquence : combien d'accents ? un, ou deux ? Où le (les) placer ? Une solution de compromis consisterait à doter le /f/ de « femme » et, conjointement, la voyelle /a/ d'un accent d'intensité et les deux adjectifs d'un accent de longueur, mais la répétition du /n/ initial entraîne, elle aussi, un accent intensif. Comment ramener à une figuration simple un système rythmique aussi complexe ? En a-t-on seulement le droit ?

Quelques mots sur le second vers pour compléter cette réflexion. La scansion évidente (?) proposée ci-dessus, peut

---

(70) H. MESCHONNIC, *Pour la Poétique*, 72-73. Il conseille justement de « ne pas confondre consonne initiale et syllabe, intensité et durée ». Mais le phénomène porte-t-il seulement sur l'attaque consonantique des syllabes brèves ? Au reste, sauf rares exceptions, la notion de durée n'est pas des plus nettes en français.

être codée, selon la méthode de Servien : 2 4 3, 3 5 !, d'où l'on tire le « nombre tonique » (nombre de sous-cellules d'une même cellule) : 3, 2 et le « nombre arithmétique » (nombre de syllabes) : 9, 8. Impression d'un rythme asymétrique décroissant. Mais on aboutit (on peut aboutir) à un autre schéma si l'on tient compte des indications fournies par la ponctuation, la syntaxe et le sens, ainsi que des propositions des deux paragraphes précédents, c'est-à-dire, en particulier, l'hypothèse d'un rythme « trochaïque » (ou « dactylique »), soit (en soulignant les syllabes accentuées et en séparant par une barre oblique les sous-cellules et par deux les cellules) :

Vêtue / de ta *couleur* / qui est *vie* // de ta *forme* / qui est *beauté* //,

soit, en code (avec 1 = syllabe accentuée, 0 = syllabe atone, et en espaçant les sous-cellules) : 10 0010 001, 0010 0010. La scansion des deux dernières sous-cellules est optionnelle (interprétative). En effet, la diction « syllabo-métrique » traditionnelle préférerait : « de ta for/me qui est beauté // », qui produit un octosyllabe lié (conjoint) par une césure enjambante (la retombée onduleuse de Jahn ?). Préférence « naturelle » ? non innocente, on le voit, puisqu'elle retrouve le mètre connu dont elle a le désir et refuse de considérer une alternative dont on a souligné l'importance : le choix entre la conjonction et la disjonction. Pour évaluer l'hypothèse d'un vers accentuel relativement indépendant du syllabisme il faut évidemment préférer la césure disjonctive après —*e* caduc (césure « lyrique »). La conséquence immédiate est qu'il n'y a plus équivalence entre les syllabes atones selon qu'elles précèdent ou suivent l'accent. La conséquence seconde est que le statut du /ə/ terminal de sous-cellule n'a plus beaucoup d'intérêt : césure « lyrique » ou césure « épique », peu importe. Un tel schéma rétablit une symétrie que voilait le premier et qui correspond aux contraintes de l'agencement syntaxique. En plaçant l'une au-dessous de l'autre les deux cellules, on obtient :

10	001 0	001
	001(0)	0010

La première sous-cellule disyllabique, syntaxiquement déterminante, est traitée, rythmiquement, *comme* une anacrouse. Si l'on tient compte de l'amuissement partiel du /ə/ de « forme », on s'aperçoit qu'au parallélisme syntaxique le rythme substitue un chiasme. L'absence d'isomorphisme entre syntaxe et rythme est fréquemment accusée par Senghor, en particulier par la ponctuation, qui établit une conjonction (ou une disjonction) rythmique propre :

> Vous voici quotidiennes mes fleurs mes étoiles, vous
> voici à la joie de mon festin (*E.* 3 104 5).

La scansion « trochaïque » et « dactylique » systématisée ici ne peut évidemment être généralisée, elle ne peut pas davantage être présentée comme seule pertinente. Il serait même préférable d'envisager un jeu (incertain) entre cellules dactyliques et cellules anapestiques, parfaitement réalisable dans les vers qui viennent d'être cités.

On veut seulement montrer l'impossibilité de fonder l'analyse rythmique sur un seul niveau, sur un seul système. Le rythme résulte de principes d'écriture contradictoires dont la hiérarchie est constamment remise en cause. Tantôt le sens est premier, tantôt la syntaxe ; tantôt le rythme ; et, dans ce cas, la base est tantôt syllabique (celle-ci se généralise dans les derniers recueils), tantôt accentuelle ; et l'accent est tantôt initial, tantôt final, ou médian. Allitérations et assonances sont tantôt secondaires, tantôt primaires, etc. Le jeu rythmique ne cesse de se faire et de se défaire et chaque vers doit être traité pour lui-même. Si la structure du vers est, en général, stable et sûre du fait de la ponctuation : marque rigide et impérative, la structure propre à chaque cellule offre plusieurs possibles : plusieurs réalisations sont envisageables ; celle qui est choisie ne doit pas masquer les autres. L'embarras croît lorsqu'on est confronté à des vers conjoints, c'est-à-dire des vers non ponctués. Sans doute peut-on y lire l'indication d'un tempo (accélération) et le passage de la mesure à la cadence, mais l'analyse proprement dite restera délicate et devra se contenter de probabilités. Le retour à l'espace syllabique n'est pas à exclure sans qu'on puisse nécessairement s'y tenir.

Le vers long senghorien obéit donc à une structure disjonctive. Le continuum y est incontestablement binaire. Le vers à trois cellules apparaît comme lieu de rupture du « pattern », d'où « événement sémantique ». Le vers binaire oscille entre le mètre et la cadence, ce qui crée un niveau rythmique supplémentaire. Enfin, le vers conjoint (unicellulaire) introduit un espace cadentiel. A l'intérieur de ces espaces délimités nettement et sans ambiguïté : unitaires, ou binaires, ou ternaires, s'établit un rythme beaucoup moins rigoureux, tantôt certain, tantôt non et dont l'ambiguïté résulte de l'application simultanée de plusieurs principes et de la sollicitation également simultanée des divers niveaux linguistiques.

La préférence accordée aux structures rythmiques paires et, plus précisément, binaires paraît issue d'un choix délibéré. C'est un fait culturel certain aux yeux de Z. Zadi :

Le noyau rythmique fondamental [à deux temps] [...] n'est d'ailleurs qu'un reflet de la conception dualiste qu'ont du monde les peuples noirs de l'Afrique traditionnelle (71).

Senghor lui-même, qui note que le rythme de base du tam-tam est le plus souvent binaire, le définit comme « celui de l'amble, le rythme même des *Forces vitales* : celui des jours et des saisons, du flux et du reflux, du battement du cœur, de la respiration, de la marche, de l'amour » (72). On lit ailleurs, qui n'entraînera peut-être pas l'adhésion : « Ce rythme est tam-tam, ce rythme est rire parce que binaire » (73). Un tel rythme lui paraît si consubstantiel à l'être physiologique, mental, affectif... du nègre qu'il suffit aux Antillais de « descendre au fond de l'abîme », en eux-mêmes, pour le retrouver. Comme tel, le rythme binaire rappelle le tam-tam, qui est « lancinant, monotone, éternel, despotique », « infaillible, implacable, tyrannique » (74)... A vrai dire, cette infaillibilité despotique n'est pas évidente chez Senghor, ni chez aucun des poètes de la négritude, sauf, peut-être, dans une certaine mesure, Damas et Dadié. Mais accordons à Senghor qu'il n'est pas impossible de voir dans sa réalisation rythmique (schématiquement : des contre-rythmes variables, irréguliers, complexes, dans un cadre stable, net et rigoureux) comme une image des rythmes sonores produits par les tam-tams. Le sceptique remarquera cependant que le vers français traditionnel est, lui aussi, fondamentalement binaire.

Ces remarques hâtives, qui ne font qu'amorcer une recherche sur le vers accentuel long (rythmé), singulièrement celui de Senghor (mais on le trouve chez Césaire, Niger et Rabemananjara), se veulent surtout une mise en garde à la fois contre un subjectivisme débridé et contre un a-priorisme aveugle.

Que l'—e atone pose de délicats problèmes, non résolus par les déclarations de Senghor, c'est évident. On n'en est pas autorisé à scander à sa guise, comme le prétend tel exégète, qui cite :

Masques ! O Masques !
Masque noir masque rouge, vous masques blanc-et-noir
Masques aux quatre points d'où souffle l'Esprit
Je vous salue dans le silence ! (SEN. *C.* 13 23 1-4),

---

(71) Z. ZADI, *Césaire entre deux cultures..*, 248. Cette conception dualiste vaut aussi pour les Malgaches. On reconnaît pourtant à Rabemananjara un goût marqué pour le rythme ternaire (RAKOTO & LORIN, « J. Rabemananjara et le thème de la vie », 40).
(72) SEN., *L. 1* (1962), 373, 335.
(73) ID., *ibid.* (1952), 144.
(74) ID., *ibid.*, 145, (1963), 430.

et demande : « N'est-il pas évident qu'après les mots " je vous salue " il faille un long silence ? » Loin d'être évident c'est, objectivement exclu. Il ajoute : « comme aussi du reste après le mot " Esprit ", non seulement en raison de la fin du verset, mais encore en raison de l'absence d'une syllabe attendue et dont nous prive le vers impair au milieu des cellules paires » (75). Pause après « Esprit », bien sûr, puisque pause de fin de vers, mais non pas long silence puisque, contrairement à (1) et (4), et, au-delà. (5), (7), etc., l'auteur n'a pas renforcé la pause par un quelconque signe de ponctuation : pause « normale », sans plus. Quant à faire de (3) un alexandrin déceptif, c'est pratiquer l'annexion culturelle, sans justification par le texte.

Une telle attitude relève déjà de l'a-priorisme. Ce défaut éclate dans celle de Jahn. Parce qu'il en a l'intuition, ou plutôt, peut-être, le désir, Jahn entend montrer le caractère foncièrement « agisymbien » (africain) de la négritude. Selon lui,

l'intonation des langues africaines suit une ligne mélodique descendante ; [...] à l'intérieur d'une phrase, les tons forts des mots se succèdent selon une courbe descendante, de sorte que le ton fort du dernier mot peut être plus bas qu'un ton faible du début de la phrase (76).

A la linguistique africaine de dire si cette affirmation est recevable. Il suffit de montrer que cette « courbe mélodique descendante », qui se retrouve, paraît-il, « dans les blues d'Amérique du Nord », est patente chez les plus clairs ténors de la négritude, au premier rang desquels Senghor, pour prouver l'enracinement de la négritude dans la tradition africaine. Il « reconnaît » donc la courbe descendante, comme on l'a vu, dans les premiers vers de l' « Elégie de minuit ». Pour que ce trait soit caractéristique, encore faut-il qu'il s'oppose aux pratiques ordinaires de la langue support, le français. D'où la proposition suivante :

La mélodie descendante est un phénomène qui s'insère harmonieusement dans l'ensemble des valeurs africaines. Une culture qui, dans son architecture de l'Etre, soumet toute chose existante à des impératifs ontologiques, et dont, par conséquent [?], le vocabulaire est concret et la syntaxe statique [?], préférera une ligne mélodique descendante, tandis que dans la langue française, dont la logique du langage est finaliste [?], la ligne ascendante prévaudra (77).

(75) H. de LEUSSE, *L.S. Senghor l'Africain*, 127.
(76) J. JAHN, « Rythmes et style dans la poésie africaine », 232. Repris, avec quelques variantes, dans le *Manuel...*, 234.

(Lire note 77 page 287).

Est-il si évident que le vers français obéisse à une ligne ascendante ? On passerait par dessus des fondements aussi douteux pour peu que la « courbe descendante » soit avérée, ce qui n'est pas. La focalisation sur le début du vers est confirmée par de nombreux exemples (mais toute généralisation est impossible). Est-elle seulement (est-elle vraiment), comme le prétend Jahn, un fait de « hauteur » ? Intensité, durée peut-être, accent consonantique jouent certainement un rôle. De plus, il ne se préoccupe, dans sa démonstration, que des premières syllabes. La courbe vocalique des vers qu'il cite n'est nullement descendante. Peut-être un rythme « dactylique » pourrait-il en donner l'impression, ou l'illusion, à l'intérieur d'une sous-cellule, mais non dans la cellule entière et pas davantage dans la relation entre les cellules. Le problème reste entier.

*
**

A vrai dire, l'analyse du vers dit « accentuel » manque encore de bases théoriques. On se gardera de conclure. Il ressort cependant des remarques qui précèdent que sont essentiellement en œuvre, dans le vers, les facteurs « jonction » et « interprétation ». Le vers long en témoigne assez nettement, selon nous, et de façon particulièrement évidente chez Senghor. Le jeu de ces facteurs pourrait faire l'objet d'une enquête statistique dont les résultats fourniraient les éléments constitutifs de la fonction rythmique proprement senghorienne. A partir de Senghor, pris comme référence du fait de sa netteté (78), on aborderait l'étude du vers long non systématique, non ou irrégulièrement ponctué (Césaire, Niger, Rabemananjara). On passerait enfin au vers moyen dont la nature et la fonction doivent, théoriquement, moduler, selon un jeu à préciser cas par cas, les facteurs constitutifs assignés au vers long et au vers bref (respectivement, et schématiquement : structuré *vs* structurant dynamisé *vs* dynamisant).

A défaut de résultats précis, cette première approche du problème rythmique, bien que nécessairement hâtive, superfi-

(77) ID., *ibid.* On ne peut que se montrer réticent devant un « whorfisme » aussi précaire. Contrairement à Jahn un lecteur français ne voit dans la poésie de Senghor que « flux montant », « cascade dressée » : « Tout monte, jaillit, fuse, surgit, se lève », etc. (Y. LECLERC, « Poésie, oralité, écriture », 172-173). Il s'agit plus, il est vrai, des signifiés eux-mêmes que des formes signifiantes. Autre désir, autre lecture.

(78) Et le rythme senghorien commence à être étudié. Mais les recherches existantes (Tillot, Jouanny...) sont trop complaisantes à Senghor parlant de la et de sa poésie pour entraîner l'adhésion.

cielle et lacunaire, permet de déterminer certaines orientations et de fournir des éléments de réponse aux questions qu'on pose ordinairement à la négritude.

Très brièvement :

Le syllabisme, apparemment secondaire et circonscrit, est en fait partie prenante dans l'ensemble de la négritude, mais l'adéquation au modèle culturel français, assurée dans tels cas (Brierre, B. Diop, Rabearivelo, Rabemananjara et Tirolien) demeure, dans les autres, problématique, ce qui invite le lecteur à remettre en cause ses habitudes littéraires.

A chacun des facteurs qui composent la fonction rythmique, à chacune des bases où ils s'appliquent, les réponses des poètes de la négritude sont trop divergentes pour qu'il soit possible de proposer un modèle unique, si complexe soit-il.

La singularité de chaque poète peut néanmoins se définir à l'intérieur de certaines dichotomies. Ainsi le facteur *mode* (dans son application unicité/multiplicité) permet-il d'opposer des poètes rythmiquement simples comme Dadié, Damas, Keita, Sissoko et Socé aux autres poètes plus ou moins complexes. De même, dans la *balance*, le facteur régularité/irrégularité isole les mêmes auxquels s'ajoutent D. Diop, Ranaivo et Senghor, face aux « irréguliers » moyens comme Brierre, B. Diop, Rabemananjara et Roumain, où extrêmes comme Rabearivelo, Césaire, Niger et Tirolien, etc.

Originales au sein de la négritude, les réalisations individuelles le sont-elles vis-à-vis des modèles littéraires français ? Ce chapitre ne permet pas de répondre. Il faudrait comparer chaque auteur aux divers modèles par rapport auxquels il se définit (v. 3, 1-2). Pourtant, dans leur simplicité affichée, un Damas, un Socé, un Dadié nous sont apparus assez étrangers aux divers canons de la (ou des) rythmique(s) occidentale(s), pour ne rien dire de Keita et de Sissoko dont la « prose » apparemment insoucieuse de tout effet rythmique donne cependant l'impression, ou l'illusion, d'un rythme sous-jacent *intraduisible*. Contrairement aux coryphées (Rabearivelo, Senghor, Césaire) ces cinq auteurs, auxquels il conviendrait (pour d'autres raisons) d'adjoindre Ranaivo, n'ont guère de *répondants* dans notre littérature. Jahn affirme qu' « Aimé Césaire n'a jamais créé consciemment des formes rythmiques spécifiques » (79). Vue intuitive, et vraisemblable, qui devrait être étayée par une comparaison minutieuse avec la rythmique surréaliste (si elle existe, si elle est analysable). Mais Jahn ajoute, et sans doute cette opinion

---

(79) J. JAHN, *Manuel...*, 236.

vaut-elle aussi, à ses yeux, au-delà de Césaire, pour Damas et Senghor : « et cependant toute sa poésie est projetée par le rythme » (80).

C'est proposer, en dépit des disparités irréductibles qui viennent d'être rappelées, un niveau d'abstraction élevé où pourrait apparaître la spécificité de la négritude ou, du moins, de ses représentants les plus typiques. Cette originalité se manifesterait non dans les réalisations du rythme mais dans sa conception et, surtout, dans son omniprésence. Le rythme y est partout, il y est vital. Telle n'est pas l'impression qui prédomine à l'issue de cette première enquête. On ne peut, certes, que prendre acte d'un certain nombre de déclarations d'intention. Il est certain que les intentions rythmiques de Senghor écrivant sont, malgré des ressemblances, notablement différentes de celles d'un Claudel et, *a fortiori*, d'un Perse et qu'elles occupent une place originale dans le domaine français. Toutefois, on se refuse à suivre les lectures intentionnelles qui oublient ou dénaturent le texte. Mais, pour ce qui est de l'omniprésence rythmique, si nous reconnaissons l'existence d'une polyrythmie et d'une polyrythmique (spécifiques comme telles) à tous les niveaux, celui général de la négritude, celui de chaque auteur, de chaque œuvre..., jusqu'à celui du vers et de la cellule, nous devons rappeler que le rythme textuel n'est qu'une image approximative et, à la limite, inutile du rythme fondamental, celui des instruments à percussion (v. p. 230), et nous ne pouvons aussi que constater que la négritude présente, plus ou moins étendues, des plages où la fonction rythmique est neutralisée en tout ou en partie, à une exception près, celle de Senghor, précisément.

(80) Il est vrai qu'il ne fait que reprendre ici les affirmations intéressées de Senghor (v. « Lamantins... », P., 162 ou L. 1, 222-223).

Chapitre 3

IMAGES

C'est à dessein qu'est choisi comme titre un terme non technique. Ce qui nous retient, ce n'est pas le mécanisme de figures particulières, métaphore ou comparaison, mais les relations qu'elles nouent entre elles et avec certains non-tropes, et, plus encore, la réalisation de principes, théoriques sans doute, mais qui permettent de cerner un désir et l'orientation de ce désir, bref, un certain « intenté » du texte. De même que, au chapitre précédent, ce qu'on entend d'ordinaire par rythme (l'organisation temporelle du vers) a été considéré comme l'expression parmi d'autres d'un désir plus général : celui de projeter dans et par l'espace textuel une conception du temps et de son rôle, de même, ici, quelques-unes des figures de la rhétorique traditionnelle sont reversées, sans privilège notable, dans une collection de faits sémiotiques qui, chacun à sa manière, témoignent une conception, non nécessairement consciente, du sens et un désir de signifier le monde.

Traditionnellement, les « figures d'image » sont définies comme des *transferts*, déplacements qui opèrent soit dans l'univers langager (métaphore), soit dans le monde référentiel (métonymie). Elles supposent donc une signification ou un objet déjà là et impliquent obligatoirement un écart, comme le signifie le terme générique qui les englobe (trope). On aimerait, à la suite de Genette, que soit évacué de « figure » le sème /« écart »/ et que ce terme ne signifie plus que ce que suggère son étymologie : une forme tangible dont « image », précisément, serait une manifestation. On définira donc l'image comme un sémème (réalisé par un ou plusieurs mots ou syntagmes) qui *présentifie un* objet. Peu importe, pour l'instant, la nature de cet objet, peu importe également qu'il soit appréhendé en tout ou en partie, dans son autonomie ou dans son rapport avec une espèce ou un genre. Convenons, en gauchissant la signification, un peu flottante, d'un terme de linguistique, d'appeler *désignateur* (ou désignant, da) le ou les monèmes qui produisent l'image, *désignatum* (ou désigné, dé) l'image ainsi produite et *désignation* le processus productif.

Cette définition, qui pourrait se justifier théoriquement, se veut surtout la conséquence des suggestions proposées par les théoriciens (ou vulgarisateurs) de la négritude. Nous les connaissons (v. 2, 3 et 3, 4). Sans y revenir, soulignons deux points importants.

La nature et la fonction de l'image ont leur source dans le sujet, sujet disant (1) ou sujet écoutant (2) : le poète nègre a le *don* de l'image, le public nègre est *doué* de la double vue. La place et le rôle de l'image, et sa spécificité sont donc à chercher dans l'être-au-monde du noir (3). On pourrait en rester là : l'originalité du nègre vient de ce qu'il écrit en nègre ; pour la percevoir, il faut le lire en nègre, ou essayer (4).

Néanmoins, le « don » du sujet est partiellement motivé, et perd donc de son innéité. Le sens de l'image, s'il n'est pas produit par, est du moins en accord avec le « génie » de la langue dans laquelle s'exprime le sujet africain.

L'argument nous conduit au deuxième point, qui nous retiendra davantage : la nature du lexique des langues négro-africaines :

> Au pays de ma mère, [...]
> Les hommes [...] ont neuf noms pour nommer le palmier
> mais le palmier n'est pas nommé (SEN. *E.* 13 143 30-31),

c'est-à-dire, nous le savons, une nature essentiellement concrète ; non que l'abstraction soit impossible, elle est, tout au contraire,

---

(1) SEN., *L. 1* (1954), 161, cité 3, 4, 152, appel de n. 60.
(2) ID., *ibid.*, 162-163, cité 3, 4, 170, n. 118. Formulation analogue *ibid.* (1956), 210.
(3) Le Négro-africain « a fait, d'abord, un choix parmi les matériaux offerts, préférant les plus concrets [...]. Architecte, il préfère l'argile ; sculpteur, la terre cuite et le bois ; musicien, les instruments à percussion ; poète, l'image : non l'image de l'imagination, création fantaisiste de l'Esprit, mais l'image-souvenir de l'émotion, la plus concrète, la plus directe » (SEN., *L. 1* (1947), 79).
(4) V., parmi d'autres, JAHN, *Muntu*, 171-172 : rien de surréaliste dans « le rire charbonneux du coutelas » (CES. *E.* 26 165), malgré l'apparence, nous dit-il, car la métaphore est émise par une source noire.

inhérente au concret, vue la conception africaine de la parole (5) : si le nom, quel qu'il soit, dit non l'apparence mais l'essence du référent, la catégorie « occidentale » des noms abstraits n'est d'aucune utilité. Le nom concret est la transposition dans l'univers langager de l'objet emblématique (6) : à condition d'être lu d'un lieu nègre le concret est abstrait. Senghor peut écrire : « Plus que partout ailleurs, en Afrique noire, l'abstraction se fait *à partir de l'image et par l'image* » (7). L'image ainsi définie n'est, semble-t-il, ni plus ni moins que le nom concret, d'autant plus image, au reste, que, Senghor y insiste, le nom concret négro-africain est fondamentalement *descriptif* :

> Ce pouvoir du verbe apparaît déjà et mieux [...] dans les langues négro-africaines, où presque tous les mots sont *descriptifs*, qu'il s'agisse de phonétique, de morphologie ou de sémantique (8).

La nature expressive de la morphologie exigerait quelque précision. Cette obscurité mise à part, il est clair que Senghor définit le caractère mimétique du signifié et du signifiant. Pour le signifiant, il reprend à son compte les déclarations d'un africaniste selon qui les mots onomatopéiques constitueraient le tiers du vocabulaire des langues sénégalo-guinéennes (9). Il est, pour le signifié, moins explicite. Si l'image « n'est pas équation, mais *symbole*, IDÉOGRAMME » (10), on peut en inférer que le signifié, lui aussi, est concerné : tout se passe comme s'il était référentiellement motivé. Cette conception serait donc figurée : nom négro-africain = nom concret = signe descriptif (où sa = da et sé = dé).

On déduit d'une telle définition du nom concret une conséquence déjà connue :

> L'image [...] est dans la simple nomination des choses.[...]
> Il suffit de nommer la chose pour qu'apparaisse le *sens* sous le *signe* (11).

Nouvelle conséquence, mentionnée dans le même passage : « Le mot y est plus qu'image, il est image analogique sans même le

(5) V. diverses citations en 3, 4, 156-157. Cf. M. GRIAULE, « L'Inconnue noire », 23 : « Un mot banal, qui évoque une construction rudimentaire et des nourritures, rassemble en un raccourci puissant le drame qui se situe à l'aube de l'histoire humaine. » Il s'agit moins ici de signification abstraite que de signification mythique. Nous sommes proches de la motivation dont on va parler.

(6) V. 2, 3, t. 1, 333-335.

(7) SEN., *L. 3* (1967), 140.

(8) SEN., « Lamantins... », *P.*, 158, *L. 1*, 220.

(9) ID., *L. 1* (1954), 168 ; cf. *ibid.* (1955), 176 et (1956), 213.

(10) ID., *ibid.* (1956), 210. Les majuscules sont de mon fait.

(11) Cité 3, 4, 149, appel de n. 53.

secours de la métaphore. » Une écriture fondée sur ces principes devrait, quelle que soit la langue support, exclure toute figure d'image. L'étrange est que Senghor note : « Le Négro-africain a horreur de la ligne droite et du faux « mot propre » (12). On comprend mal, en effet, que le « mot propre » soit qualifié de faux et que le nègre le fuie, puisque, en tant que mot propre, il dit et montre le vrai de la chose. En réalité, la contradiction n'est qu'apparente mais révèle une démarche ou, à tout le moins, une terminologie incertaine, comme le prouve cet autre passage :

> Au Sénégal, comme j'en ai fait l'expérience, mais encore chez tous les peuples négro-africains dont j'ai lu des poèmes, ceux-ci se présentent, à première lecture, comme un tissu de comparaisons et de métaphores : de catachrèses (13).

Bien que le mot« comparaison » soit ici gênant car il montre l'insuffisance du signe idéogrammatique, gênante aussi cette contamination entre la métaphore, qui relève du texte, et la catachrèse, qui relève de la langue, on comprend l'idée de Senghor : les noms négro-africains sont, en majorité, des catachrèses, autrement dit, ont un signifié motivé. Des langues dont le fonds lexical est essentiellement composé de catachrèses à signifiant mimétique, entraînent logiquement une littérature sans tropes, au sens occidental du terme. La perception d'un vocable comme trope ne sera due qu'à la méconnaissance de la langue et de la culture d'origine. C'est sans doute la raison pour laquelle Senghor utilise, abusivement, le mot « métaphore » : métaphore pour l'auditeur non averti ou le lecteur d'une traduction, catachrèse pour l'autochtone.

L'image est « analogique », répète Senghor, et l'analogie conduit bien, dans une perspective aristotélicienne, à la métaphore. On insiste tellement, néanmoins, sur l'activité mimétique, sur le caractère emblématique de l'*objet* concret (l'apparence signifie l'essence), qu'on est enclin à penser que le pseudotrope privilégié sera, non la métaphore, mais la métonymie, dont la littérature orale donne des exemples nets :

> Silamaka piétina le forgeron
> il saisit le cordonnier
> il s'assit sur le bûcheron
> il éperonna sa monture (14).

(12) Même référence que la n. 10.
(13) SEN., *L.* 3 (1970), 229.
(14) A.H. BA & L. KESTELOOT, « Une Epopée peule : *Silamaka* », 14, le « forgeron » désignant par métonymie les éperons, le « cordonnier » les

(Suite p. 295)

Peut-être, d'ailleurs, vaudrait-il mieux parler de synecdoque que de métonymie, si chaque élément non seulement relève du tout mais le signifie. Dans ces conditions, toute métaphore apparente serait sentie comme métonymie, toute métonymie comme synecdoque ; seraient exclues, en principe, la comparaison et toute image ressortissant au mode comparatif. Lorsque Césaire, dans un passage déjà référencié (15) considère que « l'image relie l'objet », qu'elle « achève, en en montrant la face inconnue, d'accuser sa singularité, mais par la *confrontation* et la révélation de ses rapports », il s'exprime en Occidental et échappe à l' « esthétique négro-africaine » telle que la définit Senghor. Les deux définitions sont inconciliables. Avec Césaire, la métaphore est une « *similitudo brevior* », pour reprendre les termes bien connus de Quintilien, avec Senghor, en théorie du moins, la comparaison serait une *metaphora longior*, comme le pensait Aristote.

A l'auteur africain qui, usant d'une langue étrangère, le français par exemple, prend, consciemment ou non, comme principe d'écriture « la » conception africaine de la parole (v. 3, 3) et, singulièrement, la base « catachrésique », sont offertes trois options lexicales. Ou bien, 1, il ignore (ou feint d'ignorer) les contraintes culturelles de la langue support, en particulier les « images » associées à tel lexème, et s'exprime en français comme dans sa langue maternelle : les mots qu'il emploie appartiennent au lexique français mais ils ont, pour lui, une valeur africaine : il dira « mon luth » (DAD. *R.* 8 235 1, 14 241 5), qui *traduit* une possible catachrèse de sa langue : objectivement, la catachrèse est absente du texte : elle n'existe que dans la conscience du scripteur et n'est pas transmise au lecteur français. Ou bien, 2, il recourt au terme autochtone (exotique pour le lecteur français) : il dit, au besoin dans le même texte : « la cora » (DAD. *R.* 8 235 3) ; la possible catachrèse figure dans le texte mais exige un savoir culturel pour être reçue par le lecteur. Ou bien, 3, le « nom descriptif » africain sera rendu en français par un syntagme descriptif, sous forme soit de calque, par exemple les mots à tirets de Senghor et de Ranaivo (v. 3, 3, 103, n. 35), soit de figures : la catachrèse africaine suscite non le terme propre français ou la catachrèse française, quand elle existe, mais une métaphore ou une comparaison ou une marque rhétorique quelle qu'elle soit, bref un syntagme rhétoriquement

rênes et le « bûcheron » la selle. I y a chance, cependant, pour que la « figure » porte non pas sur le nom mais sur la totalité du syntagme verbal : « piétiner le forgeron », « saisir le cordonnier », etc.

(15) V. 3, 4, 159, n. 88.

marqué (qui ne l'est pas dans la langue originale) : transmission d'image, mais d'une autre image ; le principe est conservé mais non sa réalisation authentique :

> Dans *le frais de la case*, tu *déviderais* les énigmes parmi les princes de l'euphuïsme (SEN. *E.* 13 141 7) (16).

C'est cette troisième option que Senghor recommande au poète négro africain puisque, selon lui, elle garantit « l'authenticité » et assure sa communication.

Bien que, comme on l'a dit, Senghor n'établisse pas un rapport de cause à effet entre le caractère descriptif des lexiques africains et le don de l'image dont serait doté le nègre, le recours aux langues africaines produit un déplacement du sujet : le véritable sujet, ce n'est pas l'homme noir, c'est sa langue ; et, dès lors il ne suffit plus à Césaire et aux autres Antillais d'être noirs. Nous connaissons le discours que la négritude tient sur elle-même (en particulier par la bouche de Senghor) : schématiquement, un discours illocutif (persuasif) fondé sur deux « figures » : la synecdoque et la comparaison (sous forme d'oppositions : noir *vs* blanc, Afrique *vs* Europe, etc.). Définir les langues africaines, synecdochiquement, comme motivées, c'est vouloir persuader de la supériorité poétique de ces langues sur celles où règne l'arbitraire du signe, comme le français défini (synecdochiquement) comme langue abstraite (17). Qu'il le veuille ou non, Senghor tire de la poussière le débat périmé sur la précellence de telle langue sur ses voisines. On ne le suivra pas dans cette voie. Il est plus intéressant de considérer cette *motivation* à laquelle, sans la nommer, il accorde une si grande importance.

Il s'établit à l'évidence un rapport entre poésie et motivation sans que, pour autant, la nature de ce rapport soit évidente. On pourrait y reconnaître un nouvel avatar du cratylisme et sans doute le discours de Senghor s'inscrit-il, pour partie,

---

(16) « Euphuïsme » serait, lui, du premier type. Ces suggestions complètent dans une autre perspective ce qui a été avancé en 2,3 (t. 1, 303 s.).

(17) V. 3, 3, 99-100. Cf. SEN., *L. 1.* (1962), 360 : « Comme l'écrit André Davesne, dans *Croquis de brousse*, on compte en *wolof* sept mots pour désigner la femme de mauvaise vie quand « chercher se traduit par onze mots et chanter par vingt ». Mais ce qui, à première approximation, fait la force des langues africaines fait, en même temps, leur faiblesse. Ce sont des langues poétiques. Les mots, presque toujours concrets, sont *enceints* d'images, l'ordonnance des mots dans la proposition, les propositions dans la phrase y obéit à la sensibilité plus qu'à l'intelligibilité : aux raisons du cœur plus qu'aux raisons de la raison. Ce qui, en définitive, fait la supériorité du français dans le domaine considéré, c'est de nous présenter, en outre, un vocabulaire technique et scientifique d'une richesse non dépassée. Enfin, une profusion de mots *abstraits*, dont nos langues manquent. »

dans la dépendance du mimologisme occidental, ce qui ne signifie pas que la poétique africaine, même telle que Senghor essaie de la définir, soit interprétable en termes cratyliens. On peut être également enclin à évoquer Mallarmé qui assigne à la poésie la fonction de « rémunérer » les défaillances mimologiques de la langue, à ceci près que les langues africaines offriraient, elles, un lexique bien formé, « naturel ».

Différence déterminante. L'idéalisme mallarméen est incompatible avec le naturalisme africain. Celui-ci, au reste, offre une situation apparemment paradoxale. Les langues africaines, disent les théoriciens, prodiguent des termes motivés. Or, s'il est animiste, l'usager n'en a nul besoin : l'apparence, la ressemblance sont secondaires lorsque prime l'essence. Quelle similitude entre le faucon et le pharaon ? Et pourtant, écrit Anta Diop (18), ils « sont une seule et même essence ». *A fortiori*, qu'importe une ressemblance entre signe et référent puisque est acquise l'identité entre référent et signifié ? La similitude entre le signifiant et le référent est une redondance apparemment inutile. Inutile à la « prose », sans doute ; utile, par là-même, à la poésie, qui, là comme ailleurs, exploite, de manière apparemment gratuite, les possibilités de la langue.

Contrairement à l'opinion, toute occidentale, de René Ménil, pour qui « la poésie [est] commentaire des choses et non leur représentation » (19), la poésie négro-africaine de la tradition consisterait en un renforcement de la représentation, « mimage » rituel, en quelque sorte, qui ferait de la profération du texte un exercice pratique de la vérité. Si l'on tient à garder la définition de Ménil, on dira que le commentaire se fait sous les espèces d'une surreprésentation (c'est-à-dire activée, comme on a vu, par les jeux du rythme et de la prosodie).

On admettra donc, à titre d'hypothèse, que, dans la mesure où, consciemment (Senghor, Ranaivo...) ou inconsciemment (Dadié, Keita...), elle s'appuie sur la parlure africaine, telle que définie par Senghor (20), la négritude mise sur les possibilités de la motivation.

Il semble que, pour asseoir l'abstraction du lexique français, Senghor se fonde sur deux lieux communs, d'une part la

(18) C. A. DIOP, *L'Unité culturelle...*, 150.
(19) R. MENIL, « Orientation de la poésie », 20.
(20) Il ne m'appartient pas de décider si son analyse est ou non recevable. C'est à la linguistique africaine des Africains de le dire. On prend acte de ces définitions de type synecdochique, car elles informent la pratique. On ne se croit pas tenu d'y adhérer. Devant tant de simplifications concernant le domaine français, comment ne pas suspecter ce qui est affirmé du domaine africain ?

théorie saussurienne de l'arbitaire du signe, de l'autre la faible motivation du français par rapport aux langues voisines, en particulier les langues germaniques.

Il est facile de montrer, par exemple, que les termes onomatopéiques sont plus nombreux en anglais et en allemand qu'en français. Il est notoire, par ailleurs, qu'à l'idéogramme du signifié allemand *Handschuh* correspond le mot arbitraire français « gant », etc. Et on généralise. Jouant plus rigoureusement que d'autres langues la carte de l'arbitaire saussurien, le français s'allège (?) des lests du concret, se hausse (?) à l'abstraction, devient la langue du raisonnement, de la recherche spéculative, etc.

Position sans fondement solide. Saussure a bon dos. Il ne s'occupe que de *la* langue : pas de degrés d'arbitraire en plus ou en moins d'*une* langue à l'autre. Et que dit-il, sinon que le signe, qu'il paraisse ou non arbitraire, *fonctionne comme* arbitraire, du moins dans la communication courante ? Envisagé en langue, tout mot est historiquement motivé ou subjectivement motivable. Dans la conscience de l'usager, comme l'ont montré Jakobson et Benveniste, rectifiant Saussure, le rapport du signifié au signifiant est moins arbitraire que *nécessaire* (21). Autre nécessité dans ce domaine : que, de quelque manière, l'attention de l'usager soit attirée sur l'étymologie ou la composition. Si rien ne l'aiguille en ce sens, le mot le plus évidemment motivé se comportera dans son esprit comme le mot le plus arbitraire. On soutiendra même qu'une langue n'est maîtrisée que lorsqu'il est possible de faire abstraction de la motivation : celle-ci, dans la pratique ordinaire, apparaît souvent comme un bruit préjudiciable à la communication et à la compréhension. Dès lors, ce qui est en jeu, ce n'est pas tant l'existence objective des mots « descriptifs » ou non descriptifs, mais l'attitude du sujet vis-à-vis de la parole. Nous accorderons à Senghor qu'un lexique abondamment motivé *peut* orienter plus facilement l'usager, pour nous : le poète et ses lecteurs, vers l'utilisation et la per-

---

(21) E. BENVENISTE, *P.L.G.*, 51. L'exemple de la « fromagère » de Jakobson est bien connu (« A la Recherche de l'essence du langage », 26). On touche ici un phénomène psycholinguistique important : tout nom « concret », tout adjectif « objectif » (de couleur, p. ex.) dont le référent fait partie de la conscience pragmatique ou culturelle *présentifie* (ou peut présentifier) ce référent : cf., pour reprendre un exemple de BALLY (*T.S.F.*, 221), « rabot » et « varlope ». Pour un non-mesuisier « rabot » sera très généralement présentifiant, « varlope » non. Cette différence de perception, importante dans une même communauté géo-culturelle, devient considérable dans la négritude. Tel mot « exotique » qui ne présentifie aucun référent à l'imagination du lecteur français, « fait image » dans celle du lecteur africain (pour peu qu'il s'agisse de son terroir). comme les « balanzans » et « tilapias » (SIS. 2 12) « que, seul, le natif connait et non l'étranger ».

ception d' « images », mais non que cette réaction soit constante ni systématique (22).

Le recours à la motivation, imposé par Senghor, ne doit pas nous faire perdre de vue que ce n'est pas ce phénomène en soi qui nous intéresse. Dans la perspective qui est la nôtre, nous considérons le lexème non comme engendré par une conscience imageante mais comme engendrant une ou des « images » dans la conscience du sujet lisant, c'est-à-dire comme *désignateur*. Posons qu'il s'agit là de désignation motivée, puisque, en théorie du moins, le lexème désigne à la conscience l'objet ou les objets qui ont contribué à sa formation. Mais il faut voir que l'adéquation de l'image désignée à l'image motivante n'est nullement nécessaire, qu'elle n'est pas toujours possible et que, somme toute, elle est secondaire. Peu importe, en effet, que le designatum ne soit pas authentifié par la science. L' « erreur » peut même passer pour poétiquement pertinente. Lorsque Rabemananjara évoque « les sans-dollar », « les sans-florin »... et « les va-nu-pieds » (D. 3 29 193-195) ou Damas « les culs-terreux » (*B*. 3 68 288), l'image désignée se confond totalement, et pour tout francophone, avec l'image motivante. L'unanimité ne se fera sans doute pas sur des syntagmes comme « hommes sandwichs » (DAD. *H*. 39 80 12), fait de civilisation (si ce n'est pas trop dire) exceptionnel aujourd'hui. « Saugrenu » (CES. *A*. 13 50 109, 17 55 1), « primesautière » (SOC. 5 30 14)... seront très généralement perçus comme motivés mais les images désignées ont chance d'être variées, selon les sujets. Pour d'autres lexèmes, objectivement motivés, certains lecteurs percevront une motivation, d'autres non, ainsi de « s'enchevêtrer » (CES. *A*. 2 13 65), « recroquevillé » (NIG. 2 13 85), « devin » (SEN. *E*. 8 122 66), « camarades (DDP. 11 30 0), « robinet » (DAM. *P*. 5 21 1), etc. Il est fréquent qu'un désignateur suscite plusieurs images concomitantes, par exemple l'image « vraie » et l'image « populaire ». De fausses étymologies apprises de longue date ne sont pas effacées par de nouvelles dont la vérité ne laisse guère de doute. La grive est, certes, devenue tachetée, mais elle reste quand même un peu grecque (23). En fin de compte, peu importe en poésie, lorsqu'on est en quête d'images, ce que l'esprit fait de la motivation, l'essentiel est que la ou une motivation soit perçue. L'image ainsi formée peut être nette ou floue, à la limite indécidable, il suffit qu'une projection s'opère (24).

(22) V. 3, 3, 115-116, en particulier n. 70.
(23) V. P. GUIRAUD, *Structures étymologiques du lexique français*, 40-50.
(24) J'ai fait l'expérience sur « goélette » (CES. C. 20 34 13) en l'opposant à « galion » (TIR. 2 9 5). « Galion » est rarement motivé, trop éloigné

(Suite p. 300)

Ces quelques remarques permettent de préciser le lieu de départ du désignateur et la nature du designatum. Le désignateur s'appuie, comme dans la motivation, sur le signifiant ou sur le signifié (ou sur les deux).

Produit par le signifiant, le designatum est soit *étymologique*, soit *référentiel*. Référentiel, il se manifeste dans les mots traditionnellement dits onomatopéiques ou mimétiques, ce à quoi Saussure bornait la motivation au sens strict : « brouhaha » (CES. *A*. 23 70 7), « miaule » (76 108), « roucoulant » (*C*. 3 11 10), « glouglou », dont voici le contexte :

> glouglou du sang
> glissant
> sur les courants puissants
>> du fleuve
>> Mississipi (TIR. 23 63 12-16).

Motivation traditionnelle, il faut dire aussi conventionnelle. L'usage, un certain usage, donne comme mimétique des signifiants auxquels on se sent en droit de refuser ce caractère : on l'a vu de « fouet » (4, 1, 210, n. 31), on peut le dire de « glisser » apparu dans les vers de Tirolien : on retombe dans le problème irritant de l' « expressivité des phonèmes ». Signifiant mimétique pour un lecteur, non pour l'autre. C'est dans ce domaine que joue avec le plus de force la mise en condition du sujet. A la limite, tout signifiant, pour peu qu'on en ait le désir, passera pour mimétique. Ne pouvant entrer dans les détails, nous négligeons les divers types d'images ainsi produites, par exemple acoustique, cinétique et visuel (25), mais on sait que tout peut se brouiller, du fait des transferts synesthésiques.

Par *étymologique* il faut comprendre l'image du lieu d'origine du mot ainsi que, à un moindre titre, de l'époque de son apparition. Dans le premier cas, le désigné peut être mis en rapport avec la connotation telle que la conçoit Hjelmslev L'image ainsi engendrée, passablement floue, relève du culturel. Alors que l'image « référentielle » est perçue par le relais d'une convention diffuse, sinon immédiatement, comme de façon natu-

de « galère » dans la conscience, « goélette » l'est, au contraire, presque toujours, mais du fait du suffixe —*ette* : on ne pense guère à « goéland » ou on le mentionne dubitativement. L'image est, ordinairement, celle d'un voilier rapide et léger (population testée : une centaine d'étudiants de licence et de maîtrise).

(25) Classement de GUIRAUD, inspiré d'A. Spire : il voit trois catégories de « motivation onomatopéique » : « *acoustique*, là où les sons reproduisent un bruit ; *cinétique*, là où l'articulation reproduit un mouvement ; *visuelle*, dans la mesure où l'apparence du visage (lèvres, joue) est modifié » (*op. cit.*, 90-91).

relle, l'image « étymologique » nécessite à des degrés divers un savoir, largement partagé par la communauté lorsqu'il s'agit, par exemple, d'un « chapeau *cow-boy* » (CES. S. 31 49 23), beaucoup plus étroit lorsque Rabearivelo évoque un « soleil » (*V.* 53 84 4) et Rabemananjara une « baigneuse » (*L.* 79 296) *anadyomènes*, hellénité ici (avec toute une mythologie méditerranéenne), américanité là (avec toute la mythologie de l'Ouest). A la limite, l'emprunt est à ce point lexicalisé que cette image ne se dégage guère ou pas du tout (« la Jungfrau », SOC. 9 42 53 ; « icebergs », CES. *C.* 4 12 3 ; « music-hall », ROU. 11 265 10).

Dans le second cas, l'aspect géographique disparaît au profit d'un champ historique au sens large. On pense aux catégories sur lesquelles insiste volontiers la stylistique traditionnelle : archaïsme *vs* néologisme. Mais l'important paraît être la conscience que l'on a (ou n'a pas) de l'histoire du mot. Il est des lexèmes dont l'histoire est bien connue, parce que la philologie leur *a fait un sort* (« tête », « bureau »...), d'autres sont associés à des emplois précis : ils « connotent » les lieux dans lesquels ils fonctionnent habituellement ; on a insisté précédemment sur le « néoclassicisme » d'une partie du lexique de la négritude :

Ils m'ont dépêché un *coursier* rapide (SEN. *C.* 10 18 1) ;

l'Ame [...]
Pensait y trouver un suprême *Dictame* (BDP. 33 54 2-4), etc.

Termes reçus comme poétiques, non qu'ils le soient naturellement, mais parce qu'ils ont une histoire en poésie. Ils entraînent avec eux (ils « connotent ») les lieux où leur usage était « normal ». Mais le champ « poétique » ou, plus généralement, « littéraire » n'est pas seul en cause. Qu'on songe aux champs « techniques » si fréquemment sollicités par Césaire (et dont il partage le goût avec Perse) : physiologie, médecine, pharmacie : « saphènes » (*A.* 12 43 54), « saburre » (2 11 14), « rhagades » (6 30 13), « néroli » (2 11 30), etc. ; botanique : « maguey » (16 54 20), « hernandia » (17 58 80), « cariophylle » (59 95), etc. ; zoologique : « néritique » (2 17 168), « anolis » (4 26 8), « scorpène » (18 61 10), etc. Le savoir est ici impératif pour que se lève l'image scientifique, technique... A ces termes dont le designatum est, pour simplifier, ou l'histoire ou le lieu « naturel » de leur emploi, s'opposent, par exemple, les néologismes sans histoire autre que leur mode de formation (les « hypnoseries » de NIG. 6 37 47...) et qui suscitent des images lexicales ou culturelles associées, s'opposent surtout les termes, les plus nombreux, qui ne portent aucune marque d'histoire ou d'emploi particulière.

Le désignateur ayant pour base le signifié peut être qualifié de *caractéristique*. La visée, référentielle, est toujours plus ou moins culturalisée et utilise, pour partie, le relais linguistique (morphologique). De nature, les désignateurs sont, parallèlement à ce qui vient d'être observé, autochtones ou empruntés, bien que, en français, la frontière entre ces deux caractères soit souvent neutralisée : ainsi des préfixe et suffixes « savants » : *hypo-, hyper-, -logue, -phage*, etc. dont la productivité souligne la parfaite intégration. « Dentiste » et « odontologue », projettent, *concernant le signifié*, les mêmes images (pour peu que le savoir du sujet lui ouvre le sens du mot savant). Les images diffèrent du seul point de vue du signifiant évoqué au paragraphe précédent. L'organisation des désignateurs obéit à trois processus trop connus pour qu'on y insiste : la métaphore et la métonymie lexicalisées (catachrèse), la composition et la dérivation.

Ne revenons pas sur la catachrèse. On sait que la composition va de la présentification évidente et perçue par tous (en cas de base autochtone) quel que soit l'avancement de la lexicalisation : « à tire d'aile » (KEI. *P.* 3 26 19), « arc-en-ciel » (SEN. *H.* 20 96 60..., RBM. *R.* 1 11 64...), « gratte-ciel » (CES. *A.* 2 15 115, SEN. *E.* 7 115 3, 6, SOC. 4 27 11), « mille-pattes » (TIR. 17 49 14), « sous-bois » (SEN. *L.* 20 245 3, SIS. 55 82 5), « pur-sang » (CES. *A.* 2 10 3), etc. à la présentification plus ou moins obscurcie qui exige un savoir plus ou moins poussé : « tournesol » (CES. *E.* 116 1292), «guet-apens» (*C.* 14 24 3), « passiflore » (*S.* 18 30 8)... On passe, sans réelle solution de continuité, de la base autochtone à la base étrangère : Rabemananjara répond par « héliotrope » (*D.* 6 42 8) au tournesol de Césaire. Du même ordre : « scaphandre » (BRI. *D.* 12 171), « céphalopode » (CES. *A.* 17 58 72), « hermaphrodite » (76), « métempsycose » (RBR. *S.* 6 17 8), « anadyomène » déjà cité, etc.

Un point mérite d'être souligné. Dès le moment qu'il s'agit d'une base étrangère, la composition est inutile. Il suffit que l'étymon soit connu pour que le lexème apparemment non motivé devienne désignateur (métaphore étymologique) : « volcan » (CES. *A.* 19 63 26...) suscite le dieu du feu, « comète » (*E.* 94 1002) une chevelure, « cratère » (*A.* 24 86 99) une coupe, etc. Pour l'helléniste, « cimetière » est aussi motivé, quoique différemment, que « nécropole » (BRI. *D.* 24 527). Bref, le mot d'emprunt produit, lorsqu'il est étymologiquement compris, deux images : l'une due au signifiant, l'autre au signifié.

Si la composition fait intervenir irrégulièrement la langue (cf. « bateaux-mouches », DAD. *H.* 13 26 18 ; « herbe de Para », CES. *R.* 60 784 ; « la sente-aux-nymphes », RAN. *C.* 1 11 10), la langue est toujours partie prenante dans la dérivation. Le designatum est ici partiellement et parfois totalement de nature langagère. Ce dernier cas n'est pas le moins intéressant, comme on y insistera ci-dessous. Si l'on admet (l'expérience l'a montré) que le sens de ces quelques mots empruntés à Césaire n'est pas généralement connu : « chauvir » (*C.* 53 89 10), « manades » (*F.* 34 55 9), « aumaille » (35 58 23), les suffixes (ou pseudo-suffixes), sans parler de *chauv-* qu'on hésite à exploiter, produisent une image référentiellement indistincte, mais linguistiquement rassurante, quelque chose comme : mot français, simple, « naturel ». On ne peut en dire autant de « pouacre » (*A.* 2 11 13), « falun » (13 61), « tabebuia » (*F.* 21 38 15)... qui n'engendrent aucune image ou une image opaque, ou, à la rigueur, un désir d'image.

Lorsque l' « image linguistique » n'est pas seule en cause, le designatum englobe en général, plus ou moins nettement, un paradigme construit autour du mot simple (s'il existe ou est connu) ou bien par opposition à d'autres termes autrement dérivés. Mais il faut compter avec les libertés de la compétence. L'expérience prouve que si « descendre », en l'absence de tout verbe « simple », est reçu par opposition à « ascension » (on lit « ascendre » dans RBR. *V.* 17 33 11) comme une image de mouvement de haut en bas (plénitude sémantique du préfixe), que si « attendre » est souvent rattaché à « tendre », presque au même titre que « détendre », ce qui réanime la directivité du suffixe et dynamise le verbe : /« être tendu vers »/, « entendre » est rarement perçu, sauf en cas de conditionnement particulier, comme une modalité particulière de « tendre » : il n'en sort aucune image. Etudier le fonctionnement sémiotique (le facteur désignation en fait partie) interdit qu'on se limite à une analyse *in vitro* du lexique. Le recours à des informateurs est impératif.

**
**

Les brèves remarques qui précèdent permettent de dégager une première catégorie de designatum qu'on appellera *image motivée* (26). On constate que l'objet ainsi désigné est le plus souvent une image du référent (ou, le cas échéant, du signifié), du moins une image en rapport avec eux. Il arrive que le desi-

(Voir note 26 p. 304.

gnatum recouvre l'essentiel de la compréhension du référent ou du signifié : on le dira, par exemple, de mots comme « nécropole » ou « descendre ». Mais, généralement, l'image se contente d'une présentification partielle de type synecdochique : « roucouler », « arc-en-ciel », de même lorsque l'image révèle le genre dont le référent est une espèce ou un élément : « saphène », « coursier ». On peut également tenir pour synecdochique l' « image linguistique ». Mais le classement est délicat (dans la mesure où il s'impose, ce qui n'est pas évident). « Coursier », d'un certain point de vue, est synecdochique, de l'autre métonymique. Plus rarement le rapport est métaphorique, totalement ou en partie : « comète », « scaphandre ». Il existe évidemment des contaminations : « arc-en-ciel » peut être analysé simultanément comme synecdoque, métonymie et métaphore. La dichotomie la plus significative porte sur le *même* et l'*autre* : ou bien c'est le référent lui-même qui est présentifié, en tout ou en partie, ou bien c'est un autre objet en relation métonymique ou métaphorique avec le référent, ou le signifié. Grossièrement dit : image même ou image autre.

Dans le cas du designatum motivé, l'image est ordinairement même. Un tel designatum représente donc une bonne approximation de ce que Senghor entend, dans le lexique, par « image analogique ». Si lacunaire qu'ait été la présentation qu'on vient de lire, il faut constater combien, contrairement à l'opinion toute faite que Senghor reprend à son compte, les termes « analogiques » sont fréquents en français, comme, du reste, dans la plupart des langues. Ce n'est pas en elle-même que la motivation est caractéristique mais dans ses modalités. Langue abstraite, le français ? Si l'on veut, mais il n'est pas difficile de lire sous « amitié » « ami », sous « ami » « aimer ». On concédera cependant que l'abondance des compositions et des dérivations « savantes » fait du français, par opposition à l'allemand, par exemple, une langue de pédants qui réserve les subtilités de ses désignations à l'élite cultivée nourrie de grec et de latin. Peut-être l' « esprit » des langues africaines est-il moins porté vers la ségrégation, encore que l'extrême raffinement que Senghor se plaît à souligner dans certaines cultures, qu'il pratique lui-

(26) P. GUIRAUD (*op. cit.*, 197) note justement que « la motivation [...] fait passer le sens par l'étymon qui constitue un troisième terme, médiateur entre le signifiant et le signifié, fonctionnant comme relais, à la fois signifiant et signifié ». Guiraud nomme étymon la source du mot quelle qu'elle soit : onomatopée, emprunt ou base lexicale autochtone (chanteur > chant + eur). On verra plus loin que l'image motivée peut être l'effet d'un autre principe que celui de la motivation au sens lexical du terme.

même, avec le sentiment d'être pleinement africain, prince « parmi les princes de l'euphuïsme », encore que l'existence de castes, de classes d'initiation, de langues secrètes..., autorisent quelque scepticisme.

Il reste que, si réellement « le » poète africain se fonde par principe sur les images motivées que lui prodigue sa propre langue, on doit s'attendre que, volontairement ou non, les poètes de la négritude du type Senghor (v. p. 295) puisent abondamment dans les ressources comparables que leur offre leur langue d'accueil, si pauvre qu'elle puisse, en comparaison, leur paraître.

Pour simplifier et abréger, nous ne distinguerons pas entre les diverses catégories d'images motivées énumérées ci-dessus. Etant donnée la masse du corpus et comme une approximation nous suffit, on ne fera pas un relevé exhaustif. On se contente de comptabiliser les termes désignateurs à l'intérieur de séquences de cent mots découpées aléatoirement dans chaque œuvre. La somme des séquences couvre, selon les auteurs, de 25 à 40 % de l'espace textuel, ce qui offre une représentativité acceptable. L'étude du désignateur a montré l'impossibilité de dresser une liste objective. Le désignateur n'a d'existence que potentielle. En poussant les choses à la limite, tout lexème peut être reçu comme désignateur ou aucun, puisque l'idiosyncrasie du lecteur est toute puissante, partiellement uniformisée cependant par le conditionnement socio-culturel, ce qui déplace la subjectivité sans la supprimer.

Les résultats qu'on va lire se fondent sur quelques critères que voici. Puisqu'il s'agit de potentialité plus que de réalité, on choisit le laxisme : on accueille des termes dont la désignation potentielle est faible. Les résultats offrent donc une limite maximale. La productivité moyenne du phénomène se situe nettement en deçà. Les termes dérivés ont été retenus (même « entendre »). Un problème délicat se pose pour les termes simples d'une « famille ». Lorsqu'il existe certainement, par exemple « sente » *vs* « sentier » (RBM. *R.* 1 12 93 et 10 48), ne peut-on pas dire que l'existence du dérivé contribue à motiver rétroactivement le mot qui lui a donné naissance, autrement dit que le simple suscite l'image du dérivé ? Mais fréquemment il est à peu près impossible d'isoler *dans la compétence* le terme de base. Même dans le cas où l'ordre d'apparition peut être établi de façon probante, l'intuition du sujet ne se sent pas liée par les découvertes de l'homme de science, en admettant qu'elles soient connues. Il faut trancher arbitrairement et s'en tenir strictement à la décision prise : le terme simple évident n'est pas compté ; lorsqu'il est en compétition avec d'autres à l'intérieur d'un paradigme morpho-sémantique, un seul est exclu sur les bases fragiles de l'intuition ; s'il s'agit, par exemple, d'actions, de sentiments..., c'est le verbe qui sera considéré comme terme de base et donc exclu : « courir » et non pas « course », « aimer » et non pas « amour », « ami »...

La connaissance de l'étymon ne suffit pas à motiver le mot résultant lorsque tous deux ont approximativement même compréhension (« table », « mer », « épée », « bref »...) (27) ; lorsque la compréhension diffère, le terme est pris comme désignateur à condition que le contexte réactive le sens de l'étymon : « un rythme [...] fait claquer les genoux, l'*article* des chevilles » (NIG. 2 18 220) (28). Les signifiants mimétiques ont été généreusement accueillis malgré les réticences exprimées en 4, 1 : « fluer », « éclaboussé », « vacarme », « ouragan », etc. Dans les cas où ces critères n'étaient pas décisifs, on a fait appel à des informateurs (v. p. 300, n. 24). Contrairement à l'attente, des termes comme « enfant », « aveugle », « antan » dont on pensait que la composition étymologique était perdue, ont été retenus par un pourcentage non négligeable. Un tel recours permet d'accepter des désignateurs qu'on aurait spontanément rejetés. La population testée a paru plus sensible aux sollicitations du signifié qu'à celles du signifiant. C'est ainsi qu' « aube » fait fréquemment surgir une image de blancheur, mais exceptionnellement « aurore » un éclat doré. Inversement, la rosée, qui n'est pas rare dans notre corpus (RBR. *P.* 11 43 12, RAN. *C.* 2 13 11, KEI *P.* 1 13 86, etc.), est colorée en partie par la proximité paronymique de « rose » mais aussi du fait de celle, métonymique, de l'aube ou de l'aurore, voire de *la* rose. Cette motivation subjective est à coup (presque) sûr utilisée par Senghor lorsqu'il écrit :

C'est la rosée de l'aube sur les tamarins (*E.* 8 119 13),

qu'on opposera à ce vers (qui surprendra peut-être, venant de Damas) :

ni l'odeur rose des dahlias du jardin qu'argentait la rosée (*B.* 3 65 226).

On assigne donc à « rosée » une fonction de désignateur. On fait de même pour un certain nombre de termes dont la moti-

(27) « Etoile » n'est donc pas désignatif, mais le devient dans « Paris / pour les uns, / C'est l'*Etoile* / Le Louvre / L'île Saint-Louis » (DAD. *H.* 13 26 1-5).

(28) Un mot comme « aggravé », du même, offre deux images du signifié (linguistique et référentielle) dans : « Maintenant la lune, *aggravée*, sur mon toit » (3 22 72) ; cf. « l'homme porte sans faiblir la *gravité* des étoiles » (2 14 106), etc. La tendance étymologiste a déjà été évoquée en 3, 2, 70 où certains de ces exemples ont été cités.

vation réelle s'est perdue mais a été remplacée par une motivation impressive, ainsi de « ricaner » (RAN. C. 8 26 1), que nombre d'informateurs associent à « rire » et à « canard » (image d'un rire criard ou nasillard) tout en supposant, non sans raison, que cette « étymologie » n'a rien de scientifique.

Sur de telles bases, on obtient les résultats suivants :

POURCENTAGE DES DESIGNATEURS MOTIVES

alphabétique		*classement*	
BRI	15,9	KEI	18
CES	15,4	SOC	17,8
DAD	13,7	SIS	16,9
DAM	14,8	RBM	16,6
BDP	13,6	NIG	16,5
DDP	15,1	BRI	15,9
KEI	18	TIR	15,5
NIG	16,5	CES	15,4
RBR	14,3		
RBM	16,6	RAN	15,3
RAN	15,3		
ROU	13,8	DDP	15,1
SEN	14,1	DAM	14,8
SIS	16,9	RBR	14,3
SOC	17,8	SEN	14,1
TIR	15,5	ROU	13,8
		DAD	13,7
Moy.	15.3	BDP	13,6

Cette distribution exclut l'hypothèse nulle. L'image motivée n'est pas aléatoire et constitue donc un critère stylistique pertinent. Cette nouvelle disparité n'est pas surprenante. Nous y étions préparés. La surprise provient du classement. En effet, les poètes qui nous ont paru, à divers niveaux de cette étude, les moins occidentalisés : Dadié, Keita, Sissoko et Socé, figurent aux deux extrémités de l'échelle. La désignation est marquée chez eux quatre mais avec des signes opposés. Il est tentant d'attribuer l'excès de désignation visible chez Keita et Sissoko au fait qu'ils usent de la « prose » et qu'ils n'ont que peu recours à la rhétorique. Ce second critère vaudrait également pour Socé. Cependant, la prose comme telle n'est pas une explication admissible. La « prose » du *Cahier* offre le même taux que les autres textes de Césaire et celui de NIG. 3 est inférieur à la moyenne de son œuvre (14,8 contre 16,5). Vis-à-vis de la rhétorique, Dadié se comporte à peu près comme Socé, par ailleurs, son taux est comparable à celui de Senghor et de B. Diop dont le recours à la rhétorique est constant.

Si l'on introduit Senghor dans le débat, une conclusion s'impose, négative. C'est lui, sans doute, qui cause la plus grande surprise. Il a, plus que tout autre, mis en évidence le caractère négro-africain de l'image analogique dont nous traitons en termes de motivation. Sur ces bases, il était légitime d'attendre de lui un usage excessif de la désignation. C'est le contraire qui se produit : il fait partie des quatre auteurs qui s'en détournent le plus. Autre argument qui serait décisif si la matière était plus abondante et plus variée : Senghor, on le sait (nous les avons utilisées au chapitre précédent), a publié quelques traductions de poèmes africains. La désignation pouvait s'y manifester avec plus d'aisance et de « naturel » que dans les textes écrits et pensés directement en français ; or le taux en est notablement plus bas : 12,2 contre 14,1. La conclusion s'impose : il est impossible de faire de la désignation, au sein de la négritude, un critère d'africanité. Si on l'accepte comme marque caractéristique d'écriture (parmi d'autres), elle n'a d'application qu'individuelle. Il ne se dégage du classement aucune dominante concernant les diverses aires géographiques : grande dispersion des Africains, dispersion moyenne des Malgaches. Seuls les Antillais offrent une certaine concentration autour de la moyenne, ce qui réduit sensiblement, pour ce qui les concerne, la spécificité de la désignation. Ces résultats négatifs (qui ne manquent pas d'intérêt) rendent sans objet une confrontation avec des textes français : on n'en tirerait aucune conclusion.

Peut-on, d'un point de vue non plus quantitatif mais qualitatif (29), tirer un enseignement de ce test ? Le premier, le plus évident, est que l'image morpho-sémantique domine de loin les autres images : elle atteint, selon les auteurs, les deux tiers, voire les trois quarts des occurrences, sinon plus. C'est, tout particulièrement, le cas des plus « motivés » de nos poètes. Les lexèmes dont la désignation *n'est que* linguistique (car certaines images morpho-sémantiques s'accompagnent d'autres types

(29) Il faut noter, dans ce domaine, que le taux, fondé sur les occurrences et non sur le vocabulaire est sensiblement augmenté, et par là quelque peu indu, dans les textes où la répétition est fréquente, pour ne pas dire systématique : Damas et Dadié en particulier. On se demande si l'image motivée ne s'affaiblit pas, jusqu'à disparaître, à mesure qu'un lexème se répète. On butera plus loin sur la même difficulté. On sera tenté de la résoudre identiquement, sans qu'on puisse s'appuyer sur autre chose que sur l'intuition.

d'image : « roule*ments* », « trépigne*ments* »... ont aussi, paraît-il, un signifiant expressif, « cour*sier* » une « connotation » néoclassique, « flamboy*ant* » (l'arbre) produit une image référentielle, etc.), ces lexèmes à désignation strictement linguistique atteignent presque les 80 % dans les poèmes de Socé. Un tel constat montre que le mot « image », dont on use et abuse dans ce chapitre, perd beaucoup de son sens concret. Il ne possède pas nécessairement (en fait, il possède rarement) le sème / « visualisable »/. On le maintient toutefois, comme les mathématiques l'autorisent, pour signifier, à proximité du contenu et du dénoté, la projection d'une autre entité (étrangère ou non nécessaire au procès de signification), quelle qu'en soit la nature (référentielle, historique, littéraire, linguistique...), quel que soit le mode de perception (sensoriel ou pseudo-sensoriel, intellectuel, affectif...) et quel que soit son rapport avec le signifié et le dénoté (même ou autre).

Ne considérer comme image, et comme image poétiquement pertinente, que le designatum du domaine référentiel contredirait les principes de cette étude et ceux du jeu sémiotique où nous nous trouvons présentement. Les limites entre le monde linguistique et le monde extra-linguistique sont insaisissables ; on passe de l'un à l'autre sans solution de continuité. S'il n'est pas frauduleux d'introduire la notion de référence, on n'en doit pas moins reconnaître qu'elle n'est qu'une retombée secondaire. Enfin les désignateurs à signifié étymologique : les composés (« belladone », « myosotis ») ou les métaphores (« cratère ») issus d'une langue étrangère, échappent au morphologique mais non au sémiotique : c'est la connaissance de la langue et non l'expérience référentielle qui les motive. Ce serait donc une pétition de principe irrecevable que d'exclure du jeu sémiotique, au moins sans examen, la désignation morpho-sémantique. Au surplus, c'est sans doute elle qui produit les images les plus intéressantes.

*
**

Commençons par elle l'étude, sommaire, de la projection dans et par le texte, des propriétés sémiotiques. Grossièrement dit, sont à l'œuvre les facteurs d'actualisation simple, d'activation (dans le sens du même ou de l'autre) et de neutralisation. Nous ne suivrons pas ces facteurs mais les bases de la motivation.

Ce n'est pas le lieu de nous interroger sur les fonctions possibles de la désignation morpho-sémantique. Notons seulement qu'elle semble avoir, potentiellement, des effets contradictoires. D'un côté, comme cela a été suggéré plus haut, elle est d'une certaine façon sécurisante : elle assure la reconnaissance et la lisibilité. Par exemple, elle contribue à intégrer l' « africanité » de Keita, de Socé, à un moindre titre de Sissoko, dans un univers linguistique connu. De l'autre, elle peut créer des interférences dans la communication et dans la signification, gêner donc la lisibilité et substituer le doute à la certitude. Dans le premier cas, l'image relève du même, elle est redondante, dans le second, elle relève de l'autre, elle est ponctuellement discordante. Soit cette séquence anodine, assez typique de l'écriture de Keita (les désignateurs morpho-sémantiques sont soulignés, les autres mis entre parenthèses) :

C'était dans mon *enfance...*

Fête des Toubabs ! Fête des Toubabs ! (criaient) les (tam-tams) *effrénés.*

Fête des Blancs ! Fête des Blancs ! *répétaient* les échos.

Venez ! Venez ! *reprenaient* les *musiciens.*

C'était dans mon *enfance...*

Hommes et femmes sortirent (30) des *agglomérations* et, *bruyamment, achalandèrent* les *ruelles* (naguère) (taciturnes). Jeunes gens et jeunes filles *groupés* par *quartier, avançaient* au (rythme) (trépidant) des (tam-tams) vers la place publique où d'autres (tam-tams) les *interpellaient.*

C'était dans mon *enfance...*

Dès que jeunes gens et jeunes filles furent *réunis* sous le grand *fromager,* cet arbre *séculaire* à palabres, le fils du (chef de village), de sa // puissante voix, chanta... (*P.* 7 59 13-60 28).

Sur les 27 désignateurs (total considérable mais non le plus élevé), 18 (soit 67 %) relèvent du morpho-sémantisme. A l'évidence, chacun d'eux désigne et ne désigne que la langue dont il est tiré. Comme le contexte n'en marque aucun, l'impression, à ce niveau (qui n'est pas seul en cause), est que le sujet de la séquence est moins Keita, ou quelque autre individualité, mais bien la langue française. Cette impression est confirmée par le fait que le seul terme non seulement immotivé, mais opaque pour le lecteur français, « Toubabs », est traduit à la ligne suivante et qu'un autre, morphologiquement motivé, mais

---

(30) « Sortir », objectivement métaphore étymologique, n'a été mis en corrélation avec son étymon latin (*sortiri*) par aucun de mes informateurs ; aucun n'en a fait un déverbatif de « sort ». Non motivé dans la compétence, le mot n'a pas été relevé.

de signification incertaine pour le même lecteur, « fromager », est explicité dans le syntagme qui suit.

Si rien dans le contexte ne vient à la traverse, l'image morpho-sémantique perd toute singularité, elle attire le terme qui la provoque dans le fonds commun de la langue, qui est ainsi désignée dans sa totalité. Mais il arrive qu'un tel désignateur soit marqué, en particulier par le phénomène important de la réitération, examiné à deux niveaux dans les deux chapitres précédents. La réitération marque, dans ce cas, non la base lexématique mais le morphème, que celui-ci soit ou non répété : cf. :

> je ne *com*prends pas car je n'ai point *con*voqué d'onde
> (CES. *A*. 23 78 158)

et :

> Qui fêle ma joie ? Qui sou*pire* vers le jour
> Qui con*spire* sur la tour ? (76 106-107).

Dans le premier exemple la répétition du préverbe *con-* fixe le designatum morphologique et libère les composantes des deux verbes. L'étymon latin de « comprends » est réactualisé mais l'accent est mis sur la notion de collectivité rassemblée, embrassée, qui, sans prendre le pas, peut-être, sur les sémènes /« prendre »/ et /« appeler »/, acquiert un poids sémantique égal. On lit, d'ailleurs, deux vers plus bas :

> je ne *com*prends pas car je n'ai point *ex*pédié mes messages pariétaux.

Dans le second, c'est le lexème qui est répété, non le morphème, mais le résultat est le même. Le jeu phonique atteint une telle symétrie dans les deux dernières phrases que les deux préverbes sont mis en étroite relation. Rétroactivement, « soupire » reçoit un dynamisme qu'il n'a pas ordinairement, souligné par « vers », ce qui est commun, mais surtout par l'enrichissement sémantique du préverbe qui perd son sème de /« fragilité »/, de /« tristesse »/ et intègre ceux de /« en bas », « au pied de »/ et de /« par en-dessous », « à couvert »/ : soupirer, c'est, ici, en quelque sorte, conspirer seul dans la nuit pour faire venir le jour ; ce n'est pas seulement espérer le jour, regretter son absence, mais travailler à devenir son maître. Dès lors, le sujet pourra dire qu'il peut convoquer l'onde. Et, du même coup, « conspirer sur » implique un début de succès, non seulement parce qu'on est maintenant sur un sommet, mais parce que l'un est devenu plusieurs (sujet pluriel), mais parce qu'on *as*pire déjà le jour venu. On pourra analyser le procédé de façon voisine dans des vers comme :

> ma face *perdue* ta *face éperdue*
> ensemble *fondu* intimes con*fondues* (P. 1 3 7-8) ;
> Ce matin du Luxembourg, cet automne du Luxembourg,
> comme je *passais* comme je re*passais* ma jeunesse (SEN.
> H. 5 65 1) ;
> Quand autour de moi su*rg*issent les *souvenirs* (DDP. 1
> 19 1) (31)...

Il est difficile de faire un relevé exhaustif des morphèmes ainsi marqués et de mesurer la place qu'ils occupent dans la désignation morpho-sémantique. Elle est faible assurément, mais qualitativement, son rôle n'est pas négligeable. Tirolien en offre quelques exemples qui ne manquent pas d'intérêt. On lit :

> j'ai repoussé plus dru sur le sol étranger
> car ma race est vivace et beaucoup plus tenace
> que l'acacia coriace qui pousse à Saint-Domingue (16 46
> 32-34) (32).

La répétition du suffixe /as/ n'ajoute pas grand-chose aux deux premiers adjectifs dont la base lexématique est restée très présente mais dégage celle du troisième, passablement masquée. Le surgissement du cuir dans « coriace » et la proximité phonétique d' « écorce » assurent l'identification des deux règnes végétal et animal : la race est à la fois pachyderme et rouvre. Il n'y a là nulle comparaison mais assimilation puisque « race » possède également le pseudo-suffixe /as/, *pseudo* non parce qu'il n'y est pas objectivement suffixe, mais parce que sa réitération jusque dans « acacia » le métamorphose en sémème, dont la compréhension serait analysable par les sèmes / « vitalité »/, / « endurance »/, / « obstination »/, / « robustesse »/..., et dont l'extension comprendrait aussi bien la race que les arbres les plus durs. La désignation est patente et s'appuie bien sur de simples morphèmes.

On retrouve ce même travail de désignation, moins riche sans doute, parce que plus simplement expressif, dans d'autres passages (23 63 2-7, etc.). Ne citons qu'un vers :

> Cataclysmes ! catastrophes ! calamités (17 49 10).

Ce sont les tam-tams qui « crient » ces mots. *Cata-*, deux fois

---

(31) On a noté, à propos de cet auteur, la fréquence du préfixe *re-*. Selon E.H. RHODES (« D. Diop : Poet of Passion », 238), qui cite 6 24 10 et 12 32 14, la récurrence de ce préfixe, « along with the use of the future tense, stresses this renaissance [de l'Afrique] which is like a resurrection. Diop's paradise regained is a rebirth of internal richness and courage for the blackman ».

(32) On remarque le rythme d'alexandrin, évoqué précédemment. Le poème est intitulé « Afrique » et dédié à un Africain.

répété, entraîne la pseudo-suffixation de *cala-* de « calamités ». Le mot désigne donc, lui aussi, un fléau qui s'*abat* sur le sol (33).

Dans les exemples qui précèdent la répétition du morphème fonctionne dans un micro-contexte. Ailleurs, elle s'étend sur un large espace et c'est l'accumulation même qui transforme les désignateurs morphologiques en désignateurs de sens. On négligera un passage de Niger où abonde le phonème /ã/, singulièrement sous la forme du suffixe -*e/ance* (34) (3 20 1-15) pour s'attacher à un poème de Césaire, trop long pour être cité : « Mémorial de Louis Delgrès » (*F.* 39 66-71). Il s'y trouve quantité de noms à suffixe -*ure* : « éraflures » (67 4), « morsures » (25), « commissures » (68 31), « contexture » (41), « voussure » (46), « brouillure » (49), « brisure » (69 58), « fripure » (71 105), « coulures » (106). La répétition garantit l'intentionalité, que confirme le néologique « brouillure ». Ce paradigme de noms déverbaux a pour premier effet de désigner « commissure » comme également déverbal : le désigné, qui prend le pas sur le dénoté, est complexe : commission, mais aussi acte de commettre, avec axième : mal, et son résultat. Il semble bien qu'on parvienne à une activation du nom : s'il dénote l'effet, il désigne l'acte et *vice versa*. En contrepoint, on lit quelques noms à suffixe -*eur*, qu'il est difficile de ne pas mettre en relation avec les premiers : « épaisseur » (67 21), « rumeur » (24), « hauteur » (68 39), « cracheur » (69 74), « Briseur », « Déconcerteur » (70 82), « constructeur » (71 112), « buccinateur » (117, signalé par ailleurs ; v. 3, 2, 71). Les cinq derniers noms, en particulier le néologique « déconcerteur », focalisent le sens du suffixe : activité du sujet, ce qui attire dans le paradigme des adjectifs comme « ombreuse » et « flaireuse », transformés en désignateur nominal :

> voussure ombreuse de l'écoute
> la seule qui fût flaireuse d'une nouvelle naissance (68 46-47),

(33) Signalons un rapprochement cocasse qui dénonce l'automatisme du procédé, car une imitation est exclue. Un personnage de bande dessinée, apprenant l'arrivée imminente d'une femme redoutable, s'écrie, terrorisé : « La Castafiore ici ! ! !... Cataclysme !... Catastrophe !... Calamité » (HERGE, *Les Bijoux de la Castafiore*, 1963, 6) : rétroactivement la cantatrice n'est plus une chaste fleur mais une fleur proprement catastrophique. Tirolien paraît se plaire à ce type de désignation : cf. 25 71 3-11 où se lisent, à la « rime » : « offense », « insolence », « sens », « sons », « indécence » et 27 77 8-10, assez burlesque, etc. Rapprocher de NIG. 2 9 11 : « Afrique [...] de la fièvre jaune et des chiques (pour ne pas dire de la chicote). »

(34) Suffixe qui connote, selon les informateurs, littérarité, symbolisme, néoclassicisme, préciosité archaïsante, etc. et qu'affectionne la négritude : Niger écrit « fuyance » (5 31 8), Tirolien « bruyance » (24 68 15), Rabemananjara « rubescence » (*M.* 2 14 28), Senghor « fulgurance » (*N.* 22 193 10, *L.* 11 237 2), etc.

ainsi que le nom « conquistador » (70 97), ce qui, également, fait des trois premiers noms de pseudo-déverbaux : « la précise épaisseur de la nuit » désigne donc la force, non nommée, qui épaissit les ténèbres. On notera enfin, puisque, là encore, on doit se contenter d'une amorce, que les deux paradigmes en -*ure* et -*eur* paraissent se conjoindre, à l'avant dernier vers, dans un des mots-clés de la négritude : « futur » :

> je te clame et à tout vent futur
> toi buccinateur d'une lointaine vendange (71 116-117).

Ainsi, le travail obscur et complexe qui se trame au long du poème peut-il désigner l'élaboration du vent futur. Une interprétation est nécessaire, répétons-le ; mais dès qu'on en tient une, elle se met en question et en exige une autre.

En plus d'un effet secondaire du suffixe qui sera mentionné ci-dessous, on constate un troisième procédé (parmi d'autres, sans doute, que révélerait une enquête plus scrupuleuse) : l'opposition terme simple/terme dérivé. Après Césaire (*R.* 45 462-47 505), Socé compose un bref « tombeau » de Toussaint Louverture, « La Chanson d'Haïti » (10 43-45). A quelques vers d'intervalle (45 49 et 54) le simple « froid » est repris par le dérivé « froidure ». La transformation de « froid » en « froidure » fait image, mais quelle ? Aucune, au reste, comme plus haut, ne sera satisfaisante. Une première pourrait être fournie par la « lexémisation » du suffixe : *froid dur*, sorte de paraphrase concrétisante de la « mort blanche » de Césaire ; une autre, plus subtile, par un jeu de relations phono-sémantiques. Il se crée, en effet, dans les derniers vers du poème, un battement rythmique secondaire dans l'opposition /UR/ *vs* /yR/ :

> Il vola de victoire en victoire
> Jusqu'au j*our* fatal
> De la capt*ure* à bord du « Héros »
> Et de l'extermination
> Dans le f*r*oid et l'h*u*midité
> D*u* Fort de Jo*ux*.
> Mais quelles destinées jumelles !
> Celle du Capitaine captif du « Héros »
> Qui est allé m*our*ir
> Dans la froid*ure* du J*u*ra.
> Et celle du Capitaine captif du Bellérophon
> Qui est allé m*our*ir
> Dans la torp*eur* de Sainte-Hélène (44 45-45 57).

Les v. 49-50 inversent partiellement l'ordre /U/ → /y/ et

disjoignent la consonne de la voyelle ; « froidure » rétablit l'ordre et la cohésion en imposant une sorte de coalescence, non seulement du froid et de l'humidité dans « froidure », mais aussi du Fort de Joux et du Jura et de ces derniers termes avec « mourir ». La modification de /yR/ en /œR/ au dernier vers assure la clôture de la séquence qui est aussi celle du poème. Le jour de la capture est, en effet, *fatal* puisque figure en lui, déjà, la mort dans l'humidité froide d'un fort du Jura. Dans ces conditions, et pour simplifier, « froidure » désignerait, ce que ne pouvait faire « froid », le destin de Toussaint, parallèle à celui de Napoléon. L'effet est certainement plus limité lorsque Senghor paraît hésiter entre le « rugit » (*N.* 18 187 3, 22 195 45) et les « rugissements » (26 201 4). On lit, de même, « le *barrit* des lamantins » (*E.* 16 148 2) mais « les *mugissements* blonds de tes troupeaux » (*N.* 1 171 8). Il n'y a là que corrélations lointaines puisque les mots ne figurent pas dans le même poème. Le choix est vraisemblablement contingent et s'explique par un souci rythmique. Si ces noms peuvent passer pour des désignateurs, ce n'est pas au jeu des suffixes qu'ils le doivent mais à leur signifiant (peut-être) mimétique.

*
**

Puisque les dérivés français, en théorie peu opératifs, le sont cependant, au moins par occasion, à plus forte raison et plus communément les autres catégories de désignateurs. Procédé fréquent, connu : il n'est pas nécessaire d'y insister. Le désignateur consiste en une réactivation d'un élément dont l'évolution phonétique et/ou sémantique a masqué le sens. La productivité d'une telle désignation paraît moindre que dans les cas précédents. Ceux-ci créaient un événement textuel original, valable en un seul espace. La réactivation est moins un événement textuel qu'un procédé sémantique codifié par une rhétorique qui se projette, ponctuellement, en un lieu précis. Pas d'enchaînement infini de désignés : il se dégage un designatum et un seul et la réaction s'arrête. Plutôt fait de rhétorique que d'écriture, comme on l'a signalé précédemment (3, 2, 70).

Bien que la distinction ne soit pas toujours nette, en particulier si l'on tient compte de l'histoire de la langue, on peut examiner séparément les composés-dérivés français et les composés-dérivés d'emprunt (ou qui peuvent passer pour tels). La langue de l'emprunt est en majeure partie, bien évidemment, le latin. Le procédé touche davantage les dérivés que les composés ou, à l'occasion, les catachrèses. Quelques exemples qu'il sera inutile de commenter systématiquement :

> Mais je sais bien que le sang de mes frères rougira de nouveau l'Orient jaune, sur les bords de l'Océan *Pacifique* que violent tempêtes et haines (SEN. *H.* 20 92 3).

Les majuscules montrent que le denotatum est un océan géographiquement localisé (cf. : « car nous nageons par la mer pacifique », *E.* 4 106 4). Cependant, le titre du poème, « Prière de paix » et la relative qui termine le vers, transforme l'adjectif « propre » en abjectif « commun », non seulement par réactivation de l'étymon : océan paisible, mais aussi océan de paix ou de la paix. Ici donc, non pas un, mais deux désignés. Limitatifs, au contraire, les exemples suivants :

> et pêche sous la pluie
> *gaucher* et maladroit (RAN. *O.* 6 24 26-27) ;
> Les monstres — nous mordant
> les *remords* de tous les jours (CES. *C.* 52 87 15-16) ;
> J'entends le souffle de l'aurore *émouvant* les nuages blancs de mes rideaux (SEN. *H.* 16 85 3), etc.

Ce dernier vers va sans doute plus loin. Le syntagme prédicatif suffit à imposer l'image concrète du mouvement, assez forte pour oblitérer le dénoté ordinaire d'« émouvoir ». Mais on trouve, deux vers plus bas :

> Je sens comme une haleine et le souvenir de Naëtt sur ma nuque nue qui s'*émeut* (5),

ce qui restitue le dénoté ainsi que, rétroactivement, celui de la première occurrence du verbe : coprésence équilibrée du désigné et du dénoté. Les morphèmes dont nous traitions plus haut peuvent contribuer, eux aussi, à la réactivation :

> les monts à la *tignasse* verte, avec des pelades par-ci, par-là (DAD. *A.* 11 25 21).

« Tignasse » est morpho-sémantiquement motivé par son suffixe péjoratif. La base lexématique, généralement non perçue, est réactivée par la proximité de « pelades » et l'image de la teigne peut se dégager. Cet autre exemple nous achemine vers le domaine de l'emprunt :

> vivent la racaille
> la *canaille*
> la valetaille
> la négraille (DAM. *B.* 3 68 294-297).

La réitération du suffixe entraîne l'analyse de « canaille » et met au jour le lexème de base : « chien ».

L'activation de l'étymon étranger (métaphore étymologique) se rencontre avec une grande constance, en particulier chez Niger :

> Les éphémères de la brousse ont *obsédé* le clair du discours (NIG. 6 35 2) (35),

et chez Senghor :

> Vous êtes le limon et le plasma du *printemps* viride du monde (SEN. *H*. 11 77 7 ; « primitif » apparaît au vers suivante) (36),

mais aussi chez Tirolien (32 89 2), Damas (*B*. 1 14 155-15 158), Rabemananjara, avec un raffinement certain :

> Dans l'Enceinte meurt jour à jour
> l'*héliotrope* sans soleil (*D*. 6 42 7-8) ;
> Ce sourire à l'*orée* ensorceleuse de ta bouche (*L*. 46 144), etc.

De telles citations pourraient être multipliées. Elles classent leurs auteurs dans la catégorie des « guelwârs de la parole » (SEN. *E*. 4 107 24), lettrés et philologues subtils. Les autres s'en démarquent soit avec indifférence soit avec une ironie mordante. Lorsque D. Diop évoque

> Les jours en lambeaux à goût narcotique
> Où derrière les volets clos
> Le mot se fait aristocrate pour enlacer le vide (1 19 5-7),

sans doute pense-t-il aux conversations de salon, mais ne vise-t-il pas aussi, ou surtout, Senghor, dont le mot se fait si volontiers aristocrate ? Pour n'enlacer que le vide ? C'est affaire d'idéologie. Au reste, il n'est pas assuré que lui-même n'ait pas, à l'occasion, recours au procédé étymologique. On peut se poser la question à propos de « cimetière *étrange* » (17 38 8), de « ma *fictive* apparence » (30 59 11)... D. Diop n'ignore pas la rhétorique ; il paraît même s'y plaire (37).

---

(35) Brierre écrit de con côté : « Dans le petit village *obsédé* par la mer » (*D*. 20 387 ; cf. 34 805).

(36) Cf. *L*. 4 230 15, 6 232 2-3, 9 235 3, etc. On a déjà rencontré, du même auteur, « léger et *grave* » (3, 2, 68) et « Le *chant* n'est pas que *charme* » (3, 4, 140) où « charme » désigne simultanément le *carmen* latin et, sans doute, Valéry.

(37) L'alexandrin n'est pas rare chez lui : les deux syntagmes qu'on vient de lire se trouvent dans des alexandrins (l'un approximatif) ; on lit dans un même poème (17 38-39), dédié à Césaire : « les contes de soie et de feu » (13), « ton matin de vent et de larmes » (39 29), « les camps d'épouvante » (35), etc.

Césaire ne figure pas dans la liste implicite, et incomplète, du paragraphe précédent. La désignation étymologique ne semble pas appartenir à son style. On est tenté, par mallarméisme, d'analyser « désastre » qui revient souvent dans son vocabulaire (v. 3, 2, 63), mais sans raison déterminante. Par moments « naufrage », également très fréquent, donne l'impression de *pouvoir* désigner un navire fracassé, ainsi dans « à court d'oxygène aux fenêtres du naufrage » (*A.* 13 49 73-74), surtout qu'il parle, précédemment, de « cargaison coulée » (1 8 10), mais la désignation ne s'impose pas. On peut y penser pour « je te tends ma cruche *comparse* » (*F.* 25 44 29) qui fait problème. Il aime les termes tirés directement du latin : « la paume des terres *létales* » (*A.* 17 59 91), etc., comme, évidemment, Senghor (p. ex. « labile », *E.* 12 140 9, 13 141 4), mais il s'agit là de tout autre chose. La désignation est constante chez lui mais se fonde essentiellement sur un jeu entre signifiant et signifié, non, parfois, sans une évidente ironie :

> la princesse se noie dans son sourire d'eau absente
> batouque
> dans son sourire de *rigole* (*A.* 24 87 136-138).

On en verra plus loin d'autres manifestations, selon des principes un peu différents.

Mentionnons un dernier type d'activation (parmi d'autres sans doute), qui vise le signifiant. Le signifiant n'y impose pas seulement une image mimétique du même, mais un designatum de l'autre, qui influe donc sur la perception du signifié :

> Oh ! écoute quand *glissent glacées* d'azur les ailes des
> hirondelles migratrices (SEN. *H.* 16 85 8).

« Glisser », on l'a dit, est reçu par certains comme mimétique. Le jeu des allitérations oblige à *voir* un certain mode de mouvement, et le denotatum habituel de « glacé » (/« transformé en glace »/ ou /« raidi par la glace »/) cède quelque peu devant un designatum projeté par la proximité immédiate de « glissent », quelque chose comme /« rendre lisse »/, comme on dit « papier glacé ». Voici, pour nous borner, un deuxième et dernier exemple :

> et nul oiseau ne chantera plus
> Karukéra (TIR. 3 12 26-27).

« Karukéra », dernier mot du poème, n'a été prononcé qu'une fois précédemment : il donne son titre au poème. On est d'autant plus enclin à prendre « karukéra » pour une onomatopée imitant le cri de l'oiseau que, quelques vers plus haut (18), on a lu (v. p. 211) :

six fois le *pipirit* a fait siffler sa flèche.

Sans doute le pipirit n'est-il pas connu, mais l'évidente onomatopée incline à supposer que c'est un oiseau, comme il est de
fait. Un équivalent français de la dernière phrase pourrât être :
« et nul oiseau ne chantera plus tire lire a lira », pour parodier
l'alouette de du Bartas : image des matins de calme et de paix,
à présent détruits. Cependant, comme (18) délivre une signification ambiguë : il est difficile de ne pas chercher dans « flèche » un désigné métaphorique, on se demande si « karukéra »
n'est pas plus énigmatique qu'il n'y paraît. N'est-ce pas, aussi
bien, le titre du poème ? N'est-on pas invité à y voir un mot de
passe, une formule magique ? Le savoir résout l'incertitude :
Karukéra est le nom caraïbe de la Guadeloupe. Tirolien engendre donc sa phrase en transformant un signifié non motivé (ou
dont la motivation est perdue) en signifiant mimétique. Les
lecteurs qui partagent son savoir suivent la même démarche à
partir du titre dont le sens est pour eux transparent. Le lecteur
ignorant des données historiques, culturelles et linguistiques
de la Caraïbe procède inversement, à partir du dernier vers et
d'un signifiant perçu comme mimétique, mais sans parvenir à
atteindre le signifié de base. Il est exclu du véritable procès de
signification.

*
**

Le *designatum* motivé a pour référence l'univers sémiotique, mais (v. p. 304, n. 26) ne le sature pas. Il existe, en effet,
un autre type d'image sémiotique, quantitativement important
vue l'organisation sémiotique du lexique (v., ci-dessous, n. 41).
Apparemment moins fécond que le précédent, moins articulable,
enfin difficile à cerner statistiquement, nous ne pouvons lui
accorder ici la place que, peut-être, il mérite.

La motivation met en jeu soit la diachronie (histoire du signifiant et du signifié), soit la synchronie (corrélation du signe
avec son dénoté). La présente désignation est synchronique et
touche le seul sémème : on la dira sémémique.

Un lexème étant donné, sous sa forme écrite ou orale, il
nous importe de savoir s'il contient un champ de signification
ou deux ou davantage, bref, nous avons à nous demander :
est-il *mono-*, *di-* ou *polysémémique* (38) ? Deux exemples empruntés à un poème de Césaire :

(38) V. B. POTTIER, *Présentation de la linguistique*, 26 : « Le contenu
sémique d'un lexème est son *sémème*. Le *sémème* est l'ensemble des sèmes.
Le sème est le trait distinctif minimal de signification. »

(3) les montagnes n'ont pas *fondu*

(27) héros de *chasse* casqué d'un oiseau d'or (*S.* 30 46-47).

« Fondre » présente deux sémèmes : /« liquéfier par fusion »/
et /« s'élancer impétueusement de haut en bas »/. Le premier
s'articule en deux sémèmes selon que le verbe est ou non tran-
sitif : /« liquéfier »/ ou /« se liquéfier »/. Sans doute est-ce
ce dernier qui sert de denotatum. Mais les deux autres ne peuvent-ils pas, simultanément, être désignés, tout particulièrement l'élan impétueux ? : les montagnes ne se sont pas abattues
(sur nous, comme un oiseau rapace). Une telle image n'aurait
rien d'exceptionnel sous la plume de Césaire. Le premier sémème,
quoique plus forcé, n'est pas impossible : les montagnes n'ont
pas encore mis en fusion (quel métal ?). Dans (27), la forme
écrite « chasse » n'offre qu'un champ de signification, les sémèmes techniques n'ayant guère d'actualité dans une compétence
« standard » ou en étant exclus, mais sous sa forme orale le
presque-homonyme « châsse » interfère avec lui et projette un
designatum, qu'il faut sans doute écarter comme parasite, mais
un peu comme une négation à laquelle on oppose une affirmation : présentée pour être repoussée. (27) peut donc dire, implicitement, « héros non de châsse mais de chasse ». Interprétation
byzantine, absurde ? Amplement justifiée, au contraire, si l'on
garde en mémoire certaines remarques de 4, 1 (222 s.) : le
signifiant produit le signifiant par réitération phonique. Engendrement fréquent dans la négritude, en particulier chez Césaire :

> la forêt se souviendra de l'*eau* et de l'*au*bier [...]
>
> séjour de mon insolence de mes *tombes* de mes *trom-*
> *bes* [...]
>
> dors doucement au *tronc* méticuleux de mon étreinte
> (*C.* 15 25 16, 26 28, 30), etc.

Si, par souci de rigueur (intempestif dans le cas présent),
on se refuse à prendre en considération les presque-homonymes (39), restent les homonymes parfaits. Outre une occurrence
de « peuple » sur laquelle nous nous sommes déjà interrogés
(t. 1, 239, n. 10), outre l'équivoque de « vaisseau » et de « gar-
rot » signalée en 2, 3 (t. 1, 345-346), outre également la transformation de « ferrements » en « ferment » (4, 2, 244), on peut
citer :

> l'*aube* sur sa chaîne mord féroce à naître (CES. *F.* 26 45 5).

---

(39) J. BERNABE n'hésite pas à le faire pour « je délaçais » (CES.
R. 25 9). qu'il comprend comme signifiant « je délassais » (« La Négritude
césairienne et l'Occident », 111) : homonyme parfait dans la prononciation,
presque homonyme dans l'écriture.

L'aurore ou/et la roue du moulin (pour négliger le vêtement sacerdotal peu admissible dans le contexte) ? Dans tous les exemples qui précèdent, la désignation peut sembler le fait du seul lecteur qui projette dans le texte un désir de signification, non absolument gratuit puisque conforme à une constante d'écriture, mais non réellement imposé par le contexte : image latente et, peut-être, inutile. Il arrive toutefois que le contexte soit, sans doute possible, contraignant :

> Le calypso flamboyant
> Et les rythmes *argentins*
> Epars sur des tangos (SOC. 14 52 15-17).

Si le dénoté d' « argentin » est certainement géographique, le designatum /« sonore »/ est impossible à esquiver.

Ajoutons que l'ambiguïté sémémique se manifeste, à l'occasion, dans un ordre un peu différent : les catégories morphosyntaxiques et les modes verbaux. Dans *F.* 43 81, Césaire s'adresse à « [s]on peuple ». Un seul dénoté, pas de désignation :

> demain
> à quand demain mon peuple
> la déroute mercenaire (81 15-82 17).

Mais le poète poursuit :

> peuple de mauvais sommeil rompu
> peuple d'abîmes remontés (20-21), etc.

Un designatum est possible : peuple comme délocutaire. Le même Césaire écrit ailleurs, sans ponctuation, ce qui, on le sait, est presque constant chez lui :

> Mon eau n'écoute pas
> mon eau chante comme un secret
> Mon eau ne chante pas
> mon eau exulte comme un secret, etc. (*C.* 32 54 1-4).

Le mode et la personne des verbes y sont indécidables. Objectivement : deux dénotés. Mais on lit plus bas :

> Mon eau est un petit enfant
> mon eau est un sourd (8-9).

L'incertitude est levée. D'où deux déchiffrements : ou, rétroactivement, on opte pour un denotatum (indicatif) et un designatum (impératif), ou l'on maintient l'ambiguïté des premiers vers, pour considérer (8) et s. comme un commentaire avec changement d'allocutaire (40).

---

(40) Cette incertitude (rencontrée en 2, 3, t. 1 318) n'est pas le fait du seul Césaire : v. RAN. *C.* 6 21 10 : subjonctif ou imparfait ?

Cette « polysémémie » constitue, à nos yeux, un fécond réservoir d'images qui ouvre l'univers sémantique sans espoir de clôture.

Nous n'allons pas ouvrir un débat sur le « mot poétique ». Il est bien entendu que n'importe quel mot peut être « poétique » : il suffit qu'il soit employé en poésie. Resterait à savoir ce qu'est la poésie..., si elle est dans le texte ou dans l'intention du texte... Il est facile de poser le problème en termes de désir, mais quels seront les critères autres que ceux du goût ?, et l'on aboutit à une poésie à éclipses. Il semble, pour négliger l'aspect formel des mots, dont le rôle est difficile à cerner objectivement, que la multivalence sémantique des termes employés pourrait offrir une base d'enquête. Un mot « polysémémique » traîne avec lui des montages de sens qui freinent l'enlisement dénotatif et la visée référentielle, et qui le maintiennent dans son univers, celui de la langue, où toutes les incertitudes sont possibles. Si la synecdoque du genre pour l'espèce est si fréquente dans la rhétorique traditionnelle, n'est-ce pas parce qu'elle offre un moyen commode pour dire le plus avec le moins ? Il conviendrait donc d'ajouter au tableau de la p. 307 un second tableau notant le pourcentage des termes polysémémiques (41). Longue tâche qui exigerait, pour chaque mot, la consultation du dictionnaire. Il faut y renoncer vue l'étendue de l'espace textuel que nous avons à défricher, même limité, comme précédemment, au tiers de sa surface. Malgré l'intérêt d'une telle recherche, on ne perdra pas de vue qu'elle ne dispense pas d'autres approches aussi pertinentes, sinon plus, et que, si, complétant la liste des lexèmes motivés, elle fournit un corpus de mots qu'on pourrait qualifier commodément mais abusivement de poétiques, elle ne doit pas méconnaître tous ceux qui lui échappent et qui, tous, sont poétifiables par le contexte.

C'est la conclusion la plus importante à laquelle nous conduit le développement qui précède sur l'image sémiotique. Sont en jeu, d'une part, deux domaines : le sémiotique et le sémantique, d'autre part, deux facteurs : la liberté (informée par le savoir et le désir) et la contrainte. Dans le domaine sémiotique dont nous sommes partis (et que nous avons débordé), la motivation est plus ou moins contrainte ou plus ou moins libre. Quand un poète (Damas) emploie des vocables comme « mort-né » (*N.* 31 119 2), « sang-mêlé » (33 122 5), « oiseau-mouche » (45 138 11),

(41) Envisagé en fonction du nombre d'entrées sémantiques par lexème, le lexique vérifie l'équation d'Estoup-Zipf. V., p. ex., P. GUIRAUD, « Les Structures aléatoires de la double articulation ».

ou « tam-tam » (*P.* 1 13 2-3), « glouglou » (26 67 13), « blip »
(*N.* 9 91 16), il est difficile de ne pas voir ou entendre, quel
que soit le contexte où ils se lisent. Mais des vocables comme
« claquant » (*P.* 6 23 4) ou « bâille » (26 67 1), « martèle-
ments » (6 23 2) ou « miséricordes » (15 43 15) ne seront pas
nécessairement perçus comme désignateurs, ni dans l'univers
sémiotique de la langue, ni dans l'univers sémantique du texte.
Le lecteur est libre et, seules, des marques textuelles le contrain-
dront (plus ou moins) à percevoir un designatum. En langue,
les désignateurs sont tantôt actifs, tantôt latents. En texte,
l'écriture, ou, plus exactement, la perception de l'écriture peut
utiliser leur activité, ou les activer, ou les neutraliser en tout
ou en partie, ou s'en désintéresser.

Bref, les désignateurs sémiotiques ont des propriétés qui se
réalisent ou non dans le texte selon des modalités diverses. Le
rôle du contexte est déterminant (rappelons ce truisme) : c'est
lui qui, en dernier ressort, modalise ou provoque le processus
de désignation. Il reste, cependant, que le contexte est, lui aussi,
plus ou moins contraignant. Ce qu'on nomme contexte et à
quoi l'on accorde avec raison de grands privilèges, est en réalité
une pratique, informée par lui pour partie, pour partie l'informant. Ainsi envisagé, il autorise une échelle de désignation,
de la plus assurée à la plus improbable. Notre pratique actuelle
de la lecture tend à valoriser les contraintes douteuses. L'important serait de pouvoir déterminer sur quelle base est choisie
la constante d'écriture, les quatre facteurs étant : même et clair
(qui, associés, offrent la plus grande lisibilité), autre et douteux
(dont l'association opacifie le dénoté et multiplie les sens). Les
critères isolés jusqu'ici ne suffisent évidemment pas : ils ne
couvrent pas tout le sémiotique et le sémantique a été (et sera)
à peine effleuré.

*
**

Pour en terminer avec le champ sémiotique, nous avons à
nous demander si, indépendamment de la motivation et de la
polysémémie, n'existent pas des termes susceptibles de fournir
des désignateurs. La plus grande partie des mots non motivés
et monosémémiques ou, du moins, ceux qui sont supposés tels
par la compétence, sont neutres vis-à-vis de la désignation. Seul,
le contexte, donc le domaine sémantique, peut en faire des
désignateurs. Une catégorie, cependant, mérite d'être considérée, celle des mots dont le sens est inconnu : néologismes et
mots « rares ». Appelons-les mots à dénoté opaque ou, plus

simplement, *mots opaques*. Des distinctions seraient nécessaires entre les lexèmes jamais rencontrés ou totalement oubliés, ceux qu'on croit reconnaître mais dont le sens échappe, ceux dont on connaît le signifiant mais dont le signifié est ignoré, ou incertain, etc. Nous avons été conduit précédemment à citer de tels termes dont le signifiant était partiellement (« nidor*eux* ») ou totalement (« pipirit », « anadyomène ») motivé. L'ensemble des mots opaques est donc en intersection avec celui des mots motivés, intersection réduite néanmoins.

Notons, comme préalable, que si Senghor voit dans l'image analogique (ce que nous avons traduit, généreusement, par motivation) une marque d'africanité, il tient également le mot opaque pour spécifique de la négritude (en tant qu'elle réalise la « négrité »). Il lui importe de distinguer fortement le langage de la poésie de celui de la prose, ce dont témoigne amplement son œuvre qui recourt de façon constante et patente à la rhétorique, ce qui contredit en revanche d'autres propositions où s'affirme l'interpénétration, en Afrique, de la prose et de la poésie, ou, du moins, la facilité du passage de l'une à l'autre par la seule vertu du rythme (42), ce qui, en fin de compte, peut difficilement passer pour un critère d'africanité. On a déjà signalé à la fin de 3, 3 (128, appel de n. 109) que, selon le même auteur, la poétique négro-africaine se caractérise, entre autres, par une grande recherche du vocabulaire. Y contribuent des mots savants, techniques et exotiques. Ils exigent un savoir. On peut les dire opaques. S'appuyant sur le truisme que, dans l'usage commun, les mots « se couv[rent] de rouille », se « dépouill[ent] de leurs qualités sensuelles », etc., Senghor conclut :

> C'est pourquoi le Poète doit maintenant [?], ruser avec les mots. Il les dérouille ou les éclaire de l'intérieur en ayant recours aux procédés expressifs de la stylistique ; mieux, *il en invente*. S'attaquant aux mots eux-mêmes, le Poète rejette ceux de tous les jours pour aller puiser dans les *mots rares et secrets* : vocabulaire archaïque, dialectal, technique, philosophique, religieux (43).

Attitude de poète, on en conviendra, plus que d'Africain. Cependant, bien que Senghor ne le précise pas dans les lignes qui viennent d'être citées, il n'est pas impossible qu'il se réfère implicitement aux poèmes initiatiques et religieux qui sont écrits en « langue mystique, composée surtout, croit-on savoir,

(42) V. 3, 3, 125, appel de n. 100, 4, 2, 274, appel de n. 58 et SEN., *L. 1* (1962), 373.
(43) ID., *ibid.* (1960), 301 (souligné par moi).

de vieux mots hors d'usage aujourd'hui et d'autres forgés par le génie des poètes sacrés » (44).

Critère ou non d'africanité (mais on est en droit d'en douter), quelle est la place des mots opaques dans la négritude ? Ils ont été relevés, dans les mêmes conditions que précédemment, sur les bases suivantes. Est tenu pour opaque tout lexème ignoré d'une compétence standard (45), dont la signification ou la catégorie de signification ne sont pas dévoilées par le contexte ou pour lesquelles subsiste une marge d'incertitude. C'est ainsi que nombre de termes exotiques dont la référence exacte n'est pas, en général, connue n'ont pas été relevés. C'est le cas des noms propres quand ils réfèrent sans ambiguïté à un personnage, une ville, un fleuve..., et des noms communs qui renvoient à une classe animale, végétale... précise, etc. Choix arbitraire, il est vrai : un lexème au signifiant inconnu et au signifié deviné ne se conduit pas comme un mot totalement connu ; de plus, le contexte peut induire en erreur (46). Mais dans cette approche très générale mieux vaut se contenter d'une catégorie relativement homogène. Dernière règle : lorsqu'un terme opaque est répété dans un même recueil, on admet que le signifiant est alors connu (ou reconnu) : on décide de l'exclure. Voici les résultats :

POURCENTAGE DES MOTS OPAQUES

alphabétique		*classement*	
BRI	0,23	CES	0,66
CES	0,66	SEN	0,66
DAD	0,02	RAN	0,60
DAM	0,22	NIG	0,56
BDP	0,06	RBM	0,54
DDP	0,06		
KEI	0,14		
NIG	0,56	SIS	0,34
RBR	0,11	TIR	0,33
RBM	0,54	SOC	0,31
RAN	0,60	BRI	0,23
ROU	0,23	ROU	0,23
SEN	0,66	DAM	0,22
SIS	0,34	KEI	0,14
SOC	0,31	RBR	0,11
TIR	0,33	BDP	0,06
		DDP	0,06
Moy.	0,41 (47)	DAD	0,02

(Lire les notes 44, 45, 46 et 47 p. 326).

La dispersion des résultats prouve, une fois de plus, que l'opacité est un critère de « négrité » parfaitement fictif : un des plus « africains » de nos poètes, Dadié, figure au bas de l'échelle. Ceux que nous lui avons souvent associés : Sissoko et Keita, parfois Socé, présentent tous un taux inférieur ou très inférieur à la moyenne. L' « opacité » de Senghor, quantitativement équivalente à celle de Césaire, est de nature très différente. Elle provient essentiellement des noms propres (plaisir de la nomination) dont la classe de référence n'est pas toujours assurée : « Tyaroye » (*H*. 19 90 0), « Kaya-Magan » (*E*. 3 103 1), « Beleup de Kaymôr » (4 106 14) ou des noms ou expressions « exotiques » : « Ndyaga-bâss ! Ndyaga-rîti » (*C*. 18 29 24), « teddungal » (*E*. 5 109 19-20), « récade » (4 106 3), « talbé » (*N*. 14 183 9), etc., mais aussi de quelques termes « savants » qui nécessitent une certaine pratique du latin et du grec : « sponsorale » (*H*. 7 69 12), « tépide » (19 90 11), « glossolalie » (*E*. 1 100 26), « néoménie » (2 102 23), que connaît également Rabearivelo (*T*. 18 107 3), etc. L'opacité de Césaire, en revanche, consiste en noms communs techniques, dont quelques-uns, supposés connus, ont été évoqués plus haut (p. 301), ou « exotiques » (animaux et plantes) (48). Que chez l'un et chez l'autre, associés ici abusivement, cette prédilection soit due à « une sensualité, une volupté du verbe, un désir de la chair du monde », à un besoin « d'étrangeté et de sacré » (49), peu importe. Voici les raisons de Césaire :

Il est certain que le langage de mes poèmes est très précis : c'est que j'ai voulu *nommer* les choses. Si je veux parler d'un certain arbre, je dis : un palmier ; d'une certaine fleur : un hibiscus. Et pourquoi pas ? le poète

(44) ID., *ibid.* (1954), 169.

(45) Ce syntagme, utilisé plusieurs fois, est une commodité discutable : il échappe à toute définition objective. Notre « compétence standard » est représentée par la catégorie d'informateurs définie ci-dessus (300, n. 24).

(46) Dans « L'ombre du vieux *tamboho* s'étire / Démesurément / Et couvre de ses voiles transparents / Le tombeau familial » (RAN. O. 7 25 1-4), *tamboho* réfère, selon la vraisemblance, à un arbre. C'est en fait un mur de latérite qui entoure les maisons de campagne.

(47) La faiblesse de ces taux ne doit pas surprendre. Comme précédemment, tous les mots sont comptés, même les morphèmes, qui représentent à peu près la moitié de tout espace textel. Par ailleurs, les mots opaques se remarquent et tendent à se graver dans la mémoire. Il suffit d'un petit nombre pour donner à un poète une réputation d'hermétisme.

(48) A titre d'exemples : « suffète » (*C*. 1 9 9) : antiquité carthaginoise ; « palancre » (13) : halieutique ; « oricou » (2 10 14) : ornithologie ; « vénéfices » (*S*. 3 9 6) : droit ; « phasmes » et « pharaons » (4 11 3-4) : entomologie ; « ipoméas » (25 39 12) : botanique, etc. Les noms géographiques sont plus rares : « Ogoué » (27 41 1) : fleuve et région du Congo ; « Chiriqui » (*C*. 37 60 3) : golfe et montagne de Panama, etc.

(49) E. CLANCIER, « Orphée métis », 108-109.

français parlera lui, non de la fleur, mais de la rose ou de la violette. Cette possession d'un vocabulaire situé et précis que j'ai voulue sous ma plume, n'est pas habituelle chez les Antillais. [...] Puisque j'écris en cette langue [le français], autant utiliser toutes ses ressources. Cependant, j'admets avoir cédé à certains excès. Il est vrai que, pour me lire, on doit parfois garder un dictionnaire à portée de la main, mais vous aurez peut-être remarqué que, dans mes derniers recueils, l'hermétisme a sensiblement diminué. D'ailleurs, à mon sens, le mot, pour capital qu'il soit, n'a pas l'importance du rythme (50).

La préférence accordée au nom précis doit être soulignée puisqu'elle contredit une proposition antérieure : le recours à la synecdoque du genre. Choisir le nom précis, c'est, dans une large mesure, refuser la motivation, ce dont, pourtant, Césaire témoigne médiocrement. Il faut donc comprendre que, dans la conscience qu'il a de son travail d'écriture, comme le révèle indirectement le privilège accordé *in fine* au rythme, le sens (pour nous, ici, l'image) s'élabore à hauteur de phrase. Mais on ne le suivra pas lorsqu'il affirme que *le* poète français fait comme lui. Il définit *une* et non *la* poésie.

Il faut cependant reconnaître que précision n'implique pas nécessairement hermétisme. On est tenté d'inverser le processus : non pas précision, donc (et tant pis) hermétisme, mais : hermétisme, donc précision. On s'expliquerait mal, autrement, pourquoi Césaire aurait renoncé à une option qui lui paraît poétiquement pertinente au moment où il parle (51).

Parmi les amateurs de « mots étranges » que révèle notre tableau, notons seulement que Rabemananjara les utilise à la manière de Césaire mais en limitant le nombre des domaines techniques, et qu'il rejoint Senghor par sa délectation des noms géographiques. Niger, comme Sissoko, recourt surtout à des

(50) J. SIEGER, « Entretien avec A. Césaire » (1961), 65. Dans un article de *Tropiques*, 5 (1942), « Vues sur Mallarmé », Césaire paraît justifier son recours aux mots « savants » par référence à Mallarmé dont il analyse deux vocables d'un sonnet célèbre : « ptyx » et « nixe », « sur lesquels le dictionnaire est muet, et pour cause ». « Ptyx », on le lui accorde, mais « nixe » ? Il est significatif que, dans son exégèse, Césaire se fonde non sur le contexte mais sur la seule motivation étymologique (il retrouve le πτύξ grec et le *nixus* latin, mais non la divinité germanique).

(51) Mais y a-t-il renoncé ? *Dans la mesure où l'on peut se fier à notre échantillonnage*, on constate, en effet, une diminution irrégulière mais nette du nombre des mots opaques : $R.$: 0,41 (la moyenne de la négritude) ; A (sans E) : 1,41 ; E : 0,64 ; S : 0,70 ; P : 0,75 ; F : 0,16. Mais le dernier recueil, M, semble remettre en cause cette évolution : 0,86. Il faudrait vérifier sur le vocabulaire complet.

termes exotiques. Peut-être sera-t-on surpris de trouver Ranaivo parmi les premiers de la liste si l'on se souvient qu'il affirme chanter un « chant de tous les jours » (R. 12 26 6). En réalité, c'est chez lui que se réalisent avec le plus de rigueur les prétentions de Césaire. Une jouissance certaine des noms géographiques : « Ambohimiangara » (C. 3 15 43), « Farahantsana » (O. 3 15 7), etc., mais surtout plaisir de la nomination précise et concrète, du mot juste plus que du mot savant :

> Petite aussi la *corise* d'eau, jeune homme (R. 13 28 10) ;
> Ne voudrais m'enliser
> comme *engame* un poisson (17 33 17-18), etc. (52).

Ses mots ne sont, en général, opaques que pour le lecteur ignorant la géographie, la faune et la flore malgaches.

Le nom propre sans référence connue, le mot commun sans dénoté certain focalisent l'attention sur le signifiant et suscitent deux directions de recherche, l'une fondée sur la motivation, c'est-à-dire sur le savoir ou l'intuition étymologiques, l'autre sur le contexte. D'où une production d'images plus ou moins nettes qui inverse le processus analysé précédemment, selon lequel l'image est ordinairement seconde et secondaire puisqu'elle s'appuie sur un référent ou un dénoté fournis par l'expérience et la compétence. Ici, le designatum est premier et seul réel. C'est de lui qu'on essaie de tirer un denotatum acceptable. Si, après la double enquête, on a recours au dictionnaire et si le terme énigmatique y figure, le travail préalable a chance de conserver à l'image une présence matérielle que n'avait pas l'image sémiotique. En cas d'échec, l'image seule demeure et tend à se transformer en dénoté idiolectal : le mot appartient moins à la langue qu'au lexique personnel de l'auteur, avec le sens ou le pseudo-sens produit par l'image. Il « connotera » donc l'auteur et le texte où il figure, si d'aventure on le rencontre ailleurs. Même si le dictionnaire a permis l'élucidation, le terme reste associé à l'auteur auquel on doit sa connaissance : il a désormais, dans la conscience du lecteur, une histoire ; il acquiert, en quelque sorte, une motivation.

Césaire étant, dans notre corpus, le plus prodigue de mots non seulement opaques mais, apparemment, insoucieux des contraintes textuelles (53), c'est à lui qu'il faut s'adresser pour

(52) Il hasarde cependant « mérétrix » (C. 4 19 73).

(53) L'opacité de Senghor se réduit fréquemment, non parce qu'il joint un lexique à ses poèmes (il n'en a pas été tenu compte dans le relevé précédent), mais parce qu'il fournit des indices éclairants : qu'on se reporte à un exemple étudié plus haut (3,3 104, n. 37) ou qu'on lise ce vers : « Donne-moi le *courage* du Guelwâr et ceins mes reins de *force* comme d'un tyédo »

(Suite p. 329)

en éprouver les vertus. Ayant étudié ailleurs le procédé (54), je me contenterai ici d'un exemple qu'on pourra tenir pour canonique : « mes yeux de scorpène frénétique et de poignard sans roxelane » (*A.* 18 61 10).

La *scorpène* (il faut déjà connaître le nom pour lui donner son genre !), d'après le contexte, est un animé doté d'yeux et capable d'une sorte de fureur. Le dictionnaire confirme, tout en précisant l'univers : marin. C'est, en effet, un poisson, « d'une forme bizarre et hideuse », dit Littré ; une de ses espèces est la rascasse. Image claire. La *roxelane* est plus rebelle. Le contexte pousse à y voir un terme d'armurerie (un possible équivalent de la mouche, de la garde ou du quillon) ou bien d'orfèvrerie (un délicat travail de la fusée ou du pommeau ?). Beaucoup devront se contenter de cette image trouble car les dictionnaires de langue ignorent le mot et les encyclopédies ne connaissent, sous ce nom, que la mère de Bajazet II : on voit mal ce qu'elle viendrait faire ici.

Les lecteurs martiniquais, eux, reconnaissent aussitôt le nom d'une de leurs rivières. La minuscule n'étonnera pas un lecteur un peu attentif de Césaire : il connaît les « nils bleus » de *A.* 26 95 17 et le « pas d'île et de caraïbe » de 13 50 95, etc. Mais la roxelane rivière a chance de le laisser perplexe, à peu près autant que la roxelane sultane, à moins qu'il ne s'imagine trouver une solution en voyant dans le vers le résultat d'une hypallage : *mes yeux de poignard frénétique et de scorpène sans Roxelane.* Passons sur le fait que la rascasse est un poisson de mer. Il reste qu'une figure ne peut pas être réduite, en poésie du moins. Peut-être le poète « veut-il dire » *scorpène sorti de l'eau* ou *de son milieu natal,* mais il dit et veut dire : « scorpène frénétique » et « poignard sans roxelane ». Là est sans doute l'essentiel de l'écriture hermétique de Césaire : le sens du vers oscille sans fin entre la signification directe et la signification figurée. Si la figure offre un sens relativement clair, le sens direct, bloqué par un mot rebelle à l'exégèse, est dévié vers une image incertaine. Si celle-ci est niée par la signification que révèle le dictionnaire, on dira, en jargon, que le *denotatum* fonctionne comme *designatum.* On est ainsi porté à voir dans le « poignard sans roxelane » un syntagme sans signifié en sémiotique, sans dénoté en sémantique. Il donne le jour à un sémème qui n'a

(C. 25 51 67). « Guelwâr » figure dans le lexique (« le noble, descendant des conquérants mandingues »), non « tyédo » ; les mots soulignés aident à fixer certains classèmes que la recherche confirme : il s'agit d'un mercenaire des armées royales du Cayor.

(54) « Césaire et l'hermétisme », in *Aimé Césaire ou l'athanor d'un alchimiste.* Je me fonde sur un court poème de *Cadastre,* « Rachat » (C. 8 16).

d'existence et de signification que dans l'univers linguistique de Césaire et pour lequel le lecteur doit construire une image. Mais cette image demeure opaque.

C'est, réellement, dire l'indicible, ce que ne fait pas la « réduction » par hypallage.

Une telle création d'image, d'image pure, puisque sans dénoté véritable (le dénoté, quand il existe, étant transformé lui-même en image) est étroitement solidaire de l'opacité lexicale ou, plutôt, d'un certain usage de cette opacité. Elle est le fait du seul Césaire. Ailleurs, l'opacité suscite ordinairement une pseudo-énigme ou, si l'énigme est véritable, elle est toujours référentiellement soluble. Elle joue le rôle de retardateur, que le denotatum apparaisse ultérieurement dans le texte (55), net ou approximatif :

> Je me réveille je m'interroge, comme l'enfant dans les
> bras de *Kouss* que tu nommes Pan (SEN. C. 21 40 2) ;

ou au terme d'une recherche linguistique ou encyclopédique :

> Je ne suis pas le *guêpier* de Nubie le *gonolek* de Barbarie
> Mais *combassou* du Sénégal, j'ai revêtu ma livrée bise
> (*A.* 264 84-85 : ce sont trois oiseaux).

Le désignateur y est toujours *au moins une* image du même, celui-ci toujours accessible. Le texte travaille ici avec la réalité, tandis que, dans les séquences de Césaire composées dans la ligne du « poignard sans roxelane », le texte travaille avec lui-même et avec la langue.

Il n'est donc pas paradoxal d'affirmer que le lexème opaque peut être producteur d'image(s). Utilisé comme le fait, à l'occasion, Césaire, il va jusqu'à introduire dans un univers autonome dans lequel l'image est le seul contenu saisissable. Ailleurs et le plus souvent, il ne joue qu'un rôle d'appoint : fait de style plus que de signification (56).

*
**

Le champ sémiotique nous a livré trois catégories d'images : motivée, sémémique et opaque, qui sont les unes avec les autres en rapport d'intersection. Nous avons chaque fois projeté ces

(55) Ou, métalinguistiquement, en note : « les diamants intermittents des *coucouilles* bleu sombre » (BRI. *S.* 14 152). Une note précise : « Lucioles ». Nombreux exemples chez Keita.

(56) Le terme opaque rejoint, dans ces conditions, les archaïsmes (la « fiance » de Niger (3 21 47) ; « scel », BRI. *D.* 30 696 ; « loquelle », RBM. L. 22 43, etc.) et les néologismes (« feufoleter », « assauter », BRI *S.* 13 114, 19 297 ; « vert-de-griser », RBR. *S.* 31 54 6, etc.). Style plus que sens, Senghor le suggérait plus haut (324 et n. 42).

images dans le texte, ce qui constitue un premier défrichement du champ sémantique. Nous l'avons dit dès l'introduction : les traverser le sémiotique selon *quelques* itinéraires imposés par présupposés et les buts de cette étude, s'ils nous permettent de la pragmatique de la négritude, nous abandonnent au seuil du sémantique dans lequel nous ne pouvons faire que de rapides coups de sonde. C'est par une approche de cet ordre qu'on terminera le présent chapitre.

Si, à présent, l'initiative revient au texte (séquence, phrase, syntagme), le dégagement de l'image emprunte souvent les potentialités offertes par la langue. Nous l'avons constamment vérifié : il n'existe pas de solution de continuité entre sémiotique et sémantique ; ils s'informent réciproquement.

A ce niveau également l'image surgit ou du signifiant ou du signifié. En première approximation, ses modalités sont de deux ordres, qu'on appellera *concrétisation* et *épiphore*. Epiphore est choisi, malgré une possible ambiguïté, par référence à Aristote qui paraît l'utiliser comme le genre dont la métaphore ne serait qu'une espèce (57).

Nous ne reviendrons pas sur la concrétisation du signifiant dont il a été question à propos de « l'harmonie imitative » : on sait qu'elle est rare dans la négritude, Senghor et, surtout, Tirolien exceptés. L'*épiphore du signifiant* est beaucoup plus intéressante. Nous avons déjà parlé (4, 1) du rôle de la redondance phonique structurale ; au cours de ce chapitre, nous avons été conduit à insister sur les homonymes, les presque-homonymes et les paronymes dont la fonction imageante nous est apparue particulièrement forte. Il faut bien voir que la paronymie *in praesentia* est, dans la négritude, un phénomène presque constant (58). Les exemples s'offrent par centaines. A l'intérieur de ce vaste paradigme, on accorde une mention particulière aux mots issus d'un autre par permutation des graphèmes ou des phonèmes :

> Et le plaisir sauvage éclate dans les *criques*,
> Ces *cirques* sans public où l'amour vit de mort (BRI *D*. 9 72-73) ;
> tant de grands pans de rêve
> de *parties* d'intimes *patries* (CES. *F*. 3 10 1-2),

ou avec modification de quelques traits distinctifs :

(57) ARISTOTE, *Poétique*, 1457 b.
(58) Le procédé ne lui est évidemment pas propre. M. RIFFATERRE (*La Production du texte*, 221) rappelle les contrepèteries de Desnos et Vitrac, les « parallélismes phonétiques » comme la « petite fille haute comme une bille » de Char, etc.

> Qu'il donne à tes ponts la *courbe* des *croupes* et la sou-
> plesse des lianes (SEN. *E.* 7 117 34),

ainsi qu'aux mots découpés dans un autre plus long (ou qui lui servent de base) :

> Que baveuses *débouch*ent de ma *bouche* les paroles, comme
> l'*écume* semence de *Cumes* (SEN. *M.* 5 306 19) ;
> Le tumulte *orgueilleux* de l'*orgue* (ROU. 2 237 7).

A la limite, le mot est analysé comme dans les rébus :

> Et tintent et tintent et tintent
> ces cloches du souvenir [...]
> éteintes, éteintes, éteintes
> une à une les étoiles [...] (RAN. *R.* 5 18 21-26 ; cf. SEN.
> *C.* 18 31 45, cité 4, 1, 215).

C'est de cette tendance bien établie que procède l'épiphore du signifiant. Dans les quelques exemples qu'on vient de lire (et qu'on pourrait multiplier) deux termes sont mis, *in praesentia*, en relation paronymique ; dans l'épiphore, un signifiant projette l'image d'un homonyme ou paronyme *absent*, avec lequel il entre donc en corrélation.

Une lecture rapide révèle environ 120 désignateurs de ce type, nombre minimum qu'une recherche plus curieuse augmenterait sensiblement. Plus de la moitié des occurrences se rencontre chez Césaire. Malgré la tendance paronymique, le phénomène semblerait peut-être gratuit : simple projection d'un désir du lecteur, tellement soucieux de débusquer l'image qu'il la découvre où elle n'est pas (ainsi des « mâts noirs » (→ manoirs) dans un vers de Brierre cité en 4, 2, 261 ?), si le texte lui-même ne l'imposait sans discussion. Deux vers probants :

> lorsque les étoiles *chancelières* de cinq branches (CES.
> *C.* 1 9 19) ;
> batouque des sept péchés *décapités* (A. 24 87 125).

Le contexte contraint de *voir* capitaux derrière « décapités » et chandelier(e)s derrière « chancelières ». L'intention est avérée. En d'autres occasions le phénomène paraît moins dû à la volonté qu'à un certain automatisme de l'écriture. On est enclin à trancher dans ce sens lorsque le designatum figure explicitement à quelque distance, provoqué ou provoquant, suivant sa place. « Une *flueur* de cadmium », écrit Césaire (A. 2 11 21). « Flueur » désigne d'autant mieux fleur que le mot est exprimé quelques vers plus haut : « la *fleur* fructifiante » (15). Un critique s'y est d'ailleurs trompé (v. 3, 2, 69, n. 69). Le cas le plus probant est sans doute fourni par deux passages de Senghor étudiés en 4, 1, 223 où « femmes » produit l'image des *flammes* et « filles » celle des *feuilles* et des *fleurs*. Ces cinq noms, chez Senghor, sont, en quelque sorte, sémiotisés en ce sens qu'ils font partie d'un même champ, si bien que le poète peut écrire :

> Des femmes qui sont femmes, des femmes qui sont fruits, et point de noyau : des femmes-sésames.
>
> Dans la nuit des cheveux, des fleurs qui sont langage aux Initiés.
>
> Je porte un collier de coraux, je l'offre à quatre fleurs (*N.* 27 205 48-50).

Dire : « des femmes qui sont femmes », ce n'est pas produire une phrase équationnelle, c'est dire aussi : « des femmes qui sont flammes », ou l'inverse. De même, ces « fleurs qui sont langage aux Initiés », dont on a vu la connotation baudelairienne, signifient également que les jeunes filles sont langage. Quant aux « quatre fleurs », il serait inexact de n'y voir qu'une métaphore précieuse (ce qu'elles sont pourtant) : le mot possède deux sémèmes : simultanément / « fleur »/ et / « fille »/. Pour donner un dernier exemple, l'*Elégie des Alizés* s'achève ainsi dans la version originale :

> L'esprit ouvert comme une voile, mobile comme une palme
> Fervente comme une flamme (*A.* 27 198-199).

« Flamme » intègre le designatum femme et le transforme en sémème (59). Le mot présente la même désignation chez Césaire :

> Chevelure
> flammes ingénues qui léchez un cœur insolite (*C.* 15 25 14-15),

et surtout *S.* 25 39 0 : « La femme et (→ est ?) la flamme » (v. *C.* 30 50 12-13 évoqué ci-après).

L'épiphore du signifiant n'est donc pas une simple hypothèse de lecture mais un principe d'écriture dûment établi. Cependant, le risque de gratuité n'est pas éludable. Certaines images ont dans le contexte un appui sûr ou vraisemblable, d'autres ne procèdent que de l'expérience sémiotique. Si rien n'étaie l'image dans le texte, elle sera taxée d'arbitraire, mais

---

(59) On peut regretter que, par souci de rythme (?), Senghor ait supprimé le dernier vers de son *Elégie* :
   « *Fervente comme une flamme* ».
où la *femme* se trouve désignée à la fois par « flamme » et par « palme » (sinon même par « voile »).

n'en existera pas moins, si fragile qu'elle soit, dans la conscience du lecteur.

L'épiphore du signifiant peut se manifester selon trois processus : homophonie (totale ou partielle), métathèse ou paraphonie, des contaminations étant possibles. Quelques exemples pour fixer le phénomène :

1.1 Homophonie totale :

(1) Morts *de boue* (→ debout) (CES. *R.* 79 1208) ;
(2) ma femme mon *otarie* (→ eau tarie) (*A.* 1 8 14) ;

1.2. Homophonie partielle :

(3) je rêve d'un bec étourdi d'*hibiscus* (→ ibis) (2 16 148) ;
(4) ils sont *crépusculaires* (→ crépus) (*E.* 12 42) ;

2. Métathèse :

(5) des mots de *sang frais* (→ français) (*R.* 55 680) ;
(6) au cœur des *fortes paix* (→ portefaix) (*A.* 23 70 6) ;

3. Paraphonie :

(7) Qui puaient le purin, le sexe, les *palus* (→ phallus) (BRI *D.* 8 40) ;
(8) Et voici l'assourdissement *violet* (→ violent) (CES. *A.* 2 16 145) ;
(9) mers glacées où se noient les *moissons* (→ poissons) (DDP. 1 19 3) ;
(10) le soir déroulait sa *longueur* (→ langueur) sur ton front (RBR. *P.* 29 80 23) ;
(11) Là-bas, *invincible* (→ invisible), la mer / dort (ROU. 8 259 20-21) ;
(12) Et le soleil boule de feu, *déclive* (→ décline) sur la mer vermeille (SEN. *L.* 9 235 1) ;

Avec contamination :

(13) Je sens sa bouche sur mes *rêves* (→ lèvres) (DDP. 11 30 13) ;
(14) la *pluie campanulaire* (→ nuit campa lunaire) de sang bleu (CES. *A.* 17 55 11), etc.

Le type 3 est évidemment le mieux représenté. Bien que 1 et 2 ne soient illustrés que par des exemples empruntés à Césaire pour leur représentativité, ils sont également connus des autres poètes.

Tous les désignateurs qui viennent d'être cités sont, d'une façon ou d'une autre, contraints, ceci pour qu'on échappe aux errements de la subjectivité. C'est la pratique textuelle qui décide en premier et en dernier ressort. La contrainte s'échelonne de la véritable coercition à l'indication incertaine : (13), par exemple, est coercitif au même titre que « décapités » ou « chancelières ». L'image est ici la trace palpable de l'attente frustrée. Elle se rencontre surtout au terme de syntagmes lexicalisés :

> Le perforateur d'espace apostat va-t-il *ouvrir un compte en* brousse (NIG. 6 38 72) ;
> En scandant le rythme *d'un pas de* vis (BDP. 21 37 11).

Le procédé est si évident, si appuyé qu'il est difficle de ne pas y voir un indice d'ironie. Le vers de Diop figure dans la suite burlesque de « Décalques » où l'auteur annonce qu'il va « déraisonner ». Le même vers révèle un autre aspect de la contrainte : le designatum *danse* figure phonétiquement, en métathèse (partielle) dans les deux premiers mots : « en scandant ». L'annonce phonétique est fréquente : (8), ou ceci :

> Entre deux crises, le sourire de brise sur *l'oseille* de l'Aïeule (SEN. *A.* 269 178).

La contrainte de lire « oreille » est si forte qu'on se demande même s'il ne s'agit pas d'une coquille.

Ou bien c'est le signifié qui entraîne, au besoin rétroactivement, le designatum :

> un sol de tiges vertes et de troncs *droits* (NIG. 2 14 105).

Les « tiges *vertes* » entraînent, par symétrie, des troncs *noirs*. D'où une possible pseudo-métaphore, comme, précédemment, la femme ou la flamme senghorienne : le tronc droit est aussi tronc noir, avec interférence noir-nègre. La négritude contribue, en effet, à doter le mot « nègre » (ou « noir ») des sèmes /« droit »/, /« debout »/, /« arbre »/, etc. (mais elle n'utilise pas, semble-t-il (60), la possible métathèse « nègre » → graine). Césaire écrit très tôt, ce qui justifie en partie (1) :

> Et elle est *debout* la négraille (R. 87 1391),

et, plus tard, Senghor :

> Les mains blanches qui abattirent la forêt de rôniers qui dominait l'Afrique, au centre de l'Afrique

---

(60) Est-ce le cas, cependant, de : « parler c'est accompagner la graine / jusqu'au *noir* secret des nombres » (CES. *M.* 43 63 8-9) ?

> Droits et durs, les Saras beaux comme les premiers
> hommes qui sortirent de vos mains brunes (*C.* 12 22
> 18-19).

Métaphores, symboles ? En apparence, peut-être. Mais la métaphore est une contingence textuelle, donc sémantique, et le symbole implique une franche dissociation entre deux objets dont l'un, le symbolisant est *mis pour* l'autre, le symbolisé. Dans le cas présent nous avons affaire à une sémiotisation, et non pas à deux objets mais à un objet disémémique (61). (3) est non seulement justifié par « bec » mais aussi par le fait qu' « ibis » est apparu plus haut (« retiré de mer à la marée d'ibis », 14 85). « Ibis » peut donc déjà projeter « hibiscus » comme designatum. On y est presque contraint lorsqu'on lit dans un autre poème :

> je ne lâcherai pas l'ibis de l'investiture folle de mes
> mains en flammes (*A.* 18 61 11).

« Ibis » et « hibiscus », images réciproques, s'en adjoignent une troisième : « isis », qui figure, avec une minuscule, en 17 58 84 (62). (4) a sans doute paru gratuit. Il n'en est rien, car « ils » réfère à « deux enfants noirs ».

La contrainte peut également être exercée par un signifié non plus seulement linguistique mais littéraire : l'interprétant est un facteur d'image :

> Maudite soit l'inique idole
> qui s'en vient d'un geste fou
> *fausser* l'élan des jeunes pousses,
> l'essor *des épis jaunissants* ! (RBM. *A.* 21 139-142).

« Fausser » suscite le designatum *faucher* à la fois parce que ce dernier verbe convient mieux au contexte, parce que « Faux » termine le vers précédent (« l'ombre aveugle de la Faux », 20 138), enfin parce que le dernier vers connote, de manière à peine déguisée, « La jeune Captive ».

Il faudrait accorder un assez long développement à (5). Le syntagme « sang frais » se retrouve dans CES. *A.* 2 15 126 (« sang bien frais »), *E.* 31 209, RBM *R.* 1 13 108, *D.* 4 35 3 et

---

(61) Le procédé est sensible dans la corrélation de « jeune » à « jaune ». V., ci-dessous, les quatre vers de RBM., *A.* 21, CES., *E.* 15 64 (« rouge » apparaît au vers suivant), 46 422, 51 485, *M.* 19 38 24, SEN., *L.* 30 255 1, *H.* 2 59 34 (« chiens jeunes »), *A.* 262 53 (« chiens jaunes »).

(62) Les « ibis mordorés de la flamme » (*S.* 25 39 18-19) peuvent aussi désigner l'hibiscus, une autre occurrence (43 67 19-21) Isis. Cf. *C.* 46 75 1-3. « Isis » qui figurait dans *P.* 10 119 54 est remplacé par « Elle » dans *C.* 53 90 49, mais le contexte continue à la désigner. Ces trois noms, à l'évidence, se désignent les uns les autres.

TIR. 16 46 19. La contrepèterie proposée n'est réellement défendable que dans l'occurrence du *Cahier*, à la rigueur dans celle des *Chiens*, où il s'agit du Rebelle :

> ses sandales sont de soleil pâle
> ses courroies sont de sang frais (31 208-209).

Le syntagme apparaît dans un passage déjà cité : le poète se défend d'être un « marmonneur de mots » et définit la nature des mots qu'il manie : « des quartiers de monde », etc. Reprenons le contexte immédiat :

> des mots, ah oui, des mots ! mais
> des mots de sang frais, des mots qui sont
> des raz-de-marée et des érésipèles (55 679-681).

On lit volontiers, par homophonie partielle, *hérésie* dans « érésipèles ». Le poète désignerait ainsi l'usage « hérétique » qu'il entend faire du français en inversant ses valeurs et ses pratiques : discours non de la raison mais du corps, vivant et doté de mémoire (72 1062-1063), etc. Si l'on accepte de transférer ce designatum dans le vers des *Chiens*, où le contexte ne l'impose pas, on verra le Rebelle prisonnier d'une langue qu'il ne sait pas encore subvertir.

En fin de compte, seul (2) aurait quelque gratuité. Depuis Breton et son « Union libre », pour ne pas remonter au *Cantique des cantiques*, tous les avatars du corps féminin sont admissibles en poésie, en peinture, l'otarie au même titre que la « loutre en surprise » ou les « rizières (→ rivières ?) mûres » (SEN. E. 8 121 41-42). Il n'est pas aussi facile de repousser l'otarie au second plan que tels des désignateurs qui viennent d'être examinés. Césaire emploie le terme, sauf erreur, en deux autres occasions :

> Pour les jours de pluie j'ai mes curieuses mains d'otaries
> (*S.* 17 29 25) ;
> le soleil coupe le sein des otaries (61 102 20).

Il est, chaque fois, doté du classème animé humain, féminin ou masculin, ce qui contribue à le métaphoriser : appel à l'image, quelle qu'elle soit. D'autre part *A.* 1 et, plus encore, *S.* 61 offrent, préalablement, des épiphores du signifiant à peu près certains :

> mes yeux d'avant *terre* (→d'avant guerre) (*A.* 1 7 1) ;
> et par la femme au cadastre mal connu où le jour et la nuit jouent à *la mourre* (→ l'amour) des eaux de source et des métaux rares
> et par le *feu de la femme* (→ le jeu de la flamme) (*S.* 61 101 9-11).

Si l'exemple de *S*. 17 est plus discutable (« seul le *cou* (→ cul ?) tanné des prostituées », 28 6), le poème porte le titre de « Transmutation », qui est peut-être, aussi, un conseil de lecture. Enfin, l'élément liquide est dénoté ou désigné dans les trois contextes : « lait d'enfance » (*A.* 1 7 4) ; « mains [...] cueillies d'écume » (5) ; « cargaison coulée » (8 10) ; « j'ai mes mains de scaphandre » (*S.* 17 29 17-18) ; « mes mains de plongeurs de perles » (23) ; « eaux de source » (61 101 10) ; « peuples de mares » (102 15). Les contextes révèlent en outre la présence de « mains » ou de « sein », deux paronymes pouvant jouer comme designatum l'un de l'autre. L'image de l'eau, sans réellement s'imposer, n'est pas incompatible avec les contextes : se fondant sur la corrélation des deux autres séquences, on tiendra pour vraisemblable que « ma femme mon otarie » *peut* désigner une femme aux mains ou aux seins d'eau tarie, tarie sans doute par le soleil.

Une dernière remarque pour en finir avec cette brève présentation. Les mots et syntagmes opaques sont fréquemment des épiphores du signifiant : « ciel *flagrant* » (→ fragrant ?) (CES. *C.* 9 17 15). Césaire écrit : « *caïeu* sanglant » (*A.* 23 77 135 opp. *M.* 1 11 9) ; « toutes les *sphyrènes* qui signent le dos des nuits » (*E.* 37 267) ; « Iles, j'aime ce mot frais guetté de *karibs* et de requins » (28 176) ; « cris d'*alouates* » (*S.* 20 33 15) ; « nasses des *scirpes* » (59 96 4-5) ; « visage des *paraschites* et des éventreurs » (*C.* 27 45 27) ; « crinière de sel *godronnée* » (29 49 13) ; « le *béguètement* du vent racial » (*F.* 41 77 48) ; Rabemananjara : « les *lampyres* lançaient des trilles » (*L.* 63 224) ; Senghor : « le plasma du printemps *viride* » (*H.* 11 77 7), etc ; cf. (7) et (12). La compétence standard achoppe sur les termes soulignés. Tous dégagent un paronyme mieux connu : caillot, Charybde voire Caraïbe, sirènes, alouettes, Syrtes, parasites, goudronnée, bégaiement, vampires, viril, qui offre, chaque fois un sens satisfaisant. On en dira autant de « sabouler » (v. 4, 2, 275) et du syntagme « viol d'insectes » (v. 2, 2, t. 1, 239, n. 10). Le « viol d'insectes » dit d'abord un vol, « se sabouler » dit d'abord *se saborder* (« naufrage » apparaît au vers suivant) ou, peut-être, quelque chose comme *se mettre en boule,* ce qui tend, ici encore, à intégrer le désigné dans la structure sémémique du mot. Le même phénomène accompagne certains noms propres, singulièrement sous la plume de Senghor :

> Ton nom ne m'est pas inconnu, aigrette de *Satang* (→ Satan, satin) et de Sitôr (*N.* 13 181 1).

Les ornithologues ou les lecteurs consciencieux de Perse (63)

---

(63) V. *Amers,* str. 7 : « Nulle menace au front du soir, que ce grand ciel de mer aux blancheurs de harfang. »

projetteront une image derrière « la fille d'*Arfang* de Siga » (*N.* 8 177 10), évoquée précédemment (3, 2, 71). Le nom de « Naëtt (vraisemblablement un hypocoristique de *Ginette* Eboué, la première femme du poète) désigne peut-être les « navettes », mentionnées dans *E.* 5 108 9, qui réfèrent, par métaphore, aux langues habiles à tisser les paroles plaisantes (v. 3, 3, 104, n. 37). Il n'est pas jusqu'à la princesse de *Belborg* (dont le nom connote la « scandinavitude ») (64) qui ne soit, peut-être, annoncée paronymiquement dans le poème précédent, « Chaka », où, deux fois, revient l'expression « *bonne-et-belle* » (E. 8 119 17 et 126 114) pour qualifier l'amante et la nuit.

L'épiphore du signifiant n'est pas caractéristique de la négritude. Exceptionnelle chez la plupart des poètes, elle n'apparaît pas chez certains (Keita, Sissoko et Socé). C'est, surtout, l'une des marques de l'écriture de Césaire (65), conforme à son besoin d'ambiguïté, marque dont on peut garantir le caractère intentionnel. Chez ceux qui semblent ici graviter autour de lui, l'épiphore est plus contingente et se limite, sans conséquences notables, au micro-contexte qui les produit : retombée occasionnelle du rapport paronymique *in praesentia* qui est, de loin, préféré.

*
**

Le domaine du signifié a trop d'importance et de complexité, il soulève trop de problèmes théoriques et pratiques pour être traité, même en survol, en cette fin de chapitre. Nous nous bornons à poser quelques jalons indépendamment des figures de la rhétorique, ancien ou nouveau style.

Parler, non sans pédantisme, d'*épiphore* du signifié paraît impliquer sa réalisation sous forme de métaphore, de métonymie ou de synecdoque. Analyse admissible de l'extension du

---

(64) Princesse au sujet de laquelle Senghor n'est pas muet, comme je l'ai écrit à tort dans le premier tome (p. 269). Il précise dans la préface aux *Actes* du colloque qui lui a été consacré à Cerisy (*Sud*, 17 (1987), 9), que le modèle de la princesse, comme de l'allocutaire des *Lettres d'hivernage*, c'est sa seconde épouse, sa « Normande ».

(65) Dans la négritude, non dans la poésie française. Le phénomène ne semble pas encore très étudié. P.M. van Rutten relève cependant quelques exemples chez Perse : « lame » → larme, « sel » → ciel, etc. (*Le Langage poétique de St-J. Perse*, 56-57). Je m'accorde moins avec M. Deguy qui parle de « danse sémique » ou de « rumeur de signification » en se livrant, indépendamment de toute contrainte syntaxique, à une décomposition syllabique (« *Souvent* (→ sous, vent) dans l'être obscur... ») ou bien à une superposition d'homonymes ou de paronymes (« Je te *laisse* ces vers... » → « laisse (lanière, et ligne atteinte par la mer, et tirade d'une chanson) ; et, prochainement, la liesse, etc. ») (« Figure du rythme, rythme des figures », 38).

sémème, mais qui ne permettrait pas de répondre à la question posée dans ce chapitre, celle de la présentification. Une métaphore dûment répertoriée n'en est pas pour autant, *comme telle*, désignatrice :

> je dis que ce pays est un ulcère
>
> je dis que cette terre brûle
>
> j'avertis : malheur à qui frôle de la main la résine de ce pays (CES. *E*. 82 849-851).

« Ulcère », « résine » (pour ne pas parler du verbe « brûler ») sont reçus comme métaphores. Admettons que l'un et l'autre donnent à voir quelque chose (selon l'expérience concrète ou culturelle que l'on a, par exemple : une peau malade, la sève suintant du tronc d'un pin ; mais ils peuvent aussi bien ne produire aucun *designatum*). Cette image est fournie par le signe sémiotique, c'est-à-dire hors de tout contexte. En texte, l'image (si l'on veut une image) est la même, que le mot soit pris au sens propre ou au sens métaphorique. Que je dise : la Réunion est un volcan, ou : la Nouvelle Calédonie est un volcan, dans les deux cas, je vois (ou peux voir) un volcan. La métaphore est sans effet sur le *designatum*.

Il est donc difficile d'admettre que « la fonction de la métaphore soit de faire *voir* dans un seul mot plusieurs objets, de passer par un vol rapide d'un genre à l'autre » (66). Acceptons, bien évidemment, qu'elle dégage un *signifié second* mais non pas, comme on dit aussi, un « signifié *figuré* » ou « une *image* associée ». Le sens de la phrase métaphorique « malheur à qui frôle de la main la résine de ce pays » est aisément appréhendé intellectuellement : à la fois : un rien peut faire basculer cette île dans la révolte ou la révolution, et : qui s'y frotte s'y pique. Mais ces deux sens ne sont pas *présentifiés* par la métaphore de la résine.

Le processus est un peu différent si l'on appelle la métonymie ou la synecdoque. L'une et l'autre sont susceptibles d'agir sur le *designatum* mais de manière limitée, en montrant, si je puis dire, l'autre du même. Si l'on choisit de comprendre « résine » non plus comme métaphore mais comme métonymie ou synecdoque, pour signifier, par exemple, un tronc inflammable ou une torche, on peut admettre une présentification du tronc ou de la torche. Métonymie et synecdoque seront donc tenues pour épiphores du signifié, mais à jeu réduit.

Ce qui précède autorise-t-il à dénier à la métaphore tout pouvoir de présentification ? Non. Car nous n'avons mentionné

---

(66) J. ROUSSET, *La Littérature de l'âge baroque en France*, 187. C'est moi qui souligne *voir*.

qu'un type de métaphore, le plus fréquent, celui qui conjoint réellement dans l'énoncé le thème dénotatif (« ce pays ») et le prédicat métaphorique (« est un ulcère »), ce qu'on nomme ordinairement métaphore *in praesentia*, laquelle implique *relation*. Reste la métaphore à un terme, métaphore *in absentia*, laquelle relève de la corrélation. Dans ce cas le designatum est produit par épiphore du signifié.

Si, contrairement à l'affirmation de A. Henry, la métaphore *in absentia* est concevable (ce qui ne l'est pas, c'est la métonymie), il n'en est pas moins vrai que l'énoncé à lui seul est incapable de la faire percevoir comme métaphore (67). On se heurte à une aporie. Ce n'est pas le cas de la synecdoque qui peut recevoir une marque explicite, noms propres, par exemple :

> Tu ne comprends hélas *Babel*, ni les taudis, ni les hosties (BRI. *N*. 18 282),

ou transformation du nom commun généralement abstrait ou de l'adjectif en nom propre avec majuscule ; procédé fréquent : Brierre, au vers suivant, écrit : « le doux Souvenir », Césaire : « Douleurs » (F. 20 37 17), Dadié : « Vie », « Destin », « Cœur », « Amour » (R. 1 228 29-32), Senghor :

> Jeunes filles aux gorges vertes, plus ne chantez votre *Champ*ion et plus ne chantez l'*Elancé*.
> Mais je ne suis pas votre honneur, pas le *Lion* téméraire, le *Lion* vert qui rugit l'honneur du Sénégal (*E*. 6 110 1-2).

On a déjà noté le procédé inverse : cf., chez Césaire :

> Je me trouvai [...] dans un *g*ange de cactus (*S*. 6 15 5-6)

et :

> et toi Gange grange-aux-tubercules (65 110 13, où l'on retrouve le jeu paronymique).

Mais cette pratique culturalisée ne facilite pas le repérage de la métaphore. Certes, le second vers de Senghor montre qu'une majuscule peut marquer un nom commun, ici animé (« Lion »), non plus comme synecdoque, mais comme métaphore ; cependant l'indice est secondaire : c'est le contexte : « *je* ne suis pas [...] le Lion *vert* », qui impose le nom comme métaphore. En effet, pour qu'il y ait métaphore *in absentia*, l'énoncé doit fournir un sens dénotatif évident : rien ne doit le distinguer d'un énoncé « normal ».

C'est la corrélation texte/situation qui transforme le mot

(67) A. HENRY, *Métonymie et métaphore*, 98.

en épiphore du signifié ; ce dont témoigne SEN. *E.* 6 110 2, à ceci près que la situation est indiquée dans l'énoncé (par *je*) et que, donc, nous avons affaire à une relation. Comme la situation d'écriture est généralement inconnue, c'est à la situation de lecture qu'il appartient de déclencher le processus de métaphorisation : exigence culturelle dont on a déjà parlé à propos de l'écriture transparente de certains membres de la négritude (Sissoko, Socé, Dadié, Keita). Mais c'est s'engager sur la voie périlleuse de la gratuité. Il faut donc trouver des garanties textuelles. Puisqu'il est exclu, par définition, de les trouver dans la sémantique du texte, on devrait les chercher dans sa sémiotique, c'est-à-dire dans l'intertextualité au sein de la négritude, dans la corrélation de deux poèmes, ou plus, d'un même auteur. Mais tiendra-t-on des *métaphores* ou des *symboles* (68) ? Le cas le plus évident est celui de Césaire. Il écrit (phrase suffisamment caractéristique pour être prise comme exemple unique) :

> à celle qui fait que les *paons* sacrés de ma vie incorruptible
> roucoulent de remémoration
> les *bœufs rouges* ramèneront la journée au tombeau
> (*S.* 52 84 55-57).

Le tissu complexe de la phrase mériterait un examen rigoureux. Contentons-nous d'envisager les deux noms soulignés. Le caractère métaphorique de « paons » est assuré par plusieurs relations dont la plus nette est celle qui unit le sujet au verbe : les paons roucoulent, ce qui suscite le designatum pigeon, ou tourterelle (plutôt tourterelle par paraphonie). Les bœuf rouges, au contraire, ne provoquent pas de designatum autre. Qu'ils nous entraînent dans un univers fantastique n'empêche en rien qu'ils demeurent des bœufs rouges, attelés à un tombereau, si l'on accepte cette épiphore du signifiant / *tombeau* / : ce qu'ils ramènent (la journée) et où ils le ramènent (au tombeau) sont sans doute métaphoriques (avec dégagement de designatum), mais non ce qu'ils sont ni ce qu'ils font. Il est difficile de déceler la moindre épiphore du signifié : ils pénètrent en tant que bœufs rouges dans un univers symbolique. Sans doute, dans ces conditions, signifient-ils, mais ils ne montrent pas autre chose qu'eux-mêmes. La désignation est assurée par des métaphores *in praesentia* non par une hypothétique épiphore et nous sommes ren-

---

(68) V. D. SPERBER (*Le Symbolisme en général*, 53-55), qui récuse la dichotomie commode d'E. Jones : symbole si inconscient, métaphore si conscient. Le problème est d'importance. On ne peut l'aborder ici.

voyés au symbole, mais, rappelons-le, à un symbole contingent, non extensif à la totalité de l'univers de Césaire (69).

Opposons un énoncé qui échappe au symbole et n'ait pas pour fondement la métaphore (dans l'exemple qu'on va lire, elle est intégrée, non intégrante) :

L'ouragan arrache tout autour de moi (SEN. *C.* 3 11 1).

Enoncé dénotatif transparent. Y a-t-il, peut-il y avoir épiphore du signifié /« ouragan »/ ? Le poète poursuit :

Et l'ouragan arrache en moi feuilles et paroles futiles.
Des tourbillons de passion sifflent en silence (2-3).

On passe, de (1) à (3), d'un ouragan réel à une image d'ouragan explicitée par la métaphore (en partie lexicalisée) « tourbillons de passion ». Entre eux, (2), « ouragan » est répété, de même que le verbe qui le suit, sans que la répétition soit syntaxiquement nécessaire. Ce caractère laisse attendre la possibilité d'un déplacement du signifié. De fait, on peut prendre cette seconde occurrence comme une antanaclase, à ceci près que l'ouragan reste, malgré tout, lui-même : ouragan réel qui produit un effet à l'intérieur du sujet et, simultanément, ouragan intérieur d'un autre ordre. Un *designatum* se dégage, confirmé par (3). Au pied de la lettre, il faudrait parler non d'antanaclase mais de *dia*phore. Autrement dit, le critère est à chercher, plutôt que dans une corrélation intertextuelle, dans une relation entre phrases. C'est, du reste, la procédure qui permet d'attribuer un statut de métaphore au plus célèbre exemple d'épiphore du signifié : le début du « Cimetière marin ». Mais si c'est une relation contextuelle qui fait du second « ouragan » un possible désignateur, qu'en est-il du premier ? Evidemment dénotatif, il *peut* cependant être, sinon métaphorisé, du moins symbolisé, sans autre raison que la présence ultérieure de procès métaphoriques, ce qui, répétons-le, n'est pas déterminant. Bref, l'épiphore littéraire du signifié demeure problématique. Admettons cependant son existence en nous efforçant de la distinguer du symbole. On est tenté de conclure que l'épiphore du signifié hors situation *peut* être produite, d'une part, par un appel à une situation, réelle ou fictive : déictique et présent : « *Ce* toit [...] où march*ent* », « *L'*ouragan arrach*e* » (dans la mesure où l'article peut être pris pour un déictique), d'autre part, par la médiation plus ou moins marquée du contexte : proche (pré-

(69) Il nie lui-même avoir « sciemment systématisé le symbolisme », car c'eût été « l'application d'une espèce de code », par là sans intérêt : « Non, c'est simplement l'expression de ma sensibilité » (G.G. PIGEON, « Interview... », 2).

sence de métaphores in *praesentia*) ou lointain. Ce type d'image paraît exceptionnel dans la négritude, sauf à poser l'existence de catachrèses « indigènes » dont la perception échappe à l'étranger.

*
**

Au niveau où nous nous trouvons, la désignation la plus constante est fournie par la *concrétisation du signifié*, qui exige la coprésence, donc la relation, de deux termes au moins (ou de séries binaires). On postule que l'un des deux termes au moins est concret ou concrètement perceptible et connu ou connaissable, même approximativement, même illusoirement. La brève réflexion qui suit se fonde sur deux critères (sinon suffisants, du moins nécessaires), l'un sémantique : orientation vers le même ou vers l'autre, l'autre syntactique : tension/détente ou distance (i. e. mesurable dans le texte). C'est une distance assez longue (détente) qui a permis de cerner la (pseudo ?) épiphore du signifé chez Valéry. La détente est, à l'occasion, une tension faible selon qu'une phrase est, syntaxiquement ou sémantiquement, plus ou moins contrainte par la phrase précédente. Détente ou tension faible interviennent entre phrases, à la rigueur entre propositions. On leur oppose la tension moyenne entre syntagmes et la tension forte à l'intérieur d'un même syntagme.

Négligeons la première catégorie malgré son intérêt : elle permet de suivre une image dans sa maintenance (isotopie) et dans ses métamorphoses (métaphore « filée »). La tension moyenne nécessite quelques précisions. On sait que la métaphore, *en tant que figure*, est obligatoirement prédicative. Indice certain d'énonciation, la figure prédique l'acte d'écriture. Genette dit de la métonymie sclérosée (« voile » pour « navire ») qu'elle est non plus marque d'une vision concrète mais « pur emblème : un étendard, au-dessus de la troupe des mots et des phrases, sur lequel on peut lire à la fois : *ici, navire* et : *ici, poésie* » (70). Ne disons pas poésie mais écriture, et ne limitons pas ce caractère prédicatif à la seule figure plus ou moins lexicalisée. Cela est vrai de toute figure, la « vive » comme la morte, pour peu qu'elle soit perçue comme figure. Le prédicat sémantique qu'est la figure peut être explicité, de façon redondante, par la syntaxe. Telle paraît la fonction majeure de la tension moyenne, qui se

---

(70) G. GENETTE, *Figures*, 220. Idée radicalisée de manière inacceptable par J. COHEN (*Structure du langage poétique*, 44) : « Le *fait poétique* commence à partir du moment où la mer est appelée " toit " et les navires " colombes ". »

réalise exemplairement sous les espèces de la copule « est » ou du jonctif « comme » : l'un ou l'autre, ou les deux, ou ni l'un ni l'autre, cas de la juxtaposition :

> ce sont des chansons,
> *sueurs rythmées* des terres sur lesquelles j'ai peiné
> de la Guinée à St-Domingue (BRI *S.* 13 127-129) (71).

Appelons cette figure doublement prédicative *attribut*. On considère, avec Ricœur, que « est comme » n'offre qu' « une modalité métaphorique de la copule elle-même » (72). Mais l'important, pour nous, est que l'attribut donne l'image comme prédicat de l'énoncé.

L'image-attribut, non pas rare, certes, n'a qu'une fréquence limitée dans la négritude, peut-être parce qu'elle peut passer pour un démontage de la présentification, en premier lieu de sa nécessité. « Etre » est d'abord un constat d'existence. L'attribut fait exister le monde. On a déjà noté (2, 1) l'importance que la négritude attache au référent. L'image-attribut se contente de rappeler, à intervalles plus ou moins rapprochés, l'existence du monde et de l'être-dans-le-monde. Plus rares les occurrences de « comme » et de ses substituts. Acceptation d'un certain discrédit de la comparaison ? Volonté d'économiser les « mots-gonds » ? Préférence accordée à l'immédiateté de l'évidence ? Cette dernière raison est peut-être la plus valable : le poète se voudrait moins l'organisateur du monde que son interprète à son niveau même. Cependant, si la présence ou l'absence de « comme » (ou d'un équivalent) influe, dans les limites étroites assignées par Ricœur, sur le signifié de la métaphore, elle est sans grand effet sur le désigné proprement dit : l'orientation de l'image n'est pas imposée par la modalisation mais par la prédication et par le double jeu du même et de l'autre, du connu et de l'inconnu. Qu'on oppose :

> A Baro-Bara, j'ai, de loin, apperçu un superbe tali. Son tronc, tout droit, lisse, couleur de safran, monte d'un jet, pour s'épanouir en parasol (SIS 3 13 1-3)

et :

> ses dents sont deux belles rangées de coraux ;
> ses cornes forment cercle
> qui jamais ne se ferme ;
> ses yeux : deux perles immenses qui brillent dans la nuit ;

(71) Avec possible épiphore du signifiant : sueurs → sœurs.
(72) « Autrement dit, ajoute-t-il, il faudrait faire passer le « comme » du côté de la copule, et écrire : « ses joues *sont-comme* des roses » (P. RICŒUR, *La Métaphore vive*, 312).

sa bosse est mont d'abondance (RAN. *R.* 11 25 3-7, « Le Zébu »).

Dans les deux cas l'objet de l'énoncé est une présentification. Pour une compétence standard, « tali » est opaque, le zébu fait lever au moins une image de bovidé. L'énoncé de Ranaivo ne comporte d'autre modalité que celle, atténuée, de « forment », qui porte sur le moins métaphorique des prédicats, donc, en gros, sur le même. Tout au contraire, celui de Sissoko n'introduit la modalisation que pour l'autre (« safran » et « parasol ») mais l'exclut pour les présentatifs du même : « droit », « lisse » et « monte d'un jet », ce dernier syntagme se réduisant à une catachrèse. Sissoko cherche l'adéquation au même : il affirme ce qu'est le tali, Ranaivo cherche l'adéquation à l'autre : il affirme ce que le zébu n'est pas. Les désignés sont orientés différemment, mais existent identiquement. Les deux auteurs assument le rôle d'informateurs qui entendent présentifier leur thème.

Dira-t-on que les désignateurs de Ranaivo, en tant qu'images de l'autre, mythifient le zébu, alors que ceux de Sissoko démythifient un objet auquel, pour jouer sur les mots, l'ignorance donnait un caractère mythique ? Aucunement : le tali est aussi mythifié que le zébu. « Nul oiseau, note Sissoko, ne vient se percher sur ses branches toujours vertes. » La raison : « Car, tout dans le tali, de la feuille à l'écorce, de la sève au bois, tout, au simple contact, donne la mort » (9-10). L'autre (le safran, le parasol) est ici au service du même dont il faut montrer qu'il signifie dans sa réalité. Ranaivo utilise l'autre pour (si le verbe est tolérable) « autrifier » le zébu. On aura remarqué que, mis à part le cercle, les désignateurs : « coraux », « perles » et « mont d'abondance », sans être des catachrèses, appartiennent au lexique d'une certaine poésie : précieuse ? galante ? Isolés de tout contexte, les vers 3 et 6, relatifs aux dents et aux yeux, conviendraient au visage de la femme aimée : nouvelle image « connotative » qui ne manque pas d'intérêt puisqu'elle s'applique au zébu. Contrairement au « superbe tali », il est signifié, non dans sa réalité, mais dans celle d'un discours qui se prédique comme poétique. Procédés contradictoires, qui aboutissent l'un et l'autre à l'emblème. Une étude autonome serait nécessaire pour déterminer leur rendement dans la négritude. Que l'on conclue au moins que la description du signifié par le même n'aboutit pas forcément à un simple effet de réel : celui-ci n'est qu'un relais jugé indispensable par certains : les Sissoko, Socé, Keita, mais aussi les Senghor (*A.* 259 9...), les Rabearivelo (*P.* 23 67 1-2...), etc.

La relation sujet-verbe, comme la précédente, ressortit à la tension moyenne. Le verbe désignateur est également une figure doublement prédicative, un *attribut*. Cette autonomie relative et la prédication explicite font que le verbe, comme l'adjectif et le nom après copule, ne repose sur aucune présupposition. Le seul présupposé, c'est le thème, que son référent soit connu (le zébu) ou non connu (le tali). Dès lors, tout est permis, même l'affirmation la plus absurde. Elle ne m'engage, moi, lecteur, que si je m'y prête. J'ai toute liberté de l'accepter ou de la refuser. Que Césaire m'informe que la Zélande est un « hippobroma » (*S*. 53 86 13) (73), que sa demeure est « faite des jabots tendus des lézards engourdis » (63 107 30), ou qu'il m'annonce que « les paons roucoulent » et que « la forêt miaule » (*R*. 48 533), ou bien son sang (*A*. 23 76 108), c'est tout un : j'ai la même latitude de me sentir ou non concerné, bien que, dans le dernier cas, il m'apprenne que je le sais. L'absurdité d'un grand nombre d'*attributs* césairiens, qu'elle soit profonde ou de surface, qu'elle soit ou non réductible, est un cas limite, exceptionnel dans la négritude (74). Mais elle ne présente pas de différence de nature avec des relations plus « acceptables » parce que le cheminement est plus évident :

Ton corps *est le piment noir*
Qui fait *chanter* le désir (DDP. 16 37 4-5),

qu'elles reposent sur un déplacement de classème répertorié depuis longtemps :

accroupies sur la butte,
des cahutes
regardent avec indifférence (ROU. 8 259 5-7),

ou qu'elles réfèrent au même conformément à l'expérience commune :

Les premiers rayons du soleil *frôlant* à peine la surface de la mer *doraient* ses petites vagues moutonnantes (KEI. *P*. 3 30 113-115).

*
**

C'est surtout en tension forte, c'est-à-dire à l'intérieur du syntagme, qu'opère la description du signifié : principalement dans les groupes N Adj et, plus encore, N prép N, la préposition

(73) C'est-à-dire, je pense, du picotin.
(74) Signe de convulsion plutôt que de « beauté convulsive », l'absurdité césairienne procède de la raison, non d'une hypothétique innéité nègre.

étant, pour l'ordinaire, *de* (75). Ce dernier type est si fréquent qu'on le tiendra pour une constante d'écriture. Nous nous contenterons, pour finir, de souligner le procédé.

Un cas précis, mais exemplaire, nous servira de point de départ. Un désignateur concrétisant commode est fourni par l'adjectif de couleur qui produit à bon compte une image au sens ordinaire du mot. La trame sinon l'objet d'un certain nombre de poèmes paraît être, on l'a dit, la présentification chatoyante d'un spectacle :

Et la lumière sur la mer trop *verte* et *bleue*
Et la lumière sur Gorée, sur l'Afrique *noire blanche*
mais *rouge*.
Il y a — pourquoi le Dimanche ? — la guirlande des
bateaux *blancs* [...].
Ta lettre telle une aile, *claire* parmi les mouettes voiliers
SEN. *L.* 2 228 3-7) ;
Ton coq *rouge* a troublé le sommeil de l'aurore
qui, jeune fille aux yeux lourds encore de songe,
verse l'*or* de son front, verse sa toison *blonde*
sur la toiture *rose*   RBR. *V.* 2 11 1-4 ; « bleu » se lit
en 7).

Ailleurs, et le plus souvent, la description est plus localisée :

Dans la plaine au lointain
Dansent des lueurs *mauves* (BDP. 46 78 23-24) ;
FEMME entrevue en l'Ile aux mille et une fleurs
assise au pied des mornes *verts* (DAM. *B.* 2 39 56-57), etc.

Autant de prédicats de détermination ? Il ne semble pas qu'on puisse les limiter à ce rôle. Mais il faut surtout noter le jeu du même et de l'autre. Le « morne *vert* » de Damas, les « lacs *bleus* » de Césaire dans

J'avance jusqu'à la région des lacs *bleus* (C. 28 47 37), etc.

sont d'abord des déterminateurs par le même, les mornes étant ordinairement verts et les lacs bleus : information faible. Elle devient nulle lorsque l'adjectif explicite un sème inhérent au thème, ainsi lorsque Dadié parle de « mousse *verte* » (*A.* 6 18 17) ou D. Diop d' « ivoire *blanc* » (20 46 5) ou, plus encore, lorsque

---

(75) Les autres prépositions sont plus rares : Damas : « brimades *en* bambou » (*P.* 24 63 4 ; cf. *N.* 21 109 25), etc. On a noté chez D. Diop la fréquence de *à* (E.H. RHODES, « D. Diop : Poet of Passion », 235). L'auteur cite « les cirques à nègres » (9 27 8), 2 20 9, 9 28 24, etc. qui n'offrent pas de désignateurs. Rien à voir avec le *à* surréaliste qui retenait Breton et qu'utilise Césaire : « tes yeux *à* marées », « ton sexe *à* crocus » (*A.* 8 33 1-3). A la limite, préposition zéro (*C.* 26 43 13 ; ci-après SEN. *L.* 2 228 7, etc.).

Rabearivelo évoque « l'azur *bleu* » (*V.* 63 97 8 et 65 99 11). Un moderne rhétoricien, faisant appel à la théorie de l'information, voit dans ces pléonasmes d'indubitables figures qui contribuent à marquer un texte comme poétique (76). Le raisonnement n'est pas probant. Qu'une pure redondance ne produise aucune *information*, on l'admet. Qu'elle soit *banale*, c'est moins certain. Au reste, si « n'apporte d'information que le prédicat nouveau, imprévisible » (77), reconnaissons que « verte » après « mousse » ou « bleu » après « azur » sont assez peu prévisibles (ne serait-ce que parce que ces deux noms ne sont en général accompagnés d'aucun adjectif), donc informatifs. A se placer du point de vue de l'information, qui n'est pas nécessairement pertinent en linguistique, *a fortiori* en poétique, on est conduit à considérer que parler de mousse *verte*... présuppose que la mousse n'est pas verte, ou peut ne pas l'être. C'est donc faire sortir la mousse (ou l'ivoire ou l'azur) de l'expérience commune et la présenter comme non-mousse, comme Césaire dit : « arbre non arbre » (*C.* 52 88 43). En ce sens, et contrairement à ce que produisait l'*attribut*, il y a présupposition, et je suis contraint de l'accepter. Ainsi le descriptif par le même entraîne le thème à devenir désignateur de l'autre : « la mousse *verte* » présentifie la mousse comme objet vert et dégage de « mousse » un *designatum* non-mousse, ou mousse non réelle. Certes, le syntagme de Dadié replacé dans son contexte :

Ma Côte d'Ivoire des rais de lumière dans les sous-bois
et des tapis de mousse verte,

esquisse le *designatum* plus qu'il ne l'impose : on ne l'interprétera que comme l'introduction dans la réalité géographique de la Côte-d'Ivoire d'un monde non réel : idyllique, si l'on veut. Mais les contextes de Diop et de Rabearivelo permettent des conclusions plus précises : le blanc de l'ivoire est, à l'évidence, une métonymie du colonisateur, du trafiquant ou de l'amateur de safaris, l'azur bleu une métaphore de l'atemporalité.

Ces images du même sont assez rares ; celles de l'autre pullulent, l'incompatibilité pouvant être d'inversion ou, beaucoup plus souvent, d'exclusion. D'inversion :

un pays noir c'est selon un noir sommeil fidèle
saoul du pur vin du *lait noir* de la terre (CES. *F.* 33 54
10-11) (78) ;

(76) J. COHEN, *op. cit.*, 142, 145. L' « azur bleu » des « Fenêtres » de Mallarmé (que Rabearivelo lui a peut-être emprunté) figure en bonne place dans sa démonstration.

(77) ID., *ibid.*, 143.

(78) On lit « neige noire » dans *A.* 24 87 133.

O chantez la Présente qui nourrit le Poète du *lait noir*
de l'amour (SEN. *E.* 6 114 75 ; cf. 7 117 28).

D'exclusion :

ses gants de *vent bleu* de lait cru de sel fort (CES. *A.*
25 91 6) ;

Notre-Dame accroche aux étoiles

le *destin bleu* d'un peuple entier (RBM. *D.* 5 40 40-41) (79).

Dans ce domaine, sans que les couleurs, simplement prises
comme référence pratique, soient seules partie prenante et sans
qu'il s'agisse toujours du syntagme N Adj, on rencontre, partout,
en nombre considérable, des synesthésies ou ce qu'il est convenu
d'appeler ainsi :

Fidèle, je paîtrai les *mugissements blonds* de tes troupeaux (SEN. *N.* 1 171 8) ... ;

il s'était envolé tout à coup dans le *froufrou violet* de
ses grandes ailes de joie (CES. *R.* 33 182-184) .. ;

les pêcheurs s'interpellent de leur *voix d'ombre* (RBR.
T. 22 111 17) ...

Avec *le sanglot des étincelles*

Sur le roc rouge

Des Maures et de l'Esterel (SOC. 5 30 4-6) ... ;

Les rossignols de Hafiz

sont morts. *Silence bleuâtre* (ROU. 18 279 7-8), etc.

Si fréquents que soient ces descriptifs, il en est un plus
constant encore, rencontré précédemment (2, 3, t. 1, 312, 316,
321) : le syntagme N1 *de* N2, qui produit toujours un désignateur de l'autre : la « métaphore génitive », figure ancienne,
très ancienne, banalisée par le symbolisme, systématisée par le
surréalisme. Cette usure n'en diminue pas l'intérêt, linguistique et poétique. On l'a comprise comme une fausse détermination (80), ce qui paraît irrecevable. Le désignateur est certes, on
le sait, prédicatif, mais ce n'est pas un attribut. L'apparence
attributive s'explique dans certains cas. En effet, la disposition
des facteurs n'est pas neutre. Le syntagme obéit soit à l'ordre (1) : thème *de* prédicat (« ma face de steppe et de toun-
dra », CES. *A.* 23 79 176), soit, beaucoup plus souvent, à
l'ordre (2) : prédicat *de* thème (« la nuit de son désarroi »,
DAM. *N.* 42 133 1). Il est licite de soutenir que (1) fait tendre
le prédicat vers l'*attribut* et (2) vers l'identification, mais ni
l'un ni l'autre terme n'est atteint. Quel que soit l'ordre, le pré-

(79) Senghor parle d'« amertume bleue » (C. 25 49 40) et de « ruses
bleues » (*N.* 13 181 9).
(80) D. BOUVEROT, « Comparaison et métaphore », 226.

dicat est présupposé, mais différemment. Dans la double prédication, l'implication est : je vous l'apprends :

> Ils tirent à blanc ? Oui ma foi *parce que le blanc est* la juste force controversée du noir qu'ils portent dans le cœur (CES C. 27 44 5-7).

La question, la réponse fondée par *parce que,* impliquent bien : « Oui, parce que, *sachez-le...* » L'attribut tendrait vers la présupposition si, au lieu de *parce que,* se lisait *puisque.* Ici, au contraire, l'implication, plus ou moins nette, peut s'exprimer par : « comme vous le savez ». Dans ces syntagmes N1 *de* N2 le thème est en général posé sans équivoque. On peut, à la rigueur, essayer de s'abuser soi-même en inversant l'ordre des facteurs, ce qui est réalisable pour (2), beaucoup moins pour (1) puisque la préposition n'y est pas suivie d'un déterminant (« *de* steppe » *vs* « *de son* désarroi »). L'incompatibilité, dans (2), entre l'ordre sémantique et l'ordre syntaxique (qui donne N2 comme complément de N1) étant volontaire, il est légitime de prendre *aussi* N1 comme thème. Au reste, il arrive que l'organisation soit équivoque :

> et la voix du phare à des milles
> plus forte
> que l'*incendie* crépusculaire
> des *palétuviers* (DAM. *P.* 3 17 5-8).

Chacun des deux noms peut être lu, alternativement, comme désignateur de l'autre.

Dans un cas comme celui-là, on ne peut guère parler d'équivoque référentielle. Les mêmes éléments sont en présence ; seule est modifiée la focalisation. On voit tantôt les palétuviers, en tant qu'ils flambent, tantôt l'incendie, en tant qu'il consume des palétuviers (l'image est antérieure à la réduction dénotative (si on veut la tenter) et lui survit). La véritable équivoque référentielle est produite lorsqu'un des deux noms est opaque. Contentons-nous d'un exemple significatif :

> je profère au creux ligneux de la vague infantile de tes seins *le jet du grand mapou* (CES. *A.* 8 34 12).

Notons d'abord un blocage sémantique dans le syntagme verbal : que signifie « proférer un jet » ? Ce qui fait du verbe un désignateur à la fois par dégagement de l'étymon : *porter en avant* et par épiphore du signifiant : *préfère.* Mais c'est « le jet du grand mapou » qui nous intéresse ici. Le mapou est certainement opaque aux yeux du non-Antillais. Le micro-contexte impose sans doute une réalité concrète, mais de quelle classe ?

L'ensemble du poème énumère un trop grand nombre de réalités (acajou, marée, crocus, serpents nocturnes, fleuves, etc.) pour qu'on puisse opter de manière à peu près assurée. De plus, comme c'est presque de règle lorsque N1 est un déverbal, « mapou » peut être génitif ou de l'objet ou du sujet. Cette ambiguïté généralisée a un grand prix : sujet ou objet, « mapou » est donc apte à désigner chacun des éléments naturels précédemment visés et, donc, l'ensemble naturel. En outre, le vers qui suit et achève le poème le transforme en emblème phallique et son jet en éjaculation :

né de ton sexe où pend le fruit fragile de la liberté.

Image indécise et mobile. Si on recourt à la corrélation textuelle, on ne découvre chez Césaire, sauf erreur, aucune autre occurrence de ce nom énigmatique. Mais Brierre l'emploie dans la phrase suivante :

Les mapous nous tendaient leurs drisses où des voiles
De vent cinglaient dans une impossible odyssée
Parmi les flamboyants incendiant l'été (*D.* 10 111-113).

Ce contexte limité ainsi que les vers qui précèdent font du mapou, de manière à peu près certaine, un arbre. Le terme n'a donc pas la même opacité, n'assume pas la même fonction chez les deux auteurs. Au contraire de « mapou », « jet » n'est pas rare dans l'œuvre de Césaire : on l'a rencontré dans *C.* 49 82 57 (2, 2, t. 1, 240, n. 12) ; voir aussi *C.* 50 83 20, etc. Le contexte paraît bien sélectionner dans ce nom le sème /« verticalité lisse d'un tronc d'arbre »/, découvert dans la présentification du tali et qui figure dans des syntagmes comme « d'un seul jet », « d'un haut jet ». Toutefois, dans *C.* 50 il s'agit du jet de *montagnes* et il sert de comparant à « fleuve », si bien que le jet du majou continue à désigner aussi une émission de liquide. Cette analyse sémantique incline à prendre « mapou » comme génitif du sujet. Cette équivoque au moins serait levée. Et non, pourtant. Césaire écrit ailleurs :

Quand les Nègres font la Révolution ils commencent par arracher du Champ de Mars des arbres géants qu'ils lancent à la face du ciel comme des aboiements (*C.* 27 44 1-3).

Le mapou peut donc également être jeté. Relation (intra-texte) et corrélation (inter-textes), loin de réduire l'ambiguïté, la maintiennent, si elles ne l'étendent pas. Cette ambiguïté, on l'a plusieurs fois noté, caractérise Césaire. Elle est moins affirmée ailleurs, parfois moins volontaire qu'inévitable, inhérente au sémiotisme et à la syntaxe de la langue, mais néanmoins présente. Il est maladroit de chercher à l'expulser du procès de signification comme sont tentés de le faire trop d'exégètes (81).

Il arrive, en outre, que le syntagme N1 de N2 présente une ambiguïté syntaxique, par exemple dans la formule N1 Adj *de* N2 où il est parfois incertain si *de* N2 dépend de N1 ou d'Adj : « au matin bleu d'amour » (RBM *L.* 47 149) ; mais surtout lorsque les syntagmes *de* N se succèdent sans ponctuation. Si, dans le poème du grand mapou, des séquences comme « ton sexe de sabre de général » (33 5) ou « ton corps de mil de miel de pilon de pileuse » (7) n'ont pas d'ambiguïté, qu'en est-il des « rizières de mégots de crachat » (24 81 1) ? Faut-il lire « mégots de crachat » ? ou « de mégots, de crachat » ? E.A. Hurley traduit « ma demeure / de vent d'étoiles » (*C.* 13 22 29-30) par : « my home of / wind *and* stars » (82), ce qui est acceptable mais supprime le possible interprétant rimbaldien signalé plus haut (3, 2, 74). Constante chez Césaire, cette équivoque n'est pas rare chez Senghor du fait de sa ponctuation rythmique : « bourdonnant d'abeilles de soleil » (*L.* 20 245 7), etc.

La désignation peut s'envisager, dans une approche grossière, en fonction de deux tendances opposées, l'une et l'autre bien représentées mais chez des auteurs différents. Soit :

    (1) L'Océan a gardé sa voix de colère (DAD *H.* 25 52 22) ;

    (2) J'étais assis sur la prose d'un banc, le soir (SEN. *N.* 7 175 1) ;

    (3) nous frapperons le sol du pied nu de nos voix (CES. *A.* 9 35 3).

(1), qui illustre la suite Thème *de* prédicat et (2) l'inverse, sont, malgré la moins grande fréquence de (1), dans une large mesure interchangeables. Senghor n'écrit-il pas aussi bien « des peaux d'arc-en ciel » (*E.* 8 125 100) = (1) que « l'arc-en-ciel des visages » (*H.* 20 95 44) = (2) ? Ce qu'il est important de noter ici, c'est que (1) et (2) sont perçus comme procédés. Certes, on accorde volontiers que tout art, et singulièrement la poésie, est essentiellement procédé. La rhétorique entend rendre compte de tout énoncé et elle y parvient. Fontanier permet d'épingler une ou plusieurs étiquettes sur presque chaque syntagme ou proposition d'un énoncé. Mais, à la lecture (comme

(81) On connaît les commentaires réducteurs que L. Kesteloot propose de l'œuvre de Césaire. JAHN qui a noté, dans le *Cahier*, l'ambiguïté de « vaisseau » (2, 3, t. 1, 345, n. 69), la refuse dans un vers de Senghor : « In the line « Dieu est égal pour les peuples sans dieu » [*N.* 28 207 10] the word « *égal* » means *the same* and not *just* as translated by Reed and Wake » (« Senghor without propeller... », 43).

(82) E.A. HURLEY, « Commitment and Communication in Césaire's Poetry », 9.

à l'écriture), certains tropes, certaines figures échappent plus que d'autres à l'attention, et, ce qui a plus de conséquences, sont moins facilement, moins immédiatement réductibles à un sens dénotatif.

Dès le moment qu'une figure est perçue comme telle, trois possibilités sont théoriquement envisageables : la rhétorique est au service du sens, ou l'inverse, ou tous deux fonctionnent indépendamment l'un de l'autre. Il semble que dans (1) et, plus encore, dans (2), car il s'y trouve deux figures, la rhétorique est première et le sens second. Autrement dit, (1) et (2), avant d'être *signe* de signification ou de désignation, sont *indice* de rhétorique. Ils donnent simultanément deux formes d'une même substance : la forme de base et sa transformation. Il paraît impossible de ne pas comprendre et voir, d'entrée de jeu, dans (1) : « sa voix coléreuse » et dans (2) : « sur un banc banal ». Les deux formules s'offrent comme des traductions transparentes. Il est évident que traduction ne signifie pas équivalence, que l'expression choisie par Senghor dit plus et autre chose que la dénotation qui la sous-tend, qu'elle fait de « prose » un désignateur et un désignateur complexe, dégageant, par exemple, l'étymon latin (*pro-versus*) qui, du même coup, fournit un descriptif du signifié (Rabearivelo produit un autre *designatum* quand il parle de « la prose irritante du Sort », *S.* 12 26 12). Mais tous les syntagmes de ce type, comme du type (1), qui sont innombrables chez Senghor et dans presque toute la négritude, sont indubitablement, comme on l'a vu (3, 2), les interprétants d'une longue tradition française. Des syntagmes comme (1) sont généralement considérés comme d'inspiration biblique, mais ils sont depuis trop longtemps acclimatés en France pour qu'il soit nécessaire de remonter si haut, au moins dans la plupart des cas. Ceux du type (2) trouvent, sinon leur origine, leur expansion dans le baroque (83) et se généralisent au XIXe siècle. Les surréalistes, qui en sont prodigues, les ont sans doute empruntés à Lautréamont (dont l'usage paraît surtout ironique ou parodique).

Bien que tout aussi marqué, enraciné dans la tradition (essentiellement surréaliste), (3) ne *semble* pas avoir une base rhétorique mais sémiotique et syntaxique. En outre, il ne *montre* pas sa réduction, laquelle est, à la limite, impossible. Replaçons-le dans un contexte un peu plus large :

nous frapperons l'air neuf de nos têtes cuirassées

(83) J. de SPONDE écrit dans les « Stances de la mort » (16-17) : « Le gracieux Zephyr de son repos me semble / Un Aquillon de peine », etc.

> nous frapperons le soleil de nos paumes grandes ouvertes
> nous frapperons le sol du pied nu de nos voix (1-3).

On note tout d'abord, pour ces trois vers, une assise syntaxique et dénotative claire : « nous frapperons l'air », « nous frapperons de nos paumes grandes ouvertes », « nous frapperons le sol du pied nu ». Les désignateurs interviennent donc, ponctuellement, dans un cadre sémantico-syntaxique déjà constitué. Si l'on éprouve un besoin de réduction référentielle, on peut voir dans les deux premiers vers, comme, plus haut, pour le « poignard sans roxelane », une sorte d'hypallage : il serait « normal » d'écrire « nous frapperons l'air neuf de nos paumes » et simplement hyperbolique de dire qu'on frappe de sa tête le soleil. On sent néanmoins un principe de contamination qui déréalise et ambiguïse l'énoncé. Par ailleurs, « nous frapperons l'air » est l'amorce d'un énoncé sémiotiquement contraint. Frapper l'air = « ébranler l'air par la commotion d'un bruit », dit Littré, qui cite Boileau. De son côté, Robert, qui donne la locution « frapper l'air de ses cris » comme vieillie, cite Ronsard. Sémiotiquement donc, « nous frapperons l'air » produit le désigné *voix* ou *cris*. L'apparition ultérieure de « voix » comble l'attente. De plus, les deux dictionnaires illustrent le sens premier du verbe par la locution : frapper le sol (ou la terre) du pied. La contamination qui règle l'écriture des deux premiers vers est également à l'œuvre dans le troisième. Le polysémème « frapper » entraîne la réalisation sémantique de deux sémèmes dans les deux premiers vers : faire vibrer l'air, heurter un objet (le soleil). Ce second sémème est répété au vers 3 (l'objet est ici le sol) mais réalise en outre le *designatum* dégagé au vers 1. L'exemple (3) conjoint donc les deux sémèmes exprimés précédemment en une activité peut-être unique (puisqu'il reste possible de lire : « du pied nu, de nos voix »).

Dans les exemples (1) et (2), nous l'avons dit, le prédicat tend vers l'attribut : le thème fait partie de l'extension du prédicat. Bien qu'il ne s'agisse pas d'une paraphrase exacte (la syntaxe s'y oppose), l'un des éléments de la structure sémantique profonde *peut* être approché par une formulation comme : la voix *est* coléreuse, le banc *est* banal. La réalisation syntagmatique pousse à remplacer la détermination par une identification : cette voix, c'est la colère, ce banc, c'est de la prose. (3) exclut et détermination et identification : ces voix ne *sont* pas des pieds, elles *ont* des pieds. Le *designatum* crée un de ces « objets poétiques » qui fascinaient Breton. On s'aperçoi enfin de la totalisation à laquelle on parvient : celle du sujet, désigné par sa tête, ses paumes, ses pieds, sa voix, et celle de son activité :

horizontale au v 1, verticale en direction du ciel au v. 2, verticale en direction de la terre au v. 3. Engagement de tout l'être
dans une action universelle. Le syntagme qui nous intéresse est
donc simultanément produit et par cette partie de la langue
où le sémiotique s'engage dans le sémantique (grâce à des
locutions plus ou moins idiomatiques), et par un schéma syntaxique. Il s'agit d'un syntagme contraint, donc sans gratuité (84).
Certes, tous ne sont pas, chez Césaire, aussi clairement motivés,
beaucoup ont l'apparente, et sans doute réelle, gratuité surréaliste et sont dus à un automatisme (partiel) de l'écriture :

> et vous lanternes d'ibis enlevez au pas de vos épaules
> ma houppelande de vieux crachat et ma chemise de pisto-
> let (*S.* 60 100 61-62), etc.,

mais nombreux sont ceux qui, comme (3), obéissent à une
contrainte structurale de la langue et de l'énoncé. Le *designatum* offre une base qui travaille le texte. Ce processus est assez
caractéristique de Césaire.

Aux syntagmes d'abord rhétoriques de (1) et (2) s'opposent
les syntagmes à la fois sémiotiques, sémantiques et syntaxiques
(et secondairement rhétoriques) de (3). C'est, semble-t-il, entre
ces pôles extrêmes qu'on pourrait étudier ce phénomème important.

*
**

Il ressort des remarques rapides énumérées au long de ce
chapitre, que l' « image » n'est pas réductible aux tropes et
figures de la tradition, avant tout la métaphore et la compa-

---

(84) Négligeant l'activité d'écriture qui est, ici, visiblement à l'œuvre,
L. KESTELOOT ne commente ce vers que par référence à l'idéologie qu'elle
prête à l'auteur : « Césaire se laisse captiver par une image de danse (*pied
nu*) consécutive au début du vers : *nous frapperons le sol...* Mais qu'y a-t-il
dans le sol ? les morts, les ancêtres, les racines. Frapper le sol de sa voix
signifie : appeler ceux qui sont sous terre, convoquer ce qui relie l'homme
au passé et à sa patrie » (*Aimé Césaire, l'homme et l'œuvre,* 30). L' « explication » n'est sans doute pas inexacte mais, une fois de plus, limitative.
Si l'on commence à énumérer ce qu'il y a dans le sol... D'autre part, la
phrase met clairement le *sol* en relation avec l'air et le *sol*eil. Enfin, le
commentaire manipule quelque peu le vers : Césaire n'a pas écrit : « nous
frapperons le sol de nos voix », mais : « *du pied nu* de nos voix » (où « nu »,
du reste, n'est pas sans importance puisqu'il s'associe aux paumes ouvertes
et s'oppose aux têtes cuirassées). Le commentaire suppose que « pied nu »
et « nos voix » sont en relation d'équivalence. Cela n'est pas impossible,
mais l'équivoque paraît ici plutôt secondaire que primaire (cf. « les mains
du cri », *S.* 10 21 11). De toute manière, si l'on est sensible à l'équivoque,
le syntagme doit être traité comme ambigu et non comme univoque. Le
réel est toujours partie prenante chez Césaire ; la langue aussi : mieux vaut
ne pas l'oublier.

raison. Beaucoup d'autres facteurs sont en jeu, plus féconds parfois que ces manifestations de surface. Notre définition initiale, assez précaire (la présentification), laissait peut-être attendre un surgissement référentiel plus ou moins visualisable. On ne sous-estimera pas le rôle d'un vocabulaire concret ou concrétisant largement à l'œuvre dans la négritude, tout comme, au reste, dans notre pratique occidentale de la poésie, mais l'effet n'est pas nécessairement visuel, ni sensoriel. Le *designatum* produit successivement, ou simultanément, par la langue (sémiotique et morphologie) et par le texte (sémantique et syntaxe) est presque obligatoirement complexe et contradictoire. Il ambiguïse le texte et contribue à l'ouvrir, soit en créant un fragment de texte ou simplement un mot (ou bien un sémème) corrélatif à l'énoncé réel, soit en déclenchant une sorte de réaction en chaîne théoriquement sans fin, ce qui vaut essentiellement pour Césaire, mais aussi, plus occasionnellement, pour le dernier Rabearivelo, non pour l'ensemble de la négritude.

Le principe d'analogie que Senghor met à la base de la poésie africaine et, donc, apparemment, de toute poésie méritant d'être qualifiée d'africaine, sinon de nègre dans l'idéologie de la négritude, entraîne logiquement la prédominance du *designatum* du même, autrement dit de la concrétisation et de tropes comme la synecdoque ou la métonymie, et la seule métaphore analogique (les quatre termes d'Aristote). La concrétisation par le même, qui essaie de donner une image du réel, a été constatée en 2, 2 et 3, mais elle ne constitue pas une constante d'écriture, sauf dans les textes de Keita et de Sissoko, à un moindre titre de Ranaivo et de Socé. Cependant, nous avons été amenés à pressentir que les formulations de ce type ne sont peut-être que le premier temps d'un procès de symbolisation. Plus fréquente est la présentification par l'autre, mais celle-ci peut avoir deux objets : le même, par réflexion, ou l'autre, par expansion. Dans le premier cas, le *designatum* présentifie le référent tout en le dotant d'une signification. Contrairement à ce que Senghor laisse entendre et attendre, cette signification ne paraît qu'exceptionnellement culturelle : les cas les plus fréquents se rencontrent surtout, semble-t-il, chez Rabearivelo et Ranaivo, de façon moins évidente chez Brierre et Socé, accessoirement chez Senghor. Elle est le plus souvent individuelle et se manifeste ou bien de manière contingente et isolée par relation dans un contexte étroit (Dadié, Damas, Niger, Roumain, Tirolien), ou bien dans une sorte de continuum par corrélation textuelle : on aboutit ainsi à des « mythes personnels » pour reprendre la formule de Mauron : c'est ce qui, à un certain niveau, rend communicables les énoncés hermétiques de Césaire chez qui, seul, le *designatum* l'emporte souvent sur le *denotatum* ; cependant le mythe césairien réside moins dans son contenu que dans sa forme : la constante est la mythisation, la variable le sens d'un mythe donné, qui se modifie selon ses manifestations : le chien de Césaire est (presque) toujours mythique, mais il n'existe pas *un* mythe du chien. Ailleurs, en particulier chez Senghor, mais aussi, moins sûrement, Rabemananjara, Birago et David Diop, le mythe est lacunaire : il existe sans doute, pour ne prendre qu'un exemple, un mythe du bleu et du vert chez Senghor. Classement évidemment sommaire que des enquêtes plus précises modifieraient à coup sûr. Aucun de nos auteurs ne peut être enfermé dans une classe déterminée.

Il ressort, une fois de plus, qu'il est impossible de définir *une* image, *une* fonction de l'image dans la négritude. Comme précédemment des regroupements mouvants sont possibles qui, en fin de compte, isolent chacun des poètes. Une fois encore, la place de Césaire nous est apparue tout à fait singulière. Pour conclure schématiquement, il est le seul à utiliser l'image (ce que nous avons appelé désignation) systématiquement, et à tous les niveaux, pour produire un langage autonome, intégralement nourri de la langue : c'est, par son intermédiaire, la langue qui s'annexe le réel pour le signifier en s'enrichissant elle-même. Le *designatum* est constamment au travail, désignant le dénoté, dénotant le désigné. On ne rencontre ailleurs une telle vision du monde par le langage que dans certains poèmes du dernier Rabearivelo. L'image est là une trame continue, structurante (85).

Chez tous les autres, Senghor en particulier, l'image paraît un appoint occasionnel : elle est discontinue ; ce qui implique une mise à distance du langage et de la langue : simples moyens parmi d'autres, à défaut d'autres. Faut-il voir là comme un refus, sans doute inconscient mais combien légitime, de s'*engager* dans une langue qui vous est imposée ?

---

(85) Les mots de la négritude ont la caractéristique, selon Sartre (« Orphée noir », 248), d'être « allusifs, jamais directs ». On est porté à soutenir contre lui qu'ils sont exceptionnellement « allusifs », sauf, précisément, sous la plume de Césaire et de Rabearivelo. Sartre décrit cette image prétendue de la négritude comme « une grande idole noire et muette ». C'est « désigner », joliment, son propre désir, et lui seul.

CHAPITRE 4

SEMANTIQUE DU TEXTE
LECTURE D'UN POEME

L'examen pragmatique et sémiotique auquel on a assisté au fil des pages qu'on vient de lire n'avait d'autre raison d'être que de préparer à la lecture de poèmes singuliers. Par ailleurs, à l'exception de 1, 1, 2 et 4, tous les chapitres de cette étude impliquaient une pratique textuelle. C'est, en fin de compte, du texte, seule réalité tangible dans notre domaine, ou, plus exactement, d'une expérience du texte, qu'ont été tirées les méthodes utilisées ci-dessus pour l'analyse de certains niveaux de sens. Il paraît donc légitime de terminer cet essai en pratiquant sur un poème précis le type de lecture impliqué par les diverses approches qui précèdent.

Nous avons eu mainte occasion de constater que Senghor, plus que tout autre, du fait de son autorité, reconnue ou contestée, et de ses abondantes déclarations théoriques, qu'on les accepte ou les rejette, informe la conscience que l'on a aujourd'hui du phénomène « négritude ». Il a paru tout aussi légitime de le solliciter une fois encore. Le texte retenu, image d'une introduction à la négritude, sera le poème liminaire de son œuvre (C. 1 9-10).

Le voici :

IN MEMORIAM

[1] C'est Dimanche.
[2] J'ai peur de la foule de mes semblables au visage de
pierre.

[3] De ma tour de verre qu'habitent les migraines, les Ancêtres impatients

[4] Je contemple toits et collines dans la brume

[5] Dans la paix — les cheminées sont graves et nues.

[6] A leurs pieds dorment mes morts, tous mes rêves faits poussière

[7] Tous mes rêves, le sang gratuit répandu le long des rues, mêlé au sang des boucheries.

[8] Et maintenant, de cet observatoire comme de banlieue

[9] Je contemple mes rêves distraits le long des rues, couchés au pied des collines

[10] Comme les conducteurs de ma race sur les rives de la Gambie et du Saloum

[11] De la Seine maintenant, au pied des collines.

[12] Laissez-moi penser à mes morts!

[13] C'était hier la Toussaint, l'anniversaire solennel du Soleil

[14] Et nul souvenir dans aucun cimetière.

[15] O Morts, qui avez toujours refusé de mourir, qui avez su résister à la Mort

[16] Jusqu'en Sine jusqu'en Seine, et dans mes veines fragiles, mon sang irréductible

[17] Protégez mes rêves comme vous avez fait vos fils, les migrateurs aux jambes minces.

[18] O Morts ! défendez les toits de Paris dans la brume dominicale

[19] Les toits qui protègent mes morts.

[20] Que de ma tour dangereusement sûre, je descende dans la rue

[21] Avec mes frères aux yeux bleus

[22] Aux mains dures.

Poème liminaire, a-t-il été dit. La qualification est importante. Non du point de vue de l'écriture (ce texte ayant été lors de sa composition, selon toute vraisemblance, sa propre fin), du point de vue de la lecture, et non des deux premières qui en ont été faites en revue (1939 et 1944), de la troisième, lorsque ce poème est lu, en 1945 et jusqu'en 1964, comme le premier des *Chants d'ombre*. Depuis 1964, au cours des rééditions successives des *Poèmes*, il est lu, en outre, comme le premier de l'œuvre poétique de Senghor : deux fois inaugural, la première, l'ouverture du recueil, étant évidemment plus directement contraignante.

Chants d'ombre est assez mollement organisé, organisé cependant (v. 4, 2). Une trame est sensible : d'abord une manière de notes poétiques, prises, *apparemment*, au long des jours, des mois, des années (*C.* 1-17). Elles paraissent engendrer, pour finir, trois longues méditations, la première (*C.* 18) et la troisième (*C.* 25) encadrant un discours articulé sur le thème unique d'éros (*C.* 19-24).

Tout ressortit au JE ; JE suscitant des allocutaires, fréquemment TU ou, comme ici, VOUS ; plus rarement suscité par eux. Le JE-*discours* non masqué (sinon peut-être dans *C.* 10 18-20) domine, comme dans les autres recueils de l'auteur (comme, du reste, nous le savons, dans toute la négritude). La plaquette entière est l'expression d'un présent, le passé (dont l'importance est soulignée par le titre de notre poème) s'y trouve ou évoqué à partir du présent ou y aboutissant.

Ce présent n'est explicitement daté qu'une fois, à la fin de *C.* 18 (« Que m'accompagnent kôras et balafong ») : « *Château-Gontier, octobre-décembre 1939.* » Non seulement le lieu (1) et la date mais la durée de l'écriture. Tous les poèmes qui précèdent sont donc *donnés à lire* comme poèmes d'avant guerre et ceux qui suivent comme concomitants à la guerre, le dernier paraissant écrit la guerre finie, du moins en France (« seize années d'errance », *C.* 25 47 3). Il fallait souligner *donné à lire* car bien des faits montrent que la composition des poèmes ne correspond pas au déroulement de la lecture. L'ensemble s'insère donc dans l'Histoire. Celle-ci, de fait, est par endroits visée comme référent-objet, singulièrement la guerre (2). C'est pourquoi [7] n'est pas à comprendre comme une simple allégorie. De même [20] paraît impliquer un engagement politique, ou syndical, à proximité du Front populaire.

La référence au temps personnel (ce qu'on pourrait appeler le présent lyrique) est beaucoup plus marquée. On sait (2, 1 t. 1, 220-221) que l'expérience poétique de Senghor prend volontiers appui sur un instant du cycle de l'année, des saisons, des jours. Non pas : telle année historique, mais telle année de ma vie, tel jour de l'année ou de la semaine, ou telle heure. Les exemples abondent. Le désir de faire fonctionner le poème dans un contexte temporel est si fort que l'ignorance du moment est ressentie comme un manque : « Quels mois ? quelle année ? » (18 31 50 ; v. t. 1, 231). C'est sans doute cette nécessité de nouer le poème sur un temps vécu, de le dater précisément à l'inté-

---

(1) Il s'agit de la propriété de Pierre Cahour, beau-père de G. Pompidou (SEN., *La Poésie de l'action*, 64).
(2) V. 12 22 8-9 ; 18 36 125, etc.

rieur d'une expérience individuelle qui a fait considérer ce poème liminaire comme un « document » sur l'arrivée du jeune Senghor à Paris, en 1928 (3). On a montré (4) qu'il n'en était rien, le 2 novembre de cette année-là étant un vendredi. Si l'on veut que ce texte soit *vrai*, il faut qu'il ait été composé en 1930 (seule année, entre 1928 et 1940, où le 2 novembre soit tombé un dimanche). Mais, vrai en 1930, le poème cesse de l'être dès lors qu'il est *donné à lire* comme écrit en 1928. Pensons en outre que, même si « le premier jet » remonte à 1928 ou à 1930, rien n'empêche une révision ultérieure. La question sur l'authenticité ne peut obtenir de réponse. Elle n'a pour nous, du reste, aucune importance. La « véridicité » du texte nous retient plus qu'une problématique (et inutile) vérité. L'important est que le poème émane explicitement d'un référent d'énonciation temporel précis.

L'important est aussi, comme on l'a déjà noté (t. 1, 221) que l'entrée dans l'univers poétique de Senghor passe par cette phrase : « C'est Dimanche. » Il n'y a pas lieu d'accorder une valeur spécifique à la majuscule. C'est l'orthographe ordinairement adoptée par Senghor pour les jours de la semaine (v. « Samedi », *L.* 4 229 1). La minuscule est exceptionnelle et tardive (*M.* 2 276 52). Le privilège, c'est au dimanche qu'il convient de le donner. La mention de tel jour de la semaine paraît faire l'objet d'un choix délibéré. Senghor dira, beaucoup plus tard, avoir « choisi un jour de semaine » pour honorer la mémoire de l'ami mort, Georges Pompidou (*M.* 6 318 85). C'est confirmer *a contrario* la valeur exceptionnellement faste du dimanche, *le* jour heureux, dont la seule mention suffit à représenter l'âge d'or :

> Seigneur, oh ! fais de notre terre un Dimanche sans fin
> (*L.* 7 234 12).

Quel qu'ait été le jour réel où ce poème fut composé, le poète ne pouvait mentionner un autre jour que le dimanche, seul jour poétiquement véridique.

Ce « C'est Dimanche » initial (trois syllabes qui font un vers, qui équilibrent la quinzaine de syllabes du vers suivant, aux-

---

(3) « Le Paris brumeux et pluvieux de l'automne, le Paris grave et mélancolique du jour des Morts, déçoit de prime abord ce fils de l'Afrique, avide de soleil » (J. ROUS, *L. S. Senghor, un président de l'Afrique nouvelle*, 18). Le gris de l'automne, la pluie, le froid, en tant que référents d'énonciation, nous sont apparus comme des lieux communs de la négritude (v. SARTRE, « Orphée noir », 240 ; SEN., « Lamantins... », *P.*, 156 ou *L. 1*, 219 : « Le voilà donc, le poète d'aujourd'hui, gris par l'hiver dans une grise chambre d'hôtel »...).

(4) R. JOUANNY, *Les Voies du lyrisme...*, 24.

quelles répond une clausule symétrique : « Aux mains dures »),
ce « C'est Dimanche » inaugural de toute une œuvre, ne peut-on
le comprendre comme un mode d'écriture et de lecture ? Senghor
ne dit-il pas que la poésie, c'est le dimanche de la vie ? que,
pour écrire ou lire un poème, il faut que ce soit dimanche ? ou
bien que, si ce n'est pas dimanche, une écriture, une lecture
véritablement poétiques font du jour où l'on écrit, on lit, un
jour de fête ?

A la localisation temporelle s'ajoute, comme il est normal
chez Senghor (t. 1, 220), une localisation spatiale. Cette double
référence permet la structuration du poème : au couple initial :
[1] « C'est Dimanche » / [3] « de ma tour », correspondent,
en [8], accolés l'un à l'autre : « *Et maintenant, de cet observa-*
toire ». Ces deux facteurs se dissocieront plus loin :

[13] C'était hier la Toussaint...

[20] Que de ma tour...

Ainsi se dégagent de ce poème d'une seule volée (espace textuel
non articulé) quatre moments dans la méditation. Le signifié
espace-temps est devenu signifiant structural.

Les référents visés par le poème : un dimanche, le jour des
morts, la brume, la fenêtre d'où l'on regarde la rue, les
migraines, le titre, évoquent une situation poétique culturellement connue : on peut voir en Laforgue un possible interprétant
de ce texte. Il en est d'autres, par exemple l'Apollinaire des
« Collines » (le mot figure au v. 4), poème qui suit pratiquement « Les Fenêtres ».

Le référent d'énonciation ainsi sommairement défini, on peut
maintenant relire le poème.

⁎⁎

Entre [1] et [2] un point assure la disjonction ; mais brève :
[1] n'est pas détaché par un blanc. Au niveau phonique s'effectue une conjonction faible par la métamorphose de la finale
sourde en initiale sonore : « Dimanc*h*(e) » → « J'ai ». On peut
en déduire la nécessité d'une liaison syntaxique, homologue de
cette modulation. Par exemple une causalité refoulée : C'est
dimanche (et c'est pourquoi, ou : et malgré cela) j'ai peur. Mais
la liaison vaut par son absence plus que par son interprétation
qui demeure problématique. A l'ambiguïté sémantique de la
liaison s'ajoute la double valeur de « Dimanche » qui, par référence au code catholique de Senghor, signifie « jour du Seigneur »
et, par référence au code social, « jour non ouvrable ». Le titre,
la proximité de la mort feraient préférer la première signifi-

cation, cependant que d'autres éléments du contexte : [5] et, plus encore, [22] qui clôt le poème (au contraire du titre, religieux, qui l'ouvre) inclinent vers le second. Ambivalence initiale significative, puisqu'elle impose de lire le texte à la fois sur le plan socio-économique et sur le plan religieux ou, plus justement, de les conjoindre en une valeur unique où les deux plans ne soient plus saisis contradictoirement.

Même dans le discours commun il serait difficile de considérer le syntagme objet de [2] comme composé d'un nom auquel s'associent simplement un quantifiant et un qualifiant (ou, selon une autre analyse sémantique, un nom suivi de deux qualifiants). A plus forte raison dans un vers, dans un vers rythmiquement structuré (5), et qui débute par une étrangeté : « j'ai peur » (eu égard au vers précédent), il paraît impossible de ne pas accorder à « j'ai peur » une triple causalité : *foule*, *semblables* et *visage de pierre*. La *foule* est en relation avec « Dimanche », avec « semblables », [3-4] et, évidemment, avec « j'ai peur ». D'où les inférences possibles :

dimanche → vacuité du travail → hommes révélant leur essence ?

hommes révélant une disponibilité dangereuse ?

jour du Seigneur → pratiques collectives et formelles ?

semblables → répétition de moi-même, miroir multiple ?

j'ai peur → opposition individu/foule → oppression physique ?

[3-4] → foule réellement vue de la fenêtre → oppression morale ?

foule fuie parce que simplement imaginée → peuple entier → race ?

(Il va de soi que ces inférences ne sont pas, ne peuvent pas être exhaustives). Enfin la foule (humaine) comprend, sémiotiquement, le sème /« ensemble non structuré et indifférencié »/ et,

---

(5) Le rythme relève de l'interprétation puisque le vers est conjonctif (absence de ponctuation), qu'il comprend plusieurs —e caducs et autorise deux analyses syntaxiques, si voisines soient-elles. La seule trame du signifiant permet d'isoler cinq cellules régulièrement irrégulières : J'ai p*eur* / de la fou*l*(e) / de mes semblab*l*(es) / au vis*ag*(e) / de p*ierr*(e), qui imposent un couplage syllabique (chiasme) des deux premières et des deux dernières : (2/3) (3/2) et un couplage phonique de la première et de la dernière /ʒɛpœʀ/ → /dɔpjɛʀ/. La conjonction est assurée en outre par la réitération de /d/ et du /a/ accentué. On peut opter soit pour une succession régulière des cinq cellules soit pour un regroupement syntaxique.

pragmatiquement, /« immobilité » ou « mouvements lents »/ et /« possibilité d'activité irréfléchie, violente »/, d'où menace latente ? Elle s'oppose, en tout cas, à l'ensemble homogène et unitaire des ancêtres (non anonyme comme elle) qui assument, culturellement, un rôle protecteur.

Du point de vue sémantique les *semblables* peuvent être considérés comme le substitut du *prochain* dans un contexte moral et laïc. Ils maintiennent donc l'ambivalence de [1] : la possible hostilité latente de la foule serait une transgression de la charité chrétienne. Mais le mot prend toute sa valeur prédicative par référence au JE biologique de l'auteur, si l'on sait, d'entrée de jeu, que l'auteur est noir (appel au sujet comme élément de sens). L'ignorerait-on que [10] le révélerait. « Semblables » peut donc être perçu comme *semblables au visage noir*, ce que dément aussitôt « visage de pierre », la pierre, en tant que matière de statue, étant généralement blanche dans le code culturel français. Mes semblables ne sont donc pas, extérieurement, semblables à moi, c'est moi qui les veux tels. Par là se crée une idéologie, fondamentale chez Senghor : la race personnalise l'individu mais laisse intact son statut d'homme (ainsi se trouve confirmée l'hésitation entre valeur concrète et valeur imaginaire, ou conceptuelle, de la foule). Il s'agit, cependant, d'une adéquation unilatérale qu'impose la grammaire du « possessif » : ils sont semblables à moi, mais je ne suis pas forcément semblable à eux, ou, plus simplement : je les considère comme mes semblables, ce qui n'implique nullement qu'eux me considèrent comme leur semblable. Cette restriction *purement linguistique* signifie l'idéologie de Senghor : il est celui qui offre paix et réconciliation, l'ambassadeur du peuple noir (v. 25 52 76, avant dernier vers du recueil et *E.* 10 135 1). Est exprimée ici une attitude que jamais ne démentiront l'homme, le poète ni le politique.

Le dernier syntagme causal, « au visage de pierre », présente une ambiguïté syntaxique. En effet, sémantiquement (et phoniquement), on est tenté de construire : « semblables au visage... », mais, morphologiquement, on aboutit à : « foule » (sing.) « au visage » (sing.). Cette ambiguïté apparaît à la lecture et non à l'audition : Senghor, qui, on le sait, considère le poème comme une partition musicale, n'hésite pas cependant à demander à l'orthographe un surcroît de sens (6). L'un des intérêts de cette ambiguïté consiste, comme c'était déjà le cas

(6) On vient de le voir dans « Quels mois ? ». L'orthographe, tantôt, comme ici, ambiguïse, tantôt désambiguïse.

pour « foule », pris simultanément de façon concrète et abstraite, à montrer une statue et à ne pas la montrer. Elle est vue si chaque visage est un visage de pierre. Et ce qu'on voit, précisément, c'est une foule d'individus, chacun porteur d'un masque de pierre ou, avec une légère métonymie, une tête de pierre ou, enfin, en accordant à « visage » une valeur délibérément métonymique, une foule de statues immobiles. Le tableau n'est pas vu, ou guère, si le visage de pierre est une allégorie de la foule. Mais, quelle que soit l'*image*, l'une et l'autre construction passent d'un collectif (« foule ») ou d'un pluriel («semblables) » à un singulier : « visage ». Réellement un ou multiple, il ne se trouve qu'un seul et même visage. Faut-il y voir comme l'inversion du sentiment (dont on a parlé en 1, 1) fréquemment éprouvé par les Occidentaux que tous les noirs se ressemblent ? ou être sensible à une sorte de front commun (sans jeu de mots) d'indifférence ou d'hostilité opposé au JE ? Il reste que l'image laisse déchiffrer sa propre genèse (ou une genèse) et que cette genèse fait sens. L'analyse a montré dans « semblables » un passage du noir au blanc, si « visage de pierre » désigne bien la « couleur » blanche. Le noyau sémantique est donc une comparaison à valeur métaphorique : /« visage blanc comme est blanche la pierre »/, qui s'exprime par une métonymie : « visage de pierre », laquelle dégage non plus seulement le désigné *blanc* mais des sèmes axiologiques (affectifs ou moraux). Le code culturel dit : visage de pierre = visage fermé, impénétrable, signifiant le refus, la réprobation, etc., mais le contexte exclut l'évocation du Commandeur, emblème de la justice divine. L'expression peut aussi prendre sa place dans le paradigme des syntagmes où « pierre » joue le rôle de comparant : une corrélation est possible avec « cœur de pierre ».

Le référent, très clairement présent dans le texte, est donc traité comme référent d'énonciation, non comme référent-objet : sans être décrit, il fournit une base de signification, légèrement ambiguë, qui, cependant, contrairement à ce qu'on observe chez Césaire, ne l'abolit pas.

Entre [1] et [2], nul pont sémique (d'où incertitude logique) et une modulation faible. De [2] à [3], au contraire, les passages sont nombreux et solides :

syntaxique : *de* la foule, *de* mes semblables, *de* pierre → *de* ma tour ; mais la ponctuation refuse l'ambiguïté, interdisant d'interpréter : j'ai peur de ma tour ; ou, si l'on se contente de suivre la chaîne rythmique, le point allège l'ambiguïté qui sera définitivement levée en [4]. On sait que, chez Senghor, la présence d'un signe de ponctuation a toujours une double fonction :

rythmique et syntaxique, et signifie la coïncidence entre ces deux niveaux. Son absence est signe de conjonction rythmique : le conflit possible, et fréquent, entre syntaxe et rythme est résolu au profit de ce dernier ;

syntactique : *au* visage *de* pierre → *de* ma tour *de* verre ;

rythmique (syllabique) : j'ai peur /2/ de la foule /3/ → de ma tour /3/ de verre /2/. De plus, tous les noms de cette série sont monosyllabiques ;

phonique : tonalité et modulation portant sur les voyelles et les consonnes de cette même série, à quoi s'ajoute : *v*isage de p*ierre* → *v-erre* ;

sémique : pierre → verre.

Ces ponts entraînent des relations fort intéressantes :

Et d'abord « foule » et « tour » s'opposent comme niveau du sol à niveau élevé. Cette opposition bas/haut est l'un des « modèles » sémantiques du poème : toits, collines, cheminées/à leurs pieds ; (couchés) au pied/des collines ; les toits/mes morts. Le mouvement est assumé chaque fois par le regard portant de haut en bas. La liaison entre les deux niveaux est opérée seulement par l'œil, ou par l'imagination : elle n'est qu'une image. Mais cette image s'actualise, ou va s'actualiser en [20] : « Que de ma tour [...] je descende dans la rue. » La tour domine donc le poème, au propre et au figuré. Or le mot « tour » fait partie de ces « mots poétiques », c'est-à-dire poétifiés par l'histoire littéraire et culturelle. Celui-ci, dans la plupart des civilisations, suscite un grand nombre de contextes historiques, légendaires, littéraires, mystiques, etc., où l'humanité projette ses désirs, ses fantasmes et ses mythes. Inutile d'énumérer les valeurs que le terme peut prendre ici. Toutefois, outre le sème évident de /« sécurité »/ (« j'ai peur », « ma tour dangereusement sûre ») et l'image de la « tour d'ivoire », banalisée par l'Ecole, épiphore du signifiant « tour de verre », on soulignera la volonté de s'élever à un niveau tel que les contraires puissent être saisis comme complémentaires, aussi bien dans l'espace : Afrique/ Europe, que dans le temps : passé/présent, passé/avenir, bref, une volonté intellectuelle de synthèse et une volonté affective de compréhension. On lit quelques pages plus loin :

La flamme qui illumine ma nuit, comme une colonne et comme une palme (3 11 9).

Dans quelle mesure ne peut-on trouver dans « flamme », dans « colonne » et « palme » l'actualisation de certains des sèmes que Senghor inclut dans « tour » ?

La seconde relation (« visage de pierre » / « verre ») dans laquelle la tour est à nouveau impliquée, présente un intérêt égal. La pierre s'oppose au verre comme dur, opaque, mat à fragile, transparent, brillant. Ainsi tend à se fixer l'une des valeurs variables de « visage de pierre ». Mais on peut aller plus loin : le lexème « verre » est tiré phoniquement de « visage de pierre » (et, qui plus est, des phonèmes privilégiés : le premier et les deux derniers, avec relais modulant du *p-* de « pierre ») selon un procédé général étudié précédemment (4, 1). Ce n'est pas Jakobson (pour qui équivalence phonétique entraîne équivalence sémantique) mais le poète lui-même qui nous invite à lire « visage de verre » dans « tour de verre » puisqu'il dit qu'en cette tour habitent des migraines. La tour se présente donc aussi comme une métaphore qui signifie la tête du poète. Il apparaît de nouvelles références au code culturel français. Aux hommes de pierre (ici les blancs) répond le poète homme de verre, à la dureté des uns la fragilité de l'autre, etc. Et, dernière opposition : ils sont pierre pour moi, je suis verre pour eux, où se manifeste une seconde fois l'absence de réciprocité. Dans ces oppositions jouent évidemment tous les couples de sèmes ; par exemple : ils sont pour moi impénétrables, je suis pour eux transparent, ce qui implique une relation retors/naïf, ténébreux/candide, etc.

Au rythme en quelque sorte circonflexe de [2] (si l'on prend pour base la seule séquence phonique) et, en tout cas, conjonctif, [3] oppose deux cellules inégales (la première comprenant deux sous-cellules) disjointes par une virgule et un rythme progressif : peu perceptible entre les deux sous-cellules à cause du /ə/ incertain de « habit*ent* », il s'affirme grâce au /ə/ certain d' « Ancêtr*es* » : le vers est orienté vers la deuxième cellule.

L'unité de la première est assurée à la fois par le chiasme syllabique de ses éléments constituants (3/2) - (2+/3), la réitération de la voyelle accentuée /ɛ/ (« v*e*rre », « migr*ai*nes ») et, moins nettement, par la présence de /t/ à proximité de l'accent secondaire (« *t*our », « habi*t*(ent) »). La relative homologie de « verre » et de « migraines » autorise à considérer que la transparence de la tour, qui est aussi tête, la sensibiliserait à ce point aux spectacles et aux fracas extérieurs qu'elle en éprouve une souffrance vive et constante, mais qui n'atteindrait que la moitié de l'être si l'on dégage le premier étymon de « migraine » (*mi-*). Il s'agirait donc d'un mal de participation. Littérairement, « qu'habitent les migraines » s'inscrit dans une lignée baudelairienne. Est-ce par le relais de cet interprétant qu'est perçue la corrélation « les » ≠ « des » ? Baudelaire eût sans doute utilisé la majuscule (que connaît bien la négritude : v. 4, 3, 341). L'article « les » en tient lieu, impliquant répétition et variation dans le temps, impliquant que les migraines sont hôtes privilégiés, impliquant enfin une valeur absolue. Par ailleurs, en tant que lexème motivé, « migraines » (7) suscite des images ayant trait à la pensée, au travail intellectuel, etc., ce qui pourrait provoquer à nouveau un désigné culturel : le poète penseur, le front dans les nuages, mais sensible à tous les bruits du monde, bref, le poète tel que Hugo l'a popularisé, mais réinterprété par Baudelaire.

La seconde cellule : « les Ancêtres impatients, élargit, comme on l'a dit, le rythme de la sous-cellule précédente, que l'on scande (3+/3) ou, plus conventionnellement, (3/4) : sa valeur en est donc majorée : c'est vers elle qu'est orienté le vers. Ce statut particulier est confirmé par le fait que le /ε/ accentué se déplace de la fin vers le milieu de la cellule. Les deux segments du syntagme (« Ancêtres » et « impatients ») se présentent dans une relation d'égalité sémantique qui contredit la dépendance syntaxique de l'adjectif. Si l'on préfère, « impatients » prend une valeur prédicative. L'emphase que la structure même du vers accorde à « impatients » privilégie sa fonction sémantique. Le terme signifie à la fois : « qui supporte mal » (par exemple la réalité présente) et : « qui éprouve un fort désir de réalisation immédiate » (comme celui de naître ou de s'actualiser). Il apparaît en outre que cette valeur prédicative et contingente se superpose, sans l'abolir, à la valeur thématique, c'est-à-dire à l'épithète de nature ou atemporelle : « les Ancêtres qui, en tant que tels, sont impatients » (« impatients » conservant ses deux significations). Le signifié ne coïncide donc pas exactement avec le dénoté : il est simultanément temporel et atemporel, contingent et absolu : le contexte ne lève pas l'équivoque.

Quant à « Ancêtres », l'absence de jonctif : une simple virgule, et la contiguïté immédiate de « migraines », lui confèrent également une ambiguïté, mais syntaxique : on peut lire en même temps : les migraines + les Ancêtres et : les migraines = les Ancêtres. En tout état de cause, l'assonance /ε/ impose une liaison problématique (causale, sémantique ?) entre les deux termes. Ainsi se crée dès à présent, entre autres par la forme

---

(7) Faire désigner à « migraine » son second étymon, *crâne*, est conforme à la pratique de Senghor, qui invite lui-même à l'analyse étymologique : « Les mots les plus « intellectuels », il suffit de les déraciner, en creusant leur étymologie, pour les livrer au soleil du symbole » (*L. 1* (1962), 363).

et la substance de l'expression, le mythe senghorien des ancêtres qui prendra, comme on sait, une grande extension dans une fraction de la négritude. Dans un des poèmes qui suivent, le poète somme son allocutaire, qui est peut-être Césaire lui-même, de « chanter / Les Ancêtres « 4 12 11-12 ; v. 2, 2, t. 1, 251).

On a déjà signalé le parallélisme entre l'espace et le temps qui structure le poème et fait, par exemple, se correspondre « C'est Dimanche » et « De ma tour ». Ce parallélisme assure la conjonction sémantique des quatre premiers vers :

[1-2] temps → j'ai peur,
[3-4] lieu → je contemple.

La rupture de cette symétrie, puisque au lieu de s'achever en [4] le vers enjambe sur [5], signifie que le préambule se fond dans l'amorce d'une méditation : « Dans la paix » en reçoit un sens en quelque sorte charnière. Mieux encore que « migraine », « contemple » désigne son étymon, procédé que l'on retrouvera dans « distraits » au v. [9]. « Contempler », c'est embrasser l'ensemble du *templum*, c'est-à-dire le lieu visible de tous côtés ou à partir duquel tout peut être vu (8) : désigné religieux ou, plus précisément, oraculaire. Le poème qui, par son titre, son recours aux morts, semble tourné vers le passé est également préparation de l'avenir. Dualité constante dans le texte mais qui prend, là encore, chez Senghor, la dimension d'un mythe.

> Je ne sais en quels temps c'était, je confonds toujours
> l'enfance et l'Eden
> Comme je mêle la Mort et la Vie — un pont de douceur
> les relie (*E*. 17 148 1-2).

Une telle dualité, que tout langage poétique peut exprimer, tend à être présentée par l'auteur comme un concept référentiel propre à la négritude. C'est là, on le sait, un trait spécifique de ce mouvement : ce qui vaut dans le langage poétique manié par un Négro-africain vaut également dans la conscience du Négro-africain. Sémantiquement, « contemple » oriente donc une fois de plus le début du poème vers des valeurs religieuses, alors que le vers suivant réactualisera les valeurs laïques et sociales.

Le poème, décidément, se développe dans un double registre. Dans la chaîne phonique, « contemple » occupe une place aussi centrale que dans la chaîne syntaxique : « les Ancêtres impatients / Je *contemple* toits et collines. » Il est lisible que tous les phonèmes de « contemple » agissent dans les quatre autres

---

(8) A. ERNOUT et A. MEILLET, *Dictionnaire étymologique de la langue latine*, 681.

mots pleins, la transition vocalique étant assurée par la relation nasale / non nasale : ɔ̃/ɔ et ã/a. La contemplation comporte donc la participation des Ancêtres qui voient eux aussi ou qui font voir. La valeur religieuse de « contemple » s'empare de « toits » et de « collines » pour en tirer un désigné sacral. « Toits » : par exemple *toit d'église*, mais aussi, par relation avec [19], toit d'une sorte de *mausolée* plus ou moins symbolique (9). De la même manière, « collines » peut figurer ces *tumuli* où dorment les héros, dont Anta Diop a tant parlé.

« Toits » et « collines » continuent la chaîne (isotopie) qu'on pourrait appeler, en prenant le terme au sens étymologique, la chaîne *sublime*, mais avec extériorisation : tour-tête (migraines) → toits-collines. Le paysage extérieur est présenté également en dégradé (« dans la brume »), comme un analogon de l'expérience intérieure. De plus les deux noms sont en opposition. En effet : toits : collines : : ville : campagne. Nouvelle opposition qui a, elle aussi, dans le reste du poème (et dans la négritude) une fonction structurante. « Dans la brume », qui équilibre syllabiquement le vers en constituant une troisième sous-cellule symétrique de la première : « Je contempl(e) » /3/ — « dans la brum(e) » /3/, a deux fonctions contradictoires : l'une, qu'on vient de voir, projette les images encore confuses de l'esprit, l'autre souligne la réalité référentielle du paysage (et du moment ; le contexte impose : fin d'après-midi, à moins qu'on ne veuille comprendre le texte comme le sommaire d'une lente méditation s'étalant de la brume du matin [4] jusqu'à la brume du soir [18]). Le lecteur occidental considérera peut-être que cet extérieur brouillé, surtout si l'on privilégie (ou ne voit que) le moment crépusculaire, relève de l'imagerie symboliste, moins assurée toutefois que les emprunts de Birago Diop et de Rabearivelo.

On a dit que la place de « dans la paix » donnait au nom une valeur charnière. « Paix » se constitue comme un thème majeur du texte : le *designatum paix* sera perçu presque partout dans le poème. Par exemple, on le voit à présent dans « Diman-

---

(9) La relation -temple/toit a rappelé à certains de mes informateurs les vers bien connus de Valéry :

Stable trésor, *temple* simple à Minerve [...]
O mon silence !... Edifice *dans l'âme*
Mais *comble* d'or aux mille tuiles, *Toit*.

Cet interprétant n'est sans doute pas, ici, assuré. Mais on a noté dans un des poèmes de vieillesse de Senghor une citation explicite du *Cimetière marin* (3, 2, 76). Si on l'accepte dans ce poème de jeunesse, on est amené à dépasser le référent anecdotique pour voir dans le texte une méditation fondamentale comme est fondamentale la méditation de Valéry. Le poème paraît bien articuler certains lieux communs de l'Humanisme traditionnel.

che ». Plus particulièrement, il charge d'une sorte d'activité l'ensemble du paradigme du sémène MORT (« dorment », « mes morts », « couchés », « cimetière », « Mort ») : la mort n'est pas seulement paisible, elle est pacifiante. La contamination actif/ passif se retrouvera dans [17-19] : les morts sont à la fois protecteurs et protégés. Voilà donc une dualité supplémentaire. D'autre part, syntaxiquement, « dans la brume / Dans la paix » reprend le schéma générateur de [3] : « les migraines, les Ancêtres » (le passage d'un vers à l'autre tient lieu de virgule). Comme on avait à la fois :

migraines + Ancêtres et : migraines = Ancêtres,

on peut lire ici :

dans la brume + dans la paix et : dans la brume = dans la paix.

Donc, non pas seulement impression sensorielle produisant une impression affective, mais impression sensorielle qui est l'image d'une impression affective. La brume est image de paix : elle reçoit ici une troisième fonction. La rétroaction de « paix » sur « Dimanche » double la symétrie syllabique :

C'est Dimanche (3 syllabes) + silence (un point),
Dans la paix (3 syllabes) + silence (un tiret).

Cette relation met en évidence une opposition qui, à tort ou à raison, nous paraît importante, l'opposition finale vocalique/ finale consonantique (10) : /dimãʃ/ vs /pɛ/, plus sensible encore entre « brum(e) » et « pai(x) ». « Paix » se donne comme mot de clôture, comme mot de la fin.

Ce vers [5] est, par ailleurs, remarquable. En tout premier lieu par son rythme, qui reprend, avec chiasme, le schéma de [3], soit, avec c = cellule et s = sous-cellule :

[3] c(2s) ,   c
[5] c   - c(2s),

mais en soulignant fortement la disjonction puisque le tiret succède à la virgule. Dans les deux cas le rythme prosodique (grâce à la ponctuation) est binaire, le rythme syntaxique ternaire :

c / s / s.

Preuve de la polyrythmie recherchée par Senghor, ici sans doute intuitivement ? On constate également dans [3-5] le déplacement de la disjonction, portée de la fin du vers au milieu du

(10) L'importance déborde cet exemple précis. Elle est de portée générale. Tout se passe comme si la longue tradition de l'alternance des rimes masculines et féminines continuait à fonctionner sur un autre mode dans des vers qui n'ont plus ni syllabes ni rimes.

vers suivant. Est-ce, là aussi, comme une figure de ce rythme à contre-temps réclamé par l'auteur (*C*. 4 12 23 ; 22 43 11, etc.) ? En tout cas, sémantiquement, la forte disjonction de [5] isole la seconde cellule, ce que confirme la syntaxe, et rejette cette partie du paysage (les cheminées) hors du mouvement d'aperception. On peut donc être tenté d'y voir une simple parenthèse référentielle. Or si, même dans la prose, et particulièrement dans la prose romanesque, on hésite à se contenter d'une valeur référentielle (le « petit fait vrai » est perçu ou, au moins, voulu comme fonctionnel : un signifié strictement référentiel est décevant), *a fortiori* un poème *doit* (par convention culturelle) tout intégrer au procès de signification. C'est, précisément, l'autonomie syntaxique de « les cheminées sont graves et nues » qui nous oblige à ne pas traiter cette phrase comme une séquence parenthétique, mais comme une nécessité d'autant plus importante qu'elle est plus isolée de ce qui la précède (anacoluthe). On ne peut donc se borner à dire, par exemple, que, puisque Senghor vient de mentionner les toits, il est « naturel », et suffisant, qu'il continue sa description en montrant des cheminées. *Il faut* que la séquence soit plus que descriptive.

De fait, « nues » et surtout « graves » paraissent peu pertinents pour qualifier des cheminées. On en déduira que, comme ce qui précède, les cheminées ne figurent pas de simples éléments du paysage : elles sont elles-mêmes, et signifiantes, comme les collines et les toits sont eux-mêmes et signifiants. Si la cheminée fait partie du paradigme (référentiel) du toit, elle est également incluse dans celui de la tour. Selon qu'on opte pour l'un ou pour l'autre, on ne voit pas la même chose : dans le premier cas, de banales cheminées sur un toit, dans le second de hautes cheminées, des cheminées d'usine. Après une hésitation, le sens ne tend-il pas à se fixer dans cette seconde image (sans s'y fixer cependant) ?, surtout si l'on fait jouer une corrélation avec un autre vers du même recueil :

> Ce matin, jusqu'aux cheminées d'usine qui chantent à
> l'unisson (12 21 5) (11).

Cette corrélation textuelle paraît s'imposer plus encore si on lit la suite :

> Arborant des draps blancs
> — « Paix aux Hommes de bonne volonté / » (6-7)

Le message religieux est émis par une réalité industrielle, c'est-

---

(11) Vers qui cite à peu près sûrement Apollinaire, comme on l'a noté précédemment (3, 2, 80). Mais est-ce suffisant pour garantir la nature apollinarienne des collines ?

à-dire économique et laïque. Et l'on a remarqué à plusieurs reprises que certains désignés de ce poème s'organisent en deux isotopies, l'une laïque, l'autre religieuse. « Cheminées » pour peu que ce terme soit perçu plutôt comme cheminée d'usine que comme courte cheminée quelconque, impose à « nues » un *designatum* référentiel qu'il n'aurait pas autrement : les cheminées nues sont vues comme cheminées sans fumée. Le dimanche religieux redevient laïque : jour où les travailleurs se reposent. Mais « graves » ne peut déboucher sur un référent (sauf à donner à l'adjectif son sens étymologique de /« lourd »/, fréquent, nous l'avons vu, dans la négritude, mais dont le contexte n'assure pas la pertinence). « Graves » fonctionne donc surtout comme désignateur ; toutefois, le *designatum* ne se superpose à aucun référent et, semble-t-il, n'impose nullement qu'on lui en trouve un. Il reste une opposition entre les deux qualificatifs de « cheminées » : si « nues » est référentiable « graves » ne l'est pas ; soit, avec, comme précédemment (t. 1, 2,1), RO = référent-objet :

$$\text{RO (graves)} = 0 \ vs \ \text{RO (nues)} = 1.$$

Cette opposition entre deux termes contigus et liés par un jonctif provoque (ou rend souhaitable) une pression réductrice de l'un sur l'autre pour transformer l'opposition en équivalence. D'où deux possibilités (avec dé = designatum ; v. 4, 3, 292) :

(a) RO (nues) → RO (graves),
(b) dé (graves) → dé (nues).

Mais il paraît bien, comme on vient de le voir, que le mécanisme (a) soit bloqué, « graves » demeurant rebelle à toute dénotation. Au contraire, le mécanisme (b) est toujours possible : « nues » reçoit donc, en plus, un *designatum*, mais étant donné l'éloignement sémique des deux termes, cette image a peu de chance d'être du même ordre que celle de « graves ». L'intérêt poétique d'une telle dissymétrie vient de ce que chaque adjectif vaut pour son propre compte et rend le nom support, s'il ne l'est déjà, disémémique. La synthèse est accessible non dans le réel, mais dans le langage, ici dans le signifié : le réel, sans disparaître, cède au sens. On voit ce qui sépare ce travail de celui de Césaire : chez lui, la synthèse se fait au-delà du langage par une métamorphose du réel, ce qui permet, parfois, de dire l'indicible ; ici, le réel est simplement *utilisé* à fins de signification : prétexte, il est repoussé au second plan, mais demeure lui-même et présent.

Restent les désignations. A se limiter au contexte immédiat : au poème lui-même (ce qui garantit la transmissibilité des valeurs découvertes), « graves » dote « cheminées » du classème /« animé humain »/ et actualise des connotations ordinaires comme : noblesse du maintien, sérieux devant les choses, etc. Comme la gravité se perçoit dès le début du texte et que, dans les syntagmes antérieurs, le référent objet se double d'un signifié qui ne lui est pas superposable, « graves », malgré son incompatibilité sémique avec « cheminées », a chance d'être reçu comme « normal », ce qui permet aux désignés de se diffuser et nous autorise à poser :

dé (graves) → dé (cheminées).

On va revenir sur ce résultat. Mais la corrélation de « graves » avec un contexte plus large et, donc, avec les vers de C. 12 21 cités p. 373, garantit, dans une certaine mesure, un sème auquel le poème lui-même ne pouvait pas mener, le sème /« voix à sonorité basse »/. Dès lors, il se dégage une nouvelle image : les cheminées graves désignent quelque chose comme des tuyaux d'orgue. Simultanément, « cheminées » ressortit au classème laïque et au classème religieux, et, donc (?), sans doute à un classème complexe original : socio-religieux. Dans ces conditions, « nues » assume toute une catégorie de connotations : depuis une sorte de fragilité (relation « de verre » / « nues ») jusqu'au signe de la pureté et de l'absolu, en passant par l'attente.

Dans le cadre de la phrase et du vers, « cheminées » fait l'objet, si l'on peut dire, de pressions sémantiques. On a déjà vu dans ce nom une double image référentielle. Mais l'image ne se situe pas sur le seul plan référentiel. La relation « tour » / « cheminée » a *montré* des cheminées d'usine, mais elle dit plus. Il existe entre les deux référents non pas seulement une ressemblance de forme mais, jusqu'à un certain point, une analogie de fonction : l'une et l'autre creuses ; l'une (la tour) impliquant un rapport de haut en bas, ou du ciel vers la terre, du moins si l'on accepte de la prendre pour un emblème, l'autre le rapport inverse. La tour, peut-on dire, dégage le message du ciel, la cheminée celui de la terre. Comme l'ambiguïté se poursuit (la cheminée étant et n'étant pas que cheminée) et que la tour et le paysage qu'on en aperçoit sont à la fois intérieurs et extérieurs au sujet, il est difficile de ne pas accorder un statut identique à la cheminée pour en faire, comme de la tour, un emblème. Or, semble-t-il, on retrouve un analogon de cet emblème dans un poème voisin :

Au fond du puits de ma mémoire, je touche
Ton visage où je puise l'eau qui rafraîchit mon long
    regret (4 12 16-17).

La relation entre puits et cheminée est trop évidente pour qu'on y insiste. La cheminée est ce dans quoi la matière intérieure enflammée est transmuée en fumée et livrée à l'infini de l'air ; on retrouve une impression d'attente : puits et cheminée de la mémoire et du regret. Mais la mémoire est ici solidaire de *cendres*, bien que le mot ne soit pas prononcé. Et le poème qui réactive les cendres des morts, comme la cheminée, livre aux vents sa méditation. « Cheminées » paraît donc opérer à la fois au niveau de l'énoncé (RO) et à celui de l'énonciation (RE).

*
**

Les cinq premiers vers ont privilégié les termes de la chaîne « sublime » tout en instituant une relation haut → bas. Avec [6] est abordée la chaîne terrestre.

Pour la troisième fois, l'attaque du vers part de la réalité :
Dimanche → De ma tour → A leurs pieds.

Certes, le réel est traité par le langage poétique, mais, répétons-le, sa présence reste constamment perceptible. Confirmation supplémentaire est ainsi donnée de l'importance de l'attitude référentielle dont il a été question dans la seconde partie de cet essai. Cette transition référentielle est associée à un pont rythmique : trois syllabes, dont la dernière est accentuée. Une telle (sous-)cellule initiale ne sert d'ailleurs pas seulement de transition localisée : on la retrouve (base anaphorique structurante) à l'attaque d'un grand nombre de vers du poème (13 sur 22), constante en fonction de laquelle vont jouer des variables senties comme telles : ainsi de « J'ai peur » [2], « Comme les conducteurs... » [10], etc. L'abandon de la (sous-)cellule trisyllabique initiale dans les derniers vers diminue l'impression de clôture, comme si le poème cherchait à se dépasser lui-même. La transition de [6] est, de plus, assurée par la redondance phonique /pɛ/ — /pje/, deux noms monosyllabiques à terminaison vocalique et enfin (surtout ?) par le morphème « leurs », qui réactualise les trois syntagmes nominaux « toits », « collines » et « cheminées ». Le poète utilise le pluriel « leurs pieds ». Faut-il y voir une simple redondance perceptible à la seule lecture ? Il ne semble pas, car le pluriel implique non seulement que chaque objet visé a un pied (*denotatum*), mais aussi que chacun en a plusieurs, c'est-à-dire, très naturellement, deux (*designatum*). Du même coup, « à leurs pieds » s'insère dans une autre distribution : « être » ou « se jeter aux pieds de ». Donc le pluriel accorde aux trois objets le classème humain et, en même temps, désigne une certaine révérence (confirmée par la relation « graves » / « à leurs pieds »), que prodiguent et dont bénéficient les morts (protégés et protecteurs), mais les désignations disparaîtront en [9] et [11] où, ne renvoyant qu'à un seul terme, « au pied » est au singulier. Ce qu'il importe également de noter, c'est l'omniprésence des morts qui, comme morts, matériellement en quelque sorte, existent partout, puisqu'on a vu la pluralité de sens et de valeurs des migraines, des toits, des collines et des cheminées.

On oppose « les » (migraines, Ancêtres) / « mes » ; on associe : « mes » (semblables) / « mes » (morts) : d'abord expérience précise à localisation spatio-temporelle : « *mes* semblables », « *ma* tour », puis approche d'une expérience confuse, peu différenciée, au rapport référentiel incertain : « *les* migraines », « *les* Ancêtres », « toits et collines » (article $\emptyset$), enfin réalisation de l'expérience : dès lors le possessif se généralise. Il s'agit bien, dans le poème entier, d'une expérience personnelle et réelle, ou donnée comme réelle. Rythmiquement, le schéma cellulaire reproduit celui de [3] du fait de la ponctuation : deux cellules, mais, cette fois équilibrées par l'isosyllabisme, chacune ayant une grande unité phonique avec, entre elles, un pont phonique plus lâche :

> *pie*ds → poussière,
> *mes* morts → *mes* rêves (deux noms monosyllabiques et consonantiques).

C'est surtout la symétrie qui paraît importante car l'isomorphisme est également accentuel :

A leurs pieds dorment mes morts / tous mes rêves faits poussière.

Dans chaque hémistiche, liaison phonique entre thème et prédicat, particulièrement dans le premier puisque « morts » /mɔR/ est totalement inclus dans « dorment » /dɔRm/. L'adéquation est beaucoup plus lâche entre « rêves » et « poussière », ce qui est normal puisqu'il y a métamorphose des rêves en poussière. Le vers paraît fonctionner essentiellement aux lieux où la jonction est plus lâche, c'est-à-dire entre « morts » et « rêves » et entre « rêves » et « poussière ». Le procédé que nous avons repéré à deux reprises nous fait lire : « morts » → « rêves » ; il nous fait donc considérer « rêves » comme métaphore syntactique de « morts » (rêves = morts) et non comme simple additif (morts + rêves). Ou, pour être plus précis, (=) paraît la valeur fondamentale, (+) la valeur harmonique.

L'adéquation est d'autant plus précieuse que morts et rêves, si l'on peut ainsi dire, se tournent le dos, les premiers inféodés au passé, les autres tournés, traditionnellement, vers l'avenir. Avenir et passé sont momentanément abolis dans un même mouvement. Même mouvement, même antonymie entre rêves et poussière :

rêves = avenir imaginaire,
poussière = passé matériel.

Et « poussière » se trouve prédicat à la fois de « morts » et de « rêves », syntaxiquement mais aussi sémantiquement, puisque la poussière appartient au paradigme référentiel des morts. Avenir et passé abolis, reste le présent, mais celui-ci n'est plus qu'un état atemporel : « mes morts dorment ». On verra que la suite du poème consistera à tirer temps de cette atemporalité et action de cet état.

Si le travail sémantique du vers inclut « rêves » dans le paradigme sémiotique de « morts » et de « poussière », on ne peut éviter, puisqu'on l'a déjà vue à l'œuvre, une nouvelle épiphore du signifiant : en effet, « rêves » est phonémiquement l'inverse de « verre » : la tête de *verre* est habitée par les *rêves*, transparents comme elle, etc. Mais il y a plus : l'équivalence phonémique réduit l'importance de la graphie. Il est, dès lors, possible (le faire plus tôt n'aurait pas échappé à la gratuité) de transcrire /vɛR/ non seulement par « verre » mais par « vers », qui fonde plusieurs homonymes. Laissons de côté, malgré la charogne baudelairienne, je ne sais quel grouillement de vers, qu'exclut le contexte (comme, également, les autres graphies possibles), il reste la préposition justifiée par la projection *vers* l'extérieur spatio-temporel à laquelle on assiste depuis le début du texte et, surtout, les *vers* au sens poétique du mot. La tour-tête de verre est le lieu où s'élabore le poème. Senghor dira plus tard que le Poète se nourrit du lait de la lumière (*N.* 25 198 1), parlera dans le même texte de « l'angoisse des ténèbres, [...] passion de mort et de lumière » (199 29), comme si le poème, pour s'écrire, avait besoin de la clarté du jour, au moins du soir (12). Mais il nécessite en outre le regard sur le dehors, sur les autres, etc., et, comme à la fin du texte, le poète s'apprête à descendre de sa tour transparente et à rejoindre ses frères, un interprétant littéraire s'impose à nouveau, que nous avons rencontré ci-dessus (367) comme épiphore du signifiant : la tour d'ivoire de l'imagerie romantique. Enfin, la présence du *designatum vers*

(12) Si l'on tient compte de *N.* 26 202 29 : « Le poème se fane au soleil de midi, il se nourrit de la rosée du soir. » Mais, on le sait, l'abondance de « Midi le mâle » (21) neutralise la lumière.

permet de reconnaître après coup dans « migraines » non plus seulement une métaphore (*in praesentia*) d' « Ancêtres » (ce que confirme *E.* 20 152 6) mais aussi une épiphore du signifié : les migraines, ce sont également les poèmes à faire ou en train de se faire.

Si l'on considère l'énoncé comme espace, il est loisible de poser que [7] est l'image déformée de [6] ; si on le considère comme déroulement temporel, [6-7] amorcent un cercle qui ne se ferme pas (nouveau refus de clôture) : [7] débute, en effet, sur un chiasme (« , tous mes rêves faits poussière » / « tous mes rêves, ») qui demeure imparfait à la fois par déplacement syntactique des termes qui se correspondent et par redoublement dans le second vers. Ecarté « dorment » qui régit syntaxiquement les deux vers, le premier peut être codé de la façon suivante :

Sl morts, rêves PP Sp (13).

Un chiasme parfait structurerait donc ainsi le deuxième vers :

Sp PP rêves, morts Sl.

Mais on lit :

rêves, morts (sang) PP Sl PP morts (sang) Sl.

Quoi qu'on pense de la réalité de cette fausse symétrie, il faut souligner une fois encore l'importance et la multiplicité des liens qui unissent et les vers entre eux et les éléments constitutifs d'un même vers. Forme et substance de l'expression, forme et substance du contenu sont constamment sollicitées pour produire la suite du vers ou le vers suivant : *structure profondément conjonctive*. Le rythme de [7] est, graphiquement, ternaire, mais la régularité accentuelle disparaît totalement ici : un dérèglement s'est produit. De fait, dans le contexte précédent qui désigne le gris, le flou, l'immobile, sont projetés brusquement des flots de sang. On comprend, sans doute, l'intérêt de la symétrie [6-7], même fausse : [7] s'oppose réellement à [6], car, s'il y a bien relation « morts » / « sang », il existe entre eux une opposition sémantique : aux morts qui dorment paisiblement se substituent des morts violentes. Aussi bien le syntagme de base (« tous mes rêves ») n'assume-t-il pas les mêmes valeurs dans [6] que dans [7] :

[6] paix → morts = rêves,

[7] rêves = paix → morts violentes (guerre).

Le mot-clé demeure « paix ». Les rêves s'organisent autour du

---

(13) Sl = syntagme de lieu ; PP = participe parfait ; Sp = syntagme précicatif.

concept de paix, paix dans l'accomplissement des vérités ancestrales (si ce n'est pas pousser trop loin l'interprétation). Reste
la valeur de cette évocation sanglante.

Faut-il y voir une allusion à la conquête coloniale française (14) ? Ce n'est pas impossible, hasardeux néanmoins, car
une interprétation de cet ordre, qui relève du réflexe conditionné, ne tient guère compte de la réalité textuelle : elle néglige
« rêves » et, plus grave, ignore le « laxisme syntaxique » des
deux vers. Voilà pour nous le plus important : la liaison des
termes se fait seulement par contiguïté et par affinité sémantique : « rêves » est répété, « morts » et « sang » peuvent s'impliquer mutuellement. Même si l'on est tenté de voir en chacun
de ces deux derniers termes la métaphore de l'autre, la coordination différentielle demeure possible :

$$\text{morts} \ne \text{rêves} \to \text{morts} + \text{rêves}.$$

Mais le double statut de « rêves » [6] et de « rêves » [7] ne s'en
trouve pas réduit. L'intérêt du chiasme amorcé est, entre autres,
de faire du premier un mot régi et du second un mot régissant :
ils sont fonctionnellement différents. D'autre part, la structure
syntaxique n'est pas la même, si toutefois on admet la possibilité
(ambiguïsante) que « dorment » ne soit pas « sous-entendu »
dans [7] mais bel et bien expulsé du procès de signification ; ce
qui donnerait, schématiquement :

[6] Présent (dorment) $\to$ morts $\pm$ rêves $\to$ PP
[7] ϕ $\to$ rêves $\pm$ sang [morts] $\to$ PP

(la flèche désigne ici la rection syntaxique). Tout se passe comme
si « rêves » [6], aboli dans le présent, se tournait vers le passé
(mais un passé qui lui donne une certaine réalité : la poussière
est palpable et l'on a déjà senti que la cendre (poussière) peut
être créatrice) et « rêves » [7], réel dans le présent, conservait
son potentiel ordinaire de projection vers l'avenir. Le moins
qu'on puisse dire est que « rêves » est ici ambigu, foncièrement,
et que cette ambiguïté se répercute sur sa dépendance, c'est-à-
dire sur « sang répandu mêlé au sang » (chiasme à l'intérieur
du chiasme). Il semble donc que le dénoté de [7] soit simultanément présent et passé. Le sens proposé par G. Moore ne
concerne que le passé. D'autre part, les éléments référentiels
« rues » et « boucheries » orientent plutôt le regard (comme
en témoignent certains informateurs) vers des combats de rue
ou des émeutes que vers les rencontres des guerres et guérillas
coloniales qui désignent un terrain « naturel » : désert ou savane.
On pourrait donc suggérer une émeute parisienne, par exemple

_____

(14) G. MOORE, *Seven African Writers*, 8.

le 6 février 1934, si l'essentiel ne paraissait un dépassement de l'anecdote, présente ou passée (ou même à venir : appréhension d'un futur violent). Ce qui arrête l'élan du rêve, mais en même temps le dirige dans une autre direction : c'est le sang, n'importe lequel, n'importe quand, versé gratuitement, ce sont les exécutions sommaires, les « boucheries », les massacres...

*
* *

On a noté que l'attaque de [8] associe celle de [1] et celle de [3]. La reprise s'accompagne d'un déplacement intéressant :

> dimanche   ⇢ maintenant,
> de *ma* tour → de *cet* observatoire.

Le second est plus immédiatement analysable : « ma tour » impliquait *ma tête* sinon, simplement : *moi*. Le démonstratif « cet », dans la mesure où l'on accepte d'y voir moins un anaphorique qu'un déictique, marque extériorisation et distanciation. Le *designatum tête* disparaît : ce n'est plus qu'un lieu (vu de l'extérieur) d'où l'on observe le monde. Même projection en [9] du dedans vers le dehors. Si « Dimanche » → « maintenant » est maintenu au niveau référentiel, on assiste uniquement à une localisation ponctuelle à l'intérieur d'une certaine durée : au « présent duratif » succède le « présent momentané ». Mais « maintenant » n'est pas en relation avec le seul « Dimanche ». Le jonctif « et » l'associe à ce qui précède immédiatement. « Maintenant » marque un point d'arrêt dans le développement d'une méditation et concerne non seulement l'expression mais le contenu de cette méditation : retour au présent référentiel après évocation du passé-avenir (morts, rêves, sang). Autrement dit, de manière équivoque, « maintenant » est et n'est pas un analogon de « Dimanche ». Cet appui sur les vers antérieurs, qu'on va retrouver en [9], et l'orientation naturelle vers la suite du texte, alliés au fait que commence ici une phrase beaucoup plus longue que les précédentes, imposent le sentiment d'une articulation. Aucun blanc, toutefois, ne rompt la continuité du texte : disjonction, mais latente (on constate une fois de plus que les divers niveaux ne sont pas isomorphes).

« Comme de banlieue » est intégré dans la phrase, assez lâchement, par un « comme » sémantiquement incertain. La liaison syntaxique est, en effet, ambiguë. On peut lire à la fois :

> (a) de cet observatoire, comme s'il était une banlieue,
> (b) de cet observatoire, comme s'il se trouvait en banlieue.

Cette séquence offre, en outre, une indépendance sémantique

comparable à celle de [5] (« les cheminées sont graves et nues ») : non nécessaire, elle paraît aussi redondante, et parce qu'elle n'apporte pas d'information nouvelle et parce qu'elle reprend le schéma rythmique de [5] (deux cellules analysables en : c + 2 s) rompu, différemment, dans les deux vers qui précèdent. On en conclut que sa fonction n'est guère dénotative. En tant que syntagme de lieu, l'expression entre en relation avec les autres Sl : « de ma tour », « à leurs pieds », « le long des rues » et, plus encore, « de cet observatoire » qui lui est contigu et avec lequel il est en rapport d'équivalence (« comme »). Or, les premiers Sl désignaient tous la direction du haut vers le bas et marquaient soit son origine soit son extrémité. C'est, au contraire, une direction horizontale qu'introduit « comme de banlieue ». Même distanciation de l'objet du regard qu'avec « observatoire », mais dans le plan perpendiculaire. Est-ce cet axe horizontal qui permettra de dépasser la réalité immédiatement constatable ? Cette valeur est en effet possible, mais la distribution ordinaire de « banlieue » impose des connotations plus précises : laideur, pauvreté, travail pénible, soucis matériels et, plus encore, eu égard au contexte, en particulier [2] : citoyen de seconde zone, mal intégré à la ville car, apparemment, il ne s'y trouve pas de place pour lui. Bref, à la fois semblable et dissemblable, comme le poète le signalait lui-même en [2]. A la dimension prolétarienne se superpose une dimension raciale, ainsi qu'en témoigne 11 20 4 :

> Tu rompis les remparts décrétés entre toi et nous, les faubourgs indigènes.

La position d'observateur élevé, éloigné, paraît certes voulue par le poète (v. C. 2 10 1) mais elle est aussi imposée. Ce qui dégage une nouvelle valeur du texte : la condition précaire, mais assumée, de travailleur et de nègre (15) provoque le jaillissement de la liberté poétique : le poème désigne son propre référent d'énonciation.

Senghor fait de la répétition, comme on sait, l'un des critères de l'art négro-africain, partant de la négritude. [8-11] en confirment l'importance. La répétition n'engage pas seulement l'unité

---

(15) On objectera que le sort de Senghor étudiant n'est guère comparable à celui du travailleur suburbain (vie que connaîtront O. Sembene et L. Camara). Néanmoins, l'intellectuel Senghor, ami d'intellectuels, ne se considérait pas, séduit qu'il est par le socialisme, comme différent des autres prolétaires :
> Vous savez que j'ai lié amitié avec les princes proscrits de l'esprit, avec les princes de la forme
> Que j'ai mangé le pain qui donne faim de l'innomblable armée des travailleurs et des sans-travail (25 50 47-48).
L'idée se trouve déjà dans les derniers vers du présent poème.

formelle du poème, elle devient, en elle-même, signifiante. Ces quatre vers sont, en fait, moins une reprise qu'une altération signifiante de [3-6], comme on a parlé d'image chiasmique déformante à propos de [6-7]. On peut ainsi reproduire les deux chaînes dénotatives :

> [3-6] De ma tour je contemple toits et collines. Les cheminées *sont* graves et nues. A leurs pieds *dorment* mes rêves.
>
> [8-9] De cet observatoire je contemple mes rêves *distraits* le long des rues, *couchés* au pied des collines.

On perçoit aisément le passage des toits et des cheminées aux rues par le relais des rues sanglantes), c'est-à-dire, somme toute, de l'inanimé à l'animé, ainsi que le passage de « dorment » à « couchés », c'est-à-dire d'une forme de passivité à une possibilité d'action. Mais l'essentiel n'est pas là. A un paysage analytique et discontinu succède un paysage synthétique et continu : dans [4-6] « contemple » ne régit que « toits » et « collines ». Les autres éléments, réels ou imaginaires, échappent à son emprise syntaxique ; dans [9] au contraire, tout est sous sa dépendance : une seule phrase au lieu de trois. Par là, les éléments perdent leur actualisation indépendante : présent (« sont », « dorment ») → PP (« distraits », « couchés »). Et l'inversion de l'ordre des classes signifiées produit un déplacement du classème réalité, qui se porte du paysage vers la rêverie :

([4-6] paysage → rêverie) → ([9] rêverie → paysage) : on ne voit plus des collines abritant des rêves, mais des rêves couchés au pied des collines, ou, mieux peut-être, *de* collines. Il semble que le rythme binaire/ternaire (celui de [3], etc.) mobilise « rêves » en quelque sorte puisque, achevant la première sous-cellule, il commande syntaxiquement les deux autres ; de plus, il rend possible l'accentuation trochaïque envisagée en 4, 2 :

Je contemple mes rêves distraits le long des rues, couchés au pied des collines.

A la connaissance des rêves s'est substituée la contemplation des rêves (qui peuvent maintenir, le contexte ne s'y opposant pas, le désigné *vers*). La forme imaginaire et imaginante s'interpose entre l'œil et la réalité, rendant ainsi la réalité moins réelle et plus signifiante. Le travail poétique sur le référent apparaît ici dans toute sa lumière : il y a clairement *production* d'un signifié qui est, dans le cas présent, à la fois dénoté et désigné.

Voici le second des trois « comme » du texte. Le troisième [17] est d'emploi commun. Il n'en va pas de même des deux premiers. Il est évident que « comme » [10] confirme l'introduction du sème racial pressenti à propos de « comme » [8], mais le plus intéressant vient sans doute de ce qu'aucun de ces deux « comme » n'est nécessaire. Le premier produit un décalage entre un observatoire réel et une banlieue imaginaire (à moins que ce ne soit l'inverse), le second refuse l'adéquation syntactique rencontrée trois fois (migraines = Ancêtres, brume = paix, morts = rêves) et sépare donc « rêves » de « conducteurs » (substitut d' « Ancêtres ») constituant non plus un syntagme double mais deux syntagmes, à la fois séparés et associés. La projection extérieure des rêves en paysage continu permet à l'observateur d'analyser ces mêmes rêves et de formuler ce qui était précédemment senti de façon confuse. Deux effets particuliers : 1. A [6] : morts *c'est-à-dire* rêves correspond [9-10] rêves *comme* conducteurs (= morts) : séparation et inversion de l'engendrement, figure, cette fois, d'un procès cyclique : les morts produisent les rêves, auxquels ils se mêlent, dont ils se séparent pour être produits par eux. 2. La séparation entre les rêves et les Ancêtres prépare l'invocation de [15].

Comme se renouvelle en [10-11] le processus d'engendrement analysé dans les vers précédents, il n'est pas nécessaire d'insister. On trouve un double engendrement temporel :

1. [1] « C'est Dimanche » (duratif court) → [8] « maintenant » (ponctuel) → [11] « maintenant » (duratif long).

2. [11] Présent (« C'est Dimanche ») → [3-7] passé (« Ancêtres », « morts ») → [8] présent (« Et maintenant ») → [10] passé (ancêtres morts : « conducteurs de ma race ») → [11] présent (présence actuelle des ancêtres : « maintenant »).

On a vu que de tels échanges entre divers niveaux de réalité sont constants dans ce poème et qu'ils fournissent simultanément schème structurant et valeur de signification. On constate, par ailleurs, un engendrement spatial :

« rives de la Gambie et du Saloum » → (rives) « de la Seine ».

Réelle autonomie de ces trois fleuves : deux africains et un français, sans autre relation, le sème /« fleuve »/ mis à part, que le /s/ initial de « Saloum » et de « Seine ». Réapparition, à un niveau différent, du paysage discontinu. L'engendrement sémantique est plus complexe. Peut-être peut-on lire comme noyau :

mes rêves (couchés) au pied des collines comme mes
morts couchés au pied des collines,

ce qui implique :

« collines » [9] = Paris → « collines » [11] = Sénégal,

donc le même discontinu que pour les trois fleuves. Cependant un *continuum* est introduit par l'inclusion du relais sémantique « rives » lequel paraît une épiphore du signifiant « rêves » (/Rɛv → /Riv/) : les rêves (et les vers, le poème, la poésie) sont donc étroitement associés au champ NATURE, syntaxiquement avec les colines, phonémiquement avec les rives (et faut-il ajouter le /R/ de « race » ?). Le générateur est sans conteste « rêves », dont le rôle, dans le poème, est considérable, plus que celui de « paix » enfermé dans le seul sémantisme. D'autre part, l'implication de « rives » autorise l'adéquation de « collines » [9] et [11] et, par là, celle du Sénégal et de la France. Par la vertu des ancêtres morts l'opposition *là-bas* (Sénégal) *vs ici* (France) est abolie. La dualité cherche l'unité, l'opposition la conjonction, ce qu'on voudra peut-être voir figuré par la superposition d'un rythme binaire (unificateur ?) à un rythme ternaire (disjoignant ?). Il est vrai que l'inverses est possible : le réel échappant à l'emprise du rêve. Il est vrai surtout, ainsi qu'on l'a souligné, qu'attribuer un sens à une forme exige une extrême prudence et, d'abord, une rigoureuse motivation. Cette dualité rythmique, si on en accepte le modèle, ou, plus évidemment, ce déséquilibre cellulaire a sans doute un pouvoir structurant. Qu'il s'accorde ici avec une certaine dualité du sujet et de l'objet, c'est tout ce qu'on peut garantir. On notera un dernier engendrement sémantique :

les Ancêtres **impatients** → *mes* morts → *les* **conducteurs**
de *ma* race.

La dualité de valeur d' « impatients » se retrouve, dans un autre ordre, en « conducteurs » : ceux qui ont conduit et qui conduisent. Omniprésence active du passé ancestral.

[12] peut surprendre, moins par son unique cellule rythmique, déjà rencontrée en [1], qu'on retrouvera en [22], peut-être en [19] et qui est, somme toute, interprétable en deux sous-cellules (35) ou (53), que par le prosaïsme univoque de l'expression et du contenu. Mais ce sont là deux ruptures qui contribuent à faire de ce vers, sinon une structure vide, une structure de transition ou de suspension. Parlera-t-on d'un simple vers de disjonction ? Non, car il provoque un phénomène

important : l'entrée en jeu d'un allocutaire, dont on connaît la fréquence dans la négritude. Sémantiquement non équivoque, le vers l'est référentiellement car l'allocutaire (en fait illocutaire) est problématique. Est-il unique, manifestation tardive, au lieu d'énonciation, d'une présence, qui pourrait alors être féminine ? Est-il pluriel ? Et, dans ce cas, désigne-t-il les « semblables » redoutés qui feraient obstacle, par exemple par les contraintes de l'assimilation, à l'accomplissement des besoins culturels du sujet ? ou bien les rêves eux-mêmes qui, habités par les ancêtres, n'en évoluent pas moins vers d'autres directions ? Une réponse précise n'est pas possible.

Que débute ici un troisième mouvement, la possible reprise de l'attaque temporelle trisyllabique (« C'est Dimanche » → « C'était hier ») l'imposerait en absence de [12]. Se maintient aussi l'opposition entre le présent duratif (hier, aujourd'hui) de l'énoncé et le présent ponctuel de l'énonciation.

Vers étonnant que ce vers [13]. Par le rythme d'abord : correspondance du syllabisme et de l'accentuel avec deux cellules inégales créant un vers qui tend à la symétrie. Syllabiquement : 3 3 (ou : 4 3), 4 3 3. Et surtout par l' « apposition » qualifiante « l'anniversaire solennel du soleil », qui, mieux encore que [2] nous fait assister à sa propre construction, ce qui permet à la fonction poétique de s'exercer dans sa plénitude : le vers ne livre pas seulement un sens, il le produit devant le lecteur. Toutes les composantes de l'expression et du contenu sont mobilisées pour cet engendrement : « Toussaint » → « anniversaire » par habitude culturelle. « Anniversaire » analyse la forme de son contenu en dégageant, procédé connu, son étymon (*annus*, *uersari* : ce qui revient au bout d'un an). Cette analyse trouve aussitôt son expression métaphorique : « soleil » (qui, dans son mouvement apparent, revient à la même place au bout d'un an). De plus, « anniversaire », en tant qu'expression et contenu, produit « solennel » (en particulier grâce à la fausse étymologie donnée par les Latins eux-mêmes (16) et qui est encore plus apparente, quoique autre, en français, comme si « solennel » = une *seule* fois dans l'*année*). Enfin, « solennel », sur le plan de l'expression, tient à la fois d'« *anniversaire* » et de « *sol*eil », et de « soleil » encore, sur le plan du contenu, à la fois par corrélation latine : *sol(l)us* / *sol*, et française : *sol*(ennel) / *sol*(eil) (ou bien encore, français : « ol » / latin : *sol*). « Solennel » engendre donc « soleil » comme il est engendré par lui. A quoi il faut ajouter les trois terminaisons assonantes et accen-

(16) ERNOUT et MEILLET, *op. cit.*, 633, art. *sollemnis* : « qui a lieu le circuit de l'année étant entièrement écoulé. »

tuées /ɛR/, /ɛl/, /ɛj/ et les allitérations en /s/ qui ont, peut-être, sur les deux derniers noms, le pouvoir de les transformer en « dactyle » et en « trochée ».

Le résultat de cet engendrement textuel est un nouveau mythe, à peu près inverse de notre mythe culturel puisque la Toussaint est contaminée par le jour des morts qui lui est contigu. La Toussaint est devenue, sous la plume de Senghor, de la fête de tous les saints, un véritable mythe solaire, porteur de toute une série de connotations : renouveau, vie, ardeur, vérité, fécondation, etc. Et comme l'un des référents du poème est le jour des morts, ce sont les morts mêmes qui, cendre et poussière, sont métamorphosés en astre étincelant. Enfin, par l'intermédiaire des morts (et par les vertus de la poésie), le sol devient une image du soleil et inversement (17). Il y a donc ici apport négro-africain à la mythologie chrétienne de la mort. « Apport », du reste, est faible puisque ce mythe nouveau provoque un renversement des valeurs. [13] est peut-être le vers majeur du texte. La pratique langagière se transforme en expérience linguistique, laquelle, à son tour, se transmue en expérience métaphysique. Mais cette expérience est, semble-t-il, moins individuelle que collective. Comme nous l'avons dit en 4, 3, la simple juxtaposition, c'est-à-dire l'absence de copule ou de modalisateur, présuppose la connaissance du prédicat : non informatif, il est de l'ordre du « comme vous le savez », ou plutôt, ici : « comme nous autres (Africains ? Sénégalais ?), nous le savons tous ». C'est, en quelque sorte, l'évidence des ancêtres qui endosse la responsabilité du mythe. Senghor parlerait donc, dans ce vers, du sein d'un NOUS. Conclusion importante, mais qu'il serait hasardeux d'étendre à toute la poésie de Senghor, *a fortiori* à l'ensemble de la négritude.

Dans le couple [13-14], l'équilibre approximatif des deux sous-cellules de [14] lui fait jouer, après le rythme progressif de [13], le rôle d'une clôture provisoire. [14], en effet, figure presque un alexandrin refusé ; il désigne, autrement dit, l'alexandrin qu'il pourrait être, par exemple :

Et [aucun] souvenir dans aucun cimetière.

L'ouverture est temporelle : « la Toussaint », la fermeture, spatiale : « cimetière », relation notée à plusieurs reprises dans le poème, qui impose, de plus, un cadre sémantique et culturel : le cimetière est normalement associé à la Toussaint, cette fois dans le code culturel occidental. Enfin, il paraît que les trois

(17) Les cheminées de [5] paraissent préparer, ou attendre, cette métamorphose.

termes-clé de [14] (« nul », « souvenir », « cimetière ») sont engendrés par les quatre termes-clés de [13] :

> nul ← sol*enn*el,
> souve*n*ir ← sol*enn*el (plus isosyllabisme avec syllabe médiane affaiblie),
> *s*ouvenir ← *s*oleil,
> souvenir ← T*ou*ssaint,
> sou*v*enir ← anni*v*ersair*e*,
> cimetière, enfin, « rime » avec anniversaire et assonne avec soleil et solennel, sans parler du /s/ initial, motivé en quelque sorte par les termes qui précèdent.

On voit que l'engendrement phonémique fait porter l'accent sur « souvenir », qui, à son tour, participe à la production de « cimetière » :

> /sUv(ə)ni R/
> /sim(ə) tjɛR/.

[14], en tant qu'image de [13], modifie du tout les « souvenirs de cimetière » tels qu'ils existent dans la pratique occidentale ordinaire. La peine exprimée par ce vers vient de la seule opposition :

> La Toussaint, mes semblables, leurs morts, au cimetière *vs*
> —   moi   mes   —   φ

Le souvenir n'est pas, ici, suffisant. Il faut une présence matérielle des ancêtres, une présence active de leur poussière, c'est-à-dire du sol où elle est enfouie. Il n'est que le sol natal (= morts, soleil) pour assurer la vie et l'action. On retrouve l'un des mythes chers à la négritude : Senghor et Rabearivelo, nous le savons, parlent volontiers d'Antée. Soit, mais c'est en frappant du pied le sol du pays (ou du continent) *natal* que l'Antée africain reprend vie et force. En tant que regret (*desiderium*) de la présence active des ancêtres, [14] produit, sémantiquement, [15].

L'allocution de [12] entraîne un changement dans l'orientation de l'écriture : les ancêtres, jusqu'ici délocutaires, deviennent allocutaires : besoin d'un dialogue, mais d'un dialogue précis, c'est-à-dire non plus émis vers un récepteur indécidable, mais adressé à un destinataire rigoureusement référencié. En outre, le VOUS problématique de [12] supposait une proximité réelle, qu'il s'agît des « semblables » de [2] ou d'une présence plus charnelle. Mais le refus de nomination lui donnait de la transparence, donc une certaine irréalité. Au contraire, les ancêtres, à la fois absents et non réels, sont rendus présents et réels par le recours à l'allocution, contraint lui-même, en partie, par le rôle qu'ils détiennent depuis le début du texte.

Le passage au VOUS est fortement marqué par la brève cellule rythmique initiale : « O Morts », qui, avec ses deux syllabes, l'une et l'autre accentuées (« spondée », pourrait-on dire par métaphore), équilibre chacune des deux autres cellules, beaucoup plus longues et à trois accents. Ce rythme ternaire fait figure, ici, de rythme d'ouverture ; il se retrouve en [16] et en [17], avec chaque fois deux accents, sauf dans la dernière cellule de [17] qui en comprend sans doute trois si l'on dote « jambes » d'un accent secondaire :

les *mi*grateurs aux jambes *mi*nces,

et joue, par là, un rôle de clausule, d'autant plus qu'aux deux syllabes accentuées de « O Morts » correspondent les deux syllabes accentuées de « jambes minces » et que « les migrateurs » est un écho du rythme « dactylique » (ou « trochaïque ») sensible, ou du moins plausible, dans [15] :

toujours refusé de mourir, etc.

Senghor, nous le savons, compose par courtes séquences qui superposent un macro-rythme au micro-rythme du vers. [15] se construit visiblement sur l'opposition : les Morts / la Mort. La « mort » est, en français, disémémique : le terme dénote et l'action de mourir et le fait d'être mort ; il implique donc une opposition actif/passif, opposition que nous avons rencontrée dans le poème précisément à propos des ancêtres. La disémémie s'actualise dans le vers. On lit donc une double opposition : d'une part entre « (les) Morts » (sujet unique) et « mourir », « la Mort » (deux prédicats), d'autre part entre « mourir » (action) et « la Mort » (état). Cette seconde opposition est particulièrement riche puisqu'elle présente les morts non pas seulement comme vivants (« qui avez refusé de mourir »), mais comme immortels (« qui avez su résister à la Mort »). La confusion ancêtres / dieux est bien connue en Afrique. [15] produit un nouveau renversement de croyance :

côté occidental : les morts vivent parce que je refuse qu'ils meurent (soit : je, vie → morts, vie) ;

côté africain : les morts vivent parce qu'ils refusent de mourir (soit, par corrélation avec le précédent : morts, vie → je, vie).

On trouve confirmation de cette conséquence dans la suite d'un poème auquel on a fait allusion ci-dessus :

> Que je respire l'odeur de nos Morts, que je recueille et
> redise leur voix vivante, que j'apprenne à
> Vivre avant de descendre, au-delà du plongeur, dans les
> hautes profondeurs du sommeil (6 15 20-21).

La seule ambiguïté syntaxique, à hauteur de phrase, se rencontre en [16]. L'absence de ponctuation fait lire :

> (a) qui avez su résister à la mort jusqu'en Sine, jusqu'en Seine ;
> (b) (...), jusqu'en Sine, jusqu'en Seine protégez mes rêves ;
> (c) (...) jusqu'en Sine, protégez mes rêves jusqu'en Seine ;
> (d) (...) jusqu'en Sine, jusqu'en Seine, protégez mes rêves jusqu'en Sine, jusqu'en Seine (18).

Même si tel sens paraît, subjectivement, plus satisfaisant, on ne peut construire la valence du vers en négligeant les autres. On le peut d'autant moins que, répétons-le, ce type d'ambiguïté est plus rare chez Senghor qui connaît surtout l'ambiguïté entre syntagmes. La relation imposée « jusqu'en Sine / jusqu'en Seine » produit un jeu de valeurs notable. Pour neuf sur dix des lecteurs français, pour la plupart aussi des africains, « Sine » n'offre pas de sens connu. Son rapport avec « Seine » en fait un fleuve africain, plus précisément : sénégalais, mais la préposition « en » invite à en faire une région. Réciproquement, cette même préposition « en » fait désigner à « Seine » une région. Schématiquement :

> Seine (fleuve) → Sine = fleuve
> Sine (région) → Seine = région.

Il en résulte une double adéquation :

> fleuve = terre, et l'inverse,
> Sénégal = France, et l'inverse.

La réciprocité paraît aussi importante que l'adéquation elle-même, car toute rection, tout rapport de dépendance est aboli

---

(18) La même ambiguïté touche évidemment la deuxième partie du vers : « veines » et « sang ». On y trouve, en outre, un certain laxisme syntaxique, dû à la virgule entre « fragiles » et « mon sang » alors qu'il n'y a ni jonctif ni ponctuation dans la première cellule. L'intégration de la suite du vers dans la phrase est donc incertaine. On peut lire aussi comme s'il était écrit : « [—] et dans mes veines fragiles, mon sang [est] irréductible [—] ». G. MOORE (loc. cit.) refuse l'ambiguïté et traduit selon le sens (a) :
> Ah, dead ones who have always refused to die, who have known how to fight death
> By Seine or Sine, and in my fragile veins pushed the invincible blood
> Protect my dreams as you have made your sons, wanderers on delicate feet.

L'ordre Seine, Sine paraît dû à une inadvertance.

entre les deux termes : Sénégal et France sont les parties d'un même tout qui se croient opposées et que le poète rassemble en une même unité. La réconciliation de deux races, deux peuples (dominants et dominés) se réalise par l'expérience poétique, qui la donne comme *naturelle*. Mais le savoir modifie cette valeur imposée (?) par le texte : « Sine » réfère à la fois à une rivière (affluent du Saloum) et à la région qu'elle arrose (le petit domaine d'un ancien royaume sérère). La dualité de Sine entraîne la dualité de Seine : non plus réciprocité mais dépendance inversée : la double Seine est la création du (de la ?) double Sine.

Au mouvement d'extériorisation perçu en [3-6] et en [9] répond en [16] le mouvement inverse :

> contexte spatial : hors de moi (Sine/Seine) → en moi (veines/sang).

Echanges constants entre objet et sujet, actif et passif, espace et temps, à l'intérieur de l'ensemble espace et de l'ensemble temps, etc. : le projet du poème est bien de réaliser, par l'assemblage des différences sinon des contraires, une unité vivante. Cette unité, [16] la désigne clairement : si, phonémiquement /sin/ → /sɛn/ par déplacement de /i/ vers /ɛ/, graphiquement, /Sine/ est entièrement compris dans /Seine/ (ce qui introduit, malgré l'intention avérée du poète, un très léger rapport de dépendance, dont l'ordre est incertain : la nécessité orthographique contredit ici quelque peu l'intention poétique). Et de /sɛn/ se tirent à la fois /(v)ɛn/ et /s(ã)/ (« veine » ayant de plus avec « Seine », sémiotiquement, un sème commun : / conduit dans lequel s'écoule un liquide »/), presque de même que, plus haut, « verre » était produit, phonémiquement et sémantiquement, par « visage de pierre ». Enfin, l'unité se réalise à l'intérieur de l'individu par l'opposition :

> contenant (« veines ») frag*ile* / contenu (« sang ») irré-
> duct*ible*.

On assiste à une sorte de construction physiologique et morale de JE par la vertu des ancêtres, conducteurs de la race. Et l'indice de cette construction est l'élaboration par la géographie au sens propre d'une géographie intérieure.

[15-17], dans leur organisation et leur ampleur syntaxiques, renvoient à un code rhétorique plus évident que dans les vers qui précèdent (où, par exemple, le jeu métaphorique et métonymique était abondamment utilisé), qui sera plus évident encore en [20] : code à la fois épique (pseudo-épique ?) et classique (pseudo-classique ?), comme le suggèrent l'invocation « O

Morts », la séquence « comme vous avez fait vos fils » et la qualification de type homérique, « les migrateurs aux jambes minces », comme le suggèrent aussi les deux dernières cellules rythmiques dont il est difficile d'ignorer le caractère octosyllabique. Le thème est ici REVES, le mot le plus répété du poème après « morts », auquel il est, du reste, étroitement associé. Le thème est allié, dans [17], aux deux lexèmes « fils » et « migrateurs » par des adéquations variables :

(rêves) *comme* (fils = migrateurs).

Chacun des trois noms se trouve dans une cellule rythmique différente, les deux premiers en fin, le troisième en début de cellule, avec, dans cette troisième, un rappel rythmique des deux premières : /Rɛv/, /fis/, /mɛ̃s/ sont tous trois des monosyllabes consonantiques accentués, les deux derniers étant liés par leur /s/ final, les deux premiers par la modulation /—v/ → /f—/. Si bien que les rêves, tournés précédemment vers le passé (en fait souvenir de rêves plus que rêves), se projettent à nouveau vers l'avenir, par le même mouvement qui a réactivé la poussière des ancêtres. L'unité (morts = rêves) est analysée et le premier terme, dynamisé, dynamise le second. L'agent dynamique paraît être le *fleuve* nourricier et vivant, aux *rives* peut-être « fragiles » mais au cours « irréductible », sans solution de continuité de sa source à son but. Cette isotopie, géographique en quelque sorte, a produit l'image d'une autre isotopie, historique celle-ci :

ancêtres → migrateurs → je (→ avenir),

dans laquelle « migrateur » assume la valeur la plus importante, impliquant des connotations comme force vive, découverte, conquête, renouveau, etc. « Migrateurs » entre évidemment en relation avec « conducteurs » : même mouvement, même marche en avant, vers le progrès, à la fois dans le passé et dans le présent. Ainsi se trouve nié le mythe d'une Afrique stagnant dans son histoire, répétant inlassablement les formes traditionnelles, parfaites une fois pour toutes, et affirmée la foi en la vertu créatrice et conquérante des traditions ancestrales qui ne sont nullement figées mais vivantes. Sur le plan référentiel, si l'on ajoute à la relation précédente la relation Sine / Seine, « migrateurs » prend une valeur multiple : le mot réfère non seulement aux fameuses migrations africaines, mais aussi aux migrations forcées : traite et guerres européennes, aujourd'hui migrations assimilatrices, telle celle du jeune Senghor à Paris.

[18-19] parachèvent le rythme « circulaire » de [15-17] : image d'une tension encore simplement affective, d'un potentiel

intérieur qui a besoin, pour déboucher sur l'action, de se *reprendre* (comme on dit aussi que l'on reprend des forces) dans le creux de la méditation. De fait, la méditation partie du réel : « C'est Dimanche », « la foule de mes semblables », etc., revient au réel en l'affleurant, si l'on ose dire, par dessous : formulation d'un terme latent dans tout le texte (« Paris »), reprise des termes initiaux (« toits »), fusion en un seul de deux syntagmes d'ouverture :

Dimanche [1] + brume [4] → brume dominicale [18].

Celle-ci, semble-t-il, dégage de façon presque dénotative la valeur brume = paix, produite syntactiquement au début du poème. La brume dominicale n'est pas seulement (*denotatum*) la brume qu'on voit aujourd'hui, dimanche, et qui, en ce vers, désigne également sans doute, on l'a dit, la nuit tombante, mais aussi la brume *du* dimanche, la brume qu'il y a parce que c'est dimanche, jour de paix. La remontée vers le réel s'opère en outre par symétrie, rythmique entre [15] et [18] et syntaxique entre [17] et [18]. Cellule initiale identique en [18] et en [15], mais avec pause plus forte :

O Morts, → O Morts !

De même le rythme des deux dernières cellules de [18], qui se poursuit en [19], est plus convenu que celui de [15], si, du moins, on accepte de voir ici l'exploitation de la matrice octosyllabique posée dans la seconde cellule de [17]. On serait peut-être enclin à la gloser comme : retour à une métrique française après l'ouverture sur l'Afrique [13-17], c'est-à-dire acceptation, même momentanée, de l'assimilation, si la matrice n'exprimait sémantiquement une réalité typiquement africaine : « les migrateurs aux jambes minces ». Ce qui entraînerait tout aussi bien, non plus l'abandon d'une métrique accentuelle (donc africaine ?), mais l'intégration à l'africanité d'une métrique syllabique (donc française ?). On constate une fois encore combien est sujette à caution la significativité des formes. Il est plus assuré d'y voir surtout un rythme régulier de clôture.

La construction syntaxique tire la double prière du thème double de [16] : « Sine », « Seine » :

O Morts, protégez mes rêves
O Morts ! défendez les toits de Paris.

Symétriques, « protégez » et « défendez » le sont évidemment, mais ils ont, de plus, une valeur analogue du fait d'une nouvelle référence étymologique, puisque *protéger*, c'est *défendre* au moyen d'un *toit*. *Toit* est donc présent dans « protégez » [17] par désignation rétroactive et, par là-même, [19] établira une dernière et double adéquation :

rêves = morts,
rêves = toits.

Chacun de ces trois termes est à la fois protecteur et protégé.

[19] parachève le rythme « circulaire » de la méditation-prière. On obtient en effet, par relation avec [18], le schéma suivant :

morts → protéger → toits → protéger → morts.

Le rythme ternaire se clôt en une cellule unique à trois accents. Cette figure dégage, par redondance, ce que l'adéquation vient de montrer et qui a été pressenti et senti à plusieurs reprises : la valeur thématique des morts à la fois actifs et passifs, des morts qui ne protègent qu'autant qu'ils sont protégés. Le toit prend donc une importance considérable : il isole et défend de l'extérieur (tout comme les rêves) et c'est par cet isolement défensif que peut s'opérer la maturation intérieure, condition nécessaire et peut-être suffisante à l'action.

Il est inutile de revenir sur les échanges continuels entre mort et vie, rêve et mort, passé, présent et avenir, etc., plus intéressant de mettre en évidence une dernière adéquation provoquée par une corrélation plausible entre référent et signifié. Le référent de [19] paraît être : « les toits qui protègent les Parisiens », mes semblables au visage de pierre. Or, ce ne sont pas les Parisiens qui sont dénotés, mais « mes morts ». Certes, on peut rejeter cette interprétation et proposer de lire, non pas : « toits » [18] = « toits » [19], mais : « toits de Paris » [18] + « toits » [du Sine, par exemple, ou de Joal] [19] (19), en arguant que la ponctuation zéro entre « jusqu'en Sine » et « jusqu'en Seine » se retrouve entre [18] et [19]. C'est possible, en effet, et ce serait se déjuger que d'essayer de réduire cette ambiguïté, d'autant plus que l'incertitude entre + et = est assez spécifique de ce texte. Mais qu'on adopte la corrélation référent/signifié (=) ou la relation « toits de Paris » (+) « toits [de] mes morts », la valeur résultante change de degré, non de nature. Dans le premier cas, l'adéquation est plus forte entre *les* Parisiens et *mes* morts. Dans le second, « toits » [19] désigne *collines* d'après [4-6] et [9-10] et, rétroactivement, « toits » [18] les collines de Paris. Il demeure un rapport étroit entre

(19) Cf. le début du poème suivant, 2 10 1-5. Les eaux du v. 5 au bord desquelles saignent les toits, peuvent être aussi bien celles du Sine ou du Saloum (par exemple) que de la Seine.

toits de vie et toits de mort, Paris et Joal, Parisiens et ancêtres. Autrement dit, JE cherche à établir entre lui et ses « semblables » français le même type de relations vivifiantes qu'avec ses ancêtres morts, conducteurs de sa race.

Par opposition au rythme « circulaire » antérieur, les trois derniers vers utilisent un rythme « rectiligne ». Cette opposition leur permet, formellement, de servir de clôture, mais leur substance est un refus de clôture : rythmiquement d'abord : il s'agit, en effet, d'un rythme binaire incertain à réduction progressive :

[20] : deux cellules, la première complexe exigeant une interprétation, la seconde, simple, comportant deux accents certains ;

[21] : une cellule, deux accents (ou trois si l'on accentue « yeux », ce que le sémantisme n'interdit pas) ;

[22] : une cellule, un accent (ou bien deux, par symétrie avec « yeux bleus »).

Le raccourcissement des vers successifs ralentit le tempo par introduction de silences. Cette intégration du silence peut être considérée comme indice de clôture prochaine. Cependant l'*incertitude*, qui nous paraît ici pertinente, peut, elle, passer pour un refus de clôture. « Clausule incertaine » serait peut-être la meilleure définition du rythme de ces trois derniers vers.

Sémantiquement aussi, l'impression s'impose que l'image circulaire est rompue au profit d'une image rectiligne. On lira, schématiquement :

[1-19] (ici ↔ là-bas, passé ↔ avenir) → [20-23] (ici, avenir).

On a déjà remarqué la régularité des « attaques » de vers référentielles, tantôt temporelles (T), tantôt spatiales (S). L'attaque de ces derniers vers prend place dans la série :

[1] T
[3] S
[8] TS
[13] T
[20] S.

Mais les quatre premières amorcent une méditation aboutissant à une prière : Vous + impératif. Avec la cinquième, le mouvement se clôt par un retour à soi orienté vers l'action imminente, au moins souhaitée (« Que » conservant une certaine ambiguïté) : Je + subjonctif, et, plus encore, par modification, sinon renversement des éléments initiaux :

tour de verre = observatoire → tour = toit protecteur,

tour protectrice → tour dangereusement sûre (20),
de ma tour je contemple → que de ma tour je descende,
couché le long des rues → descende dans la rue,
mes semblables → mes frères,
visage de pierre → yeux bleus (21), mains dures.

Ce dernier adjectif désigne en outre *sûre* de [20] par épiphore du signifiant, ce qui engendre, du même coup, une nouvelle inversion de valeur apparemment surprenante, néanmoins motivée par les principes d'écriture en jeu dans ce texte :

tour *d*angereusement *s*ûre → mains à la *d*ureté *s*écurisante.

Il semble impossible d'esquiver la valeur ambiguë de « mains dures ». Une désignation purement référentielle fait voir des mains d'ouvriers (v. *H*. 2 61 64), le contexte excluant les paysans (visés explicitement dans *C*. 18 30 39), mais le travail sémantique en impose d'autres, « axiologiques », si l'on peut dire. Par corrélation textuelle avec des vers comme :

Les mains *sûres* qui m'ont livré à la solitude à la haine [...].
Il [mon cœur] est doux *à mes ennemis, à mes frères* aux mains blanches sans neige (12 22 17, 26), etc.,

les mains dures désignent la sûreté, l'efficacité dans l'offense et la destruction, mais la relation qui vient d'être mise en évidence, les faits désigner, simultanément et contradictoirement, la fermeté dans le secours et la protection. C'est, en partie, cette ambiguïté du pouvoir des « mains blanches » qui permet le pardon de *C*. 12 22 22-23 27 et de *H*. 20 94 28-95 44.

(20) Les *indices* rhétoriques sont nombreux dans ce texte ; aucun n'est aussi « indiscret » que cet oxymore : son éclat en fait d'abord un *signe* rhétorique. Nous avons eu l'occasion de souligner cet « affichage rhétorique » dont Senghor a toujours été, plus qu'un autre, friand et qui s'accentuera tout au long de sa production pour culminer dans les *Elégies majeures*. Marque de négritude, selon lui. Marque senghorienne beaucoup plus sûrement. Il faut reconnaître que cette figure, l'une des plus insolentes peut-être, n'en est pas moins motivée dans ce texte, bâti sur plusieurs réseaux d'oppositions, dont l'un se situe au cœur même du sujet écrivant. Il n'est donc pas « anormal » que cette dualité éclate, comme en abîme, dans la figure d'opposition par excellence qu'est l'oxymore. En outre, ce raccourci brutal enrichit avec une grande économie de moyens la conscience morale de la situation : lâcheté sclérosante et avilissante d'un isolement protecteur, etc. Le vœu de quitter sa tour est ainsi justifié.

(21) On retrouvera le même syntagme vers la fin du recueil :

[...] j'ai rêvé d'un monde de soleil dans la fraternité de mes frères
aux yeux bleus (25 50 49).

Il faut noter que la formule « délatinise » la France, traditionnellement présentée comme brune aux yeux bruns, pour souligner la largeur du fossé physiologique au-dessus duquel un pont est lancé. Césaire écrit de la même façon, mais sur un autre ton : « Architecte aux yeux bleus / je te défie » (*E*. 8 4-5).

Bref, compte tenu des transformations terminales, le poème peut s'inscrire dans le schéma suivant :

mouvement de recul → méditation → mouvement d'approche,

sans que, pour autant, les contradictions explicites ou implicites qu'il contient se trouvent résolues (22).

*
**

Plutôt que de conclure sur les diverses valeurs de ce poème, que nous avons essayé de découvrir page après page, mieux vaut insister sur l'écriture poétique en tant que telle. Le caractère le plus net est sans doute l'importance du référent et du « travail référentiel ». Tout, dans ce texte, est situé, est motivé, essentiellement par rapport à l'histoire personnelle du poète ainsi qu'à sa situation présente ; et c'est sur cette réalité référentielle (RE et RO) facilement énumérable et constamment perceptible que Senghor fait porter le travail poétique, en évitant un retour pur et simple au référent et en lui surimposant de façon régulière un signifié valorisable, souvent complexe et ambigu : nous sommes loin d'une technique révolutionnaire.

L'intérêt de ce travail tient moins aux procédés eux-mêmes, dont la plupart n'ont aucune originalité (ainsi : référent : étage supérieur d'une maison → métonymie : tour de verre → désignation « littéraire » occidentale : la mansarde du poète pauvre), qu'à la régularité de leur emploi, pour ne pas dire leur emploi systématique (isotopie rhétorique). La monotonie que Senghor considère, à tort, comme spécifique de la poésie négro-africaine, n'apparaît pas tant dans la répétition des syntagmes (laquelle est ici, somme toute, assez discrète) que dans celle des figures de « poétisation », ce qui est, du reste, un moyen efficace pour rendre cette figure signifiante.

La figure privilégiée semble être un jeu de dualité exprimé le plus souvent par une équivoque volontaire entre + et =, qui s'actualise tantôt par contiguïté syntactique (les migraines, les

---

(22) On ne prétend évidemment pas avoir dégagé toutes les relations et corrélations recelées par le texte. Comme le dit justement A. KIBEDI VARGA, à propos du rythme (*Les Constantes du poème*, 24), le nombre des oppositions est illimité. Ce qui distingue une lecture d'une autre est précisément le nombre, la nature, le classement, enfin l'interprétation des rapports découverts (à condition qu'ils soient contraints par le texte). Loin d'épuiser un poème, une lecture en exige d'autres et le texte ne prend ses sens que dans un dialogue constamment renouvelé entre le lecteur et l'œuvre, et entre les lecteurs de l'œuvre.

Ancêtres ; dans la brume dans la paix), tantôt par épiphore du signifiant *in praesentia* (rêves/rives ; Sine/Seine), soit enfin par un procès de symbolisation. Celui-ci peut être d'ordre syntaxique (les cheminées sont graves et nues) ou, plus fréquemment, relève d'un champ sémantique créé pour la circonstance, ainsi de collines et de fleuves.

Mais ce qui demeure, à notre sens, le plus intéressant, c'est la création, par des moyens strictement linguistiques, de mythes neufs. Le procédé (tout est procédé en poésie) devient processus créateur et l'on expérimente, positivement, l'élaboration verbale du mythe : on l'a rencontré, élémentaire, au vers 2, on a surtout retenu le vers 13 qui introduit un nouveau mythe de la mort. Il n'est pas superflu de noter que ce mythe apparaît dans un syntagme très lâchement relié au reste de la phrase, dans une simple apposition qualifiante, c'est-à-dire en manière de parenthèse : le poétique est ici créé non pas à l'intérieur, mais sur les bords du discours, là précisément où le savoir partagé rend le discours presque inutile. Le poétique peut, certes, avoir bien d'autres sources, mais au moins est-on en droit de souligner une fois encore l'importance de la relation et de la corrélation dans la création textuelle.

CONCLUSION

S'il est légitime de considérer, en première approche, que le style, en tant que pratique individuelle (t. 1, 15-16), est l'expression textuelle de certains principes d'écriture qui le sous-tendent, s'il est vrai que ces principes sont informés par la poétique dans laquelle ils s'inscrivent, s'il est admissible que la poétique soit elle-même conditionnée par les facteurs pragmatiques de sa genèse et de sa communication, la connaissance que nous pouvons avoir à présent, si lacunaire et superficielle qu'elle soit, de la pragmatique (première partie), de la poétique (deuxième et troisième parties) et des principes d'écriture (quatrième partie) de la négritude, nous autorise à nous interroger, en conclusion, sur sa singularité, c'est-à-dire à la fois sur son *unité* et sa *spécificité*.

Une et unique, c'est bien ainsi que la négritude se définit dans le discours qu'elle tient sur elle-même.

Or, à tous les niveaux où nous avons été conduits à l'envisager comme texte, peu nombreux, certes, mais déterminants (en particulier jeu des personnels, du rythme, des images), elle nous a donné l'apparence d'un univers éclaté. Si, à tel niveau, certains groupements de poètes sont possibles, la superposition de ces niveaux isole chaque poète de tous les autres.

Objectera-t-on, malgré nos justifications initiales, que la pluralité disparate provient de l'introduction abusive de quelques auteurs (Sissoko, Socé, Dadié, Keita) ignorés de la négritude « officielle », telle qu'elle est délimitable dans l'*Anthologie* de Senghor ? En fait, nous avons vu Senghor donner de la négritude une définition si laxiste (2, 4, t. 1, 361) qu'il ne fait aucun doute que, si les textes de ces quatre poètes avaient été publiés en temps voulu, ils auraient figuré dans l'*Anthologie*, ne fût-ce que pour étoffer la représentation de l'Afrique noire, écrasée par l'abondance antillaise. Au surplus, si ces auteurs prétendument excédentaires élargissent les assises de la négritude, ils inventent moins qu'ils n'organisent et accentuent différemment certains principes d'écriture que connaissent les poètes de l'*Anthologie* : l'orchestration de Keita se trouve chez Senghor, les schèmes répétitifs de Dadié chez Damas, la « prose » de Sissoko chez Niger, le vers bref de Socé chez Birago Diop, etc.

Cet éclatement textuel rend assez précaire le type de singularité que la négritude s'accorde à elle-même et que lui prête généreusement une bonne partie de la critique affectivement intéressée à lui donner raison : l' « africanité », qui sera considérée ci-après. Mais, d'un autre point de vue, cet assemblage d'incompatibilités, qui proclame et vit son unité, ne laisse pas d'être assez singulière, d'autant plus que ceux-là mêmes qui récusent son unité objective (Ménil, Mphahlele, Adotevi, Towa...) n'en sont pas moins forcés d'admettre, pour la combattre, sa réalité.

C'est qu'en effet cette unité existe, non pas où nous la cherchons, dans le texte, mais, avant lui, dans le sujet lui-même (et c'est aussi du côté du sujet que nous apparaîtra la singularité de la négritude). Pour préciser, l'unité réside dans la situation historique du sujet plus que dans la conscience qu'il en a. Voir dans l'homme de la négritude, comme le font Césaire (1, 1, t. 1, 51), Rabemananjara (3, 3, 111) et d'autres, la victime humiliée de la colonisation qui prend la mesure de son sort, bref, parler de communauté de destin est assurément plus probant, mais, sans doute, idéologiquement et poétiquement moins fécond que spéculer, comme Senghor, sur l'éternité d'une essence raciale qu'aucune vicissitude de l'Histoire n'a pu ni ne pourra altérer.

La négritude est donc dans la dépendance étroite d'une situation historique : la deuxième phase de la colonisation. Fille, souvent rebelle, parfois soumise (ne l'oublions pas) de la colonisation, la négritude meurt avec elle ou, du moins, perd avec elle sa justification. Elle peut exalter son combat pour la réhabilitation du noir et pour une liberté qui dépasse celle des hommes de couleur (1), elle demeure associée à l'histoire de la coloni-

(1) DAM., « La Négritude en question », 63 : « Certains de ceux qui aujourd'hui combattent la négritude n'étaient pas nés quand nous nous battions au quartier Latin en 1934 [et] à l'occasion de la guerre d'Espagne ou de la guerre d'Ethiopie. »

sation, donc au colonialisme et, pour certains, au néo-colonialisme lorsqu'elle se survit, sous forme d'idéologie, par exemple dans la bouche et en la personne de Senghor (2).

Cependant, contrairement aux allégations de Rabemananjara (3, 3, 111), si l'unité historique implique communauté de langue (le français), elle n'entraîne pas communauté de *langage* : les disparités d'écriture en témoignent. Le sujet collectif, sur lequel nous nous interrogions, le NOUS de la négritude (1, 3, t. 1, 112), postulé par la théorie, il est nié par le fait textuel, ce qui ne va pas sans une intéressante conséquence idéologique :

La négritude, au moins la négritude senghorienne, qui entend promouvoir *le* nègre, *la* civilisation africaine, ou noire, met en scène des individualités irréductibles les unes aux autres. Qu'ont en commun, qu'ont de commun un Ranaivo et un David Diop, un Birago Diop et un Damas ? Combien de fois n'avons-nous pas été conduit à souligner la place singulière et excentrique de Césaire (2, 1, t. 1, 224, 231 ; 2, 2, 243 ; 4, 3, t. 2, 358, etc.) au point de douter qu'il appartînt au mouvement dont il est l'un des fondateurs ? Ils ont tous la peau plus ou moins sombre mais, cela dit, ils ne parlent pas du même lieu, ils n'ont pas les mêmes visées, ils n'utilisent pas la même écriture. Transcendance du particulier, distinction collective, disait Rabemananjara (3, 3, 111). Tout au contraire : démembrement du collectif, triomphe du particulier. A son corps défendant la négritude contribue à abolir la représentation occidentale des nègres interchangeables (« ils sont tous pareils ») dans laquelle colonialisme, racisme et paternalisme trouvaient commodément leur compte. Cette individuation, clairement lisible dans les textes, invalide les tentatives, d'où qu'elles proviennent et quelles que soient leurs intentions, visant à enfermer les poètes de la négritude dans une spécificité unique.

Telle est pourtant, fruit du désir ou du besoin, l'attitude générale de la théorie et de la critique. On pose d'entrée de jeu qu'il existe une spécificité nègre, c'est-à-dire, par un glissement synecdochique maintes fois rencontré, africaine, dont la négritude serait l'expression « naturelle » : la poésie de la négritude permet de lire l'africanité. A quel niveau du texte se manifeste-t-elle ? soyons plus circonspect : à quel niveau la cher-

(2) « Ce qui ne fut au départ qu'un immense cri contre la colonisation et sa conséquence, l'*assimilation*, chez Aimé Césaire, va recevoir avec Léopold Sédar Senghor une expression théorique. Il va tenter de faire de la négritude une *idéologie* » (B. TRAORE, « Le Théâtre africain au Festival panafricain d'Alger », 181). V. les réticences de Césaire vis-à-vis de cette idéologie, 2, 4, t. 1, 357 n. 23.

che-t-on ? Question embarrassante pour les uns, réponse évidente pour les autres.

Le problème est abordé à Kampala en 1962 : qu'est-ce qui fait d'une œuvre une œuvre africaine ? « Est-ce à cause de son auteur, du thème développé, puisque le critère linguistique est écarté ? » Les réponses sont en général vagues ou contradictoires. La pensée est parfois circulaire :

> Ces œuvres doivent prendre profondément racine dans le sol africain, naître d'une expérience proprement africaine, battre au rythme de l'émotivité africaine. En un mot ce qui rend une œuvre africaine, c'est sa Négritude, telle que l'ont ressentie et exprimée Senghor et Césaire les premiers. Ce n'est pas la race ni le thème qui confère à une œuvre son caractère africain (3).

Malgré qu'il en ait, l'orateur pose en fait à côté d'un référent d'énonciation un référent objet spécifiquement africain. La race est impliquée par le premier, les thèmes par le second. Deux ans plus tard, L. Diakhaté définit la négritude comme un « *inventaire* des valeurs culturelles négro-africaines » (4). On pourrait multiplier de telles définitions. Objectivement, toutes renvoient à une situation d'énonciation postulée comme spécifiquement africaine et aux référents objets (donc, entre autres, aux thèmes) qui la *traduisent*

Aussi voit-on certains privilégier une « thématique » africaine. C'est ce que fait, par exemple, E. Mphahlele qui énumère quatorze « thèmes » spécifiques (5). Il n'a en vue que les romanciers, mais il n'est pratiquement aucun de ces thèmes qui ne figure, plus ou moins développé, dans la négritude. Comme il n'a pas été impossible d'organiser l'attitude référentielle de la négritude, malgré, là encore, nombre de différences, on ne peut négliger son *dit* : elle est sans aucun doute caractérisée par un certain thématisme : esclavage-colonisation-racisme, terre, soleil, passé, etc., qu'on ne trouvera nulle part ailleurs avec une telle emphase (2, 2, t. 1, 244).

Le référent objet manifesté par les textes implique une participation du sujet et par son *choix* et par son *regard* sur l'objet. Cependant cette participation paraît insuffisante à certains pour caractériser le sujet : elle peut tout au plus le localiser.

---

(3) B. FONLON, « Culture africaine et langues de diffusion... », 183.
(4) L. DIAKHATE, « Le Processus d'acculturation en Afrique noire... », 80. Souligné par moi.
(5) E. MPHAHLELE, « Writers and Commitment », 37 : conflit entre présent et passé, retour au pays natal, soulèvement contre la législation des colons blancs, etc.

Aussi sa singularité sera-t-elle cherchée non dans son rapport au dit mais au *dire*. On s'est référé plusieurs fois, pour la mettre en question, à une ancienne (1948) et importante déclaration de Senghor : « ce qui fait la négritude d'un poème, c'est moins le thème que le style » (6). Cette pétition de principe est au cœur de l'idéologie senghorienne. Elle perdra, toutefois, de son caractère exclusif. Senghor reconnaîtra tardivement que

> si la poésie est dans le « délice du bien dire », comme le dit Saint-John Perse, elle est, plus substantiellement, dans le thème : avant d'être dans l'expression, elle est dans la vision. Vision du monde, mais, plus profondément, vision de l'homme dans le monde (7).

Palinodie ? Pas exactement. Le style reste prégnant ; il est seulement motivé, ou, pour préciser, plus explicitement motivé qu'en 1948 où il était présenté comme la conséquence de la seule « chaleur émotionnelle ». Il va de soi qu'en se détournant du contingent pour appréhender l'essence et l'éternel, et, donc, s'en remettre aux « thèmes humanistes », Senghor ne pouvait que privilégier le *style*, comme mode de faire. Le style engage, en effet, plus profondément la singularité du sujet que son regard (tout en l'exprimant, selon cette conception). Le postulat de Senghor, qui était déjà celui de Sartre, qui sera celui de Jahn, consiste à définir comme nègre la singularité du sujet. Dès le moment que vous êtes nègre, c'est ce qui est nègre en vous qui s'écrit dans vos textes. Une telle problématique de l'écriture centrée sur le sujet, et sur le sujet ainsi défini, est sans conteste originale, quoi qu'on pense de sa validité, quoiqu'on puisse être très réservé devant la contamination, que nous avons notée après d'autres, entre race et culture. Par là-même, la négritude légitime les coups qui lui seront assénés et qui porteront sur le sujet, le sujet Senghor en particulier, beaucoup plus que sur son texte.

D'une telle problématique découlent deux types de lecture qui peuvent interférer de façon désagréablement circulaire, l'un focalisé sur le sujet, l'autre sur le texte, mais, évidemment, sur le texte dans son rapport avec le sujet.

Dans le premier cas, est nègre tout ce qu'écrit un nègre, quelle que soit la façon dont il écrive. Répondant à un reproche que nous retrouverons ci-dessous, un Africain s'insurge :

> Se permettra-t-on de cracher sur les joyaux poétiques d'un Birago Diop, par exemple, pour la seule raison qu'ils

(6) V. 1, 3, t. 1, 126, n. 51 ; 2, 2, 243, n. 15 ; 3, 1, t. 2, 35, n. 95.
(7) SEN., *L*. 3 (1971), 262.

sont truffés d'alexandrins et de sonnets ? Non, ce serait là commettre un vandalisme irréparable. Tant mieux si tel ou tel *poète noir* se sent à l'aise dans le vers classique français.

Poète noir et il suffit, car, comme dit le même, la négritude porte « nécessairement sur des *schèmes de pensée* et non pas seulement sur une quelconque forme d'expression » (8). Un autre affirme que, malgré les influences (« nécessaires ») qu'ils ont subies, les auteurs noirs « écriront en langue européenne, mais [que] leur accent sera nègre, toujours nègre », et conclut :

> Il n'y a pas en réalité dans la poésie africaine d'expression française une recherche originale mais plutôt la marque de l'entité nègre (9).

C'est bien, recherche d'originalité mise à part, le critère qui préside à la composition de l'*Anthologie* et qui permet à Senghor de ne pas s'embarrasser de la disparate des écritures, encore qu'il se garde de reproduire un seul des poèmes de *Sylves* ou de *Volumes*, dont on connaît l'inspiration symboliste et « fantaisiste ».

L'appréhension par le texte (le style du texte) est, d'abord, le fait de Jahn (3, 4, 131), à qui Frobenius et Sartre ont préparé la voie, puis d'une grande majorité de lecteurs africains et européens. Le texte recèle, pour qui sait lire, des schèmes d'écriture, lesquels ne sont que l'application des schèmes utilisés par la poésie orale traditionnelle : image donc de la « rhétorique africaine », pour ne pas dire simplement : « nègre » (3, 3, 112-128). Mais les quelques figures et procédés qu'énumèrent Senghor et Jahn, s'ils se manifestent, très inégalement, dans la négritude, nourrissent également tout langage poétique, à une époque au moins de son histoire. Ainsi, parmi beaucoup d'autres, des assonances-allitérations (4, 1), des désignations étymologiques (4, 3, 315 s.), etc. Senghor est bien forcé de le reconnaître : certes, ils se retrouvent ailleurs, mais dans un autre équilibre (1, 1, t. 1, 29). La détermination de ce dosage risque d'être délicate et de tromper l'espoir de l'enquêteur. On peut raisonnablement supposer que l' « équilibre » propre à la poésie négro-africaine est déterminé avant tout par le rythme (3, 3, 125 ; 3, 4, 143 s. ; 4, 2, 229-231). Si, indépendamment de toute modalité, on ne considère que le *poids* du rythme, présenté comme despotique, force est de constater que seuls Damas et Dadié obéissent

(8) R. PHILOMBE, « L'Avenir de la poésie camerounaise », 169-170. Souligné par moi.

(9) B. KOTCHY, « Les Recherches formelles originales dans la poésie », 95.

à cette « tyrannie », Socé déjà beaucoup moins. Le rythme senghorien est sans doute original, mais il ne *pèse* pas plus que le
rythme ordinaire de la poésie française. Ailleurs il n'est pas
fondamental ; il paraît même, à l'occasion, secondaire.

Il reste que parler d'une redistribution d'éléments communs
à tout langage poétique, c'est jeter les bases d'une enquête,
certes difficile, peut-être irréalisable, mais dont les présupposés
sont acceptables. Senghor, néanmoins, n'occupe pas la position
et bien d'autres avec lui : porté par l'idéologie, il ne peut échapper à l'attraction du sujet. Il constate chez un poète « nègre »
(plus justement : qu'il considère comme tel) un grand nombre
de mots forgés : « lancinance », « dessoleillé », « souvenue »,
« paysager », etc. Nous avons signalé le goût de certains poètes
de la négritude, singulièrement les Antillais, pour la dérivation
(« lancinance », par exemple, ne leur est pas inconnu : 3, 2,
70), sans pouvoir en faire un témoignage de négritude tant
est fréquente, à certains âges de la poésie, la création lexicale.
S'y livrer, pour Senghor, c'est sans doute jouer sur le « clavier »
de la langue française dont la grammaire offre des « morphèmes » en abondance, mais c'est « surtout » écouter le génie des
langues négro-africaines, c'est faire « exactement comme les
ouvriers sénégalais, qui disent qu'ils " grêveront " » (10). Bref,
toute marque stylistique personnelle, pour peu que la personne
soit nègre, est marque de négritude (ou de négrité, d'africanité, etc.).

Même lorsque la pression idéologique est moindre et que
l'objectif est la réalité littéraire, le lecteur résiste mal à la
tentation de regarder du côté du sujet. C'est ainsi, par exemple,
qu' « un poème nègre se caractérise[rait] par la jouissance
heureuse qu'il laisse toujours percer, même lorsqu'il est des
plus tragiques. [...] Tout poème nègre [serait] un chant de grâce,
un acte de foi dans la résurrection du monde » (11). Impression
défendable, mais, de nouveau, recours, déguisé, au sujet, qui se
fond dans un « lieu nègre » passablement mythique. « Jouissance
heureuse », « chant de grâce » (et grâce du chant) pourraient
rendre compte de l'*attitude* langagière d'une moitié de la négritude, dont Senghor et Ranaivo, Rabemananjara et Tirolien,
Dadié et Socé, plus discutablement pour les autres ; mais sur
quelle réalité textuelle étayer cette impression ?

On est tenté de conclure : il n'y a pas d'objet négritude,
la négritude n'existe qu'en tant que sujet. L'objet ne paraît

(10) SEN., « La Négritude métisse », 30. Le poète en question est le Mau-
ricien Maunick.
(11) J. CORZANI, *La Littérature des Antilles-Guyane...*, t. 4, 36.

tel qu'autant qu'il est considéré comme la projection d'un sujet préalablement construit.

Mais là réside peut-être la singularité de la négritude : d'une part, dans le fait de se poser et de s'imposer comme sujet, de l'autre, dans la contradiction entre la définition théorique du sujet (collectif et continûment nègre) et sa réalisation pratique dans les textes (individuel et occasionnellement nègre). Le style de la négritude serait donc à chercher non dans le sujet mais dans sa situation réelle d'écriture, ni dans un certain nombre de figures « indigènes » mais dans l'énonciation du sujet dans le texte (3, 4, 171).

Il faut néanmoins avoir l'honnêteté de reconnaître que cette dernière conclusion découle moins des faits textuels que de la méthode utilisée pour les appréhender. L'application des méthodes de la linguistique structurale, telle surtout qu'elle a été effectuée dans la quatrième partie, permet sans doute de définir le (ou un) fonctionnement du langage en tant que poétique, non d'un langage poétique en tant que (hypothétiquement) spécifique. Bref, le présent travail, dans la mesure où il est probant, éclaire davantage le poétique en général que la négritude en particulier, ou, si l'on préfère, essaie de rendre compte de la négritude en tant qu'elle ressortit au langage poétique. Une recherche centrée sur sa spécificité textuelle implique, à chaque niveau d'analyse, une comparaison systématique avec d'autres types d'énoncés (mais lesquels ?). Au contraire, une recherche centrée sur l'énonciation (1, 3) met d'autant plus aisément en évidence la singularité de la négritude que l'énonciation poétique occidentale est assez simplement codifiée et que l'énonciation de la négritude semble la projection textuelle d'une situation pragmatique, elle-même des plus singulières (1, 4).

Dans sa situation, sa conception du sujet et son énonciation, la négritude manifeste donc une indubitable singularité. Le poéticien pourrait se satisfaire de ce constat, mais non le sujet même de la négritude ni ses lecteurs dans la situation historique où ils se trouvent. En effet, la singularité qui vient d'être cernée laisse entière la question de sa nature. Or l'idéologie exige de la définir et de la définir comme nègre. *Il faut* en d'autres termes, que la négritude soit textuellement *authentique*, qu'elle produise des « œuvres africaines », comme le demandaient les congressistes de Kampala, et elle ne sera acceptée qu'autant que cette authenticité nègre sera, sinon prouvée (l'idéologie n'en demande pas tant), du moins crédible.

Il va de soi que ce problème est résolu avant même d'être posé par tous ceux qui, comme on vient de le rappeler, ne peuvent considérer le sujet que comme nègre, authentiquement nègre, de la moelle de ses os à la pointe de sa plume. Et peut-être est-ce être « nègre », précisément, que de considérer ainsi le texte, c'est-à-dire, à nos yeux d'Occidentaux, de ne pas le considérer comme texte. Peut-être est-ce aussi la raison pour laquelle tant d'Occidentaux se contraignent idéologiquement à « voir nègre », comme dit Adotevi (2, 4, t. 1, 391) : « voir nègre », ou penser qu'on peut « voir nègre », c'est, nécessairement, croire aveuglément à l'existence d'une essence nègre. On ne sort pas de l'idéologie et c'est, sans doute, une nouvelle originalité de la négritude que d'imposer un regard (celui du sujet-auteur comme du sujet-lecteur) foncièrement, voire uniquement idéologique. Mais dès le moment que cette idéologie est refusée, au nom d'une autre, le postulat du sujet authentique s'écroule et l'on admet un hiatus entre la moelle et la plume.

L'hiatus existe objectivement entre le sujet malgache ou africain élevé dans une culture et dans une langue autochtones et le texte qu'il écrit dans une langue et, qu'il l'accepte ou non, par référence à une littérature, l'une et l'autre étrangères.

Le recours au sujet nègre peut évacuer ce double obstacle : quels que soient la langue et les interprétants littéraires utilisés, le sujet demeure nègre et, donc, la négritude appartient de plein droit à la littérature africaine. Mais dès le moment que le sujet est considéré non plus comme signifiant son texte, mais comme signifié par lui, la négritude est reversée dans la littérature française (12). Dans quelle littérature l'intégrer ? La question n'a pas beaucoup d'intérêt ni de sens. La négritude appartient à la littérature qui l'accueille. Ce fut pendant quelques décennies la littérature française, c'est davantage à présent la littérature africaine, c'est-à-dire la littérature telle que l'Afrique « franco-phone » paraît aujourd'hui en éprouver le besoin (t. 1, 3, n. 1). Cette adoption durera-t-elle ? Elle est avant tout solidaire du sort qui sera fait au français (1,4, t. 1, 184-185 ; 3, 3, t. 2, 96-97). Pour le reste, toute supputation est gratuite.

Il est plus intéressant de rappeler que neutraliser, comme le font Jahn et ses suiveurs, le poids contraignant de la langue et de la littérature d'écriture, c'est prouver une myopie qui invalide toute conclusion. Le seul point de départ admissible est de constater que la négritude écrit *pour le moins* à partir

---

(12) La première opinion est celle de Sartre, Senghor, Jahn, Diakhaté, Cornevin (*Littératures d'Afrique noire...*, 252), etc. Pour la seconde, v. 2, 4, t. 1, 402, appel de n. 124 ; 3, 2, t. 2, 87, n. 136. Cf. A. WADE, « Afrique noire et Union française » (1953), 137, W. SOYINKA, *Myth, Literature and the African World* (1976), 136, etc.

du français et de la littérature française, celle-ci constituant, parce qu'écrite, une référence plus palpable que les traditions orales.

Cela concédé, on pose ordinairement que le but de la négritude est de procéder à l'africanisation et de la langue et de la littérature. Dans une large mesure, c'est exact, mais il est abusif de considérer que telle est son unique intention. Le public français auquel elle s'adresse d'abord, et pendant des années : seulement (1, 4), lui impose un certain nombre d'obligations d'écriture, très généralement acceptées sinon approuvées. Il y a plus : Damas, jugeant l'œuvre accomplie, ne soutenait-il pas :

> Chacun des représentants de la négritude, avec son tempérament propre, a essayé d'enrichir l'humanité, *d'enrichir aussi la langue française*. [...] Césaire et moi, nous savons que nous méritons l'estime non seulement *de la France*, mais encore du Tiers-Monde (13) ?

Senghor, Rabemananjara ne pensent pas autrement, déjà Rabearivelo. Seuls échappent à ce désir les Sissoko, Socé, Roumain, Dadié, Keita et David Diop. Ne voir (ne chercher à voir) que la part africaine de la négritude, c'est se cacher une part importante de son intenté. Telle est pourtant l'attitude très nettement majoritaire de la critique africaine et occidentale qui entend ne se nourrir que d'*authenticité,* cri de ralliement de la négritude et des politiques africaines toutes tendances confondues.

Si cette authenticité ne se manifeste pas immédiatement dans les faits textuels ou dans l'être du sujet, la critique se montre sévère. U. Beier trouvait « difficile de croire un poète africain qui parle de " ruisseaux murmurants " et de " roses d'amour " » (4, 2, 253, n. 36), Césaire censurait sous la plume de Rabemananjara l'abus d'un vocabulaire post-symboliste (3, 2, 48), un autre qui condamne (comme Césaire) l'usage de l'alexandrin et du sonnet (3, 2, 52, n. 13), reproche aux poètes noirs « d'évoquer [...] des thèmes grecs », « de pleurer devant une rose qui se fane », « de moissonner des baisers sur les lèvres d'une jeune fille livide », etc. (14). On a vu Ménil crier à la trahison parce que Césaire et Senghor « adorent » Novalis, Frobenius, Bergson et les surréalistes (3, 2, 87, n. 136), on a vu des congressistes faire grief à David Diop d'une expérience africaine insuffisante (2, 4, t. 1, 370), etc.

C'est porter sur la poésie un regard brouillé par la passion idéologique. Les mêmes qui stigmatisent en Dadié tels stéréo-

---

(13) DAM, *loc. cit.* Proposition reprise dans son « Discours de clôture » au Colloque de Dakar sur la négritude (1971), 242.
(14) Ch. NGANDE, « La Poésie camerounaise », 136.

types, usés à la trame il est vrai, garantissent l'authenticité africaine des « Lueurs » de Birago Diop. Mais nous savons (4, 2, 260, n. 45) que les poèmes « les plus africains » de B. Diop sont, eux aussi, rythmés et rimés à la française. C'est s'en remettre à nouveau, pour juger B. Diop, à l'authenticité du thème et peu importe l'écriture rendue transparente pour les besoins de la cause ; c'est, pour Dadié, inverser le point de vue et lui imputer à crime d'avoir choisi dans la tradition française un « mauvais » modèle. Mais, encore que tous ne soient pas d'accord (Ménil, Mphahlele, etc.), il est acceptable d'élire comme modèles Rimbaud et le surréalisme, Claudel ou Perse, au nom, sans doute, de l'interférence (3, 1, 24 s.).

Outre le déplacement intéressé du point de vue qui rend les conclusions suspectes, une telle argumentation est assez irréaliste. On soutient que Corneille, Hugo, Lautréamont... sont « négrifiables », mais le jeu ne porte pas sur les auteurs, il porte sur leurs styles qui, très variés, fonctionnent, culturellement, dans le domaine français. La théorie de l'interférence, qui confond volontiers écriture et vision du monde, paraît beaucoup plus la justification *a posteriori* d'une inclination personnelle que la motivation *a priori* d'un sujet collectif. Si le recours à Claudel, au surréalisme... se trouve vaille que vaille expliqué, on ne rend pas compte de l'influence du romantisme, du symbolisme, du « fantaisisme »... Partageant la culture et les lectures de leurs homologues français (3, 1, 21), les poètes de la négritude utilisent, dans leur majorité, les mêmes interprétants que la poésie française « de la période correspondante ». Pourquoi Baudelaire, pourquoi Apollinaire..., sinon parce qu'ils informent ou continuent d'informer la poésie des années 1930-1950 ? Comment accepter qu'Apollinaire soit retenu pour la seule raison qu'il aimait à dormir parmi ses fétiches de Guinée ?

Finalement, ce qu'on reproche à Dadié, au premier Rabearivelo, c'est de choisir des modèles démodés, démodés dans la conscience occidentale. Mais, en fait, que l'on *imite* Musset ou Toulet, les clichés symbolistes ou néo-classiques, Rimbaud ou Breton, c'est tout un : l'interférence est surtout un prétexte idéologique. Ce jeu d'interprétants non pas strictement français, mais à dominance française, sauf chez quelques-uns (Damas, Ranaivo, Dadié, malgré Beier, Sissoko, Socé, Keita), nuit peut-être à ce qu'on entend par authenticité africaine, mais non à la singularité de la négritude.

Le recours (historiquement nécessaire) à la langue française, l'acceptation (moins nécessaire, mais malaisément éludable) de modèles d'écriture français ne sont pas sans conséquences sur une authenticité elle-même assez problématique. Soutenir que la langue d'écriture, à plus forte raison lorsque s'y ajoutent des pratiques culturalisées, se superpose à l' « essence » du sujet sans toucher à sa plénitude, c'est s'abuser dangereusement. Le pouvoir expressif de la langue se double d'un pouvoir informant. Bilingues, les poètes de la négritude, et Jahn, ont sans doute plus d'excuses que d'autres à l'oublier, mais le fait demeure (3, 3, 92 s.).

La négritude et son lecteur complaisant sont donc contraints d'établir une distance entre le texte et la langue littéraire d'écriture. D'où deux principes de singularisation, à l'œuvre à fois dans l'écriture et surtout dans la lecture : enrichissement et rupture.

On a souligné combien « il est difficile de vraiment innover dans une langue [le français] qui a un passé si long et si riche [...] ; venu tard dans un monde très vieux, le poète le plus nouveau fait, qu'il le veuille ou non, figure d'héritier, si ce n'est d'épigone » (15). Il ne semble pas que les poètes et les critiques de la négritude aient véritablement pris la mesure de cette pression coercitive d'une longue tradition littéraire. Tout se passe encore une fois comme si la conscience de la singularité du sujet (nous sommes autres ; ils sont autres) suffisait à entraîner la singularité textelle. Bref, Rabemananjara (3, 3, 111), M. Kane, etc., soutiennent l'originalité de la négritude par rapport à la littérature française grâce à l'introduction de formes typiquement africaines. Il n'est pas certain, cependant, que là où ils disent (ou pensent) « formes », il ne conviendrait pas de lire surtout *thèmes* ou de comprendre *genres*. Senghor composant des « woï » (devenus « guimm » dans les dernières éditions des *Poèmes*), Birago Diop des « kassak », Ranaivo des « hain teny », Rabemananjara des « antsa », couleraient dans des genres authentiquement africains (ou malgaches) des « techniques » d'écriture « issues de l'évolution poétique contemporaine » (Kane, « Actualité... », 227). La caractérisation des « techniques » mise à part, car elles regardent aussi vers le passé, on s'assure que la littérature française est ainsi « enrichie » de genres ignorés de sa tradition.

En outre, la source de l'écriture serait non pas française mais africaine. En ce sens, à l'exception de Ranaivo et du dernier Birago Diop, mieux vaudrait citer Keita et Sissoko qui partent beaucoup plus régulièrement, sinon constamment, de modèles étrangers à la pratique occidentale. Dans cette perspec-

(15) P. IMBS, « Etude sur la syntaxe [...] de Paul Claudel », 276.

tive, cet « accent africain dans les lettres françaises », dont parlait Delavignette dès 1945, serait produit non par africanisation du français, mais par francisation de formes africaines. Si l'on peut admettre que l'Afrique soit ainsi première chez les moins connus des poètes de la négritude, par là les plus originaux dans le système français, on est beaucoup plus réticent pour ce qui est des noms le plus souvent cités, ainsi que pour les Brierre, les Niger, les Tirolien. Chez eux, le processus paraît inversé.

Un auteur à qui nous nous sommes plusieurs fois référé en 1, 4, disait qu' « africaniser l'enseignement ne consiste pas à remplacer dans les livres Pierre ou John par Mamadou, le blé par le mil, le *Roman de Renart* par les aventures de Leuk-le-lièvre » (16). Force est de constater que la négritude s'est parfois contentée d'une telle africanisation, ainsi lorsque Ménil remplace la rencontre fortuite du parapluie et de la table de dissection par celle « d'un cannibale et d'une chabine » « dans la forêt antillaise » (3, 2, 518). De même Senghor africanise Baudelaire à bon marché en écrivant : « Mon cœur est un *tam-tam* détendu et sans lune » (*E.* 16 148 6) ou : « Je suis le *marigot* au long de la saison » (18 150 5) (cités 3, 2, 71, n. 77). De façon générale, ne peut-on pas dire que Rabearivelo « malgachise » Toulet , que Senghor « sénégalise » Perse et Claudel, que Césaire « antillanise » le surréalisme, etc. ? Dans ce cas, fréquent, c'est bien la littérature française qui est première, qui est, en quelque sorte, sujet.

Mais peu importe, pense-t-on volontiers. Un résultat est atteint : la création d'une littérature originale qui fonde la possibilité d'une littérature « nouvelle ». On le dit, par exemple de l'écriture de Césaire :

> Ce langage, par sa luxuriance, ses images, ses rythmes particuliers, se donne comme prélude à une langue antillaise, intégrant, par delà l'exotisme, des mots créoles, du français archaïque, de l'espagnol (17).

On se permet deux réserves. Y a-t-il africanisation (négrification) ou bien individuation par un Africain (un nègre) ? On se rappelle une mise en garde de Césaire (3, 4, 140, n. 33) : pas de recours aux moules traditionnels français (risque d'assimilation), pas de recours non plus aux moules traditionnels africains (risque d'exotisme). Le projet vise donc bien une écriture *individuelle*, même si l'individu concerné s'exprime à partir d'une situation collective spécifique.

(16) LE THANH KHOI, *L'Enseignement en Afrique tropicale*, 9-10 et 377.
(17) S. SAUTEREAU et A. VELTEN, « A l'Echancrure du poème », 369.

D'autre part, ainsi que le soulignait un Formaliste, la nouveauté, en littérature, se fait non par « un renouvellement et un remplacement soudain et total des éléments formels, mais [par] la création d'une *nouvelle fonction de ces éléments formels* » (18). Or il n'est pas certain que la négritude mette en œuvre de nouvelles fonctions. Elle se contente apparemment d'adapter les fonctions en usage en Occident. C'est ce que lui reproche Adotevi lorsqu'il l'accuse d'être « le discours noir de la pratique blanche » (19).

A cette objection veut répondre le second principe : la rupture.

L'idée a été lancée par Sartre : les poètes noirs se livrent, de l'intérieur, à une destruction du français, langue du colonisateur abhorré :

> Puisque l'oppresseur est présent jusque dans la langue qu'ils parlent, ils parleront cette langue pour la détruire. Le poète européen d'aujourd'hui tente de déshumaniser les mots pour les rendre à la nature ; le héraut noir, lui, va les défranciser ; il les concassera, rompra leurs associations coutumières, les accouplera par la violence (20).

Ils écrivent donc en français, mais contre le français. Un tel usage de la langue, outre qu'il témoigne révolte et volonté de libération, prouverait l'originalité de la négritude. Les raisons invoquées par Sartre (et Lamming, et Jahn : 3, 3, 107-108), ne tiennent pas. Loin d'éprouver de la haine pour le français, la négritude lui manifeste, au plus, un attachement passionnel, au moins, une acceptation résignée (3, 1, 15 ; 3, 3, 92-96). Mais sa proposition est fréquemment reprise au nom d'autres principes : l'incapacité du français à exprimer, sans aménagements, les « abysses » de l' « âme noire » (3, 3, 100-102). Au risque d'enrayer la communication entre noirs, dont le français est l'irremplaçable véhicule (1, 1, t. 1, 55-56), on refuse les pratiques françaises du français.

A l'évidence s'ouvre ici une voie originale. A-t-elle été suivie ? Rabemananjara en est convaincu : la négritude a malaxé, torturé, désarticulé le français (3, 3, 108). Certains le soutien-

---

(18) J. TYNIANOV, « De l'Evolution littéraire », in *Théorie de la littérature*, 136.

(19) S. ADOTEVI, *Négritude et négrologues*, 264.

(20) SARTRE, « Orphée noir », 247. Il faut cependant préciser que Sartre voit dans cette attitude le fondement « de toute expérience poétique ». Les poètes de la négritude s'inscrivent dans le grand courant de la poésie contemporaine dont « le but profond », « de Mallarmé aux Surréalistes », est « l'autodestruction du langage ». On ne sort donc pas de « la pratique blanche ».

nent avec lui (t. 1., 364 appel de n. 47, etc.). D'autres restent sceptiques (3, 3, 109). Ils ont raison. Les audaces de la négritude sont plus théoriques que réelles et paraissent, dans l'ensemble, moins fortes que celles des Français de souche. Elles ne concernent guère que le lexique. Les seuls à manifester quelque indépendance, ce sont les Antillais, et non pas tous : Césaire, Damas. Mais, ce faisant, se conduisent-ils en Antillais ou comme des Français « de souche » ? Ne pas oublier qu'ils sont de culture profondément, sinon strictement française. Au reste, les audaces de Césaire s'inscrivent dans le surréalisme. Celles de Damas seraient plus originales. Mais pour les Africains *de cette génération* ? Se sentent-ils libres de violer la langue quand ils savent que le public français, dont ils escomptent les suffrages, recevra ces « écarts » comme autant de signes d'ignorance et en tirera prétexte à dénigrement ? Il existait déjà, il existe plus encore, un « français d'Afrique ». Les conditions historiques et politiques en interdisaient l'emploi. Quant aux moins occidentalisés des poètes de la négritude (Sissoko, Socé, Dadié, Keita), leur langue se dégage mal du français scolaire auquel ils ont été rompus dès l'enfance : comment pourraient-ils se montrer audacieux ?

La négritude, une vaste entreprise de subversion ? Non. Bien sûr, on sent, ici et là, ou une indifférence vis-à-vis des canons du modernisme français, ou une certaine inversion des valeurs, surtout dans le thématisme. Mais même en considérant qu'indifférence vaut opposition et en généralisant (abusivement) cette opposition, on n'aboutit pas à une littérature *subversive*, au sens où l'entend Duvignaud (21) : qui désire « la destruction du système global ». Dans aucune de ses manifestations la négritude ne prend figure d'hérésie. Elle s'exprime du sein de la littérature française. Sans doute ne vise-t-elle pas à la conservation du « système global », mais elle l'accepte. Seul, peut-être, Damas, dans ses accès de violence, s'attaque à certains de ses principes. De manière générale, si les fonctions qui régissent la création littéraire suivent parfois un autre mode, singularisant, elles ne changent pas de nature. Lorsque Senghor déclare :

> Pour moi la poésie est la chose au monde la plus essentielle. L'acte le plus important que je puisse faire, c'est écrire. Autrement je suis livré à la vie politique. Je pense que c'est une vie superficielle parce qu'elle ne s'intéresse qu'au côté pratique et matériel de l'existence. Le domaine sérieux, pour moi, c'est le domaine de la culture (22),

(21) J. DUVIGNAUD, *L'Anomie. Hérésie et subversion*, 23-24.
(22) N. DORMOY-SAVAGE, « Entretien avec Senghor » (1974), 1070.

il s'exprime d'un lieu traditionnel et reproduit le type « humaniste » de l'homme de lettres. Certes, la négritude n'est pas composée que de Senghors mais l' « engagement » et l'activité politique de certains de ses membres ne limitent pas sensib'ement la portée de cette image.

Une telle inféodation à la tradition française interdit de définir la négritude en termes de révolte ou de contestation et hypothèque son autonomie textuelle. Autonomie perceptible néanmoins, non seulement parce que cette poésie recèle vraisemblablement un grand nombre d'interprétants africains (3, 2, 55) qui échappent à un regard européen, mais surtout parce que son énonciation (entendre par là ses modalités d'écriture et de communication, donc de lecture) est, dans l'histoire littéraire, singulière et nouvelle. Cette originalité suffit-elle pour créer une poésie « nègre », ce que, compte tenu du domaine que nous avons circonscrit et prospecté, on pourrait s'amuser à nommer *négriture* ? au lecteur d'en décider. Il est certain, en tout cas, que la négritude (même avec une « négriture » problématique) permet de parler du nègre autrement qu'on ne faisait avant elle, autrement qu'elle ne fait elle-même.

CORPUS ET ABREVIATIONS

BRI. : BRIERRE Jean-Fernand

    G : *Nous Garderons le dieu*, Port-au-Prince, impr. Deschanmps 1945, 28 p.

    B : *Black Soul*, La Havane, Editorial Lex, 1947, 58 p.

    P : *Dessalines nous parle...*, Port-au-Prince, coll. du Sesquicentenaire de l'indépendance d'Haïti, impr. Deschamps, 1953, 8 p.

    S : *La Source*, Buenos Aires, coll. du Jubilé du docteur Jean Price-Mars, 1956, 38 p.

    N : *La Nuit*, Lausanne, impr. Held, 1957, 44 p.

    O : *Or, uranium, cuivre, radium*, Port-au-Pince, coll. Librairie indigène, impr. N.A. Théodore, 1961, 25 p.

    D : *Découvertes*, Paris (P.) Présence africaine (P.A.), 1956, 36 p. (1).

CES. : CESAIRE Aimé

    R : *Cahier d'un retour au pays natal* (1939-1947), P., P.A. 1956, 92 p.

    A : *Les Armes miraculeuses* (1946), P., Gallimard, 1961, 196 p.

    A2 : *Les Armes miraculeuses*, id., coll. Poésie, 1970, 160 p.

(1) A l'exception de *Découvertes*, tous les textes de notre corpus figurent dans *10 Works*, Kraus reprint, 1973. Il a paru opportun d'écarter, outre les saynètes, les 22 poèmes du premier recueil (*Chansons secrètes*, 1933, 74 p.) moins du fait de sa fadeur néoclassique (« La Parque t'emportera dans la terre avec elle »..., p. 63) et de ses alexandrins rimés que pour ne pas donner un poids relatif trop lourd à un auteur dans une large mesure suranné, dont l'influence au sein de la négritude et à l'extérieur est à peu près nulle.

E : *Et les Chiens se taisaient* (arrangement théâtral) (1944-1956), P., P.A., 1962, 124 p.

S : *Soleil cou-coupé*, P., K éditeur (Kraus Reprint, 1970), 124 p.

P : *Corps perdu*, P., Fragrance, 1950, 126 p.

C : *Cadastre* (1948-1950), P. Seuil, 1961, 94 p. (2).

F : *Ferrements* (1950-1960), P., Seul, 1960, 92 p.

N : *Noria*, in *Œuvres complètes*, t. 1, *Poèmes*, P.-Fort-de-France, Désormeaux, 1976, p. 293-319.

M : *Moi, laminaire...*, P., Seuil, 1982, 94 p.

DAD. : DADIE Bernard Binlin

A : *Afrique debout* (1950), in *Légendes et poèmes* (1966), P., Seghers, 1973, p. 9-32).

R : *La Ronde des jours* (1956), *ibid.*, p. 225-257).

H : *Hommes de tous les continents*, P., P.A., 1967, 102 p.

DAM. : DAMAS Léon-Gontran

P : *Pigments* (1937), in *Pigments, Névralgies*, P., P.A., 1972, 158 p., p. 11-80.

G : *Graffiti*, P., Seghers, 1952, 40 p. (3).

B : *Black-Label*, P., Gallimard, 1956, 84 p.

N : *Névralgies* (1966), in *Pigments, Névralgies*, p. 81-154.

BDP. : DIOP Birago

Leurres et lueurs (1960), P., P.A., 1961, 86 p.

DDP. : DIOP David

Coups de pilon (1956), P., P.A., 1973, 62 p.

KEI. : KEITA Fodeba

P : *Poèmes africains* (1950), P., Seghers, 1958, 62 p.

A : *Aube africaine*, P., Seghers, 1965, 84 p. (4).

(2) *Cadastre* ne contient, avec de nombreuses suppressions et corrections (étude des variantes dans M. HAUSSER, « Du Soleil au Cadastre »), que des poèmes précédemment publiés dans *S.* et dans *P.* Lorsqu'il y a concordance, les citations sont données d'après *C.*, plus accessible que *S.* et, surtout, que *P.*, luxueux recueil illustré de 32 gravures de Picasso.

(3) Tous les poèmes de *Graffiti* sont repris, avec quelques variantes, dans *Névralgies*, qui en ajoute une trentaine. C'est le texte de *N.* plus riche, qui est retenu comme référence.

(4) *Aube africaine* reprend, dans un ordre différent, cinq des sept textes de *Poèmes africains* et ajoute une pochade burlesque (A. 4 41-54).

(Suite p. 417)

NIG. : NIGER Paul (BEVILLE Albert)

Initiations, P., Seghers, 1954, 46 p.

RBR. : RABEARIVELO Jean-Joseph

C : La Coupe de cendres, Tananarive, impr. G. Pitot de la Beaujardière, 1924, 40 p.

S : Sylves, Tananarive, impr. de l'Imerina, 1927, 102 p.

V : Volumes, Tananarive, impr. de l'Imerina, 1928, 110 p.

P : Presque-Songes (1934), in Poèmes, Tananarive, impr. officielle, 1960, 218 p., p. 27-83.

T : Traduit de la Nuit (1935), ibid., p. 85-119 (5).

RBM. : RABEMANANJARA Jacques

M : Sur les Marches du soir, Gap-P., Ophrys, 1942, 78 p.

C : Lyre à sept cordes (cantate), in l'Anthologie de Senghor, p. 195-203.

R : Rites millénaires, P., Seghers, 1955, 32 p.

A : Antsa (1956), P., P.A., 1961, 68 p.

L : Lamba (1956), P., P.A., 1961, 84 p.

D : Antidote (1947-1950), P., P.A., 1961, 48 p.

O : Les Ordalies, P., P.A., 1972, 64 p.

RAN. : RANAIVO Flavien

O : L'Ombre et le vent, Tananarive, impr. officielle, 1947, 28 p.

C : Mes Chansons de toujours, P., chez l'auteur, 1955, 30 p.

R : Le Retour au bercail, Tananarive, impr. nationale, 1962, 38 p. (6).

Les deux poèmes non repris dans A. concernent les relations heureuses entre noirs et blancs. Le changement idéologique est d'autant plus net que A. s'ouvre sur « Minuit », exécution sommaire d'un Africain en 1892 et se clôt sur « Aube africaine », dont le héros est massacré à Thiaroye (v. SEN., H. 19 90-91) en octobre 1944. Pour les poèmes communs le texte de A. est plus court que celui de P. On note quelques corrections grammaticales et stylistiques et, surtout, la suppression des notes : tout se passe comme si un autre public était visé : non plus européen mais africain.

(5) Le corpus « rabearivelien » est incomplet. Certains textes ont été volontairement écartés : Imaitsoanala... (1935) comme légende dramatique, Vieilles Chansons des pays d'Imerina (1939) comme adaptation en prose de textes malgaches. D'autres sont restés introuvables : Chants pour Abeone (1936), Lova (1957) et Des Stances oubliées (1959).

(6) Ces trois recueils ont fait l'objet d'un retirage par Kraus, en un volume (1970).

ROU. : ROUMAIN Jacques

> *Poèmes* (1945), in *La Montagne ensorcelée*, P., Les Editeurs français réunis, 1972, 286 p., p. 227-283 (7).

SEN. : SENGHOR Léopold Sédar

C : *Chants d'ombre* (1945), in *P.* , p. 7-52.

H : *Hosties noires* (1948), in *P.*, p. 53-96.

T : *Chants pour Naëtt*, P., Seghers, 1949, 48 p. (8).

E : *Ethiopiques* (1956), in *P.*, p. 97-168.

N : *Nocturnes* (1961), in *P.*, p. 169-215.

D : « Poèmes divers » et « Traductions », in *P.*, p. 217-223 et 385-402.

A : *Elégie des alizés*, P., Seuil, 1969, 28 p. (cité, sauf exception, comme *M.* 1, in *P.*, p. 257-270).

L : *Lettres d'hivernage* (1972), in *P.*, p. 225-256.

P : *Poèmes*, P., Seuil, 1984, 415 p. (9).

M : *Elégies majeures* (1979), in *P.*, p. 257-330.

SIS. : SISSOKO Fily Dabo

> *Poèmes de l'Afrique noire* (1955), P., Debresse-Poésie, 1963, 170 p. (10).

---

(7) L'édition originale de « Bois d'ébène » (Port-au-Prince, 1945) est posthume. Je n'ai pu la consulter. L'ordre des poèmes tel qu'il apparaît dans l'édition de référence est le fait des éditeurs. Le texte n'en est pas sûr.

(8) Tous les poèmes de *Naëtt*, sauf *T.* 10 19, ont été repris, avec de nombreuses corrections (en particulier dans la ponctuation, quasi absente dans *T.*), au début de *Nocturnes* sous le titre de « Chants pour Signare ». La version de référence est celle de *N.*, *T.* n'ayant jamais été réédité.

(9) Aux *Poèmes* de 1984 les éd. du Seuil substituent en 1990, au moment de la composition du présent volume, sous le titre d'*Œuvre poétique* (440 p.), la « version définitive » des poèmes de Senghor. La pagination est celle de notre éd. de référence jusqu'à la p. 220 des « Poèmes divers ». Deux poèmes s'intercalent entre « Je m'imagine... » et « Jardin des prébendes », ce qui entraîne un décalage constant dans la pagination des *Lettres d'hivernage* et des *Elégies majeures* : il faut ajouter deux pages à notre pagination de référence. *P.* (1990) intercale entre les *Elégies* et le « Dialogue sur la poésie francophone », 21 pages de « Poèmes perdus », poèmes de jeunesse publiés pour la première fois (ceux-là mêmes que Senghor a toujours déclaré avoir détruits ?). Les « Traductions » finales sont donc repoussées aux p. 409-426.

(10) Sissoko a-t-il corrigé les épreuves de ses *Poèmes...* publiés peu de temps avant sa mort ? Comme on l'a dit, le texte est négligemment revu. La comparaison avec la partie publiée précédemment (*Harmakhis, poèmes du terroir africain*, P., La Tour du guet, 1955, 78 p.) n'est pas significative.

SOC. : SOCE Ousmane

Rythmes du khalam, P., Nouvelles Editions latines, 1962, **60 p.**

TIR. : TIROLIEN Guy

Balles d'or, P., P.A., 1961, 92 p. (11).

Les références des citations sont données de la façon suivante : NOM de l'auteur abrégé ; majuscule en italique désignant, lorsqu'il a lieu, le titre du recueil ; numéro du poème dans le recueil (en cas d'articulation en poèmes) ; page ; vers ou ligne. Exemples :

CES. *F* 15 28 1-2 : CESAIRE, *Ferrements*, poème n° 15 (« Viscères du poème »), p. 28, v. 1-2.

BRI. *S.* 13 127-129 : BRIERRE, *La Source*, p. 13, v. 127-129.

SEN. *M.* 7 324 21-325 30 : SENGHOR, *Elégies majeures*, poème n° 7 (« Elégie pour la reine de Saba »), de la p. 324, v. 21 à la p. 325, v. 30.

Lorsque deux citations d'un même auteur se suivent, les éléments communs ne sont pas, en général, répétés.

(11) Un nouveau texte de Tirolien a été publié par P.A. en 1977, un recueil de nouvelles : *Feuilles vivantes au matin*. Il contient quelques poèmes isolés, dont une version remaniée de TIR. 2 9-10, « Atlantides ». Ils n'ont pas été retenus, d'après un principe mentionné dans l'introduction (t. 1, p. 14).

BIBLIOGRAPHIE

Par souci de brièveté la bibliographie proposée ci-dessous est strictement référentielle. On n'y trouvera que les ouvrages cités, mentionnés ou évoqués dans les pages qui précèdent. N'y figurent donc pas des études consultées qui se sont, à des titres divers, montrées utiles à l'élaboration du présent essai, comme, pour ne prendre qu'un exemple, *Les Enfants de Poto-Poto* de Michel Croce Spinelli (Grasset, 1967), mais que les hasards de la rédaction n'ont pas offert l'occasion de citer. Pour le même motif, on a renoncé à introduire des ouvrages récents que les conditions de cette révision n'ont pas permis de mentionner dans le corps du texte, comme, pour ne prendre ici encore qu'un exemple, la thèse de Martin Steins, *Les Antécédents et la genèse de la négritude senghorienne*, Paris 3, 1981.

Abréviations des titres des revues

A.L.A.	:	*Afrique littéraire et artistique.*
F.M.	:	*Le Français moderne.*
L.F.	:	*Langue française.*
M.L.N.	:	*Modern Language Notes.*
P.A.	:	*Présence africaine.*
R.L.C.	:	*Revue de littérature comparée.*
R.H.L.F.	:	*Revue d'histoire littéraire de la France.*
R.F.H.O.M.	:	*Revue française d'histoire d'outre-mer.*
T.M.	:	*Les Temps modernes.*

1 LE MONDE NOIR

1, 1 ETUDES SUR LES AUTEURS DU CORPUS

CESAIRE Aimé

Aimé Césaire, P., Nathan, 1967, 64 p.

Aimé Césaire ou l'athanor d'un alchimiste, P., éd. caribéennes-A.C.C.T., 1987, 384 p.

ARMET Auguste, « Aimé Césaire, homme politique », *Etudes littéraires*, 6 1 (1973), 80-96.

BENAMOU Michel, « Entretien avec Aimé Césaire, Fort-de-France, le 14 février 1973, *Cahiers césairiens*, 1 (1974), 4-8.

BENAMOU Michel, « Sémiotique du *Cahier d'un retour au pays natal* », *ibid.*, 2 (1975), 3-8.

BERNABE Jean, « La Négritude césairienne et l'Occident », *Négritude africaine, négritude caraïbe*, 110-117.

BHELY-QUENUM Olympe, « Césaire et la négritude », *La Vie africaine*, 19 (1961), 33.

BRETON André, « Un grand Poète noir », *Fontaine*, 35 (1944), in CES., *R.*, éd. bilingue, P., P.A., 1971, 9-27.

CAILLER Bernadette, *Proposition poétique : une lecture de l'œuvre d'Aimé Césaire*, Sherbrooke, Naaman, 1976, 246 p.

CASE Frederick Ivor, « Aimé Césaire et l'Occident chrétien », *Esprit créateur*, 10 (1970), 242-256.

DASH Michael, « Towards a West Indian Literary Aesthetic. The Example of Aimé Césaire », *Black Images*, 3 1 (1974), 21-28.

DEPESTRE René, « Entretien avec Aimé Césaire » (1967) : « Itinéraire d'un langage : de l'Afrique à la Caraïbe », *Europe*, 612 (1980), 8-19.

GLISSANT Edouard, « Aimé Césaire et la découverte du monde », *Les Lettres nouvelles*, 4 (1956), 44-54.

HARRIS Rodney E., *L'Humanisme dans le théâtre d'Aimé Césaire*, Sherbrooke, Naaman, 1973, 174 p.

HAUSSER Michel, « Césaire et l'hermétisme », in *Aimé Césaire ou l'athanor d'un alchimiste*, 33-52.

HAUSSER Michel, « Du Soleil au Cadastre », in J. LEINER (éd.), *Soleil éclaté*, 187-215.

HURLEY E.A., « Commitment and Communication in Césaire's Poetry », *Black Images*, 2 1 (1973), 7-12.

JAHN Janheinz, « Aimé Césaire und der Surrealismus », *Texte und Zeichen*, 2 8 (1956), 430-433.

JONES Edward A., « Le Monde d'Aimé Césaire », in *Littératures ultramarines de langue française...*, 67-84.

JOUBERT Jean-Louis, « Aimé Césaire et la poétique du mot », in J. LEINER (éd.), *Soleil éclaté*, 239-248.

JUIN Hubert, « Aimé Césaire, poète de la liberté », *P.A.*, 4 (1948), 564-575.

JUIN Hubert, *Aimé Césaire, poète noir*, P., P.A., 1956, 108 p.

KESTELOOT Lilyan, *Aimé Césaire*, P., Seghers, 1962, 208 p.

KESTELOOT Lilyan et KOTCHY Barthélémy), *Aimé Césaire, l'homme et l'œuvre*, P., P.A., 1973, 258 p.

LAGNEAU Lilyan, « En Marge de *Ferrements* », *Synthèses*, 15 (1960), 248-255.

LEINER Jacqueline, « Entretien avec Aimé Césaire », in *Tropiques*, éd. J.-M. Place, 1978, t. 1, V-XXIV.

LEINER Jacqueline, (sous la direction de), *Soleil éclaté (Mélanges Aimé Césaire)*, Tübingen, Gunter Narr, 1984, 439 p.

LEIRIS Michel, « Qui est Aimé Césaire ? », *Critique*, 21 (1965), 395-402, in KESTELOOT L. et KOTCHY B., *Aimé Césaire, l'homme et l'œuvre*, 7-16.

MARTEAU Pierre, « A Propos de *Cadastre* d'Aimé Césaire », *P.A.*, 37 (1961), 125-135.

MARTEAU Pierre, « La Mort de l'impossible et le mot du printemps », *P.A.*, 30 (1960), 82-95.

MAUGEE Aristide, « Aimé Césaire, poète », *Tropiques*, 5 (1942), 13-20.

NADEAU Maurice, « Aimé Césaire, poète surréaliste », *Revue internationale*, 10 (1946), 285-294.

NGAL M. a M., *Aimé Césaire, un homme à la recherche d'une patrie*, Dakar-Abidjan, Nouvelles Editions africaines, 1975, 294 p.

NGAL M. a M. et STEINS Martin, *Césaire 70*, P., Silex, 1984, 310 p.

NGATE Jonathan, « " Mauvais Sang " de Rimbaud et *Cahier d'un retour au pays natal* de Césaire : la poésie au service de la révolution », *Cahiers césairiens*, 3 (1977), 25-32.

PATRI Aimé, « Deux Poètes noirs de langue française », *P.A.*, 3 (1948), 378-387 (sur Césaire et Senghor).

PIGEON Gérard Georges, « Interview avec Aimé Césaire à Fort-de-France le 12 janvier 1977 », *Cahiers césairiens*, 3 (1977), 1-6.

PIGEON Gérard Georges, « Le Rôle des termes médicaux, du bestiaire et de la flore dans l'imagerie césairienne », *ibid.*, 7-24.

SAUTEREAU Serge et VELTEN André, « A l'Echancrure du poème », *T.M.*, 21 (1965-1966), 7-24.

SCHIPPER de LEEUW Mineke, « Noirs et blancs dans l'œuvre d'Aimé Césaire », *P.A.*, 72 (1969), 124-147.

SCHUSTER Jean, « Lette ouverte à Aimé Césaire », *Le Surréalisme même*, 1 (1956), 146-147.

SELLIN Eric, « Aimé Césaire and the Legacy of Surrealism », *Kentucky Foreign Language Quarterly*, 13, supplément (1967), 71-79.

SIEGER Jacqueline, « Entretien avec Aimé Césaire », *Afrique*, 5 (1961), 64-67.

STEINS Martin, « Nabi nègre », in NGAL et STEINS, *Césaire 70*, 228-272.

YOYO Emile, *Saint-John Perse ou le conteur*, P., Bordas, 1971, 112 p.

ZADI Zaourou, *Césaire entre deux cultures (problèmes théoriques de la littérature négro-africaine d'aujourd'hui)*, thèse de 3ᵉ c., Strasbourg 2, 1973, VI-338-XIV p.

ZAND Nicole, « Entretien avec Aimé Césaire », *Le Monde*, 7 octobre 1967, 14.

DADIE Bernard Binlin

BEIER Ulli, « *La Ronde des jours*, by Bernard B. Dadié », *Black Orpheus*, 5 (1959), 58.

MAGNIER Bernard, « Biobibliographie de Bernard Binlin Dadié », *Présence francophone*, 13 (1976), 49-62.

DAMAS Léon-G.

BHELY-QUENUM Olympe, « *Névralgies* (poèmes) par L.-G. Damas », *L'Afrique actuelle*, 14 (1967), 49-50.

HURLEY E. A., « *Pigments*. A Dialogue with self », *Black Images*, 3 1 (1974), 37-45.

WARNER Keith, « New Perspective on Léon Damas », *Black Images*, 2 1 (1973), 3-6.

DIOP Birago

DIOP Birago, *La plume raboutée, Mémoires*, P.-Dakar, P.A.-N.E.A., 1978, 255 p.

KANE Mohamadou, *Birago Diop*, P., P.A., 1971, 234 p.

MERCIER Roger et BATTESTINI M. et S., *Birago Diop*, P., Nathan, 1964, 64 p.

DIOP David

BEIER Ulli, « *Coups de pilon*, by David Diop », *Black Orpheus*, 5 (1959), 57-58.

MOORE Gerald, « David Diop, Poet of the African Revolution », in ID., *Seven African Writers*, 18-24.

RHODES Enid H., « David Diop : Poet of Passion », *L'Esprit créateur*, 10 (1970), 234-241.

RABEARIVELO Jean-Joseph

BOUDRY Robert, *Jean-Joseph Rabearivelo et la mort*, P., P.A., 1958, 86 p.

BOUDRY Robert, « La Mort tragique d'un poète », *Mercure de France*, 966 (15 septembre 1938), 532-549.

HAUSSER Michel, « L'Espace de Jean-Joseph Rabearivelo », *Itinéraires*, 3 (1983), 131-147.

JOUBERT Jean-Louis, « Sur quelques Poèmes de Jean-Joseph Rabearivelo : essai d'interprétation », *Annales de l'université de Madagascar* 10 (1969), 75-89.

RAUVILLE Camille de, « Jean-Joseph Rabearivelo (1901-1937, né et mort à Tananarive) », *Présence francophone*, 12 (1976), 165-170.

VALETTE Pierre, *Jean-Joseph Rabearivelo*, P., Nathan, 1967, 64 p.

RABEMANANJARA Jacques

BOUCQUEY de SCHUTTER Eliane, *Jacques Rabemananjara*, P. Seghers, 1964, 192 p.

HILDEBRAND Alexander, « Poesia africana, Poesia asiatica : der Madegasse Jacques Rabemananjara », *Welt und Wort*, 23 (1968), 295-296.

KADIMA-NZUJI Mukala, « Une Proposition poétique : « Antsa » de Jacques Rabemananjara », *A.L.A.*, 38 (1975), 22-30.

RAKOTO RATSIMAMANGA Albert et LORIN Marie-Claude, « Jacques Rabemananjara et le thème de la vie », *P.A.*, 7 (1956), 37-50.

RANAIVO Flavien

SENGHOR Léopold Sédar, « F[l]avien Ranaivo, poète malgache », *P.A.*, 2 (1948), 333-336.

VALETTE J., *Flavien Ranaivo*, P., Nathan, 1968, 64 p.

SENGHOR Léopold Sédar

BA Sylvia Washington, *The Concept of Negritude in the Poetry of Léopold Sédar Senghor*, Princeton University Press, 1973, 306 p.

BADUM-MELADY Margaret, *Léopold Sédar Senghor, Rhythm and Reconciliation*, Seton Hall University Press, New Jersey, 1971, 68 p.

BEGUE Guy, « *Nocturnes,* par L. S. Senghor », *La Table ronde,* 164 (1961), 106-112.

BONDY François, « Négritude et métissage », *Preuves*, 18 (1968), 66-71.

DECAUNES Luc, « *Hosties noires,* par L. S. Senghor », *Cahiers du sud*, 35 (1948), 553-554.

DORMOY-SAVAGE Nadine, « Entretien avec Senghor », *French Review*, 47 (1974), 1065-1071.

GROSJEAN Jean, « L. S. Senghor : *Ethiopiques* », *N.N.R.F.*, 4 (1956), 1093-1095.

GUIBERT Armand, « Avec L. S. Senghor sous les baobabs », *Les Nouvelles littéraires*, 18 décembre 1969, 3.

GUIBERT Armand, « Jour à jour avec Léopold Sédar Senghor, chef d'Etat africain et poète français », *Le Figaro littéraire*, 15 avril 1961, 12.

GUIBERT Armand, *Léopold Sédar Senghor*, P., Seghers, 1961, 216 p.

GUIBERT Armand, *Léopold Sédar Senghor*, P., P.A., 1962, 178 p.

HAUSSER Michel, « Un Paysan de la ville : Léopold Sédar Senghor »,
Eidôlon, 32 (1987), 129-180.

Hommage à Léopold Sédar Senghor, homme de culture, P., P.A., 1976,
429 p.

HYMANS Jacques-Louis, *An Intellectual Biography : Léopold Sédar
Senghor*, Edinburgh University Press, 1971, 312 p.

JAHN Janheinz, « Senghor without propeller. An English Translation
that does not get off the ground », *Black Orpeus*, 19 (1966), 40-44.

JOUANNY Robert, *Les Voies du lyrisme dans les « Poèmes » de Léopold
Sédar Senghor*, P., Champion, 1986, 164 p.

KONRAD Gustav, « Ueber Léopold Sédar Senghor », *Welt und Wort*,
23 (1968), 301-302.

LECLERC Yvan, « Poésie, oralité, écriture », *Sud*, 17 (1987), 165-188.

Léopold Sédar Senghor. Colloques Poésie-Cerisy, *Sud*, 17 (1987), 364 p.

LEUSSE Hubert de , *Léopold Sédar Senghor, l'Africain*, P., Hatier,
1967, 253 p.

MALRAUX André, *Hôtes de passage* (1975), in *Le Miroir des limbes*,
P., Gallimard, éd. de la Pléiade, 1976 (concernant Senghor :
p. 515-544).

MARQUET Marie-Madeleine, *Le Métissage dans la poésie de Léopold
Sédar Senghor*, Dakar, N.E.A., 1983, 314 p.

MEZU S. Okechukwu, *Léopold Sédar Senghor et la défense et illustration de la civilisation noire*, P., Didier, 1968, 232 p.

MORVAN Jean-Jacques, « Léopold Sédar Senghor », *Témoins*, 5 18-19
(1957-1958), 52-53.

N'DIAYE Papa Gueye, « *Ethiopiques* », poèmes de Léopold Sédar Senghor, édition critique et commentée, Dakar-Abidjan, N.E.A., 1974,
114 p.

RABEMANANJARA Jacques, « L. S. Senghor ou la rédemption du
dialogue », in *Hommage à Léopold Sédar Senghor, homme de culture*,
17-40.

ROUS Jean, *Léopold Sédar Senghor, un président de l'Afrique nouvelle*,
P., John Didier, 1967, 164 p.

SENGHOR Léopold Sédar, *Nocturnes*, traduction anglaise de J. REED
et C. WAKE, London, Heinemann, 1969, 60 p.

SIMON Pierre-Henri, « La Vie littéraire : *Poèmes* de L. S. Senghor »,
Le Monde, 12 août 1964, 8.

THOMAS Louis-Vincent, « Senghor à la recherche de l'homme " nègre " »,
P.A., 54 (1965), 7-36.

TILLOT Renée, *Le Rythme dans la poésie de Léopold Sédar Senghor*,
Dakar, N.E.A., 1979, 168 p.

TOWA Marcien, *L. S. Senghor : négritude ou servitude ?*, Yaoundé,
C.L.E., 1971, 118 p.

WILLIAMS Denis, « *Nocturnes* by Léopold Sédar Senghor », *Black Orpheus*, 13 (1963), 60.

WOLF Jean, « Dialogue avec le Poète-Président L. S. Senghor », *Remarques africaines*, 406 (1972), 19-21.

WOLF Jean, « La Réélection du Président Senghor », *ibid.*, 415 (1973), 17-18.

WOLF Jean, « L'Octobre fascinant du Président Senghor », *ibid.*, 495 (1976), 11, 21.

TIROLIEN Guy

HURLEY E.A., « Guy Tirolien in Search of an Attitude », *Black Images*, 3 1 (1974), 55-63.

WARNER Keith Q., « " Redécouverte " de Tirolien : une découverte », *Research in African Literature*, 4 1 (1973), 48-50.

1, 2 ETUDES SUR LA NEGRITUDE ET LA LITTERATURE AFRICAINE ET ANTILLAISE

Actes du colloque sur la littérature africaine d'expression française, Dakar, 26-29 mars 1963, Université de Dakar, 1965, 276 p.

ADOTEVI Stanislas, *Négritude et négrologues*, P., Union générale d'édition, 10/18, 1972, 306 p.

AGBLEMAGNON Ferdinand N'Sougan, « Sociologie littéraire et artistique de l'Afrique », *Diogène*, 74 (1971), 96-115.

AGUESSY Honorat, « La Phase de la négritude », *P.A.*, 80 (1971), 33-48.

ALEXIS Jacques-Stephen, « Du Réalisme merveilleux des Haïtiens » *P.A.*, 8-10 (1956), 245-271.

ALLEN Samuel W., « La Négritude et ses rapports avec le Noir américain », *P.A.*, 17-18 (1959), 16-26.

ANDRIANTSILANIARIVO E, « Où en sont les Lettres malgaches ? », *ibid.*, 343-356.

ANOZIE Sunday O., *Sociologie du roman africain*, P., Aubier-Montaigne, 1970, 268 p.

ARBOUSIER Gabriel d', « Une dangereuse Mystification : la théorie de la négritude », *La nouvelle Critique*, 7 (juin 1949), 34-47.

BA Amadou Hampaté, « Une Epopée peule : " Silamaka " », *L'Homme*, 8 (1968), 5-36.

BAL Mustapha, « L'Homme noir dans la poésie, *La Pensée*, 103 (1962), 18-29.

BARATTE Thérèse et BELINGA Eno, *Bibliographie. Auteurs africains et malgaches de langue française*, P., O.R.T.F., 3ᵉ éd., 1972, 124 p.

BASTIDE Roger, « Variations sur la négritude », *P.A.*, 36 (1961), 7-17.

B[IYDI] A[lexandre], « Afrique noire, littérature rose », *P.A.*, 1-2 (1955), 133-145.

BLAIR Dorothy S., *African Literature in French. A History of Creative Writing in French from West and Equatorial Africa*, Cambridge University Press, 1976, 348 p.

BOUKMAN Daniel, « La Négritude en question », *Jeune Afrique*, 531 (9 mars 1971), 59-61.

BOULAGA Fabien Eboussi, « Le Bantou problématique », *P.A.*, 66 (1968), 4-40.

BOURGEOIS Alain, *La Grèce antique devant la négritude*, P., P.A., 1971, 134 p.

CENDRARS Blaise, *Anthologie nègre* (1921), P., Corrêa, 1947, 366 p.

CESAIRE Aimé, « Introduction à la poésie nègre américaine », *Tropiques*, 2 (1941), 37-42.

CESAIRE Aimé, « Liminaire » à la *Nouvelle Somme de poésie du monde noir*, *P.A.*, 57 (1966), 3.

CESAIRE Aimé, « Poésie et connaissance » (1944), in *Tropiques*, 12 (1945), 157-170.

CESAIRE Aimé, « Préface » à R. DEPESTRE, *Végétations de clarté*, P., Seghers, 1951, 9-12.

CESAIRE Aimé, « Réponse à Depestre, poète haïtien (éléments d'un art poétique) », *P.A.*, 1-2 (1955), 113-115 (repris avec variantes dans CES., N., 3 299-301).

CESAIRE Aimé, « Sur la Poésie nationale », *P.A.*, 4 (1955), 39-41.

CESAIRE Suzanne, « Misère d'une poésie : John Antoine-Nau », *Tropiques*, 4 (1942), 48-50.

CHEVRIER Jacques, *Littérature nègre* (1974), P., A. Colin, 1984, 272 p.

CHEVRIER Jacques, « Regard sur la poésie africaine d'expression française », *A.L.A.*, 17 (1971), 2-9.

CLANCIER Georges-Emmanuel, « Orphée métis », *Cahiers du Sud*, 58 (1964), 106-114.

COLIN Roland, *Littérature africaine d'hier et de demain*, P., A.D.E.C., 1965, 192 p.

Colloque sur la négritude (tenu à Dakar, Sénégal, du 12 au 18 avril 1971, sous les auspices de l'Union Progressiste Sénégalaise), P., P.A., 1972, 244 p.

CONDE Maryse, « Négritude césairienne, négritude senghorienne », *R.L.C.*, 48 (1974), 409-419.

CONDE Maryse, « Pourquoi la Négritude ? Négritude ou révolution », *Négritude africaine, négritude caraïbe*, 150-154.

CORNEVIN Robert, *Littératures d'Afrique noire de langue française*, P., P.U.F., 1976, 274 p.

CORZANI Jack, « Guadeloupe et Martinique : la difficile voie de la négritude et de l'antillanité », *P.A.*, 76 (1970), 16-42.

CORZANI Jack, *La Littérature des Antilles-Guyane françaises*, Fort-de-France, Désormeaux, 1978, 6 volumes, 370, 368, 372, 366, 368, 400 p.

CORZANI Jack, « La Négritude aux Antilles françaises », *Négritude africaine, négritude caraïbe*, 118-128.

DADIE Bernard Binlin, « Le Conte, élément de solidarité et d'universalité », *P.A.*, 17-18 (1959), 69-80.

DADIE Bernard Binlin « Le Fond importe plus », *P.A.*, 6 (1956), 116-118.

DAMAS Léon-G., « La Négritude en question », *Jeune Afrique*, 532 (16 mars 1971), 57-65.

DAMAS Léon-G., *Poèmes nègres sur des airs africains*, P., G.L.M., 1948, 30 p.

DAMAS Léon-G., *Poètes d'expression française. Afrique noire, Madagascar, Réunion, Guadeloupe, Martinique, Indochine, Guyane, 1900-1945*, P., Seuil, 1947, 326 p.

DELAVIGNETTE Robert, « L'Accent africain dans les lettres françaises » (1945), in *Service africain*, P., Gallimard, 1946, p. 243-254.

DEPESTRE René, *Bonjour et adieu à la négritude*, P., R. Laffont, 1980, 261 p.

DEPESTRE René, « Jean Price-Mars et le mythe de l'Orphée noir ou les aventures de la négritude », *L'Homme et la société*, 7 (1968), 171-181.

DEPESTRE René, « Les Métamorphoses de la négritude en Amérique », *P.A.*, 75 (1970), 19-33.

DEPESTRE René, « Réponse à Aimé Césaire (introduction à un art poétique haïtien) », *P.A.*, 4 (1955), 42-62.

DEPESTRE René, « Une Rose des vents noirs (*Coups de pilon, La Ronde des jours, Lamba, Antsa*) », *P.A.*, 11 (1956-1957), 110-115.

DESPORTES Georges, « Points de vue sur la poésie nationale », *ibid.*, 88-99.

DIAKHATE Lamine, « Le Mythe de la poésie populaire du Sénégal et sa présence dans l'œuvre de L. S. Senghor et B. Diop », *P.A.*, 39 (1961), 59-78.

DIAKHATE Lamine, « Le Processus d'acculturation en Afrique noire et ses rapports avec la négritude », *P.A.*, 56 (1965), 68-81.

DIOP David, « Contribution au débat sur la poésie nationale », *P.A.*, 6 (1956), repris en préface à *Coups de pilon*, 9-15.

DIOP David, « *Mission terminée*, roman par Mongo Beti », *P.A.*, 16 (1957), 187 p.

DOGBE Yves-Emmanuel, *Négritude, culture et civilisation*, P., éd. Akpagnon, 1980, 275 p.

ELIET Edouard, *Panorama de la littérature négro-africaine (1921-1962)*, P., P.A., 1965, 268 p.

ETIEMBLE René, « Le Requin et la mouette ou les armes miraculeuses », in *Hygiène des lettres*, t. 1, P., Gallimard, 1952, 156-176.

FABRE Michel, « Autour de Maran », *P.A.*, 86 (1973), 165-172.

FRANKLIN Albert, « La Négritude : réalité ou mystification ? Réflexions sur " Orphée noir" », *P.A.*, 14 (1953), 287-301.

GASSAMA Makhily, *Kuma. Interrogation sur la littérature nègre de langue française*, Dakar-Abidjan, N.E.A., 1978, 344 p.

GERARD Albert, « La Francophonie dans les lettres africaines », *R.L.C.*, 48 (1974), 371-386.

GERARD Albert, « Littérature francophone d'Afrique : le temps de la relève », *La Revue nouvelle*, Tournai-P., 49 (1969), 198-204.

GERARD Albert, « Ne tirez pas sur le Pionnier... Considérations sur l'historiographie des littératures africaines modernes », *Revue des langues vivantes*, 33 (1967), 416-422.

GUBERINA Petar, « Structure la poésie noire d'expression française », *P.A.*, 5 (1955-1956), 52-78.

GUIBERT Armand, « Les Poètes de la négritude. Thèmes et techniques », *Actes du colloque sur la littérature africaine...*, Dakar, 1965, 219-226.

HAUSSER Michel, *Essai sur la poétique de la négritude*, thèse d'Etat, Paris 7, 1978, P., Silex, 1986, 1003 p.

HOFFMANN Léon-François, « French Negro Poetry », *Yale French Studies*, 21 (1958), 60-71.

HOFFMANN Léon-François, « L'image de la femme dans la poésie haïtienne », *P.A.*, 34-35 (1960-1961), 183-206.

HUG[H]ES Langston et REYGNAULT Christiane, *Anthologie africaine et malgache*, P., Seghers, 1962, 308 p.

JAHN Janheinz, *Manuel de littérature néo-africaine (du xvie siècle à nos jours, de l'Afrique à l'Amérique)* (1965), P., Resma, 1969, 294 p.

JAHN Janheinz, « Rythmes et style dans la poésie africaine », *Actes du colloque sur la littérature africaine...*, Dakar, 1965, 227-237.

KANE Mohammadou, « L'Actualité de la littérature africaine d'expression française », *P.A.*, n° spécial, 1971, 217-243.

KAYO Patrice, « Situation de la poésie négro-africaine de langue française », *Présence francophone*, 9 (1974), 26-33.

KESTELOOT Lilyan, *Anthologie négro-africaine. Panorama critique des prosateurs, poètes et dramaturges noirs du xxe siècle*, Verviers, Gérard et Cie, 1967, 430 p.

KESTELOOT Lilyan, *Les Ecrivains noirs de langue française : naissance d'une littérature*, Bruxelles, Université libre de Bruxelles, 1963, 344 p.

KIMONI Iyay, *Destin de la littérature négro-africaine ou problématique d'une culture*, Ottawa, Naaman, 1975, 274 p.

KOTCHY Barthélémy, « Les Recherches formelles originales dans la poésie », in *Situation et perspectives...*, Abidjan, 1970, 95-97.

LERO Etienne, « Misère d'une poésie », *Légitime Défense* (1932), Kraus Reprint, 1970, 10-12.

Les plus beaux Ecrits de l'Union française et du Maghreb, P., La Colombe, 1947, 456 p.

Littératures ultramarines de langue française. Genèse et jeunessse (Actes du colloque de l'université du Vermont, juin 1971), Ottawa, Naaman, 1974, 154 p.

LUCRECE André, « Le Mouvement martiniquais de la négritude. Essai d'analyse d'un discours idéologique », *Acoma*, 2 (1971), 93-123.

MARTINEAU Monique, « Procès à la négritude » *A.L.A.*, 7 (1969), 14-28.

MELONE Thomas, *De la Négritude dans la littérature négro-africaine*, P., P.A., 1962, 140 p.

MELONE Thomas, « Le Thème de la négritude et ses problèmes littéraires », *Actes du colloque...*, Dakar, 1965, 103-119.

MENIL René, « De l'Exotisme colonial », *La nouvelle Critique*, 106 (mai 1959), 139-145.

MENIL René, « Laissez passer la poésie », *Tropiques*, 5 (1942), 43-49.

MENIL René, « Naissance de notre art », *ibid.*, 1 (1941), 53-64.

MENIL René, « Orientation de la poésie », *ibid.*, 2 (1941), 13-21.

MENIL René, « Une Doctrine réactionnaire : la négritude », *L'Action*, 1 (1963), 37-50.

MERCIER Roger, « Bibliographie africaine et malgache », *R.L.C.*, 37 1 (1963), 5-31.

MERCIER Roger, « La Littérature d'expression française en Afrique noire. Préliminaires d'une analyse », *Actes du colloque...*, Dakar, 1965, 25-43.

MERCIER Roger, « La Littérature négro-africaine et son public », *R.L.C.*, 48 (1974), 398-408.

MOORE Gerald, *Seven African Writers*, London, Oxford University Press, 1962, 108 p.

MOORE Gerald, « Surréalisme et négritude dans la poésie de Tchicaya U Tam'si », *Actes du colloque...*, Dakar, 1965, 239-249.

MOORE Gerald, « The Politics of Négritude », in C. PIETERSE et D. MUNRO, *Protest and Conflict in African Literature*, London, Heinemann, 1969, 26-42.

MOURALIS Bernard, *Littérature et développement*, P., A.C.C.T.-Silex, 1984, 573 p.

MPHAHLELE Ezekiel, « Writers and Commitment », *Black Orpheus,* 2 3 (1968), 34-39.

MPHAHLELE Ezekiel, *The African Image,* London, Faber and Faber, 1962, 316 p.

NANTET Jacques, *Panorama de la littérature noire d'expression française,* P., Fayard, 1972, 282 p.

NATA Théophile, « Négritude et négritudes », *Négritude africaine, négritude caraïbe,* 146-150.

Négritude africaine, négritude caraïbe, Nivelles-P., éd. de la Francité, 1973, 160 p.

NENEKHALY-CAMARA Condotto, « Conscience nationale et poésie négro-africaine d'expression française », *La Pensée,* 103 (1962), 7-17.

NGANDE Charles, « La Poésie camerounaise », *Abbia,* 2 (1963), 135-136.

NORDMANN-SEILER Almut, *La Littérature néo-africaine,* P., P.U.F., 1976, 126 p.

OPOKU-AGYEMAN Kwame, *Trois Témoins de la négritude : étude de l'œuvre d'Aimé Césaire, de Léon-Gontran Damas et de Léopold Sédar Senghor,* thèse de 3ᵉ cycle, Bordeaux 3, 1970, 366 p.

PAGEARD Robert, *Littérature négro-africaine. Le mouvement littéraire contemporain dans l'Afrique noire d'expression française,* P., Le Livre africain, 1966, 162 p.

PHILOMBE René, « L'Avenir de la poésie camerounaise », *Abbia,* 5 (1964), 167-171.

RABEMANANJARA Jacques, « Le Poète noir et son peuple », *P.A.,* 16 (1957), 9-25.

RANAIVO Flavien, *Poèmes hain-teny,* P., Institut national des langues et civilisations orientales, 1975, 48 p.

RICARD Alain, *Théâtre et nationalisme,* P., P.A., 1972, 236 p.

ROUCH Jean, « Vers une Littérature africaine », *P.A.,* 6 (1949), 144-146.

SARTRE Jean-Paul, « Orphée noir », introduction à L. S. SENGHOR, *Anthologie...* (1948), cité d'après *Situation III,* P., Gallimard, 1949, 229-286.

SECK Assane, « Négritude et éducation », *Colloque sur la négritude...,* 133-139.

SENE Alioune, « Négritude et politique », *ibid.,* 140-150.

SENGHOR Léopold Sédar, *Anthologie de la nouvelle poésie nègre et malgache de langue française,* P., P.U.F., 1948, XLIV-228 p.

SENGHOR Léopold Sédar, « Comment nous sommes devenus ce que nous sommes », *Afrique-action,* 30 1 (1961), 16-18.

SENGHOR Léopold Sédar, « De la Négritude : psychologie du Négro-africain », *Diogène,* 37 (1967), 3-16.

SENGHOR Léopold Sédar, « La Littérature d'expression française d'outremer », *Littératures ultramarines de langue française...*, 15-20 et 31-37.

SENGHOR Léopold Sédar « La Négritude, comme culture des peuples noirs, ne saurait être dépassée », *Conjonction*, 130 (1976), 6-28 ou in *Hommage à L. S. Senghor*, P.A., 1976, 49-66.

SENGHOR Léopold Sédar, « La Négritude métisse », préface à E. J. MAUNICK, *Ensoleillé vif*, 1976, 11-38.

SENGHOR Léopold Sédar, *La Parole chez Paul Claudel et chez les Négro-Africains*, Dakar, N.E.A., 1973, 56 p. repris in *L. 3*, 348-386.

SENGHOR Léopold Sédar, *Les Fondements de l'africanité, ou négritude et arabit*é, P., P.A., s. d. (1967), 108 p., repris in *L. 3*, 105-150.

SENGHOR Léopold Sédar, « L'Esprit de la civilisation ou les lois de la culture négro-africaine », *P.A.*, 8-10 (1956), 51-65, repris, sous le titre : « L'Esthétique négro-africaine », in *L. 1*, 202-217.

SENGHOR Léopold Sédar, *Liberté 1. Négritude et humanisme (L. 1)*, P., Seuil, 1964, 446 p.

SENGHOR Léopold Sédar *Liberté 3. Négritude et civilisation de l'universel (L. 3)*, P., Seuil, 1977, 576 p.

SENGHOR Léopold Sédar, « Louis Guillaume, le Celte », *Le Journal des poètes*, 26 (1956), 5.

SENGHOR Léopold Sédar, « Négritude et civilisation gréco-latine », *Bulletin de l'Association Guillaume Budé*, 1966 1, 100-118.

SENGHOR Léopold Sédar, « Problématique de la négritude », *Colloque sur la négritude...*, 13-28, repris in *P.A.*, 78 (1971), 3-26 et *L. 3*, 268-289.

SHAPIRO Norman R., « Negro Poets of the French Caribbean : a Sampler », *The Antioch Review*, 27 2 (1967), 211-228.

Situation et perspectives de la littérature négro-africaine, Colloque de l'université d'Abidjan, 16-25 avril 1969, *Annales de l'université d'Abidjan*, série D., Lettres, 3 (1970), 144 p.

SMITH Pierre, « Des Genres et des hommes », *Poétique*, 19 (1974), 294-312.

TATI Jean-Baptiste, *Traditions africaines et apports européens dans la poésie d'expression française d'Afrique occidentale*, thèse de 3ᵉ cycle, Bordeaux 3, 1969, 289 p.

THOMAS Louis-Vincent, « Panorama de la négritude », *Actes du colloque...*, Dakar, 1965, 45-101.

TIDJANI-SERPOS Noureimi, « La Jeunesse africaine face à la négritude senghorienne », *Négritude africaine, négritude caraïbe*, 106-110.

TOUGAS Gérard, *Les Ecrivains d'expression française et la France*, P., Denoël, 1973, 272 p.

TOWA Marcien, *Poésie de la négritude, approche structuraliste*, thèse de 3ᵉ cycle, P., E.P.H.E., 1969, 504 p.

TRAORE Bakary, « Le Théâtre africain au Festival culturel panafricain d'Alger », *P.A.*, 72 (1969), 179-189.

TRAORE Bakary, *Le Théâtre négro-africain et ses fonctions sociales*, P., P.A., 1958, 154 p.

TROUILLOT Henock, « Deux Concepts de la négritude en Haïti », *Présence francophone*, 12 (1976), 183-194.

WAKE Clive, « The Personal and the Public. African Poetry in French », *Review of National Literatures*, 2 2 (1971), 104-123.

WAUTHIER Claude, *L'Afrique des Africains. Inventaire de la négritude*, P., Seuil, 1964, 318 p.

WHITELEY Wilfred H., « Le Concept de prose littéraire africaine », *Diogène*, 37 (1962), 29-52.

ZEPHIR Jacques-J., « La Négritude et le problème des langues en Haïti », *Présence francophone*, 5 (1972), 15-25.

1, 3 AUTOUR DE LA NEGRITUDE

Actes du colloque [sur la réforme de l'enseignement du français dans le premier cycle du second degré], *Tananarive, 14-23 décembre 1971*, Tananarive, Ministère des Affaires culturelles, s. d. (1972), 154 p.

AGBLEMAGNON Ferdinand N'Sougan, « Du " Temps " dans la culture " ewe " », *P.A.*, 14-15 (1957) 222-232.

ALEXANDRE Pierre, *Langues et langage en Afrique noire*, P., Payot, 1967, 172 p.

ALLOTT A.N., « L'Unité du droit africain », *P.A.*, 27-28 (1959), 343-358.

ALTHABE Gérard, « La Crise scolaire [malgache] : un détonateur », *Revue française d'études politiques africaines*, 78 (1972), 51-54.

ANDRIANTSILANIARIVO E., « Le Colonialisme », *P.A.*, 24-25 (1959), 192-207.

ANDRIANTSILANIARIVO E., « Le Livre africain », *P.A.*, 88 (1973), 180-184.

ANKUNDE Laurent, « Philosophie et sous-développement », *P.A.*, 81 (1972), 3-17.

ARBOUSIER Gabriel d', « Dix Fois l'âge de raison », *Remarques africaines*, 496 (décembre 1976), 15.

BA Amadou Hampaté, « Culture peule », *P.A.*, 8-10 (1956), 85-97.

BA Amadou Hampaté, *L'Etrange Destin de Wangrin*, P., U.G.E., 10/18, 1973, 444 p.

BALA MBARGA Henri, *Problèmes africains de l'éducation*, P., Hachette, 1962, 46 p.

BALANDIER Georges, « Les Conditions sociologiques de l'art noir », *P.A.*, 10-11 (1951), 58-71.

BALANDIER Georges, *Sociologie actuelle de l'Afrique noire. Dynamique des changements sociaux en Afrique centrale*, P., P.U.F., 1955, 510 p.

BASTIDE Roger, *Les Amériques noires. Les civilisations africaines dans le nouveau monde*, P., Payot, 1967, 236 p.

BASTIDE Roger, « L'Homme africain à travers sa religion traditionnelle », *P.A.*, 40 (1962), 32-43.

BASTIDE Roger, « Religions africaines et structures de civilisation », *P.A.*, 66 (1968), 98-111.

BAUMANN H. et WESTERMANN D., *Les Peuples et les civilisations de l'Afrique* (1947), P., Payot, 1970, 606 p.

BETI Mongo, *Perpétue et l'habitude du malheur*, P., Buchet-Chastel, 1974, 304 p.

BONTE Pierre et ECHARD Nicole, « Histoire et histoires. Conception du passé chez les Hausa et les Twareg Kel Gress de l'Ader (République du Niger) », *Cahiers d'études africaines*, XVI, 61-62 (1976), 237-296.

BRUNSCHWIG Henri, « Une autre Conception de l'Histoire ? », *ibid.*, 59-65.

BURNS sir Alan, *Le Préjugé de race et de couleur et en particulier le problème des relations entre les blancs et les noirs*, P., Payot, 1949, 172 p.

CALAME-GRIAULE Geneviève, *Ethnologie et langage. La parole chez les Dogon*, P., Gallimard, 1965, 592 p.

CALAME-GRIAULE Geneviève, « L'Art de la parole dans la culture africaine », *P.A.*, 47 (1963), 73-91.

CALVET Louis-Jean, *Linguistique et colonialisme. Petit traité de glottophagie*, P., Payot, 1974, 250 p.

CAMARA Laye, *Dramouss*, P., Plon, 1966, 246 p.

CAMARA Laye, « L'Ame de l'Afrique dans sa partie guinéenne », *Actes du colloque sur la littérature africaine*, Dakar, 1965, 121-132.

CAMARA Laye, *L'Enfant noir*, P., Plon, 1953, 256 p.

CAMARA Sory, *Gens de la parole. Essai sur la condition et le rôle des griots dans la société Malinké*, La Haye-P., Mouton, 1976, 358 p.

CESAIRE Aimé, « Discours sur l'art africain » (1966), *Etudes littéraires*, 6 1 (1973), 100-109.

CESAIRE Aimé, *Discours sur le colonialisme*, P., P.A., 1962, 72 p.

CESAIRE Aimé « La Mort des colonies », *T.M.*, 11 (1956), 1366-1370.

CESAIRE Aimé « La Pensée politique de Sékou Touré », *P.A.*, 29 (1959-1960), 65-73.

CESAIRE Aimé, *La Tragédie du roi Christophe* (1963), P., P.A. 1970, 157 p.

CESAIRE Aimé, *Lettre à Maurice Thorez*, P., P.A., 1956, 16 p.

CESAIRE Aimé, « L'Homme de culture et ses responsabilités », *P.A.*, 24-25 (1959), 116-122.

CESAIRE Suzanne, « Malaise d'une civilisation », *Tropiques*, 5 (1942), 43-49.

CHARTOL Max, « Défense du créole », *Le Monde*, 23-24 mai 1976, 25.

CHENET Gérard, « Sources africaines d'un humanisme d'expression française », *Ethiopiques*, 1 (1975), 133-141.

COOK Mercer, « The Negro in French Literature », *The French Review*, 23 5 (1950), 378-388.

CORNEVIN Marianne, *Histoire de l'Afrique contemporaine de la Deuxième Guerre mondiale à nos jours*, P., Payot, 1972, 426 p.

COUCHORO Félix, *L'Esclave*, P., La Dépêche africaine, 1928, 304 p.

CRUZ Viriato da, « Des Responsabilités de l'intellectuel noir », *P.A.*, 27-28 (1959), 321-339.

DADIE Bernard B., *Béatrice du Congo*, P., P.A., 1970, 150 p.

DAMAS Léon-Gontran, « Misère noire », *Esprit*, 81 (1939), 333-354.

DAO Oumarou, « Le Mariage traditionnel chez les Dafing (Marka) de la préfecture de Dédougou (Haute-Volta) », *Notes et documents voltaïques*, 8 3 (1975), 3-36.

DAVESNE André, *Croquis de brousse*, P., Sagittaire, 1946, 340 p.

DAVIDSON Basil, *Le Réveil de l'Afrique*, P., P.A., 1957, 238 p.

DELAFOSSE Maurice, *Les Noirs de l'Afrique*, P., Payot (1922), 1941, 160 p.

DESCHAMPS Hubert (sous la direction de), *Histoire générale de l'Afrique noire*, P., P.U.F., t. 1, 1970, 576 p. t. 2, 1971, 720 p.

DESSARRE Eve, *Cauchemar antillais*, P., Maspero, 1965, 160 p.

DIAGNE Pathé, « Langues africaines, développement économique et culture nationale », *P.A.*, n° spécial (1971), 370-407.

DIAGNE Pathé, « Linguistique et culture en Afrique », *P.A.*, 46 (1963), 52-63.

DIAKHATE Lamine, « Prisonnier du regard », *P.A.*, 65 (1968), 144-155.

DIALLO Bakary, *Force-Bonté*, P., F. Rieder, 1926, 210 p.

DIAS Patrick V., et AL., *Les Etudiants universitaires congolais*, Bertelsmann Universitätsverlag, 1971, 268 p.

DIM DELOBSON A.A., *Les Secrets des sorciers noirs*, P., E. Nourry, 1934, 298 p.

DIOP Alioune, « Discours d'ouverture », *P.A.*, 8-10 (1956), 9-18.

DIOP Alioune, « Le Sens de ce congrès », *P.A.*, 24-25 (1959), 40-48.

DIOP Birago, *Les Contes d'Amadou Koumba* (1961), P., P.A., 1969, 190 p.

DIOP Cheikh Anta, *Antériorité des civilisations nègres : mythe ou vérité historique ?*, P., P.A., 1967, 300 p.

DIOP Cheikh Anta, *L'Unité culturelle de l'Afrique noire*, P., P.A., 1959, 203 p.

DIOP Cheikh Anta, *Nations nègres et culture*, P., P.A., 1955, 532 p.

DIOP Majhemout, « L'unique Issue : l'indépendance totale. La seule voie : un large mouvement d'union anti-impérialiste », *P.A.*, 14 (1953), 145-184.

DOMENICHINI Jean-Pierre, « Jean Ralaimongo (1884-1943) ou Madagascar au seuil du nationalisme », *R.F.H.O.M.*, 56 (1969), 236-287.

ESEDEBE P.O., « Origins and Meaning of Pan-africanism », *P.A.*, 73 (1970), 109-127.

FANON Frantz, « Fondement réciproque de la culture nationale et des luttes de libération », *P.A.*, 24-25 (1959), 82-89.

FANON Frantz, *Les Damnés de la terre* (1961), Maspero, 1970, 236 p.

FANON Frantz, *Peau noire, masques blancs* (1952), P., Seuil, 1965, 240 p.

FAYE N. G. M., *Le Débrouillard*, P., Gallimard, 1964, 224 p.

FLIS-ZONABEND Françoise, *Lycéens de Dakar*, P., Maspero, 1968, 216 p.

FONLON Bernard, « Culture africaine et langues de diffusion. A propos de la Conférence de Kampala », *P.A.*, 45 (1963), 182-196.

FRANKLIN Albert, « Le Paternalisme contre l'étudiant africain », *P.A.*, 14 (1953), 71-82.

FROBENIUS Léo, *Histoire de la civilisation africaine* (1933), P., Gallimard, 1952, 372-CLXX p.

FURON R., *Manuel de préhistoire générale*, P., Payot, 1939, 398 p.

GLISSANT Edouard, *Le Quatrième Siècle*, P., Seuil, 1964, 290 p.

GOBINEAU Arthur de, *Essai sur l'inégalité des races humaines* (1854), P., Belfond, 1967, 879 p.

GREENOUGH Richard, *Perspectives africaines : les progrès de l'éducation*, P., U.N.E.S.C.O., 1966, 118 p.

GRIAULE Marcel, *Dieu d'eau. Entretiens avec Ogotommêli* (1948), P., Fayard, 1975, 222 p.

GRIAULE Marcel, « L'Inconnue noire », *P.A.*, 1 (1947), 21-27.

GRIAULE Marcel, « Philosophie et religion des Noirs », *P.A.*, 8-9 (1950), 307-321.

GUEHENNO Jean, *La France et les noirs*, P., Gallimard, 1954, 142 p.

GUERIN Daniel, *Les Antilles décolonisées*, P., P.A., 1956, 188 p.

GUERNIER Eugène, *L'Apport de l'Afrique à la pensée humaine*, P., Payot, 1952, 246 p.

GUILAVOGUI Galema, « Les Fondements de la réforme de l'enseignement en République de Guinée », *Recherche, pédagogie et culture*, 23-24 (1976), 8-14.

HAMA Boubou, *Enquête sur les fondements de l'unité africaine*, P., P.A., 1966, 566 p.

HAMA Boubou, *Essai d'analyse de l'éducation africaine*, P., P.A., 1968, 394 p.

HAMA Boubou, *Le Double d'hier rencontre demain*, P., U.G.E., 10/18, 1973, 440 p.

HANRY Pierre, *Erotisme africain (le comportement sexuel des adolescents guinéens)*, P., Payot, 1970, 200 p.

HARDY Georges, *L'Art nègre. L'art animiste des noirs d'Afrique*, P., H. Laurens, 1927, 168 p.

HARDY Georges, *Une Conquête morale, l'enseignement en A.O.F.*, P., A. Colin, 1917, XII-356 p.

HAUSSER Michel, « L'Enseignement de la littérature négro-africaine de langue française en Afrique », *Négritude africaine, négritude caraïbe*, 33-42.

HAZOUME Paul, *Doguicimi*, P., Larose, 1938, 510 p.

HAZOUME Paul, *Le Pacte de sang au Dahomey*, P., Institut d'ethnologie, 1937, 170 p.

HEISSLER Nina et AL., *Diffusion du livre. Développement de la lecture en Afrique. Tchad. Sénégal*, P., Culture et développement, 1965, 300 p.

HERSKOVITS Melville J., *L'Afrique et les Africains entre hier et demain*, P., Payot, 1965, 318 p.

HODGKIN Thomas, « Mahdisme, messianisme et marxisme dans le contexte africain », *P.A.*, 74 (1970), 128-153.

HOMBURGER Lilias, *Les Langues négro-africaines et les peuples qui les parlent*, P., Payot, 1941, 350 p.

HOUIS Maurice, *Anthropologie linguistique de l'Afrique noire*, P., P.U.F., 1971, 232 p.

HOUIS Maurice, « Préalable à un humanisme nègre », *Esprit*, 267 (1958), 571-594.

HOUNTONDJI Paulin, « Charabia et mauvaise conscience : psychologie du langage chez les intellectuels colonisés », *P.A.*, 61 (1967), 11-31.

HOUNTONDJI Paulin, « Histoire d'un mythe », *P.A.*, 91 (1974), 3-13.

HOUNTONDJI Paulin, *Sur la « Philosophie africaine »*, P., Maspero, 1977, 256 p.

JAHN Janheinz, *Muntu. L'Homme africain et la culture néo-africaine* (1958), P., Seuil, 1961, 302 p.

JAMES Marcus, « Religion en Afrique », *P.A.*, 24-25 (1959), 185-191.

KAGAME Alexis, « Aperception empirique du temps et conception de l'Histoire dans la pensée bantu », *Les Cultures et le temps*, P., Payot-U.N.E.S.C.O., 1975, 103-133.

KAKE Ibrahima B., « De l'Interprétation abusive des textes sacrés à propos du thème de la malédiction de Cham », *P.A.*, 94 (1975), 241-249.

KANE Cheikh Hamidou, « Comme si nous nous étions donné rendez-vous », *Esprit*, 29 (1961), 375-387.

KANE Mohammadou, « L'Ecrivain africain et son public », *P.A.*, 58 (1966) 8-31.

KENYATTA Jomo, *Au Pied du Mont Kenya* (1938), P., Maspero, 1967, 208 p.

KOTCHY Barthélémy, « L'Ecrivain et son public », *Situation et perspectives...*, Abidjan, 1970, 23-28.

KOUROUMA Ahmadou, *Les Soleils des indépendances* (1968), P., Seuil, 1969, 208 p.

KWABENA NKETIA J. H., « The Language Problem and the African Personality », *P.A.*, 67 (1968), 157-171.

LAMMING George, « The Negro Writer and his World », *P.A.*, 8-10 (1956), 318-325.

LAMMING George, *The Pleasures of Exile*, London, Joseph, 1960, 324 p.

La Promotion du livre en Afrique. Problèmes et perspectives, Etudes et documents d'information n° 56, P., U.N.E.S.C.O., 1969, 44 p.

LARA Oruno D., « Les Racines de l'historiographie afro-américaine », *P.A.*, 89 (1974), 40-58.

LAVACHERY Henri, « L'Art des Noirs d'Afrique et son destin », *P.A.*, 10-11 (1951), 38-57.

LEBEL Roland, *Histoire de la littérature coloniale en France*, P., Larose, 1931, 236 p.

LEIRIS Michel, *Contacts de civilisations en Martinique et en Guadeloupe*, P., U.N.E.S.C.O.-Gallimard, 1955, 192 p.

LEIRIS Michel, *La Langue secrète des Dogons de Sanga*, P., Institut d'ethnologie, 1948, 530 p.

LEIRIS Michel, « Martinique, Guadeloupe, Haïti », *T.M.*, 52 (1950), 1345-1368.

LEIRIS Michel, *Race et culture*, P., U.N.E.S.C.O., 1951, 48 p.

LEIRIS Michel et DELANGE Jacqueline, *Afrique noire. La création plastique*, P., Gallimard, 1967, 452 p.

LEM Frédéric-Henri, « Variété et unité des traditions plastiques de l'Afrique noire », *P.A.*, 10-11 (1951), 25-37.

L'Enseignement à Madagascar en 1931, Gouvernement général de Madagascar et dépendances, Direction de l'enseignement, s.l.n.d., 118 p.

LE THAN KHOI, *L'Enseignement en Afrique tropicale*, P., P.U.F., 1971, 464 p.

LOBA Aké, *Kocoumbo, l'étudiant noir*, P., Flammarion, 1960, 268 p.

LUBIN Maurice A., « Population et éducation : Haïti », *P.A.*, 27-28 (1959), 230-236.

MABONA Antoine, « Eléments de culture africaine », *P.A.*, 46 (1962), 182-196.

MAC HARDY Cécile, « Love in Africa », *P.A.*, 68 (1968), 52-60.

MAKOUTA-MBOUKOU Jean-Pierre, *Le Français en Afrique noire*, P. Bordas, 1973, 238 p.

MALONGA Jean, « Cœur d'aryenne », *P.A.*, 16 (1954), 159-285.

MANNONI Dominique-Octave, *Psychologie de la colonisation*, P., Seuil, 1950, 232 p.

MARAN René, *Batouala* (1921), P., A. Michel, 1972, 252 p.

MARTONNE Edouard de, « Psychologie du peuple malgache », *Revue de psychologie des peuples*, 3 (1948), 40-83 et 166-210.

MAUNICK Edouard J., *Les Manèges de la mer*, P., P.A., 1964, 102 p.

MAUNICK Edouard J., *Mascaret ou le livre de la mer et de la mort*, P., P.A., 1966, 142 p.

MEMEL-FOTE Harris, « L'Idée de monde dans les cultures négro-africaines », *P.A.*, 73 (1970), 223-247.

MEMMI Albert, *Portrait du colonisé, précédé du portrait du colonisateur* (1957), P., J.-J. Pauvert, 1966, 190 p.

MOFOLO Thomas, *Chaka, une épopée bantoue* (1925), P., Gallimard, 1940, 272 p.

MOUMOUNI Abdou, *L'Education en Afrique* (1964), P., Maspero, 1967, 400 p.

MUEHLMANN Wilhelm E., *Messianismes révolutionnaires du tiers monde*, P., Gallimard, 1968, 392 p.

MVENG Engelbert, « La Conception du temps », *Ethiopiques*, 6 (1976), 71-80.

MVENG Engelbert, *Les Sources grecques de l'histoire négro-africaine depuis Homère jusqu'à Strabon*, P., P.A., 1972, 228 p.

MVENG Engelbert « Structures fondamentales de l'art négro-africain, I. La Symbolique », *P.A.*, 49 (1964), 116-128, « II. Le Rythme », *ibid.*, 52 (1964), 104-127.

N'DAW Alassane, « Peut-on parler d'une Pensée africaine ? », *P.A.*, 58 (1966), 32-46.

N'DIAYE Jean-Pierre, *Elites africaines et culture occidentale. Assimilation ou résistance ?*, P., P.A., 1969, 218 p.

N'DIAYE Jean-Pierre, *Enquête sur les étudiants noirs en France*, P., Réalités africaines, 1962, 316 p.

NIANGORAN-BOUAH Georges, *La Division du temps et le calendrier rituel des peuples lagunaires de Côte-d'Ivoire*, P., Institut d'ethnologie, 1964, 174 p.

OBENGA Théophile, *L'Afrique dans l'Antiquité. Egypte pharaonique. Afrique noire*, P., P.A., 1973, 464 p.

OBENGA Théophile, « Le Royaume de Congo », *Africa*, 24 (1969), 323-348.

OKPAKU Joseph, « Tradition, Culture and Criticism », *P.A.*, 70 (1969), 137-146.

OUOLOGUEM Yambo, *Le Devoir de violence*, P., Seuil, 1968, 208 p.

OUOLOGUEM Yambo, *Lettre à la France nègre*, P., Edmond Nalis, 1969, 194 p.

OWONA Adalbert, « A l'Aube du nationalisme camerounais : la curieuse figure de Vincent Ganty », *R.F.H.O.M.*, 56 (1969), 199-235.

PEDRALS Denis-Pierre, *Archéologie de l'Afrique noire*, P., Payot, 1950, 234 p.

POUQUET Jean, *Les Antilles françaises*, P., P.U.F., 1964, 128 p.

PRICE-MARS Jean, *Ainsi parla l'Oncle* (1928), Ottawa, Leméac, 1973, 316 p.

QUENUM Maximilien, *L'Afrique noire (rencontre avec l'Occident)*, P., F. Nathan, 1958, 172 p.

RABEMANANJARA Jacques, « Les Fondements culturels du nationalisme malgache », *P.A.*, 18-19 (1958), 125-142.

RABEMANANJARA Jacques, « Les Fondements de notre unité tirés de l'époque coloniale », *P.A.*, 24-25 (1959), 66-81.

RABEMANANJARA Jacques, « L'Europe et nous », *P.A.*, 8-10 (1956), 20-28.

RABEMANANJARA Jacques, « Madagascar 1947-1957 », *P.A.*, 12 (1957), 73-77.

RABEMANANJARA Jacques, *Nationalisme et problèmes malgaches*, P., P.A., 1958, 222 p.

RABEMANANJARA Jacques, « Pourquoi la Francophonie ?, *Culture française*, 18 2 (1969), 20-28.

RABEMANANJARA Jacques, « Présence de Madagascar », *P.A.*, 12 (1957), 89-108.

RAKOTO Julien, « La Crise de l'enseignement à Madagascar », *Revue française d'études politiques africaines*, 71 (1971), 53-79.

RANAIVO Flavien, *Images de Madagascar*, Fianarantsoa, Librairie Ambozontany, s. d., non paginé (162 p.).

RANAIVO Flavien, « Le Folklore malgache », *P.A.*, 14-15 (1957), 155-164.

RESCOUSSIE Pierre, « L'Enseignement secondaire dans 18 Etats francophones d'Afrique et Madagascar », *Afrique contemporaine*, 67 (1973), 11-26.

RICHARD-MOLARD Jacques, « Groupements ethniques et collectivités d'Afrique noire », *P.A.*, 15 (1954), 33-44.

ROUMAIN Jacques, *La Montagne ensorcelée* (1931), P., Les Editeurs français réunis, 1972, 286 p.

SADJI Abdoulaye, *Nini, mulâtresse du Sénégal* (1954), P., P.A., 1965, 188 p.

SAINVILLE Léonard, « Le Roman et ses responsabilités », *P.A.*, 27-28 (1959), 37-50.

SAMB Amadou, « L'Apport des réalités négro-africaines à la civilisation de l'universel », *France-Eurafrique*, 239 (1973), 61-66.

SAR A. et AL., « Esprit et situation de l'enseignement en Afrique noire », *P.A.*, 11 (1956-1957), 71-83.

SAUVAGE Marcel, *Les Secrets de l'Afrique noire*, P., Denoël, 1937, 338 p.

SCHOELCHER Victor, *Esclavage et colonisation* (1840-1882), P., P.U.F., 1948, 218 p.

SELIGMANN C. G., *Les Races de l'Afrique*, P., Payot, 1935, 224 p.

SENGHOR Léopold Sédar, *La Poésie de l'action. Conversations avec Mohamed Aziza*, P., Stock, 1980, 363 p.

SENGHOR Léopold Sédar, *Liberté 2. Nation et voie africaine du socialisme* (*L. 2*), P., Seuil, 1971, 318 p.

SENGHOR Léopold Sédar, *Pierre Teilhard de Chardin et la politique africaine*, P., Seuil, 1962, 104 p.

SENGHOR Léopold Sédar, « Pour une Relecture africaine de Marx et d'Engels », *Ethiopiques*, 5 (1976), 4-18.

SISSOKO Fily Dabo, *Crayons et portraits*, Mulhouse, Impr. Union, s. d. (1953), 80 p.

SISSOKO Fily Dabo, *La Savane rouge*, Avignon, Presses universelles, 1962, 140 p.

SISSOKO Fily Dabo, *Les Noirs et la culture (introduction au problème de l'évolution culturelle des peuples africains)*, New York, s. d. 72 p.

SISSOKO Fily Dabo, *Une Page est tournée*, 2 t., Dakar, Impr. A. Diop, 1959 et 1960, 86 et 48 p.

SOCE Ousmane, *Karim, roman sénégalais* (1935), *suivi de Contes et légendes d'Afrique noire*, P., Nouvelles éditions latines, 1948, 238 p.

SOCE Ousmane, *Mirages de Paris* (1937), P., Nouvelles éditions latines, 1962, 190 p.

SOUFFRANT Claude, « Le Fatalisme religieux du paysan haïtien », *Europe*, 501 (1972), 27-42.

SOYINKA Wole, « L'Ecrivain dans l'Afrique contemporaine », *L'Afrique actuelle*, 19 (1967), 2-4.

SOYINKA Wole, *Myth, Literature and the African World*, Cambridge, Cambridge University Press, 1976, 168 p.

TCHIDIMBO R., « L'Etudiant africain face à la culture latine », *P.A.*, 14 (1953), 55-64.

TEMPELS Placide, *La Philosophie bantoue* (1948), P., *P.A.*, 1961, 126 p.

TEVOEDJRE Albert, *L'Afrique révoltée*, P., *P.A.*, 1958, 158 p.

THOMAS Louis-Vincent, « Problèmes de sociologie africaine », *P.A.*, 58 (1966), 131-159.

THOMAS Louis-Vincent, « Temps, mythe et histoire en Afrique de l'ouest », *P.A.*, 39 (1961), 12-58.

THOMAS Louis-Vincent, « Un Système philosophique sénégalais : la la cosmologie des Diola », *P.A.*, 32-33 (1960), 64-76.

THOMAS Louis-Vincent et AL., *Les Religions d'Afrique noire*, P., Fayard-Denoël, 1969, 410 p.

TIDIANY C. S., « Le Noir africain et les cultures indo-européennes », *P.A.*, 14-15 (1957), 7-28.

TIDIANY C. S., « Noir africain et culture latine », *P.A.*, 14 (1953), 40-54.

TOURE Ahmed Sékou, « Le Leader politique considéré comme le représentant d'une culture », *P.A.*, 24-25 (1959), 104-115.

TRONCHON Jacques, *L'Insurrection malgache de 1947*, P., Maspero, 1974, 400 p.

TUTUOLA Amos, *L'Ivrogne dans la brousse* (1952), P., Gallimard, 1953, 198 p.

VERGIAT Anne-Marie, *Les Rites secrets des primitifs de l'Oubangui*, P., Payot, 1936, 212 p.

VERGIAT Anne-Marie, *Mœurs et coutumes des Manjas*, P., Payot, 1937, 326 p.

WADE Abdoulaye, « Afrique noire et Union française », *P.A.*, 14, (1953), 118-144.

WESTERMANN Diedrich, *Noirs et blancs en Afrique*, P., Payot, 1937, 280 p.

WRIGHT Richard, « Tradition and Industrialization », *P.A.*, 8-10 (1956), 347-360.

YENA Issa, « La Réforme de l'enseignement en République du Mali », *Recherche, pédagogie et culture*, 23-24 (1976), 4-8.

ZAHAN Dominique, *La Dialectique du verbe chez les Bambara*, P.-La Haye, Mouton, 1963, 208 p.

2 THEORIE ET CRITIQUE LITTERAIRES

ALQUIE Ferdinand, *Le Surréalisme. Entretiens de Cerisy, 10-18 juillet 1966*, P.-La Haye, Mouton, 1968, 568 p.

ALQUIE Ferdinand, *Philosophie du surréalisme* (1956), P., Flammarion, 1970, 234 p.

ANTOINE Gérald, *Les cinq grandes Odes de Claudel ou la poésie de la répétition*, P., Minard, 1959, 96 p.

ARAGON Louis, *Journal d'une poésie nationale*, Lyon, Les Ecrivains réunis, 1954, 168 p.

AUERBACH Erich, *Mimésis. La représentation de la réalité dans la littérature occidentale* (1946), P., Gallimard, 1968, 563 p.

BACHELARD Gaston, *La Poétique de la rêverie* (1960), P., P.U.F., 1968, 186 p.

BARBERIS Pierre, « Eléments pour une lecture marxiste du fait littéraire : lisibilités successives et signification », *La Nouvelle Critique*, 39 bis (1971), *Littérature et idéologies*, 16-23.

BARBERIS Pierre, « Napoléon : structure et signification d'un mythe littéraire », *R.H.L.F.*, 70 (1970), 1031-1058.

BARTHES Roland, *Essais critiques*, P., Seuil, 1964, 278 p.

BEDOUIN Jean-Louis, *Vingt Ans de surréalisme (1939-1959)*, P., Denoël, 1961, 326 p.

BELLEMIN-NOEL Jean, « En Marge des premiers " Narcisse " de Valéry », *R.H.L.F.*, 70 (1970), 975-991.

BLANCHOT Maurice, *La Part du feu*, P., Gallimard, 1949, 348 p.

BLANCHOT Maurice, *L'Entretien infini*, P., Gallimard, 1969, 640 p.

BONNEFOY Claude, *Entretiens avec Eugène Ionesco*, P., Belfond, 1966, 224 p.

BRETON André, *Entretiens* (1952), P., Gallimard, « Idées », 1973, 312 p.

BRETON André, *La Clé des champs* (1953), P., J.-J. Pauvert, 1967, 342 p.

BRETON André, *Les Pas perdus* (1924), P., Gallimard, « Idées », 1969, 182 p.

BRETON André, *Le Surréalisme et la peinture*, P., Gallimard, 1965, 428 p.

BRETON André, *Manifestes du surréalisme* (1924-1953), P., J.-J. Pauvert, 1962, 366 p.

BRETON André, *Point du jour* (1934), P., Gallimard, « Idées », 1970, 192 p.

BRETON André, *Position politique du surréalisme* (1935), P., Bélibaste-Pauvert, 1970, 148 p.

CARIO L. et REGISMANCET C., *L'Exotisme, la littérature coloniale*, P., Mercure de France, 1911, 310 p.

CLAUDEL Paul, *Positions et propositions*, I (1928), P., Gallimard, 1948, 254 p., II (1934), *ibid.*, 1948, 266 p.

DUCHET Claude, « Une Ecriture de la socialité », *Poétique*, 16 (1973), 446-454.

DUVIGNAUD Jean, *L'Anomie. Hérésie et subversion*, P., Anthropos, 1973, 186 p.

ETIENNE Servais, « La Formation littéraire », *Revue des langues vivantes*, 4 (1938), 106-109.

FOUCAULT Michel, *L'Archéologie du savoir*, P., Gallimard, 1969, 275 p.

GLISSANT Edouard, *L'Intention poétique*, P., Seuil, 1969, 254 p.

GLUCKSMANN Christine, « Sur la Relation littérature et idéologies », *La Nouvelle Critique*, 39 bis (1971), 9-15.

GRACQ Julien, « Le Surréalisme et la littérature contemporaine » (1950), *L'Herne*, 20 (1972), 189-204.

JOUSSE Marcel, *L'Anthropologie du geste*, P., Gallimard, 1974, 410 p.

LEIRIS Michel, *Mots sans mémoire*, P., Gallimard, 1969, 154 p.

MACHEREY Pierre, *Pour une Théorie de la production littéraire* (1966), P., Maspero, 1971, 332 p.

MALRAUX André, *Les Voix du silence*, P., Gallimard, 1951, 660 p.

MAURON Charles, *Des Métaphores obsédantes au mythe personnel. Introduction à la psychocritique*, P., J. Corti, 1963, 380 p.

MOLES Abraham, *Art et ordinateur*, P., Casterman, 1971, 272 p.

MONNEROT Jules, *La Poésie moderne et le sacré* (1945), P., Gallimard, 1949, 210 p.

ROUSSET Jean, *La Littérature de l'âge baroque en France. Circé et le paon*, P., J. Corti, 1953, 314 p.

Théorie de la littérature. Textes des Formalistes russes réunis, présentés et traduits par Tzvetan Todorov, P., Seuil, 1965, 318 p.

WELLEK René et WARREN Austin, *La Théorie littéraire* (1942), P., Seuil, 1971, 400 p.

3 LINGUISTIQUE ET POETIQUE

ARRIVE Michel, « Postulats pour la description linguistique des textes littéraires », *L.F.*, 3 (1969), 3-13.

AUSTIN John L., *Quand Dire, c'est faire* (1962), P., Seuil, 1970, 189 p.

BALLY Charles, *Traité de stylistique française* (*T.S.F.*) (1902), Genève-P., Georg et Klincksieck, 1951, 332 p.

BARTHES Roland, « Proust et les noms », *To Honor Roman Jakobson*, La Haye, Mouton, 1967, t. 1 150-158.

BECQ de FOUQUIERES Louis, *Traité général de versification française*, P., Charpentier, 1879, 402 p.

BENVENISTE Emile, *Problèmes de linguistique générale* (*P.L.G.*), P., Gallimard, 1966, 356 p., t. 2, 1974, 288 p.

BOUVEROT Danielle, « Comparaison et métaphore », *F.M.*, 37 (1969), 132-147, 224-238, 301-316.

CAILLOIS Roger, *Poétique de Saint-John Perse*, P., Gallimard, 1954, 212 p.

CHASTAING Maurice, « Le Symbolisme des voyelles. Signification des I », *Journal de psychologie*, 55 (1958), 403-423, 461-481.

CHEVALIER Jean-Claude, *« Alcools » d'Apollinaire. Essai d'analyse des formes poétiques*, P., Minard, 1970, 274 p.

CHOMSKY Noam, *Aspects de la théorie syntaxique* (1965), P., Seuil, 1971, 284 p.

CHOMSKY N. et MILLER George A., *L'Analyse formelle des langues naturelles* (1963), P.-La Haye, Gauthier-Villars et Mouton, 1971, 174 p.

COHEN Jean, *Structure du langage poétique*, P., Flammarion, 1966, 236 p.

CORNULIER Benoît de, *Théorie du vers*, P., Seuil, 1982, 321 p.

CUENOT Claude, « Technique et valeur expressive, chez Paul Verlaine, des vers autres que l'alexandrin », *F.M.*, 29 (1961), 183-198, 288-305.

DEGUY Michel, « Figure du rythme, rythme des figures », *L.F.*, 23 (1974), 24-40.

DEGUY Michel, « Vers une Théorie de la figure généralisée », *Critique*, 269 (1969), 841-861.

DELAS Daniel et FILLIOLET Jacques, *Linguistique et poétique*, P., Larousse, 1973, 206 p.

DELBOUILLE Paul, *Poésie et sonorités. La critique contemporaine devant le pouvoir suggestif des sons*, P., Les Belles Lettres, 1961, 268 p.

ECO Umberto, *La Structure absente. Introduction à la recherche sémiotique* (1968), P., Mercure de France, 1972, 448 p.

FILLIOLET Jacques, « Problématique du vers libre », *L.F.*, 23 (1974), 63-71.

FLYDAL Leiv, « Les Instruments de l'artiste en langage », *F.M.*, 30 (1962), 161-171.

FONTANIER Pierre, *Les Figures du discours* (1821-1830), P., Flammarion, 1968, 504 p.

FRAISSE Paul, *Les Structures rythmiques, étude psychologique*, Bruxelles-P., Erasme, 1956, 124 p.

GENETTE Gérard, *Figures*, P., Seuil, 1966, 268 p.

GENETTE Gérard, *Mimologiques. Voyage en Cratylie*, P., Seuil, 1976, 428 p.

GHYKA Matila, *Essai sur le rythme* (1938), P., Gallimard, 1952, 186 p.

GRANGER Gilles-Gaston, *Essai d'une philosophie du style*, P., A. Colin, 1968, 312 p.

GREIMAS Algirdas Julien, *Du Sens. Essais sémiotiques*, P., Seuil, 1970, 314 p. et t. 2, *ibid.*, 1983, 254 p.

GREIMAS Algirdas Julien (sous la direction de), *Essais de sémiotique poétique*, P., Larousse, 1972, 240 p.

GREIMAS Algirdas Julien, « La Linguistique statistique et la linguistique structurale », *F.M.*, 30 (1962), 241-254 et 31 (1963), 55-68.

GREIMAS Algirdas Julien, *Sémantique structurale*, P., Larousse, 1966, 262 p.

GUIRAUD Pierre, *Langage et versification d'après l'œuvre de Paul Valéry*, P., Klincksieck, 1953, 240 p.

GUIRAUD Pierre, « Les Structures aléatoires de la double articulation », *Bulletin de la Société linguistique de Paris*, 58 (1963), 135-155.

GUIRAUD Pierre, *Structures étymologiques du lexique française*, P., Larousse, 1967, 212 p.

HAMON Philippe, « Un Discours contraint », *Poétique*, 16 (1973), 411-445.

HARRIS Zelig S., « Distributional Structure », *Word*, 10 (1954), 146-162.

HENRY Albert, *Métonymie et métaphore*, P. Klincksieck, 1971, 162 p.

HERESCU Nicolas Ian, « Le Sortilège des sons », *Mélanges Grégoire*, t. 3, Bruxelles, Université de Bruxelles, 1951, 133-159.

HJELMSLEV Louis, *Prolégomènes à une théorie du langage* (1943), P., Minuit, 1968, 228 p.

IMBS Paul, « Etude sur la syntaxe du *Soulier de satin* de Paul Claudel (l'ellipse) », *F.M.*, 12 (1944), 243-279.

JAKOBSON Roman, « A la Recherche de l'essence du langage », *Problèmes du langage*, P., Gallimard, coll. Diogène, 1966, 22-38.

JAKOBSON Roman, *Essais de linguistique générale (E.L.G.)*, P., Minuit, 1963, 260 p., t. 2, *ibid.*, 1973, 320 p.

JAKOBSON Roman, *Questions de poétique*, P., Seuil, 1973, 510 p.

JAKOBSON Roman et LEVI-STRAUSS Claude, « " Les Chats " de Baudelaire », *L'Homme*, 2 4 (1962), 5-21.

JESPERSEN Otto, « Symbolic Value of the Vowel I », *Philologica*, 1 (1921), 15-31.

KHLEBNIKOV Vélimir, « Livre des préceptes », *Poétique*, 1 (1970), 112-126 et 2 (1970), 233-254.

KIBEDI VARGA Aron, *Les Constantes du poème. A la recherche d'une poétique dialectique*, La Haye, Van Goor Zonen, 1963, 278 p.

KLINKENBERG Jean-Marie, « L'Archaïsme et ses fonctions stylistiques », *F.M.*, 38 (1970), 10-34.

KRISTEVA Julia, *Sèmeiôtikè. Recherches pour une sémanalyse*, P., Seuil, 1969, 380 p.

LEVIN Samuel, *Linguistic Structures in Poetry* (1962), La Haye, Mouton, 1964, 64 p.

LEVY Ernst, « Métrique et rythmique », in A. PFRIMMER (éd.), *Premier Congrès du rythme*, Genève, 1926, 76-81.

LINSKY Leonard, *Le Problème de la référence* (1967), P., Seuil, 1974, 186 p.

LUSSON Pierre, « Sur une Théorie générale du rythme », in *Biologies et prosodies. Colloque de Cerisy*, t. 1, P., U.G.E., 10/18, 1975, 225-245.

LYONS John, *Linguistique générale. Introduction à la linguistique théorique* (1968), P., Larousse, 1970, 384 p.

MARCHAND Henri, « L'Etude des onomatopées », *Dialogues*, Istamboul, 1949, 124-134.

MARTINET André, « Connotations, poésie et culture », *To Honor Roman Jakobson*, La Haye, Mouton, 1967, t. 2, 1288-1294.

MESCHONNIC Henri, *Critique du rythme*, Lagrasse, Verdier, 1982, 730 p.

MESCHONNIC Henri, *Les Etats de la poétique*, P., P.U.F., 1985, 285 p.

MESCHONNIC Henri, *Pour la Poétique*, P., Gallimard, 1970, 178 p.

MOLINO Jean et TAMINE Joëlle, *Introduction à l'analyse linguistique de la poésie*, P., P.U.F., 1982, 232 p.

MOUNIN Georges, *Les Problèmes théoriques de la traduction*, P., Gallimard, 1963, 298 p.

MOUNIN Georges, « Les Stylistiques actuelles », *Cahiers internationaux du symbolisme*, 15-16 (1967-1968), 53-60.

MOUNIN Georges, « Quelques petits faits probablement vrais à propos de la phonétique, de la musique et de la poésie », in *Poésie et langage*, Dilbeek, La Maison du poète, 1954, 74-86.

MOUNIN Georges (sous la direction de), *Dictionnaire de la linguistique*, P., P.U.F., 1974, 340 p.

NYEKI L., « Le Rythme linguistique en français et en hongrois (essai de prosodie contrastive) », *L.F.*, 19 (1973), 120-142.

ORR John, « On some Sound Values in English », *British Journal of Psychology*, 35 (1944), 1-8.

PEIRCE Charles Sanders, *Ecrits sur le signe* (1885-1910), P., Seuil, 1978, 269 p.

POTTIER Bernard, *Présentation de la linguistique. Fondements d'une théorie*, P., Klincksieck, 1967, 78 p.

RICŒUR Paul, *La Métaphore vive*, P., Seuil, 1975, 414 p.

RIFFATERRE Michæl, *Essais de stylistique structurale*, P., Flammarion, 1971, 366 p.

RIFFATERRE Michæl, « La Poétisation du mot chez Victor Hugo », *Cahiers de l'Association internationale des études françaises*, 16 (1964), 71-79.

RIFFATERRE Michæl, *La Production du texte*, P., Seuil, 1979, 287 p.

ROUBAUD Jacques, *La Vieillesse d'Alexandre. Essai sur quelques états récents du vers français*, P., Ramsay, 1988, 219 p.

ROUBAUD Jacques, « Poétique comme exploration des changements de forme », in *Biologies et prosodies. Colloque de Cerisy*, t. 1, P., U.G.E., 10/18, 1975, 74-93.

RUTTEN Pierre M. van, *Le Langage poétique de Saint-John Perse*, La Haye-P., Mouton, 1975, 248 p.

RUWET Nicolas, « Analyse structurale d'un poème français », *Linguistics*, 3 (1964), 62-83.

RUWET Nicolas, *Introduction à la grammaire générative*, P., Plon, 1967, 448 p.

RUWET Nicolas, « " Je te donne ces vers... " », esquisse d'analyse linguistique », *Poétique*, 7 (1971), 388-401.

RUWET Nicolas « L'Analyse structurale de la poésie », *Linguistics*, 2 (1963), 38-59.

RUWET Nicolas, « Musique et vision chez Paul Verlaine », *L.F.*, 49 (1981), 92-112.

RUWET Nicolas, « Sur un Vers de Charles Baudelaire », *Linguistics*, 17 (1965), 69-77.

SAPIR Edward, *Linguistique* (1912-1944), P., Minuit, 1968, 290 p.

SAUSSURE Ferdinand de, *Cours de linguistique générale* (*C.L.G.*), éd. Tullio de Mauro, P., Payot, 1972, 510 p.

SEARLE John R., *Sens et expression* (1979), P., Minuit, 1982, 248 p.

SEBEOK Thomas A. (sous la direction de), *Style in Language*, New York-London, J. Wiley, 1960, 470 p.

SERVIEN Pius, *Les Rythmes comme introduction physique à l'esthétique*, P., Boivin, 1930, 208 p.

SPERBER Dan, *Le Symbolisme en général*, P., Hermann, 1964, 164 p.

SPIRE André, *Plaisir poétique et plaisir musculaire. Essai sur l'évolution des techniques poétiques*, P., J. Corti, 1949, 548 p.

TODOROV Tzvetan, « Introduction à la symbolique », *Poétique*, 11 (1972), 273-308.

TODOROV Tzvetan, *Les Genres du discours*, P., Seuil, 1978, 315 p.

TODOROV Tzvetan, « Poétique », in *Qu'est-ce que le Structuralisme ?*, P., Seuil, 1968, 99-166.

TODOROV Tzvetan, *Poétique de la prose*, P., Seuil, 1971, 256 p.

VALDMAN A., « Les Bases statistiques de l'antériorité articulatoire du français », *F.M.*, 27 (1959), 102-110.

WEINREICH U., LABOV W. et HERZOG M., « Empirical Foundations for a Theory of Language Change », in LEHMANN W. P. et MALKIEL Y. (sous la dir. de), *Directions for Historical Linguistics*, Austin, The University of Texas Press, 1968, 95-188.

INDEX DES CITATIONS

Sont regroupées ci-après les citations empruntées aux textes du corpus, qu'elles aient été reproduites en toutes lettres ou simplement référenciées, qu'il s'agisse d'une séquence, d'un vers ou d'un mot. Pour la disposition des références, v. p. 419.

BRI. *D.*

8	36-40	1 : 246
	40	2 : 334
9	71-72	2 : 216 n.
	72-73	2 : 331
10	93	2 : 216 n.
	96	1 : 132
	111-113	2 : 352
11	121-122	1 : 203
12	171	2 : 302
17	321	2 : 64
20	387	2 : 317 n.
	407-409	1 : 226
21	427-23 484	1 : 395
22	446-449	2 : 49
23	487-24 527	2 : 62
24	527	2 : 302
26	577-578	1 : 203
29	648-649	2 : 61 n.
	670-671	2 : 71 n.
33	788	2 : 65 n.
34	805	2 : 317 n.
35	855-859	1 : 281

CESAIRE (CES.) :

Cahier d'un retour au pays natal (R.) :

25	1	2 : 254
	1-2	2 : 208, 224
	1-3	1 : 223
	5-7	1 : 272
	7	2 : 73 n.
	9	2 : 320 n.
	9-11	1 : 232
26	17-19	1 : 356
	24-26	1 : 264
	26	1 : 232
	28-29	1 : 232
27	39-45	1 : 210
	48	1 : 232
28	61-66	1 : 272
	63-65	1 : 232
	68-69	2 : 79
29	84-85	1 : 299
	87	1 : 265 n.
	89-91	1 : 299
30	103-106	1 : 273
31	126	1 : 232
	138-139	1 : 232
32	148-149	1 : 264
	151-156	1 : 299

CES. *R.*

33	174-35 242	1 : 173
	182-184	2 : 350
35	223-226	1 : 263
36	246-248	1 : 299
	262	2 : 64
38	310-312	2 : 79 n.
39	326-40 339	2 : 62
40	336-337	1 : 394
	340-342	1 : 273
		2 : 72, 73 n.
	343-346	1 : 231 n.
	343-347	2 : 142
	352-353	1 : 363
		2 : 61 n.
	354	2 : 71 n.
41	361-362	1 : 263
	365-368	2 : 73
	369-373	1 : 373 n.
	375-379	1 : 255
42	384-386	2 : 140
43	416-418	1 : 255
	426-427	1 : 343
44	441	1 : 30 n.
	441-442	1 : 83, 373
45	462-47 505	2 : 314
	469 s.	1 : 252
46	476-493	2 : 241
47	505	1 : 264
	522-48 523	2 : 166 n.
	522-48 525	1 : 379
	522-48 538	1 : 297 n.
48	525	1 : 297 n.
	533	1 : 315
		2 : 347
49	552-553	1 : 343
52	616-617	2 : 69
	619	1 : 273
53	639-645	1 : 299 n.
	639-56 708	1 : 297 n.
	647-54 651	1 : 247
54	650	1 : 383
	663	1 : 273
	666	1 : 383
55	675-681	2 : 138
	679-680	1 : 264
	679-681	2 : 337
	679-684	1 : 325
	680	2 : 334
	686-688	1 : 371, 383
56	698-699	1 : 264
57	718-719	1 : 292
	728	1 : 264

CES. *C.*

13	22	29-30	2 :	353
		30	2 :	74
14	24	3	2 :	302
15	25	3	2 :	75
		14-15	2 :	333
		16	2 :	320
	26	28-30	2 :	320
18	31-32		1 :	253
	31	1-3	1 :	198
		20-21	2 :	71
19	33		1 :	345
20	34	4-5	2 :	164 n.
		13	2 :	299 n.
		15	2 :	164 n.
22	36	19-24	2 :	142
23	37	0	1 :	376
		3	1 :	134
		8-13	1 :	248 n.
24	39	1	1 :	214 n.
		8	2 :	164 n.
	40	23	2 :	164 n.
		34-41	1 :	145
		52	1 :	214 n.
	41	55-56	1 :	273
25	42		1 :	244 n.
	42	1-2	1 :	223 n.
26	43	13	2 :	348 n.
27	44	1-3	2 :	352
		5-7	2 :	351
		13-24	1 :	285-286
	45	27	2 :	338
28	46		2 :	74
	46	1-2	1 :	236
	47	24-27	1 :	311
		37	2 :	348
		49-48 53	1 :	380
	48	51-55	2 :	266
	48	66	1 :	380 n.
29	49		1 :	316-319
	49	2	2 :	72 n.
		13	2 :	338
30	50	1-4	1 :	286 n.
		9	1 :	273
		12-13	2 :	333
31	52	5-15	1 :	265 n.
32	54	1-4	2 :	321
		8-9	2 :	321
34	56	8-9	1 :	370
			2 :	72 n.
		20	1 :	339
35	58	5	1 :	223
37	60	3	2 :	326 n.
38	61		2 :	81

CES. *C.*

39	62	3	2 :	73 n.
40	63		1 :	237-241
42	65		1 :	139
43	67	1-7	1 :	285 n.
44	71	1-3	2 :	76 n., **191**
45	73	16-18	1 :	285 n.
	74	32	2 :	79
46	75	1-3	2 :	336 n.
		9-11	1 :	281
	76	23	2 :	240
		23-24	1 :	273
		32	2 :	63
48	78	1-2	1 :	236
49	80	1	1 :	209 n.
		35	1 :	314 n.
		37	1 :	224
		54-82 58	1 :	311
	82	57	1 :	240 n.
			2 :	352
50	83	20	2 :	352
51	85	4-9	2 :	74
52	87	15-16	2 :	316
		19-21	1 :	265 n.
	88	25	2 :	81 n.
		43	2 :	349
53	89	8	2 :	80
		10	2 :	303
		20	2 :	69
	90	27-31	2 :	80
		41-42	1 :	339
		49	2 :	336 n.
	91	54-55	1 :	347
		55	2 :	271, 276
		56	1 :	273
	92	78-82	2 :	80

CES., *Ferrements (F.)* :

1	7		1 :	121
	7	0	2 :	244
2	8	1-2	2 :	242 n.
		1-3	1 :	223
		1-9	2 :	275-276
		8	2 :	242 n.
		10-13	1 :	285
		11	2 :	276
		15	1 :	306
3	10-11		1 :	234
	10	1-2	2 :	331
		9-10	1 :	234 n.
		15-16	1 :	240

DAM. *P.*

14	41-42	1 : 130, 299
		2 : 256
	41 1-4	2 : 256
15	43 15	2 : 323
	44 30	1 : 144
	31-37	1 : 255
	45 53-57	2 : 187, 194
16	47	1 : 130
	47 7-12	1 : 245 n.
17	49	1 : 130
18	51 2-5	1 : 144
19	53 8-19	1 : 372
20	55	1 : 372, 383 n.
	55 1-2	1 : 130
21	57 0	1 : 281 n.
22	59-60	1 : 372
		2 : 256
	59 1-6	1 : 385
	3-6	1 : 255
	60 15-31	1 : 383 n.
	24-31	1 : 34
24	63 1-7	1 : 246 n.
	4	2 : 348 n.
25	65	2 : 49
	66 15-16	1 : 341 n.
	25-30	2 : 269
26	67 1	2 : 323
	13	2 : 323
28	71 13-19	1 : 125
		2 : 269
29	73 13-24	1 : 372
30	75	2 : 256
31	77 1-3	2 : 224
32	79-80	1 : 377

DAM., *Black-Label* (B.) :

9	12–14	2 : 256
1	9–33	2 : 57
10	19-25	1 : 255
14	147-148	1 : 219
	155-15 158	2 : 317
15	164-169	1 : 383-384
17	228-18 244	1 : 384
20	290-305	1 : 384
	317-21 321	1 : 245 n.
23	396 s.	1 : 134
25	441-447	1 : 246 n.
28	528-29 547	2 : 256
	536	1 : 341 n.
31	609-618	1 : 383 n.

DAM. *B.*

2	38	31-50	1 : 246 n.
	39	56-57	2 : 348
	47	273-280	2 : 266
	50	367-372	1 : 129
			2 : 256
		367-51 401	1 : 112
	52	422-426	1 : 386
3	65	226	2 : 306
	68	288	2 : 299
		294-297	2 : 316
4	73	16-17	2 : 256
		17-74 22	1 : 245
	74	32-37	2 : 144
	75	47-49	2 : 139
		68-73	1 : 246 n.
	79	172-80 194	2 : 265
	80	195-212	2 : 256

DAM., *Névralgies* (N.) :

1	83		2 : 256
2	84		2 : 75 n.
3	85		2 : 50
5	87	1-18	1 : 241
		9-12	2 : 72 n.
9	91	16	2 : 323
10	93	1-6	2 : 224
12	95	11-17	1 : 122-123
13	96-97		1 : 323 n.
14	98	13	2 : 75 n.
16	100-102		1 : 131 n., 323 n.
	100	8	1 : 341 n.
17	103	4	2 : 62 n.
		6	2 : 62 n.
18	104	6-7	1 : 272 n.
20	106-107		1 : 131 n.
	106	10	1 : 246
		11-12	2 : 256
	107	29-33	2 : 256
21	108-109		1 : 131 n.
	108	2	1 : 272 n.
			2 : 72 n.
	109	25	2 : 348 n.
23	111	1-3	1 : 216
24	112	13-14	1 : 272 n.
27	115	1-3	2 : 212
31	119	2	2 : 322
32	120	6-10	1 : 116
	121	35	1 : 116
33	122	1-5	2 : 268
		5	2 : 322
34	124	38-40	2 : 256

DDP.

1 19 3		2 : 334
	5-7	2 : 317
2 20 1-3		2 : 63
	9	2 : 348 n.
4 22		2 : 64 n., 257
22 9-10		1 : 397
5 23		2 : 257
23 1		2 : 143
	1-9	1 : 378
6 24		1 : 266 n.
		2 : 257
24 1-2		1 : 323, 382 n.
	10	2 : 312 n.
7 25 15		1 : 382
8 26 1-4		1 : 378
	7-8	2 : 210 n.
9 27 6		2 : 216 n.
	8	2 : 348 n.
28 24		2 : 348 n.
10 29		2 : 257
29 2-3		1 : 384
11 30 0		2 : 299
	1-2	1 : 142
		2 : 61
	1-5	1 : 377
	11-13	1 : 142
	13	2 : 334
	21-22	1 : 265
	22	2 : 94
12 32		1 : 255-256
32 4-5		1 : 323 n.
	12	1 : 245, 265 n.
	14	2 : 312 n.
13 33 2		1 : 253
	6	1 : 265 n.
	19-24	1 : 290
14 35 23-25		1 : 378
16 37		1 : 266 n., 271
37 3		2 : 143
	4-5	2 : 271, 347
17 38 1-2		2 : 207
	8	2 : 317
	13	2 : 317 n.
39 29		2 : 317 n.
	35	2 : 317 n.
18 43		1 : 122
43 1-4		1 : 130
19 44-45		1 : 122
44 2-3		1 : 271 n.
20 46 1-3		1 : 248 n.
		2 : 210
	5	2 : 348
25 53		1 : 266 n.

DDP.

26 54		2 : 62
27 55		2 : 62
28 56 1-7		2 : 98
30 59 11		2 : 317

KEITA (KEI.) :

KEI., *Poèmes africains* (P.) :

1 9		2 : 132, 230 n.
	9-14	2 : 246
	9 1-2	2 : 225
	13 86	2 : 306
	14 91	2 : 56
2 17-21		2 : 246
	17 1-4	2 : 239
3 25-30		2 : 246, 254
	25 9-14	2 : 239
	26 19	2 : 302
	30 113-115	2 : 347
4 33-38		2 : 246, 254
	34 34	2 : 143
5 41-47		2 : 246
	41 1-2	2 : 197
	42 18	2 : 56 n.
	44 60	2 : 56 n.
6 51-52		2 : 246, 252
	51-55	1 : 228
		2 : 139
	51 1-2	2 : 143
7 59-61		2 : 246, 254
	59 1-2	2 : 197
	13-60 28	2 : 310
	60 21	2 : 56

KEI., *Aube africaine* (A.) :

1 7 0		1 : 281 n.
		2 : 246
	12 22-24	1 : 276
	19 101-104	1 : 289
	105	2 : 56
2 21-29		1 : 228
	23-29	2 : 139, 246
3 33-40		2 : 246, 254
4 43 54		2 : 246, 252, 416 n.
5 57-66		2 : 246
	57 1-6	2 : 239
	62 76-77	1 : 322
6 69-80		2 : 246, 254
	69 0	2 : 246

RBR. *V.*

50	81	2-4	**1** :	217
53	84	4	**2** :	65 n., 301
		5-6	**1** :	217
		12	**2** :	65 n.
54	85	1-4	**1** :	257
55	86	9-14	**1** :	257
56	89		**2** :	48
	89	1	**1** :	257
57	91	1-6	**1** :	212
		4-5	**1** :	217
		5	**2** :	62 n.
62	96	0	**1** :	217
63	97	8	**2** :	349
		12	**1** :	217
65	99	11	**2** :	349
66	100	14	**1** :	217
67	101	1	**2** :	75
		2-4	**1** :	290

RBR. *P.*

18	58	58-60	**1** :	352
19	59-60		**1** :	280
			2 :	62 n.
22	64	15	**2** :	62 n.
	66	56	**2** :	70
23	67	1-2	**2** :	346
25	71	7	**2** :	222
		17-18	**2** :	222
26	73-74		**2** :	50
	74	33	**2** :	216 n.
		36-40	**2** :	50
27	75	4-6	**1** :	314 n.
28	77	7-11	**1** :	314 n.
		16-19	**1** :	251
29	79	8-9	**1** :	314 n.
	80	21-23	**2** :	51
		23	**2** :	334
		24	**1** :	314 n.
		28	**2** :	50

RBR., *Presque-Songes* (P.) :

1	28	1-2	**2** :	211
		4	**1** :	325 n.
		6	**1** :	325 n.
2	30	21-32	**2** :	139
		24	**1** :	217
		36	**2** :	139
3	31	1-6	**2** :	257
4	33		**2** :	257
5	35	20-30	**1** :	251
6	36-37		**2** :	257
	36	1-4	**1** :	312
		14	**2** :	80
	37	32	**1** :	217
8	39-40		**2** :	257
	39	8-14	**1** :	282
9	41		**1** :	280
	41	1	**1** :	217
		7	**2** :	65 n.
		9-10	**1** :	217
10	42-12	44	**1** :	283
	42	0	**1** :	217
		1-2	**1** :	135
		1-5	**1** :	217
11	43	12	**2** :	70, 306
13	46	26-33	**1** :	258
14	48	14-16	**2** :	258
		17	**1** :	217
15	50	26-30	**1** :	265
17	53-55		**2** :	257
	53	13	**1** :	217
	55	55-60	**1** :	217

RBR., *Traduit de la Nuit* (T.) :

1	89		**1** :	217, 282 n.
	89	3	**2** :	62 n.
2	90	1	**2** :	62 n.
3	91		**1** :	241
	91	3	**2** :	62 n.
5	93	9-10	**1** :	217
6	94	1-3	**2** :	59-60
8	96	4	**1** :	217
9	98	4	**1** :	138
		7	**1** :	138
		9-10	**2** :	72 n.
		15-16	**1** :	138
10	99	3-5	**1** :	282 n.
		9-18	**1** :	315 n.
		16-18	**2** :	81 n.
		19-20	**1** :	138
14	103		**2** :	162
	103	2	**2** :	162
15	104	1-3	**2** :	198-199
		4	**2** :	50
		5	**2** :	50, 51
		18-22	**1** :	218-219
		23-24	**1** :	219
16	105		**2** :	162
	105	1	**2** :	162
		8	**2** :	162
17	106		**1** :	241, **352**
18	107		**1** :	217-218
	107	1	**2** :	50

RBR. T.

18	107	1-3	1 : 136
		3	2 : 326
19	108	1-2	1 : 154
		5-6	1 : 153
21	110		1 : 162
22	111	17	2 : 350
23	112		2 : 162
24	113	15	1 : 217
25	114	9-18	1 : 282 n.
28	117	14	2 : 69 n.
29	118	8-11	1 : 117
30	119	1-3	2 : 207, 225

RABEMANANJARA (RBR.) :

Sur les Marches du soir (M.) :

1	11	11-12	1 : 248 n.
2	12	9	2 : 69
	13	14	2 : 62
	14	28	2 : 313 n.
4	18		1 : 283 n.
5	19	1	1 : 261
		9-11	2 : 260 n.
6	20	10	2 : 229 n.
		12	2 : 143
7	21	1-2	1 : 283 n.
		12-14	2 : 272
8	25		1 : 283 n.
12	29	6	2 : 70
13	33		1 : 282 n.
	33	9-12	1 : 248 n.
	34	17	2 : 69 n.
	37	57-60	2 : 70
14	41	7	2 : 69
16	53-58		2 : 49
	57	56	2 : 75 n.
17	64	46	2 : 76
18	70	21	2 : 71 n.
	71	30-32	2 : 260 n.
	72	45-46	2 : 68
	75	78	1 : 265 n.

RBM., *Lyre à sept cordes* (C.) :

195	8	2 : 62
198	83-85	1 : 248 n.
	91-94	2 : 68
	100-102	1 : 248 n.
200	149-151	1 : 255
201	177-178	1 : 298

RBM., *Rites millénaires* (R.) :

1	9	1	2 : 63
	10	40-41	1 : 265 n.
			2 : 63
		42	2 : 62 n.
		48	2 : 305
	11	56	1 : 283
			2 : 63
		62-63	2 : 63
		64	2 : 69 n., 302
		70	2 : 63 n.
		74	2 : 65 n.
		76	2 : 63
	12	91	2 : 72
		93	2 : 305
		96-97	2 : 71 n.
13	108		2 : 336
14	136		2 : 81
15	157-160		1 : 261
	158		2 : 72 n.
4	24	19	2 : 64 n.
7	29		2 : 48
	29	13-19	1 : 323 n.
	30	33-34	2 : 64 n.

RBM., *Antsa* (A.) :

9	1-8	1 : 135, 288
11	21-24	1 : 322-323
12	32	1 : 131
13	45	1 : 291
14	53	1 : 285 n.
		2 : 65 n.
15	65	2 : 65 n.
	73-74	1 : 265
16	78-81	1 : 300
17	100	2 : 70
18	112-114	1 : 248 n.
20	127-131	1 : 300
	138	2 : 336
21	139-142	2 : 336
26	207-210	1 : 134
28	232	2 : 62 n.
36	315-321	1 : 392-393
38	338-341	2 : 143 n.
56	490	2 : 65 n.
59	513-514	2 : 62
	526	1 : 285 n.
60	530-532	1 : 285
63	557-64	579	1 : 253

RBM., Lamba (L.) :

13	1	2 : 254
15	13	2 : 62 n.
17	20-22	2 : 216 n.
	20-24	1 : 261
	30-33	1 : 397
21	39-42	2 : 65
22	43	2 : 330 n.
25	53	2 : 70
29	66	1 : 218
	67	2 : 65 n.
31	73-74	1 : 397
34	84-86	1 : 242
39	108-115	1 : 324
40	119	1 : 323 n.
43	134	2 : 216 n.
44	135-45 142	2 : 79
	138-45 140	1 : 134
45	140	2 : 65 n.
46	144	2 : 317
	146-147	2 : 61
47	148	1 : 323
	148-149	2 : 216 n.
	148-152	1 : 261
	149	2 : 353
49	158	1 : 131
		2 : 65 n.
55	183-185	2 : 61
57	192	2 : 69 n.
58	195	2 : 63 n.
59	198	1 : 131
	198-205	1 : 382
61	215	2 : 65
63	224	2 : 338
72	261-262	1 : 347
78	284-288	1 : 272
79	296	2 : 301
81	304-305	1 : 322 n.
82	309-310	1 : 397
83	318-320	1 : 298

RBM., Antidote (D.) :

1	13	167-174	1 : 248 n.
	14	183-184	2 : 74 n., 140 n.
	17	275-278	2 : 141
		285-290	1 : 280-281
2	20-21		2 : 76
	20	1-2	1 : 198
3	22	13-15	1 : 265 n.
	24	46	2 : 65 n.
	29	193-195	2 : 299
	30	224-233	1 : 378 n.

RBM. D.

4	35	3	2 : 336
	37	75	2 : 69 n.
5	40	40-41	2 : 350
6	42	7-8	2 : 317
		8	2 : 302
7	45	1-2	1 : 397

RBM., Les Ordalies (O.) :

1	15	3-4	2 : 262
		7-8	2 : 262
		9-10	2 : 262
		13-14	2 : 262
3	17	12	1 : 219
4	18	13	2 : 272
7	23	1-4	2 : 251
		11	2 : 272
		12-14	2 : 251
9	25	1	1 : 248 n.
		3	2 : 272
		13-14	1 : 248 n.
10	26	5	2 : 272
		9	2 : 272
11	27	5-8	1 : 268
13	31	7	2 : 70
14	32	2	2 : 70
		3-4	2 : 271-272
17	39		2 : 260 n.
19	41	5	1 : 328
		8	2 : 65 n.
20	45	0	2 : 50
27	55	12-14	2 : 71 n.
28	56	12-14	2 : 71 n.
29	57	1-11	1 : 281
30	61	11-12	1 : 262, 266 n.
31	62	1-2	2 : 211

RANAIVO (RAN.) :

L'ombre et le vent (O.) :

1	11	9-12 22		1 : 113
2	13	1-3		2 : 103
3	15	7		2 : 224 n., 328
	16	37		2 : 224 n.
5	20	41-42		2 : 224 n.
6	23			2 : 48
	23	1-9		1 : 230
	24	26-27		2 : 316
7	25	1-4		2 : 326 n.
	26	24		2 : 224 n.
8 (1)	27	1-2		2 : 76

RAN., *Mes Chansons de toujours* (C.) :

1	11	1-2	2 : 207
		1-9	2 : 57-58
		10	2 : 65 n., 303
2	13	11	2 : 306
3	14	0	2 : 52
		1-2	1 : 119
		3-5	2 : 103 n.
	15	43	2 : 328
	16	87-89	2 : 264
		109	2 : 60
4	19	73	2 : 65 n., 328 n.
5	20	8-14	1 : 119
6	21	10	2 : 321 n.
8	26	1	2 : 307
9	27		2 : 48
	27	1-2	2 : 216 n.
10 (1)	28	8-11	1 : 289
(2)	29	4-5	2 : 62
11	30		2 : 262 n.
	30	3	2 : 63
		13	2 : 63
		27	2 : 63
		27-29	2 : 208

RAN., *Le Retour au bercail* (R.) :

1	11	9-12	2 : 208
5	17-18		1 : 268
	18	21-26	1 : 245 n.
			2 : 332
		32-34	1 : 325 n.
7	20	1-2	1 : 119
8	21	13-19	1 : 245 n.
	22	25-34	2 : 216 n.
11	25		2 : 62
	25	3-7	2 : 345-346
12	26	5	2 : 139
		6	2 : 328
13	28	10	2 : 328
14	29	1-2	2 : 62 n.
		1-3	1 : 315 n.
		12	2 : 62
		16	2 : 65 n.
16	32	1-3	1 : 120
17	33	17-18	2 : 328
18	34	1-5	2 : 208
		6	2 : 51
19	36	7-11	2 : 216 n.
20	37	1-2	2 : 207
		5	2 : 62 n.

ROUMAIN (ROU.) :

Poèmes :

1	229	1-9	2 : 257
	231	45	2 : 143
		64-232 76	1 : 377 n.
	232	91	1 : 135
		91-93	1 : 248
	233	98-99	1 : 395
	234	123-137	1 : 131 n.
		133-134	1 : 395
		133-137	1 : 378
2	237	0	2 : 259
		7	2 : 332
	238	33-36	1 : 377 n.
	239	41	2 : 47
		47-48	1 : 378
3	241-247		2 : 62, 254, 257
	246	147-154	1 : 372
6	255		2 : 48
8	259	5-7	2 : 347
		20-21	2 : 334
9	261	1-4	1 : 124
10	263	10-14	1 : 124
11	265	10	2 : 301
15	273	10-11	1 : 281
		10-17	2 : 57
16	275	10-16	2 : 70 n.
18	279		2 : 48
	279	1-3	2 : 210
		7-8	2 : 350
20	282		2 : 48

SENGHOR (SEN.) :

Chants d'ombre (C.) :

1	9-10		2 : 278 n., 359-398
	9	1	1 : 221
		3	2 : 279
		4	1 : 221 n.
		8-9	1 : 221 n.
	10	18	1 : 221 n.
		20	1 : 221 n.
		21	1 : 269
2	10	1	2 : 382
		1-4	1 : 299
		1-5	2 : 394 n.
		3-4	1 : 211
3	11		2 : 57
	11	1-2	2 : 221

SEN. C.

18	36	125	2 : 361 n.
		127-135	2 : 41
	37	138	1 : 282 n.
		139	1 : 282
		139-140	1 : 320
		141-143	1 : 320
		143	2 : 228
		144	2 : 280
		147	1 : 30 n.
19	38-39		2 : 48
	38	7-39 11	1 : 221
21	40-42		2 : 162
	40	1	2 : 162
		2	2 : 330
		3	1 : 284 n.
	41	10	2 : 162
		12	1 : 121 n.
		14	2 : 163
		20	1 : 134
	42	23	1 : 283 n.
22	43	10	2 : 146
		11	2 : 373
		17-19	1 : 284
23	44	7	1 : 275 n.
	45	20	1 : 248
		21	1 : 211 n.
			2 : 65 n.
24	45	1	1 : 113, 220
25	47-52		2 : 248, 255 n., 361
	47	0	2 : 64 n.
		1	2 : 255
		1-48 12	2 : 262
		3	2 : 361
	48	24-25	1 : 382
			2 : 131
	49	27	2 : 255
		32	1 : 284
		34	2 : 77
		35-37	1 : 378 n.
		40	2 : 350 n.
	50	47-48	2 : 382 n.
		49	1 : 269
			2 : 396 n.
		57	1 : 282 n.
	51	67	2 : 328-329 n.
		68	2 : 70
		70	1 : 279
			2 : 42 n.
		71-72	1 : 252 n.
	52	73-75	1 : 245 n.
		76	1 : 222
			2 : 365

SEN., *Hosties noires* (H.) :

1	55	1	1 : 250
		6	1 : 35
		7-9	2 : 70 n.
	56	17	2 : 133
2	57-62		2 : 255 n.
	57	1	1 : 279 n., 399 n.
			2 : 77
		2	1 : 299
		6	1 : 252 n.
	59	29	2 : 133
		30-31	1 : 253
		33	1 : 399
		34	2 : 336 n.
		35-36	1 : 393
	60	40	1 : 378 n.
		44	2 : 49
		44-45	1 : 397
		48	1 : 378
		51-52	1 : 210, 378 n.
	61	54	2 : 65 n.
		54-55	1 : 253
		56	1 : 252
			2 : 50
		59-64	1 : 131 n., 378
		64	2 : 396
	62	67-68	1 : 397
		68	2 : 77
3	62	1	2 : 143
	63	23-24	2 : 143
4	63	1-4	1 : 221, 283-284
5	65	1	1 : 221 n.
			2 : 312
		1-6	1 : 245 n.
7	68-71		2 : 255
	68	8	1 : 253
	69	12	2 : 326
		15-16	1 : 252 n.
		17	2 : 65 n.
	70	32-36	1 : 377
8	72	1	2 : 254 n.
9	73-74		2 : 140
	73	1	1 : 284, 347
11	77	7	2 : 317, 338
		9	2 : 70
12	78-79		2 : 77 n.
	78	0	2 : 223
	79	18	2 : 223
13	79-80		2 : 140
	79	1	2 : 143, 222
		10-81 11	1 : 252
	80	25	2 : 143
14	81-82		1 : 279 n., 399 n.
15	82	3	2 : 63

SEN. *N.*

27 203	12-15	**1** : 252 n.
204	20-22	**1** : 252 n.
	26	**2** : 64 n.
	28	**2** : 72 n.
	29	**2** : 64 n.
	30-31	**1** : 261
	33	**1** : 250
	36	**1** : 350 n.
		2 : 81 n.
205	48	**1** : 321 n.
	48-50	**2** : 333
	49	**2** : 72 n.
	50	**1** : 275 n.
206	56-62	**1** : 252 n.
	60	**2** : 50 n.
28 206	1-207 5	**1** : 306
	3	**1** : 284
	3-4	**1** : 222
207	10	**2** : 353 n.
	11	**1** : 306
	14	**2** : 77
208	23	**1** : 306
	24	**2** : 142
	24-25	**2** : 157
	29	**1** : 279, 306
	35-40	**2** : 78
	38	**1** : 306
29 209-215		**2** : 133, 255
210	12	**1** : 283 n.
211	28-29	**2** : 61
212	36-38	**1** : 251
	40-41	**1** : 378 n.
	43	**1** : 395
213	46	**2** : 143
	57	**2** : 65 n.
214	65	**2** : 271

SEN., *Poèmes divers* (D.) :

2 217	4-6	**1** : 245 n.
8 222		**1** : 253, 383 n.
10 223		**2** : 57, 62

SEN., *Elégie des alizés* (A. = M. 1) :

259	2	**1** : 393 n.
	3-4	**1** : 143
	7-10	**1** : 143
	9	**2** : 346

SEN. *A.*

260	15	**1** : 143
261	37	**1** : 283 n.
262	53	**2** : 336 n.
263	64	**1** : 265 n.
	71-73	**2** : 62 n.
	75	**1** : 397
264	82	**1** : 122 n., 143
	84-85	**2** : 330
	88-95	**1** : 393
265	113	**1** : 122 n.
	115	**1** : 143
266	123-126	**1** : 143
	129	**1** : 143
268	154	**1** : 94 n., 385
	160	**1** : 46
	160-161	**1** : 143
	161	**2** : 67 n.
269	178	**2** : 335
270	192	**1** : 283 n.
	196	**2** : 67 n.

SEN., *Lettres d'hivernage* (L.) :

1 227	6-8	**1** : 230
2 228	1	**1** : 221
	2	**1** : 230
	3-7	**2** : 348
	7	**2** : 348 n.
3 229	11-12	**2** : 228
4 229	1	**2** : 362
230	9-12	**1** : 290-291
	15	**2** : 317 n.
	18	**1** : 246
5 231	6	**2** : 103
	7	**1** : 211 n.
6 232	2-3	**2** : 317 n.
7 233	1	**1** : 221
	2	**1** : 290
	9-234 10	**1** : 290
234	12	**2** : 362
	20	**1** : 269
8 234	4	**1** : 250
9 235	1	**2** : 334
	3	**2** : 317 n.
236	14	**1** : 122 n.
10 236	1	**1** : 209
237	12	**1** : 397
	14	**2** : 144, 228
	21	**1** : 269
11 237	2	**2** : 313 n.
	3	**2** : 76
238	10	**1** : 246

TIR.

1	6	28-29	2 : 216 n.
		41-42	2 : 63
	8	68	1 : 296
2	9-10		2 : 419 n.
	9	5	2 : 299 n.
	10	18-19	2 : 62
3	11	6-14	1 : 210 n.
		9-11	1 : 245
		11-12	2 : 74 n.
	12	18	2 : 211, 319
		26-27	2 : 318
4	13	4-6	2 : 62
		5	2 : 70
		9-10	1 : 287 n.
	14	33-36	1 : 319 n.
5	15-16		2 : 62 n.
	15	5	1 : 229
		8	1 : 229
		9-10	2 : 210
	16	20	2 : 216 n.
6	18	24	2 : 65 n.
		26-27	2 : 75
		28-29	2 : 70
7	19-21		2 : 254
	20	26-33	1 : 384
	21	45-48	1 : 90
8	23-24		2 : 77
	23	10	1 : 296
		11-12	2 : 211
	24	26-27	2 : 210
9	26	18-19	1 : 296
		21	1 : 296
10	27	3	2 : 63
		9	2 : 63
	28	15-17	1 : 341 n.
		24-25	2 : 216 n.
11	29		2 : 48
	29-30		2 : 254
	29	1-2	1 : 131
		9-10	1 : 296
	30	13-14	1 : 384
			2 : 139
		21	2 : 139
13	37	1	2 : 71 n.
		15-16	1 : 209 n.
			2 : 242 n.
		31-42	1 : 245
	39	56-57	2 : 146 n.

TIR.

14	41-42		1 : 266 n.
	41	1-2	1 : 265 n.
16	45	1-2	2 : 212
	46	19	2 : 337
		19-20	1 : 253
		32-34	2 : 312
	47	39	1 : 248
17	49	10	2 : 312
		14	2 : 302
19	53	14-22	1 : 274
21	57	12-15	1 : 323 n.
22	59-61		2 : 269
	60	21-22	2 : 143
		22-24	1 : 265 n.
			2 : 62 n.
		37-40	2 : 51 n.
	61	50-54	2 : 51 n.
		52-54	2 : 143
23	63-66		1 : 253
			2 : 57, 269
	63	0	2 : 49
		2-7	2 : 312
		12-16	2 : 300
24	68	15	2 : 313 n.
	69	50-51	2 : 49
		51	2 : 49
25	71-72		2 : 276-277
	71	3-11	2 : 313 n.
	72	18	1 : 265
26	73	1-3	2 : 212
		5	1 : 292
	74	41	2 : 50
	75	47-50	2 : 51 n.
		51-52	2 : 51
		54	2 : 70
27	77	8-10	2 : 313 n.
29	81	3	2 : 139
		14	1 : 325
30	83-84		2 : 62 n.
	83	0	2 : 53
	84	33-36	2 : 62
31	85	12	2 : 50
		13	2 : 51
	87	55-56	2 : 51
32	89	2	2 : 317
		12-13	2 : 78
	90	21	2 : 72 n.
33	91	1-6	1 : 319 n.

INDEX DES NOMS DE PERSONNE

On trouvera en italiques les pages plus spécialement consacrées à l'auteur visé.

ANKUNDE L., 1 : 165 n. — 2 : 434.

ANOZIE S. O., 1 : 6 n. — 2 : 427.

ANTOINE G., 2 : 274 n., 444.

APOLLINAIRE, 1 : 35, 117, 316, 317 n.
    2 : 40, 48, 53, 78, *80*, 171 n., 260, 363, 409.

ARAGON L., 1 : 141, 203 n., 319 n., 368. — 2 : 20, 51, 80, 81, 152 n., 444.

ARBOUSIER G. d', 1 : 43 n., 81 n., 389 n. — 2 : 427, 434.

ARIOSTE, 1 : 1.

ARISTOPHANE, 2 : 22 n.

ARISTOTE, 2 : 22 n., 97, 231, 295, 331, 357.

ARMET A., 1 : 367 n. — 2 : 421.

ARMSTRONG L., 2 : 49, 269.

ARRIVE M., 1 : 16 n. — 2 : 445.

AUERBACH E., 1 : 205. — 2 : 444.

AUGUSTIN saint, 1 : 66, 79.

AUSTIN J. L., 1 : 145. — 2 : 445.

AZIZA M., 2 : 442.

BA A. H., 1 : 327. — 2 : 14 n., 119 n., 294 n., 427, 434.

BA S. W., 1 : 231 n. — 2 : 77, 78 n., 278 n., 280 n., 425.

BACHELARD G., 1 : 339. — 2 : 444.

BADUM-MELADY M., 2 : 72 n., 425.

BAJAZET II, 2 : 329.

BAL M., 2 : 8 n., 427.

BALA MBARGA H., 1 : 173 n. — 2 : 434.

BALANDIER G., 1 : 32 n., 33 n., 67 n., 92 n., 93, 94 n., 168, 182. — 2 : 434

BALLY Ch., 2 : 298 n., 445.

BALZAC H. de, 2 : 14 n., 16 n.

BAMBA A., 1 : 81.

BARATTE Th., 1 : 7. — 2 : 427.

BARBERIS P., 1 : 28, 102. — 2 : 444.

BARMA K., 1 : 81.

BARRES M., 2 : 11, 22 n., 85.

BARTHES R., 1 : 101. — 2 : 203, 444, 446.

BASTIDE R., 1 : 49 n., 50, 83, 86, 88 n., 277, 294, 295.
    2 : 114 n., 166, 428, 435.

BATTESTINI M. et S., 2 : 16 n., 18 n., 424.

BAUDELAIRE, 1 : 34, 317 n.
    2 : 16, 17, 21 n., 22 n., 53, *71-72*, 84, 85, 136, 171 n., 274 n., 368-369, 378, 409, 411.

BAUMANN H., 1 : 60, 78. — 2 : 435.

BRAQUE, **2** : 51.

BRECHT, **2** : 20, 221.

BRENNUS, **2** : 66.

BRETON A., **1** : 35, 42 n., 110, 227, 297 n., 364, 371.
   2 : 17, 20, 35, 48, 81, 86 n., 135, 136, 150, *151-161*, 163, 166, 167, 171 n., 337, 348 n., 355, 409, 422, 444.

BREUIL H., **1** : 70.

BRIERRE J.-F., **1** : 12, 14, 85, 91 n., 103, 105, 109, 115, 123, 124, 129, 134 n., 140, 148, 155, 203, 207, 222, 224, 225, 226, 243, 245, 246, 247, 262, 281, 287, 303, 343, 353, 372, 376, 378, 380, 386, 395, 397, 404.
   2 : 21, 39, 49, 50, 61, 62, 63, 69 n., 82, 105, 146, 188, 190, 192, 196, 200, 216-217, 219, 221, 222, 237-238, 243, 249, 250, 251, 258, 259, 261, 262, 263, 272, 273, 274, 288, 307, 317 n., 325, 332, 341, 352, 357, 411, 415.

BROWN S., **1** : 86.

BRUNSCHWIG H., **1** : 79 n. — **2** : 435.

BURNS A., **1** : 70 n. — **2** : 435.

CAHOUR P., **2** : 361 n.

CAILLER B., **2** : 166 n., 422.

CAILLOIS R., **2** : 130 n., 446.

CALAME-GRIAULE G., **2** : 112 n., 113 n., 114 n., 116 n., 117 n., 118 n., 119 n., 123 n., 125 n., 127 n., 149, 156 n., 435.

CALLEWAERT M., **1** : 141 n.

CALVET L.-J., **2** : 107 n., 435.

CAMARA L., **1** : 70 n., 95 n., 200 n., 211 n., 275, 357.
   2 : 87 n., 114 n., 136 n., 382 n., 435.

CAMARA S., **2** : 113 n., 116 n., 117 n., 435.

CAMO P., **1** : 92.

CAMUS A., **1** : 172.

CARCO F., **2** : 47.

CARIO L., **1** : 300 n., 313 n. — **2** : 445.

CASE F. I., **2** : 38 n., 39 n., 422.

CASSIUS de LINVAL C., **1** : 173.

CENDRARS, **1** : 35, 387. — **2** : 428.

CESAIRE A., **1** : 3 n., 8, 10, 11, 12, 13, 14, 30, 31, 33, 36, 37 n., 39, 40. 41 n., 42, 43, 44 n., 45, 46, 47, 48, 50, 53 n., 57, 59, 64, 65 n., 70 n., 72, 81, 84 n., 88, 91, 94, 95, 96, 98, 100, 103, 104, 105 n., *107-108*, 111, 112, 113, 114 n., 115, *120-122*, 123, 124, 126, 127, *128*, 129, 131, 136, *137*, *139*, 140, 141, 144, 145, 147, 149 n., 150, 157, 167, 172, 173, 175, 176, 177, 182, 184, 185, 197, 203 n., 206, 207, 209, 211, 218, *222-225*, 226, 227 n., *231-232*, *233-241*, 243, 245, 246, 250, 253, 254, 255, 256, 259, *262-265*, 266, *272-274*, 278, 281, *285-286*, 287, 288, 292, 296, 297, 298, 299, 300, 303, 306, *307*, 310, *311-312*, *313-319*, 321, 322, 323, *324-326*, 329 n., *337-339*, *340-343*, 344, *345-347*, 353, 355, 356, 357, 358, 359, 360, 362, 363, 364, 365, *367-368*, 370, *371-375*, 376, 378, 379, 380, 381, *382-383*, 384, 386, 387, 392, 394, 395, 396, 397, 398, 400, 401 n., 404, *405*, 406.

482

CORNEVIN R., **2** : 407 n., 429.

CORNULIER B, de, **2** : 232 n., 446.

CORZANI J., **1** : 31 n., 40 n., 91 n., 98 n., 177 n., 363 n., 364 n., **390 n.**
    2 : 17 n., 39, 80 n., 165, 405 n., 429.

COUCHORO F., **1** : *304-305*. — **2** : 7, 436.

COURTELINE, **2** : 14 n.

CROCE SPINELLI M., **2** : 421.

CRUZ V. da, **1** : 355 n., 401 n. — **2** : 436.

CUENOT C., **2** : 232 n., 446.

CULLEN C., **1** : 86.

CUNARD N., **1** : 351.

CYPRIEN saint, **1** : 66.

DADIE B. B., **1** : 10, 12, 13, 109, 115, 122, 123, 125 n., *127*, 129, 130, 132,
    138, 140, 141, 142, 143, 144, 145, 148, 149 n., 155, 158, 202, 203, 207,
    219, 224, 225, 243, 245, 248, 253, 266, 267, 270, 271, 281 n., 286, 297,
    298, 299, 303, 319 n., 343, 353, 354 n., 368 n., 372 n., 374, 375, 376, 384,
    386, 387, 393, 394, 395, 397, 403, 404, 405.
    2 : 13, 16, 56, 57, 62, 65, 70, 82, 84, 97, 143, 145, 169, 187, 188, 190, 191,
    192, 194, 197, 198, 200, 201, 217-218, 223, 224, 246, *252-254*, 255, 256,
    257, 259, 263, 264, 267, 268, 276, 280, 285, 288, 297, 307, 308, 325, 326,
    341, 342, 348, 349, 357, 399, 400, 404, 405, 408, 409, 413, 416, 424, 429, 436.

DAMAS L.-G., **1** : 3 n., 12, 14, 39, 46, 58, 79 n., 81, 90, 91 n., 95, 108, 115,
    116, 122, 123, 125, 127, 129, 130, 131, *138*, 140, 141, *144*, 150, 155, 158,
    177, 179, 207, 216, 219, 224, 225, 241, 245, 255, *257*, 266-267, 272 n.,
    281 n., 286, 292, 293, 295, 298, 299, 300, 306, 319 n., 341 n., 343, 346,
    353, 354, 355 n., 362, 363, 370, 371, 372, 382, *383-384*, 385, 387, 389, 393,
    401, 404, 406.
    2 : 16 n., 17, 18, 19, 20, 21, 23 n., 24, 44, 47, 48, 49, 50, 57, 61, 62 n.,
    63, 72, 75, 80, 82, 136 n., 137, 140, 144, 145, 146, 147, 165, 169, 187, 188,
    190, 191, 192, 193, *194-195*, 196, 197, 199, 200, 201, 202, 214, 223, 224,
    225, 230, 234, 237, 238, 246, 254, *256-257*, 258, 259, 263, 265, 266, 267,
    268, 269, 285, 288, 289, 299, 306, 307, 308 n., 317, 322, 325, 357, 400,
    401, 404, 408, 409, 413, 416, 424, 429, 436.

DAO O., **1** : 74 n. — **2** : 436.

DASH M., **1** : 231 n., 299, 300 n. — **2** : 38 n., 110 n., 422.

DAVESNE A., **1** : 215. — **2** : 296 n., 436.

DAVIDSON B., **1** : 51 n., 92 n., 94 n. — **2** : 436.

DAVIS Angela, **2** : 50.

DECAUNES L., **1** : 369 n. — **2** : 33, 38 n., 425.

DECRAENE Ph., **1** : 213 n., 366 n.

DEFFERRE G., **1** : 156.

DEGUY M., **1** : 199, 200 n., 201 n. — **2** : 339 n., 446.

DELAFOSSE M., **1** : 36, 70, 88 n., 387. — **2** : 22, 436.

DELANGE J., **1** : 68 n. — **2** : 439.

DELAS D., **1** : 364 n. — **2** : 446.

EUCLIDE, **1** : 81 n.

FABRE M., **2** : 24 n., 430.

FABRE d'OLIVET D., **1** : 70.

FAGUS (G. Faillet), **1** : 153. — **2** : 19.

FAKO, **2** : 114 n.

FANON F., **1** : 10, 33, 37 n., 38, 39 n., 43 n., 44 n., 47, 62, 87, 88 n., **93 n.,** 109 n., 155-156, 172, 177, 236 n., 260, 295, *360-361*, 376, 385, 387, **388 n.,** 392, 401 n., 403, 404.
2 : 106, 137, 437.

FARRERE C., **2** : 14 n.

FAURE Elie, **1** : 64 n.

FAYE N.G.M., **1** : 299. — **2** : 437.

FENELON, **2** : 13, 22 n.

FERDIERE G., **2** : 161 n.

FILLIOLET J., **1** : 364 n. — **2** : 234 n., 446.

FLAUBERT, **2** : 48.

FLIS-ZONABEND F., **1** : 167 n., 171 n., 172 n. — **2** : 437.

FLORIO R., **2** : 250.

FLYDAL L., **2** : 210 n., 446.

FONLON B., **1** : 370 n. — **2** : 402 n., 437.

FONTANIER P., **2** : 353, 446.

FOUCAULT M., **1** : 102 n., 104. — **2** : 445.

FRAISSE P., **2** : 232 n., 235, 446.

FRANCE A., **2** : 14 n.

FRANCO F., **1** : 400 n.

FRANÇOIS 1ᵉʳ, **1** : 107.

FRANKLIN A., **1** : 35 n., 43 n., 47 n. — **2** : 430, 437.

FRANKLIN Benjamin, **2** : 50.

FRAZIER F., **1** : 33 n.

FREDERIC II, **1** : 107.

FREGE G., **1** : 189, 190, 191.

FREUD, **1** : 104 n. — **2** : 21, 159, 212.

FROBENIUS L., **1** : 6 n., 12, 36, 37, 65, 70, 81, 97, 206, 277, 295, 310, **313,** 314 n., 387, 390 n.
2 : 22, 23, 86 n., 87 n., 120, 166, 404, 408, 437.

FURON R., **1** : 70, 82 n. — **2** : 437.

GAGARINE Y., **1** : 281.

GALLIENI J., **1** : 159 n.

GANCE A., **1** : 100.

GANTY V., **1** : 94.

GARVEY M., **1** : 86, 387.

490

LAGNEAU L. : v. KESTELOOT L.

LA GUERIVIERE J. de., 1 : 174 n.

LALEAU L., 1 : 10, 90, 256. — 2 : 101, 105.

LAM W., 1 : 140 n. — 2 : 50.

LAMARTINE, 1 : 170 n. — 2 : 14 n., 15, 55.

LAMMING G., 1 : 60, 152. — 2 : 107, 412, 439.

LARA O. D., 1 : 81 n. — 2 : 439.

LAUTREAMONT, 1 : 110, 210.
    2 : 17, 21, 72-73, 76, 88, 95, 96, 158, 164 n., 168, 171 n., 354, 409.

LAVACHERY H., 1 : 68. — 2 : 439.

LEBEL R., 1 : 36 n. — 2 : 439.

LECLERC Y., 2 : 287 n., 426.

LECONTE de LISLE, 1 : 2. — 2 : 14 n., 29, 71, 72 n.

LEHMANN W. P., 2 : 450.

LEIBNIZ, 2 : 22 n.

LEINER J., 2 : 135 n., 140 n., 423.

LEIRIS M., 1 : 60 n., 68 n., 87, 235, 289 n.
    2 : 17, 20 n., 21 n., 115 n., 119 n., 124, 166, 181 n., 423, 439, 445.

LEM F.-H., 1 : 50 n., 204 n. — 2 : 439.

LENINE, 2 : 22 n.

LERO E., 1 : 10, 88. — 2 : 11 n., 163 n., 431.

LESCOT E., 1 : 106 n.

LE THANH KHOI, 1 : 160 n., 161 n., 165 n., 173 n., 174 n. — 2 : 411 n., 439.

LEUSSE H. de, 2 : 72 n., 286 n., 426.

LEVIN S., 1 : 16, 103. — 2 : 448.

LEVI-STRAUSS C., 1 : 28, 76. — 2 : 447.

LEVY E., 2 : 232 n., 448.

LEVY-BRUHL L., 2 : 154.

LEWIS R. B., 1 : 81 n.

LINSKY L., 1 : 190, 192. — 2 : 448.

LITTRE E., 1 : 28 n., 344 n. — 2 : 22 n., 275 n., 329, 355.

LOBA A., 2 : 25 n., 440.

LOCKE A. L., 2 : 8.

LONDRES A., 1 : 88 n.

LORIN M.-C., 2 : 14 n., 16 n., 29 n., 69 n., 81 n., 85 n., 425.

LOTI, 2 : 22 n.

LOUVERTURE T., 1 : 83, 84, 252. — 2 : 241, 242, 314.

LOUYS P., 2 : 14 n.

LUBIN M. A., 1 : 160 n. — 2 : 440.

LUCRECE A., 1 : 383 n., 403 n. — 2 : 140 n., 431.

LUKACS G., 2 : 84.

"You've not much to fear from this man," said Mr. Bouncer, indicating (with the Black Doctor) the stalwart form of Mr. Blades. "Billie's too big in the Westphalias. Gig-lamps, you're the boy to cook Fosbrooke's goose. Don't you remember what old father-in-law Honeywood told you,—that you might, would, should, and could, ride like a Shafto? and lives there a man with soul so dead,—as Shikspur or some other cove observes—who wouldn't like to show what stuff he was made of? I can put you up to a wrinkle," said the little gentleman, sinking his voice to a whisper. "Tollitt has got a mare who can lick *Tearaway* into fits. She is as easy as a chair, and jumps like a cat. All that you have to do is to sit back, clip the pig-skin, and send her at it; and she'll take you over without touching a twig. He'd promised her to me, but I intend to cut the 'Grind' altogether; it interferes too much, don't you see, with my coaching. So I can make Tollitt keep her for you. Think how well the cup would look on your sideboard, when you've blossomed into a parient, and changed the adorable Patty into Mrs. Verdant. Think of that, Master Gig-lamps!"

Mr. Bouncer's argument was a persuasive one, and Mr. Verdant Green consented to be one of the twelve gentlemen, who cheerfully paid their sovereigns to be allowed to make their appearance as amateur jockeys at the forthcoming "Grind." After much debate, "the Wet Eynsham course" was decided upon; and three o'clock in the afternoon of that day fortnight was fixed for the start. Mr. Smalls gained kudos by offering to give the luncheon at his rooms; and the host of the Red Lion, at Eynsham, was ordered to prepare one of his very best dinners, for the winding up of the day's sport.

"I don't mind paying for it," said Verdant to Mr. Bouncer, "if I can but win the cup, and show it to Patty when she comes to us at Christmas."

"Keep your pecker up, old fellah! and put your trust in old beans," was Mr. Bouncer's reply.

CHAPTER XII

MR. VERDANT GREEN TAKES HIS DEGREE

DURING THE FORTNIGHT THAT INTERVENED between Mr. Bouncer's breakfast party and the Grind, Mr. Verdant Green got himself into training for his first appearance as a steeple-chase rider, by practising a variety of equestrian feats over leaping-bars and gorse-stuck hurdles, in which he acquitted himself with tolerable success, and came off with fewer bruises than might have been expected. At this period of his career, too, he strengthened his bodily powers by practising himself in those varieties of the "manly exercises" that found most favour in Oxford.

The adoption of some portion of these was partly attributable to his having been made a Mason; for, whenever he attended the meetings of his Lodge, he had to pass the two rooms where Mr. MacLaren conducted his fencing-school and gymnasium. The fencing-room—which was the larger of the two, and was of the same dimensions as the Lodge-room above it—was usually tenanted by the proprietor and his assistant (who, as Mr. Bouncer phrased it, "put the pupils through their paces"), and re-echoed to the sounds of stampings, and the cries of "On guard! quick parry! lunge!" with the various other terms of Defence and Attack, uttered in French and English. At the upper end of the room, over the fireplace, was a stand of curious arms, flanked on either side by files of single-sticks. The centre of the room was left clear for the fencing; while the lower end was occupied by the parallel bars, a regiment of Indian clubs, and a mattress apparatus for the delectation of the sect of jumpers.

Here Mr. Verdant Green, properly equipped for the purpose, was accustomed to swing his clubs after the presumed Indian manner, to lift himself off his feet and hang suspended between the parallel bars, to leap the string on to the mattress, to be rapped and thumped with single-sticks and boxing-gloves by anyone else than Mr. Blades (who had developed his muscles in a most formidable manner), and to go through his parades of *quarte* and *tierce* with the flannel-clothed assistant. Occasionally he had a fencing bout with the good-humoured Mr. MacLaren, who— professionally protected by his padded leathern *plastron*—politely and obligingly did his best to assure him, both by precept and example, of the truth of the wise old saw, "*mens sana in corpore sano.*"

The lower room at MacLaren's presented a very different appearance to the fencing-room. The wall to the right hand, as well as a part of the wall at the upper end, was hung around—not

"With pikes, and guns, and bows,"

like the fine old English gentleman's—but, nevertheless,

"With swords, and good old cutlasses,"

and foils, and fencing masks, and fencing gloves, and boxing gloves, and pads, and belts, and light white shoes. Opposite to the door was the vaulting-horse, on whose wooden back the gymnasiast sprang at a bound, and over which the tyro (with the aid of the spring-board) usually pitched himself headlong. Then, commencing at the further end, was a series of poles and ropes—the turning pole, the hanging poles, the rings, and the *trapeze*,—on either or all of which the pupil could exercise himself; and, if he had the skill so to do, could jerk himself from one to the other, and finally hang himself upon the sloping ladder, before the momentum of his spring had passed away. Mr. Bouncer, who could do most things with his hands and feet, was a very distinguished pupil of Mr MacLaren's; for the little gentleman was as active as a monkey, and—to quote his own remarkably figurative expression—was 'a great deal livelier than the Bug and Butterfly.'[1]

Mr Bouncer, then, would go through the full series of gymnastic performances, and finally pull himself up the rounds of the ladder, with the greatest apparent ease, much to the envy of Mr Verdant Green, who, bathed in perspiration, and nearly dislocating every bone in his body, would vainly struggle (in attitudes like to those of 'the perspiring frog' of Count Smorltork) to imitate his mercurial friend, and would finally drop exhausted on the padded floor.

And Mr Verdant Green did not confine himself to these indoor amusements; but studied the Oxford Book of Sports in various out-of-door ways. Besides his Grinds, and cricketing, and boating, and hunting, he would paddle down to Wyatt's, for a little pistol practice, or to indulge in the exciting amusement of rifle-shooting at empty bottles, or to practise, on the leaping and swinging poles, the lessons he was learning at MacLaren's, or to play at skittles with Mr Bouncer (who was very expert in knocking down three out of the four), or to kick football until he became (to use Mr Bouncer's expression) 'as stiff as a biscuit'.

Or he would attend the shooting parties given by William Brown, Esquire, of University House; where blue-rocks and brown rabbits were turned out of traps for the sport of the assembled bipeds and quadrupeds. The luckless pigeons and rabbits had but a poor chance for their lives; for, if the gentleman who paid for the privilege of the shot missed his rabbit (which was within the bounds of probability) the other guns were at once discharged, and the dogs of Town and Gown let slip. And, if any rabbit was nimble and fortunate enough to run this gauntlet with the loss of only a tail or ear, and, Galatea-like, 'fugit ad salices', and rushed into the willow-girt ditches, it speedily fell before the clubs of the 'cads', who were there to watch, and profit by the sports of their more aristocratic neighbours.[2]

Mr Verdant Green would also study the news of the day, in the floating reading-room of the University Barge; and, from these comfortable quarters, indite a letter to Miss Patty, and look out upon the picturesque river with its moving life of eights and four-oars sweeping past with measured stroke. A great feature of the river picture, just about this time, was the crowd of newly introduced canoes; their occupants, in every variety of bright-coloured shirts and caps, flashing up and down a double paddle, the ends of which were painted in gay colours, or emblazoned with the owner's crest. But Mr. Verdant Green, with a due regard for his own preservation from drowning, was content with looking at these cranky canoes, as they flitted, like gaudy dragon-flies, over the surface of the water.

Fain would the writer of these pages linger over these memoirs of Mr. Verdant Green. Fain would he tell how his hero did many things that might be thought worthy of mention, besides those which have been already chronicled; but, this narrative has already reached its assigned limits, and, even a historian must submit to be kept within reason able bounds.

The Dramatist has the privilege of escaping many difficulties, and passing swiftly over confusing details, by the simple intimation, that "An interval of twenty years is supposed to take place between the Acts." Suffice it, therefore, for Mr. Verdant Green's historian to avail himself of this dramatic art, and, in a very few sentences, to pass over the varied events of two years, in order that he may arrive at a most important passage in his hero's career.

The Grind came off without Mr. Verdant Green being enabled to communicate to Miss Patty Honeywood, that he was the winner of a silver cup. Indeed, he did not arrive at the winning post until half-an-hour after it had been first reached by Mr. Four-in-hand Fosbrooke on his horse *Tearaway;* for, after narrowly escaping a blow from the hatchet of an irate agriculturist who professed great displeasure at any one presuming to come a galloperin' and a tromplin' over his fences, Mr. Verdant Green finally "came to grief," by being flung into a disagreeably moist ditch. And though, for that evening, he forgot his troubles, in the jovial dinner that took place at *the Red Lion*, yet, the next morning, they were immensely aggravated, when the Tutor told them that he had heard of the steeple-chase, and should expel every gentleman who had taken part in it. The Tutor, however, relented, and did not carry out his threat; though Mr. Verdant Green suffered almost as much as if he had really kept it.

The infatuated Mr. Bouncer madly persisted (despite the entreaties and remonstrances of his friends) in going into the Schools clad in his examination coat, and padded over with a host of crams. His fate was a warning that similar offenders should lay to heart, and profit by; for the little gentleman was again plucked. Although he was grieved at this on "the Mum's" account, his mercurial temperament enabled him to thoroughly enjoy the Christmas vacation at the Manor Green, where were again gathered together the same party who had met there the previous Christmas. The cheerful society of Miss Fanny Green did much, probably, towards restoring Mr. Bouncer to his usual happy frame of mind; and, after Christmas, he gladly returned to his beloved Oxford, leaving Brazenface, and migrating ("through circumstances over which he had no control," as he said) to "the Tavern." But when the time for his examination drew on, the little gentleman was seized with such trepidation, and "funked" so greatly, that he came to the resolution not to trouble the Examiners again, and to dispense with the honours of a Degree. And so, at length, greatly to Mr. Verdant Green's sorrow, and "regretted by all that knew him," Mr. Bouncer sounded his final octaves and went the complete unicorn for the last time in a college quad., and gave his last Wine (wherein he produced some "very old port, my teacakes!—I've had it since last term!"), and then, as an undergraduate, bade his last farewell to Oxford, with the parting declaration, that, though he had not taken his Degree, yet that he had got through with great *credit*, for that he had left behind him a heap of unpaid bills.

By this time, or shortly after, many of Mr. Verdant Green's earliest friends had taken their Degrees, and had left college; and their places were occupied by a new set of men, among whom our hero found many pleasant companions, whose names and titles need not be recorded here.

When June had come, there was a "grand Commemoration," and this was quite a sufficient reason that the Miss Honeywoods should take their first peep at Oxford, at so favourable an opportunity. Accordingly there they came, together with the squire, and were met by a portion of Mr. Verdant Green's family, and by Mr. Bouncer; and there were they duly taken to all the lions, and initiated into some of the mysteries of college life. Miss Patty was enchanted with everything that she saw— even carrying her admiration to Verdant's undergraduate's gown—and was proudly escorted from college to college by her enamoured swain,

> "Pleasant it was, when woods were green,
> And winds were soft and low,"

when in a house-boat, and in four-oars, they made an expedition ("a wine and water party," as Mr. Bouncer called it) to Nuneham, and, after safely passing through the perils of the pound-locks of Iffley and Sandford, arrived at the pretty thatched cottage, and picnic'd in the round house, and strolled through the nut plantations up to Carfax hill, to see the glorious view of Oxford, and looked at the Conduit, and Bab's-tree, and paced over the little rustic bridge to the island, where Verdant and Patty talked as lovers love to talk.

Then did Mr. Verdant Green accompany his lady-love to Northumberland; from whence, after spending a pleasant month that, all too quickly, came to an end, he departed (via Warwickshire) for a continental tour, which he took in the company of Mr. and Mrs. Charles Larkyns (née Mary Green), who were there for the honeymoon.

Then he returned to Oxford; and when the month of May had again come round, he went in for his Degree examination. He passed with flying colours, and was duly presented with that much-prized shabby piece of paper, which was printed and written the following brief form:—

Green Verdant è Coll. Æn. Fac.
Die 28° *Mensis* Maii *Anni* 185—

Examinatus, prout Statuta requirunt, satisfecit nobis Examinatoribus.

Ita testamur
| J. Smith |
| Gul. Brown |
| Jac. L. Jones |
| R. Robinson |

Examinatores
in Literis
Humanioribus.

Owing to Mr. Verdant Green having entered upon residence at the time of his matriculation, he was obliged, for the present, to defer the putting on of his gown, and, consequently, of arriving at the *full* dignity of a Bachelor of Arts. Nevertheless, he had taken his Degree *de facto*, if not *de jure*; and he, therefore—for reasons which will appear—gave the usual Degree dinner, on the day of his taking his Testamur.

He also cleared his rooms, giving some of his things away, sending others to Richards's sale-rooms, and resigning his china and glass to the inexorable Mr. Robert Filcher, who would forthwith dispose of these gifts (much over their cost price) to the next Freshman who came under his care.

Moreover, as the adorning of college chimney-pieces with the photographic portraits of all the owner's college friends, had just then come into fashion, Mr. Verdant Green's beaming countenance and spectacles were daguerreotyped in every variety of Ethiopian distortion; and, enclosed in miniature frames, were distributed as souvenirs among his admiring friends.

Then, Mr. Verdant Green went down to Warwickshire; and, within three months, travelled up to Northumberland on a special mission.

1   A name given to Mr. Hope's Entomological Museum.

2   'The Vice-Chancellor, by the direction of the Hebdomadal Council, has issued a notice against the practice of pigeon-shooting, &c., in the neighbourhood of the University.' —*Oxford Intelligence*, Dec. 1854.)

CHAPTER THE LAST

MR. VERDANT GREEN IS MARRIED
AND DONE FOR

L ASTHOPE'S RUINED CHURCH, SINCE IT had become a ruin—which was
many a long year ago—had never held within its mouldering walls
so numerous a congregation as was assembled therein on one particular
September morning, somewhere about the middle of the present century.
It must be confessed that this unusual assemblage had not been drawn
together to see and hear the officiating Clergyman (who had never, at
any time, been a special attraction), although that ecclesiastical Ruin
was present, and looked almost picturesque in the unwonted glories of
a clean surplice and white kid gloves. But, this decorative appearance of
the Ruin, coupled with the fact that it was made on a week-day, was a
sufficient proof that no ordinary circumstance had brought about this
goodly assemblage.

At length, after much expectant waiting, those on the outside of the
Church discerned the figure of small Jock Muir mounted on his highly-
trained donkey, and galloping along at a tearing pace from the direction
of Honeywood Hall. It soon became evident that he was the advance
guard of two carriages that were being rapidly whirled along the rough
road that led by the rocky banks of the Swirl. Before small Jock drew

rein, he had struggled to relieve his own excitement, and that of the crowd, by pointing to the carriages and shouting, "Yon's the greums, wi' the t'other priest!" the correctness of which assertion was speedily manifested by the arrival of the "grooms" in question, who were none other than Mr. Verdant Green and Mr. Frederick Delaval, accompanied by the Rev. Mr. Larkyns (who was to "assist" at the ceremony) and their "best men;" who were Mr. Bouncer and a cousin of Frederick Delaval's. Which quintet of gentlemen at once went into the Church, and commenced a whispered conversation with the ecclesiastical Ruin. These circumstances, taken in conjunction with the gorgeous attire of the gentlemen, their white gloves, their waistcoats "equal to any emergency" (as Mr. Bouncer had observed), and the bows of white satin ribbon that gave a festive appearance to themselves, their carriage-horses, and postilions—sufficiently proclaimed the fact that a wedding—and that, too, a double one—was at hand.

The assembled crowd had now sufficient to engage their attention, by the approach of a very special train of carriages, that was brought to a grand termination by two travelling-carriages, respectively drawn by four greys, which were decorated with flowers and white ribbons, and were bestridden by gay postilions in gold-tasselled caps and scarlet jackets. No wonder that so unusual a procession should have attracted such an assemblage; no wonder that old Andrew Graham (who was there with his well-favoured daughters) should pronounce it "a brae sight for weak een."

As the clatter of the carriages announced their near approach to Lasthope Church, Mr. Verdant Green—who had been in the highest state of excitement, and had distractedly occupied himself in looking at his watch to see if it was twelve o'clock; in arranging his Oxford-blue tie; in futilely endeavouring to button his gloves; in getting ready, for the fiftieth time, the gratuity that should make the Ruin's heart to leap for joy; in longing for brandy and water; and in attending to the highly-out-of-place advice of Mr. Bouncer, relative to the sustaining of his "pecker"—Mr. Verdant Green was thereupon seized with the fearful apprehension that he had lost the ring; and after an agonizing and trembling search in all his pockets, was only relieved by finding it in his glove (where he had put it for safety) just as the double bridal procession entered the church.

Of the proceedings of the next hour or two Mr. Verdant Green never had a clear perception. He had a dreamy idea of seeing a bevy of ladies and gentlemen pouring into the church, in a mingled stream of bright-coloured silks and satins, and dark-coloured broadcloths, and lace, and ribbons, and mantles, and opera cloaks, and bouquets; and, that this bright stream, followed by a rush of dark shepherd's-plaid waves, surged up the aisle, and, dividing confusedly, shot out from their centre a blue coat and brass buttons (in which, by the way, was Mr. Honeywood), on the arms of which were hanging two white-robed figures, partially shrouded with Honiton-lace veils, and crowned with orange blossoms.

Mr. Verdant Green has a dim remembrance of the party being marshalled to their places by a confused clerk, who assigned the wrong brides to the wrong bridegrooms, and appeared excessively anxious that his mistake should not be corrected. Mr. Verdant Green also had an idea that he himself was in that state of mind in which he would passively have allowed himself to be united to Miss Kitty Honeywood, or to Miss Letitia Jane Morkin (who was one of Miss Patty's bridesmaids), or to Mrs. Hannah Moore, or to the Hottentot Venus, or to any one in the female shape who might have thought proper to take his bride's place. Mr. Verdant Green also had a general recollection of making responses, and feeling much as he did when in for his *vivâ voce* examination at college; and of experiencing a difficulty when called upon to place the ring on one of the fingers of the white hand held forth to him, and of his probable selection of the thumb for the ring's resting-place, had not the bride considerately poked out the proper finger, and assisted him to place the golden circlet in its assigned position. Mr Verdant Green had also a misty idea that the service terminated with kisses, tears, and congratulations; and that there was a great deal of writing and signing of names in two documentary-looking books; and that he had mingled feelings that it was all over, that he was made very happy, and that he wished he could forthwith project himself into the middle of the next week.

Mr. Verdant Green had also a dozy idea that he was guided into a carriage by a hand that lay lovingly upon his arm: and, that he shook a variety of less delicate hands that there were thrust out to him in hearty northern fashion; and, that the two cracked old bells of Lasthope Church made a lunatic attempt to ring a wedding peal, and only succeeded in producing music like to that which attends the hiving of bees; and, that he jumped into the carriage, amid a burst of cheering and God-blessings; and, that he heard the carriage-steps and door shut to with a clang; and, that he felt a sensation of being whirled on by moving figures and sliding scenery; and, that he found the carriage tenanted by one other person, and that person, his WIFE.

"My darling wife! My dearest wife! My own wife!" It was all that his heart could find to say. It was sufficient, for the present, to ring the tuneful changes on that novel word, and to clasp the little hand that trembled under its load of happiness, and to press that little magic circle, out of which the necromancy of Marriage should conjure such wonders and delights.

The wedding-breakfast—which was attended, among others, by Mr. and Mrs. Poletiss (*née* Morkin), and by Larkyns and his wife, who was now

> "The mother of the sweetest little maid
> That ever crow'd for kisses,"—

the wedding-breakfast, notwithstanding that it was such a substantial reality, appeared to Mr. Verdant Green's bewildered mind to resemble somewhat the pageant of a dream. There was the usual spasmodic gaiety of conversation that is inherent to bridal banquets, and toasts were proclaimed and honoured, and speeches were made—indeed, he himself made one, of which he could not recall a word. Sufficient let it be for our present purpose, therefore, to briefly record the speech of Mr. Bouncer, who was deputed to return thanks for the duplicate bodies of bridesmaids.

Mr. Bouncer (who with some difficulty checked his propensity to indulge in Oriental figurativeness of expression) was understood to observe, that on interesting occasions like the present, it was the custom for the youngest groomsman to return thanks on behalf of the bridesmaids; and that he, not being the youngest, had considered himself safe from this onerous duty. For though the task was a pleasing one, yet it was one of fearful responsibility. It was usually regarded as a sufficiently difficult and hazardous experiment, when one single gentleman attempted to express the sentiments of one single lady; but when, as in the present case, there were ten single ladies, whose unknown opinions had to be conveyed through the medium of one single gentleman, then the experiment became one from which the boldest heart might well shrink. He confessed that he experienced these emotions of timidity on the present occasion. (*Cries of "Oh!"*). He felt that to adequately discharge the duties entrusted would require the might of an engine of ten-bridesmaid power. He would say more, but his feelings overcame him. (*Renewed cries of "Oh!"*) Under these circumstances he thought that he had better take his leave of the subject, convinced that the reply to the toast would be most eloquently conveyed by the speaking eyes of the ten blooming bridesmaids. (*Mr. Bouncer resumes his seat amid great approbation.*)

Then the brides disappeared, and after a time made their re-appearance in travelling dresses. Then there were tears and "doubtful joys," and blessings, and farewells, and the departure of the two carriages-and-four (under a brisk fire of old shoes) to the nearest railway station, from whence the happy couples set out, the one for Paris, the other for the Cumberland Lakes; and it was amid those romantic lakes, with their mountains and waterfalls, that Mr. Verdant Green sipped the sweets of the honeymoon, and realized the stupendous fact that he was a married man.

The honeymoon had barely passed, and November had come, when Mr. Verdant Green was again to be seen in Oxford—a bachelor only in the University sense of the term, for his wife was with him, and they had rooms in the High Street. Mr. Bouncer was also there, and had prevailed upon Verdant to invite his sister Fanny to join them and be properly chaperoned by Mrs. Verdant. For, that wedding-day in Northumberland had put an effectual stop to the little gentleman's determination to refrain from the wedded state, and he could now say with Benedick, "When I said I would die a bachelor, I did not think I should live till I were married." But Miss Fanny Green had looked so particularly charming in her bridesmaid's dress, that little Mr. Bouncer was inspired with the notable idea, that he should like to see her playing first fiddle, and attired in the still more interesting costume of a bride. On communicating this inspiration (couched, it must be confessed, in rather extraordinary language) to Miss Fanny, he found that the young lady was far from averse to assisting him to carry out his idea; and in further conversation with her, it was settled that she should follow the example of her sister Helen (who was "engaged" to the Rev. Josiah Meek, now the rector of a Worcestershire parish), and consider herself as "engaged" to Mr. Bouncer. Which facetious idea of the little gentleman's was rendered the more amusing from its being accepted and agreed to by the young lady's parents and "the Mum." So here was Mr. Bouncer again in Oxford, an "engaged" man, in company with the object of his affections, both being prepared as soon as possible to follow the example of Mr. and Mrs. Verdant Green.

Before Verdant could "put on his gown," certain preliminaries had to be observed. First, he had to call, as a matter of courtesy, on the head of his college, to whom he had to show his Testamur, and whose formal permission he requested that he might put on his gown.

"Oh yes!" replied Dr. Portman, in his monosyllabic tones, as though he were reading aloud from a child's primer; "oh yes, cer-tain-ly! I was de-light-ed to know that you had pass-ed, and that you have been such a cred-it to your col-lege. You will o-blige me, if you please, by pre-sent-ing your-self to the Dean of Arts." And then Dr. Portman shook hands with Verdant, wished him good morning, and resumed his favourite study of the Greek particles.

Then, at an appointed hour in the evening, Verdant, in company with other men of his college, went to the Dean of Arts, who heard them read through the Thirty-nine Articles, and dismissed them with this parting intimation—"Now, gentlemen! I shall expect to see you at the Divinity School in the morning at ten o'clock. You must come with your bands and gown, and fees; and be sure, gentlemen, that you do not forget the fees!"

So in the morning Verdant takes Patty to the Schools, and commits her to the charge of Mr. Bouncer, who conducts her and Miss Fanny to one of the raised seats in the Convocation House, from whence they will have a good view of the conferring of Degrees. Mr. Verdant Green finds the precincts of the Schools tenanted by droves of college Butlers, Porters, and Scouts, hanging about for the usual fees and old gowns, and carrying blue bags, in which are the new gowns. Then— having seen that Mr. Robert Filcher is in attendance with his own particular gown—he struggles through the Pig-market,[1] thronged with bustling Bedels and University Marshals, and other officials. Then, as opportunity offers, he presents himself to the senior Squire Bedel in Arts, George Valentine Cox, Esq., who sits behind a table, and, in his polite and scholarly manner, puts the usual questions to him, and permits him, on the due payment of all the fees, to write his name in a large book, and to place "Fil. Gen."[2] after his autograph. Then he has to wait some time until the superior Degrees are conferred, and the Doctors and Masters have taken their seats, and the Proctors have made their apparently insane promenade.[3]

Then the Deans come into the ante-chamber to see if the men of their respective colleges are duly present, properly dressed, and have faithfully paid the fees. Then, when the Deans, having satisfactorily ascertained these facts, have gone back again into the Convocation House, the Yeoman Bedel rushes forth with his silver "poker," and summons all the Bachelors, in a very precipitate and far from impressive manner, with "Now, then, gentlemen! please all of you to come in! you're wanted!" Then the Bachelors enter the Convocation House in a troop, and stand in the area in front of the Vice-Chancellor and the two Proctors. Then are these young men duly quizzed by the strangers present, especially by the young ladies, who, besides noticing their own friends, amuse themselves by picking out such as they suppose to have been reading men, fast men, or slow men—taking the face as the index of the mind. We may be sure that there is a young married lady present who does not indulge in futile speculations of this sort, but fixes her whole attention on the figure of Mr. Verdant Green.

Then the Bedel comes with a pile of Testaments, and gives one to each man; Dr. Bliss, the Registrar of the University, administers to them the oath, and they kiss the book. Then the Deans present them to the Vice-Chancellor in a short Latin form; and then the Vice-Chancellor, standing up uncovered, with the Proctors standing on either side, addresses them in these words: "Domini, ego admitto vos ad lectionem cujuslibet libri Logices Aristotelis; et insuper earum Artium, quas et quatenus per Statuta audivisse tenemini; insuper autoritate mea et totius universitatis, do vobis potestatem intrandi scholas, legendi, disputandi, et reliqua omnia faciendi, quæ ad gradum Baccalaurei in Artibus spectant."

When the Vice-Chancellor has spoken these remarkable words (which, after three years of university reading and expense, grant so much that has not been asked or wished for), the newly-made Bachelors rush out of the Convocation House in wild confusion, and stand on one side to allow the Vice-Chancellarian procession to pass. Then, on emerging from the Pig-market, they hear St. Mary's bells, which sound to them sweeter than ever.

Mrs. Verdant Green is especially delighted with her husband's voluminous bachelor's gown and white-furred hood (articles which Mr. Robert Filcher, when helping to put them on his master in the ante-chamber, had declared to be "the most becomingest things as was ever wore on a gentleman's shoulders"), and forthwith carries him off to be photographed while the gloss of his new glory is yet upon him. Of course, Mr. Verdant Green and all the new Bachelors are most profusely "capped;" and, of course, all this servile homage—although appreciated at its full worth, and repaid by shillings and quarts of buttery beer—of course it is most grateful to the feelings, and is as delightfully intoxicating to the imagination as any incense of flattery can be.

What a pride does Mr. Verdant Green feel as he takes his bride through the streets of his beautiful Oxford! how complacently he conducts her to lunch at the confectioner's who had supplied their wedding-cake! how he escorts her (under the pretence of making purchases) to every shop at which he has dealt, that he may gratify his innocent vanity in showing off his charming bride! how boldly he catches at the merest college acquaintance, solely that he may have the proud pleasure of introducing "My wife!"

But what said Mrs. Tester, the bed-maker? "Law bless you, sir!" said that estimable lady, dabbing her curtseys where there were stops, like the beats of a conductor's *bâton*—"Law bless you, sir! I've bin a wife meself, sir. And I knows your feelings."

And what said Mr. Robert Filcher? "Mr. Verdant Green," said he, "I'm sorry as how you've done with Oxford, sir, and that we're agoing to lose you. And this I will say, sir! if ever there was a gentleman I were sorry to part with, it's you, sir. But I hopes, sir, that you've got a wife as'll be a good wife to you, sir; and make you ten times happier than you've been in Oxford, sir!"

And so say we.

1. The derivation of this word has already been given. See *The Adventures of Mr. Verdant Green*, p. 58.

2. i.e., Filius Generosi—the son of a gentleman of independent means.

3. See note, *The Adventures of Mr. Verdant Green*, p. 125.

THE END

Also available in the Nonsuch Classics series

LUMUMBA P., **1** : 141, 172, 176. — **2** : 50.

LUNEAU R., **1** : 165 n.

LUSSON P., **2** : 232 n., 279 n., 448.

LY A., **2** : 11 n., 24 n.

LYONS J., **1** : 112 n. — **2** : 448.

MABONA A., **2** : 127 n., 440.

MAC HARDY C., **1** : 278 n. — **2** : 440.

MACHEREY P., **1** : 190. — **2** : 445.

MACKAY C., **1** : 86, 88, 94. — **2** : 23, 47, 49.

MAGNIER B., **1** : 10 n. — **2** : 424.

MAIAKOVSKI, **1** : 142.

MAKOUTA-MBOUKOU J.-P., **2** : 102 n., 440.

MALCOLM X (Malcolm Little), **2** : 50.

MALINOWSKI B., **1** : 33 n.

MALKIEL Y., **2** : 450.

MALLARME, **1** : 110, 189, 307.
    2 : 16 n., 18, 21, 40, 47, 51, 54, 75, 85, 117 n., 157, 168, 171 n., 203, 206 n., 211, 297, 318, 327 n., 349 n., 412 n.

MALLET R., **2** : 48.

MALONGA J., **2** : 22 n., 440.

MALRAUX, **1** : 50, 68, 196. — **2** : 22 n., 67 n., 125 n., 426, 445.

MANNONI D.-O., **1** : 88. — **2** : 16 n., 28 n., 48, 440.

MANSO P., **1** : 248 n.

MAO TSE-TOUNG, **1** : 172, 364.

MARAN R., **1** : 36, 39, 81, 88 n., 152, 303, 361, 382. — **2** : 40, 49, 96, 440.

MARC AURELE, **2** : 48.

MARCHAIS R. des, **1** : 37.

MARCHAND H., **2** : 206 n., 448.

MARITAIN J., **2** : 21.

MARONE, **2** : 9 n., 50.

MARQUET M.-M., **1** : 400 n. — **2** : 426.

MARTEAU P., **1** : 232 n., 236 n. — **2** : 164 n., 423.

MARTINEAU M., **1** : 390 n. — **2** : 431.

MARTINET A., **2** : 102, 448.

MARTONNE E. de, **1** : 277 n. — **2** : 440.

MARX, **1** : 31 n., 41, 84 n., 172, 287. — **2** : 21, 22 n.

MATISSE, **2** : 51.

MATSWA A., **1** : 94 n.

MAUGEE A., **2** : 17 n., 423.

MAUNICK E. J., **1** : 47, 210 n. — **2** : 405 n., 440.

MAUNY R., 1 : 70 n.

MAUPASSANT, 2 : 22n.

MAURIAC F., 2 : 22 n., 48, 111.

MAURO T. de, 2 : 449.

MAUROIS A., 1 : 170 n.

MAURON Ch., 2 : 357, 445.

MAYNARD F., 2 : 48.

MEILLET A., 2 : 370 n., 386 n.

MELONE Th., 1 : 59 n., 63 n., 118, 355, 358, 379 n., 386 n., 389, 401 n.
    2 : 32, 35 n., 37, 93, 431.

MEMEL-FOTE H., 1 : 335 n. — 2 : 440.

MEMMI A., 1 : 33 n., 35 n., 40 n., 61, 88 n., 186 n. — 2 : 440.

MENIL R., 1 : 7, 43 n., 294 n., 296, 300, 364 n., 868.
    2 : 73, 87 n., 165 n., 297, 400, 408, 409, 411, 431.

MERCIER R., 1 : 7, 401 n., — 2 : 16 n., 18 n., 71 n., 72 n., 75 n., 424, 431.

MERIMEE, 1 : 252. — 2 : 22 n.

MESCHONNIC H., 1 : 6 n., 17, 101. — 2 : 232 n., 235, 282, 448.

METELLUS J., 1 : 379 n.

MEZU S. O., 1 : 212 n., 231, 268, 399 n. — 2 : 10, 77, 78 n., 167, 168, 426.

MICHELOUD P., 2 : 48.

MILLER G. A., 1 : 195 n. — 2 : 446.

MILOSZ, 2 : 48.

MOBUTU S. S., 1 : 369 n.

MODIGLIANI, 1 : 278.

MOFOLO Th., 2 : 41, 440.

MOISE, 1 : 80.

MOLES A., 1 : 99 n. — 2 : 445.

MOLINET J., 2 : 14 n.

MOLINO J., 2 : 177 n., 448.

MONNEROT J., 2 : 154 n., 445.

MONOD-HERZEN, 1 : 34 n.

MONTESQUIEU, 1 : 100, 378.

MONTHERLANT, 2 : 111.

MOORE G., 1 : 57 n., 398 n. — 2 : 63, 164 n., 380, 390 n., 424, 431.

MORAND P., 1 : 91 n.

MOREAS J., 1 : 2. — 2 : 19, 48.

MORVAN J.-J., 2 : 38 n., 109 n., 426.

MORY Ph., 1 : 181, 182.

MOUMOUNI A., 1 : 159 n., 160 n., 173 n., 174, 178, 180 n., 182 n., 184.
    2 : 440.

MOUNIER E., 2 : 11 n.

MOUNIN G., **1** : 6 n., 65 n. — **2** : 101, 102, 194 n., 448.

MOURALIS B., **1** : 178 n. — **2** : 431.

MPHAHLELE E., **1** : 43 n., 57, 91, 243 n., 356, 358, 387 n., 403, 404. **2** : 84, 85, 87 n., 169, 170, 231 n., 400, 402, 409, 432.

MUEHLMANN W. E., **1** : 94 n. — **2** : 440.

MULELE P., **1** : 359.

MULLER Ch., **2** : 14 n.

MUNRO D., **2** : 431.

MUSSET, **1** : 241. — **2** : 14 n., 16, 48, 71, 136, 409.

MVENG E., **1** : 73 n., 204 n., 350 n. — **2** : 126 n., 146, 440.

NADEAU M., **2** : 69 n., 81 n., 423.

NANTET J., **1** : 166 n. — **2** : 8 n., 432.

NARDAL P., **1** : 94, 390 n.

NATA T., **1** : 43 n., 47 n., 367 n. — **2** : 432.

NAU J.-A., **1** : 296.

N'DAW A., **1** : 327 n. — **2** : 125, 440.

N'DIAYE J.-P., **1** : 49, 54, 176, 215, 388 n. — **2** : 440.

N'DIAYE P. G., **1** : 243 n. — **2** : 60 n., 104 n., 426.

NENEKHALY-CAMARA C., **2** : 56 n., 82 n., 432.

NERVAL, **2** : 15, 47 n., 53, 71.

NEZVAL V., **1** : 364 n.

NGAL M. a M., **2** : 73 n., 167 n., 423.

NGANDE Ch., **2** : 408 n., 432.

NGATE J., **2** : 73 n., 85 n., 423.

NIANGORAN-BOUAH G., **1** : 350 n. — **2** : 441.

NIETZSCHE, **1** : 374. — **2** : 20.

NIGER P., **1** : 12, 91, 95, 105, 109, 115, 117, 123, 128, 134 n., 140 n., 144, 207, 225, 243, 245, 247, 253, 274, 281, 287, 295, 300, 319 n., 323 n., 325, 343, 353, 376, 382, 384, 397.
2 : 21, 39, 61, 66, 69, 70, 75, 79, 98, 143, 145, 165, 183, 187, 188, 192, 198, 200, 202, 209, 221, 224, 225, 237, 240, 246, 249, 254, 258, 263, 267 n., 285, 287, 307, 313, 317, 325, 327, 330 n., 357, 400, 411, 417.

NIONSON, **2** : 154.

N'KRUMAH K., **1** : 53, 70 n., 359. — **2** : 49.

NORDMANN-SEILER A., **2** : 8 n., 432.

NOVALIS, **2** : 16 n., 87 n., 408.

NYEKI L., **2** : 231 n., 281 n., 448.

OBENGA Th., **1** : 69 n., 71 n., 82 n., 248 n. — **2** : 441.

OBERLE Ph., **1** : 168 n.

OGOTOMMELI, **2** : 123, 156.

RAKOTO-RATSIMAMANGA A., **2** : 14 n., 16 n., 29 n., 69 n., 81 n., 85 n.

RALAIMONGO J., 1 : 94.

RANAIVO F., **1** : 12, 91, 105, 109, 112, 113, 115, *119-120*, 121, 123, 124, 128, 129, 132, 139, 140, 143, 166, 200, 222, 225, 230, 252, 254 n., 266, 268 276, 295, 296, 303, 315 n., 322 n., 340, 343, 351, *352-353*, 362, 405.
2 : 16 n., 22, 28, 43, 48, 51, 52, 56, 58, 59, 60, 62, 63, 65, 76, 84, 103, 120, 121 n., 133, 139, 140, 169, 187, 189, 190, 191, 192, 199, 201, 202, *207-208*, 224, 225, 237, 248, 258, 263, *264-265*, 268, 288, 295, 297, 307, 325, 328, *346*, 357, 401, 405, 409, 410, 417, 425, 432, 441.

RANAVALONA, 1 : 257. — **2** : 48, 76.

RANDEAU R., **2** : 118 n.

RAUVILLE C. de, **2** : 29 n., 425.

RAVEL, **2** : 74 n.

REBOUX P., **2** : 14 n.

REED J., 1 : 296. — **2** : 426.

REGISMANSET C., 1 : 300 n., 313 n. — **2** : 445.

RENAN, **2** : 13, 48.

RESCOUSSIE P., **1** : 173 n. — **2** : 442.

REVERDY P., **2** : 164.

REYGNAULT C., **1** : 179. — **2** : 430.

RHODES E. H., **2** : 312 n., 348 n., 424.

RIBOT Th., **2** : 14 n.

RICARD A., **1** : 86 n. — **2** : 432.

RICHARD-MOLARD J., 1 : 67 n. — **2** : 442.

RICŒUR P., **1** : 189 n., 192. — **2** : 345, 449.

RIFFATERRE M., **1** : 17, 99 n., 101, 191, 195, 196. — **2** : 275, 331 n., 449.

RILKE R. M., **2** : 16 n., 81.

RIMBAUD, **1** : 110.
2 : 14 n., 16, 17, 20 n., 21, 35, 51, 72 n., *73-75*, 76, 77, 82, 85, 88, 95, 154, 164 n., 168, 171 n., 184, 193, 409.

RIMSKY-KORSAKOV N., **2** : 50.

RIVAROL A. de, **2** : 95.

ROBERT G., **2** : 355.

ROBESON P., 1 : 81. — **2** : 49.

RODRIGUEZ A., **2** : 50 n.

ROMAINS J., **2** : 22 n., 48.

RONSARD, **2** : 27, 61, 66, 355.

ROUBAUD J., **2** : 232 n., 239 n., 265 n., 279 n., 449.

ROUCH J., **2** : 87 n., 432.

ROUMAIN J., **1** : 10, 12, 39, 60, 84, 105, 115, 122, 123, 124, 127, 129, 130, 134 n., *137*, 140, 141, 142, 143, 148, 155, 175, 203, 207, 222, 224, 225, 243, 247, 248, 267, 281, 286, 298, 303, 313, 343, 353, 370, 372, 376, 377, 378, 382, 387, 397, 398, 401 n., 404, 405.

ROUMAIN J. (suite) :
   2 : 13, 18, 22, 44, 47, 48, 50, 56, 57, 62, 70, 82, 84, 143, 145, 147, 189, 190, 191, 192, 199, 201, 211, 222, 225, 236, 237, 246, 249, 254, 259, 263, 268, 288, 307, 325, 357, 408, 418, 442.

ROUS J., **1** : 163. — **2** : 362 n., 426.

ROUSSEAU J.-J., **2** : 13, 22 n.

ROUSSELOT P.-J., **2** : 235.

ROUSSET J., **2** : 340 n., 445.

ROY C., **1** : 359.

RUTTEN P. M. van, **2** : 339 n., 449.

RUWET N., **1** : 17, 103, 193 n. — **2** : 449.

SADJI A., **1** : 277 n. — **2** : 442.

SAINT-JOHN PERSE, **1** : 2, 120, 124 n., 199, 210, 283.
   2 : 9, 10, 11 n., 12, 20, 21, 25, 26, 40, 51, *78-80*, 88, 129, 152 n., 177, 216 n., 273, 289, 301, 338, 339 n., 403, 409, 411.

SAINT-SIMON, **2** : 11.

SAINT-VICTOR H. de, **1** : 310 n.

SAINVILLE L., **1** : 186 n. — **2** : 21 n., 442.

SAMAIN A., **2** : 51.

SAMB A., **1** : 402 n. — **2** : 34, 442.

SAME Lotin, **1** : 94.

SAPIR E., **1** : 192. — **2** : 102, 204 n., 449.

SAR A., **1** : 160 n. — **2** : 442.

SARTRE, **1** : 4, 13 n., 28, 43, 48, 51, 52 n., 62, 65, 70 n., 90, 97, 98, 108 n., 118, 142, *154-155*, 156, 157, 172, 206, *213-214*, 232, 254, 256, *258-260*, 262, 270, 279, 298, 323, 325, 326, 363, 364 n., 367, 370, 374.
   2 : 22 n., 36, 38 n., 83, 99 n., 101, 104 n., 134, 136, 146, 163 n., 164 n., 167, 358 n., 362 n., 403, 404, 405 n., 410, 412, 432.

SAUSSURE F. de, **1** : 19, 192, 195, 239 n. — **2** : 210 n., 298, 300, 449.

SAUTEREAU S., **2** : 411 n., 423.

SAUVAGE M., **1** : 73, 299 n. — **2** : 442.

SCHIPPER de LEEUW M., **1** : 339 n. — **2** : 423.

SCHOELCHER V., **1** : 31, 37 n., 64 n., 70, 72 n. — **2** : 442.

SCHURE E., **1** : 70.

SCHUSTER J., **1** : 319, 371 n. — **2** : 423.

SEARLE J. R., **1** : 145. — **2** : 449.

SEBEOK Th., **1** : 16. — **2** : 449.

SECK A., **1** : 60 n. — **2** : 432.

SELIGMANN C. G., **1** : 60. — **2** : 442.

SELLIN E., **2** : 73 n., 81 n., 164, 423.

SEMBENE O., **1** : 105 n., 182. — **2** : 382 n.

THOMAS L.-V., 1 : 28, 29 n., 38 n., 52, 67 n., 70 n., 94, 165 n., 252, 350 n.
2 : 116 n., 426, 433, 443.

THOMAS d'AQUIN, 2 : 22 n.

TIDIANY C. S., 1 : 32 n. — 2 : 443.

TIDJANI-SERPOS N., 1 : 43 n. — 2 : 433.

TILL E., 1 : 377, 378.

TILLOT R., 2 : 278 n., 280 n., 287 n., 426.

TIROLIEN G., 1 : 12, 13, 90, 95, 103, 115, 119, 120, 123, 128, 129, 131, 140,
141, *144*, 207, 229, 245, 253, *270*, 274, 287 n., 292, 295, 296, 300, 319 n.,
325, 341 n., 343, 353, 376, 382, 384, 386, 393, 397,
2 : 18, 21, 24, 39, 47, 49, 51, 53, 57, 61, 62, *63*, 70, 71, 75, *77-78*, 82, 88, 146 n.,
165, 189, 190, 192, 196, 201, 211, 221, 222, 224, 225, 236-237, 242, 246,
249, 254, 263, 267 n., 268, 269, *276-277*, 278, 288, 300, 307, 312-313, 317,
318-319, 325, 331, 357, 405, 411, 419, 427.

TITOV G. S., 1 : 281.

TODOROV T., 1 : 16, 190, 197 n., 328 n. — 2 : 445, 450.

TOLEN Aron, 1 : 401 n.

TOOMER J., 2 : 23.

TOUGAS G., 1 : 108 n. — 2 : 433.

TOULET P.-J., 2 : 18, 19, 21, 47 n., 51, 76, 184, 250, 409, 411.

TOURE A. S., 1 : 106 n., 156, 355, 359, 367 n., 373-374. — 2 : 443.

TOWA M., 1 : 6 n., 40 n., 43 n., 47 n., 97 n., 107 n., 108 n., 234 n., 244 n.,
258, 344 n., 345, 358, 359, 364 n., 382, 393, 400 n.
2 :163 n., 400, 426, 433.

TRAORE B., 2 : 42, 401 n., 434.

TRIOLET E., 1 : 141.

TRONCHON J., 1 : 361 n. — 2 : 443.

TROUILLOT H., 1 : 85 n. — 2 : 434.

TUTUOLA A., 2 : 109, 443.

TYNIANOV J., 2 : 412 n.

UM NYOBE R., 1 : 361 n.

VALDMAN A., 2 : 184, 185, 186, 450.

VALERY, 1 : 28, 101.
2 : 68, 69, 71 n., 76, 79, 84, 111, 157, 184, 193, 194 n., 317 n., 343-344, 371 n.

VALETTE J., 2 : 60, 425.

VALETTE P., 1 : 159 n., 351, 352. — 2 : 425.

VAUVENARGUES, 2 : 13.

VELTEN A., 2 : 411 n., 423.

VERANE L., **2** : 19, 47.

VERGIAT A.-M., **1** : 32 n., 330 n. — **2** : 443.

VERHAEREN, **2** : 18, 51.

VERLAINE, **1** : 110. — **2** : 14 n., 16, 18, 51, 75, 76, 260, 273.

VIGNY, **2** : 14 n., 16 n., 22 n., 94 n.

VILLON, **1** : 110. — **2** : 14 n.

VIRGILE, **2** : 13 n., 50, 53, 59.

VITRAC R., **2** : 11 n., 331 n.

VOLNEY C., **1** : 70, 75.

VOLTAIRE, **1** : 170 n. — **2** : 14 n., 22 n.

WADE A., **2** : 407 n., 443.

WAGNER R., **2** : 225 n.

WAKE C., **1** : 296, 364 n., 365 n. — **2** : 79 n., 80 n., 426, 434.

WALLON H. **1** : 18.

WARNER K. Q., **1** : 267 n. — **2** : 77, 424, 427.

WARREN A., **1** : 15. — **2** : 445.

WASHINGTON G., **2** : 50.

WASHINGTON B. T., **1** : 86. — **2** : 50.

WAUTHIER C., **1** : 53 n., 157. — **2** : 434.

WEINREICH U., **1** : 15. — **2** : 450.

WELLEK R., **1** : 15. — **2** : 445.

WESTERMANN D., **1** : 32, 33, 34, 39, 60, 70 n.
      2 : 22, 67 n., 106, 107 n., 435, 443.

WHITELEY W. H., **2** : 87 n., 434.

WHITMAN W., **2** : 50.

WHORF B. L., **1** : 192. — **2** : 102, 287 n.

WILLIAMS D., **1** : 370 n. — **2** : 427.

WILLIAMS H., **1** : 86.

WOLF J., **1** : 107 n., 369 n. — **2** : 18 n., 136 n., 137 n., 427.

WOODON C. G., **1** : 77 n.

WRIGHT R., **1** : 49, 62 n., 176, 366. — **2** : 22 n., 443.

YAO M., **1** : 168 n., 170 n.

YENA I., **1** : 180 n. — **2** : 443.

YOYO E., **2** : 16 n., 40 n., 79 n., 88 n., 130 n., 423.

TABLE DES MATIERES

Dépôt légal : mai 1992
Numéro d'impression : 5166

ACHEVÉ D'IMPRIMER
SUR LES PRESSES
DE L'IMPRIMERIE S.E.G.
33, RUE BÉRANGER
CHATILLON-SOUS-BAGNEUX